普通高等教育教材

机械工程基础

（立体化教程）

张丽杰　王晓燕　徐来春　主编

化学工业出版社
·北京·

内容简介

本书是机械工程、机械设计制造及其自动化等专业学生必修课程“机械工程基础”的配套教材，是依据专业教学大纲和本科人才培养方案要求编写而成的。本书分为三篇十四章：机械制图篇涵盖从投影原理到零件图识读的完整知识链，机械设计基础篇聚焦机构与传动系统设计基础知识，工程材料及机械制造基础篇贯通“材料-工艺-加工”技术路线。每章均由基本要求（包括学习目标、学习重难点）、知识要点及分析、典型例题解析及习题、拓展知识四部分组成。同时，本书以“创新精神”“使命担当”“家国情怀”“奋斗精神”等设计拓展知识，为培养严谨求实和精益求精的科学精神筑牢基础。

本书是高等院校机械大类相关专业的教材，同时也可供机械领域相关技术人员学习。

图书在版编目（CIP）数据

机械工程基础：立体化教程 / 张丽杰，王晓燕，徐来春主编. -- 北京：化学工业出版社，2025. 9.
（普通高等教育教材）. -- ISBN 978-7-122-48828-2

Ⅰ. TH

中国国家版本馆 CIP 数据核字第 2025J86H30 号

责任编辑：金林茹　　文字编辑：周　童　孙月蓉
责任校对：李雨晴　　装帧设计：王晓宇

出版发行：化学工业出版社
（北京市东城区青年湖南街 13 号　邮政编码 100011）
印　　装：天津千鹤文化传播有限公司
787mm×1092mm　1/16　印张 15¾　字数 387 千字
2026 年 4 月北京第 1 版第 1 次印刷

购书咨询：010-64518888　　售后服务：010-64518899
网　　址：http://www.cip.com.cn
凡购买本书，如有缺损质量问题，本社销售中心负责调换。

定　　价：69.00 元

前言

PREFACE

“机械工程基础”是机械工程、机械设计制造及其自动化等专业学生必修的一门专业基础课程，旨在为学生学习后续课程和未来从事制图、设计、制造等工作奠定基础。本书是“机械工程基础”课程的配套教材。

机械工程基础涵盖内容非常广泛，本书主要介绍机械制图、机械设计基础、工程材料及机械制造基础三大部分的主要内容，使学生明确相关内容的学习目标、重难点知识。同时为进一步夯实思政效果，本书以“创新精神”“使命担当”“家国情怀”“奋斗精神”等设计。拓展知识，旨在拓宽学生视野，启发学生思维，提高学生素养。另外，本书在纸质教材基础上配套了数字资源，在保持传统教材系统性、规范性的基础上，体现了内容丰富性、互动性，有利于激发学生学习兴趣和主动性。

本书共三篇十四章，机械制图篇包括制图基础知识、立体投影、工程图样的表达方法、零件图等；机械设计基础篇包括常用机构、轮系、机械传动、连接和轴系零部件等；工程材料及机械制造基础篇包括材料的种类和性能、常用金属材料、金属材料的改性与成形、机械制造基础知识和机械制造常用方法等。

本书由张丽杰、王晓燕、徐来春任主编，谢霞、郝振洁、鞠丽梅任副主编，参加编写的还有王云、刘雅倩、李改灵、李立华、徐柳、张健、白丽娜、王文照、杨甫勤、王艳红、马超、张晓丽、孙爱丽。

由于编者水平有限，书中有不妥之处，敬请读者批评指正。

编者

扫码获取资源

目录

CONTENTS

第一篇　机械制图

第二篇　机械设计基础

第一篇　机械制图

第一章 制图基础知识

【学习目标】

1. 能够简要说出机械工程基础的发展历史和主要学习内容；
2. 能够利用基本绘图工具和仪器绘制符合国家标准规定的简单平面图形；
3. 会查阅相关国家标准。

【学习重难点】

1. 制图国家标准的基本规定；
2. 平面图形的线段分析和尺寸分析；
3. 利用绘图工具绘制简单平面图形。

第一节　工程制图的基本规范及规则

一、图纸幅面及格式（GB/T 14689—2008）

1. 图纸幅面

图纸幅面是指图纸的宽度与长度（$B\times L$）围成的图纸面积。绘制工程图样时，优先采用 A0、A1、A2、A3、A4 五种基本幅面。当基本幅面不能满足布图要求时，允许使用加长幅面。

2. 图框格式

图纸上限定绘图区域的线框为图框，必须用粗实线画出。其格式分留装订边和不留装订边两种，如图 1-1 和图 1-2 所示。同一种产品的图样只能采用一种格式。

3. 标题栏

每张图纸必须画出标题栏，标题栏的格式和尺寸按 GB/T 10609.1—2008 的规定绘制。

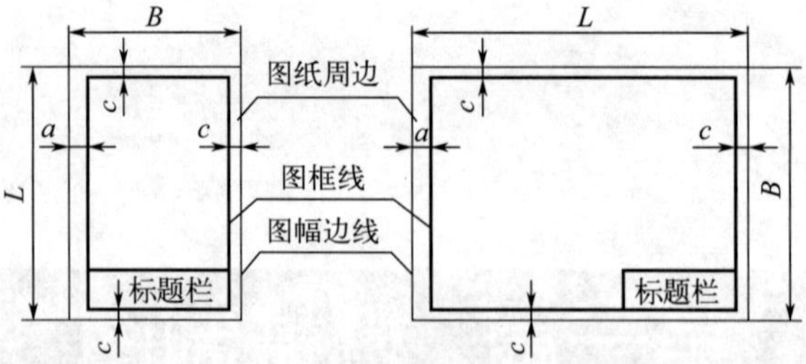

图 1-1　留装订边的图框格式

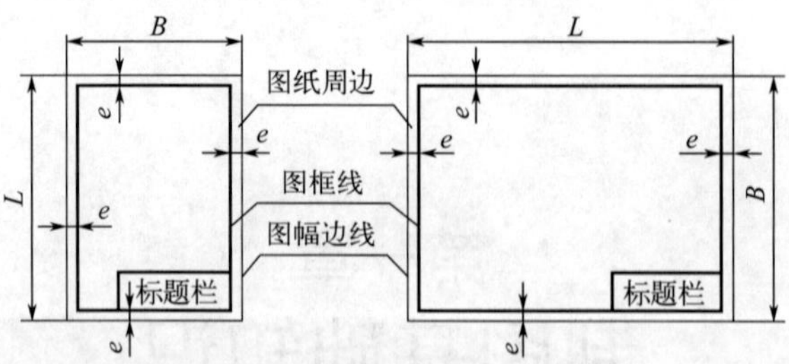

图 1-2　不留装订边的图框格式

在制图作业中标题栏建议采用图 1-3 所示形式。

标题栏一般位于图框的右下角，当标题栏的长边置于水平方向并与图纸的长边平行时，构成 X 型图纸。当标题栏的长边与图纸的长边垂直，构成 Y 型图纸。一般情况下，看图方向与看标题栏方向一致。

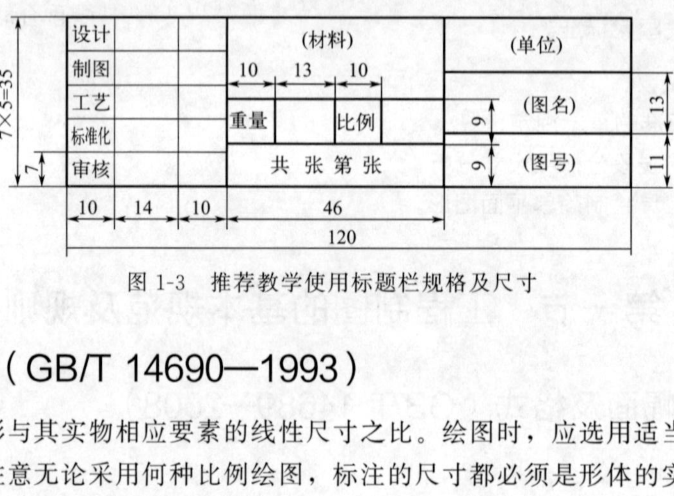

图 1-3　推荐教学使用标题栏规格及尺寸

二、比例（GB/T 14690—1993）

比例是指图形与其实物相应要素的线性尺寸之比。绘图时，应选用适当的比例，尽量采用原值比例。应注意无论采用何种比例绘图，标注的尺寸都必须是形体的实际尺寸。

三、字体（GB/T 14691—1993）

字体是指图样中汉字、字母和数字的书写形式。书写字体必须做到：字体工整、笔画清楚、间隔均匀、排列整齐。

字体高度（h），单位为 mm。其公称尺寸系列为 1.8、2.5、3.5、5、7、10、14、20 八种。如需要更大的字，其字体高度应按$\sqrt{2}$的比率递增。

1. 汉字

汉字应写成长仿宋体，并应采用我国正式公布推行的简化汉字。字的高度不应小于

3.5mm，字宽与字高的关系一般为 $h/\sqrt{2}$。

长仿宋体汉字的书写要领：横平竖直、注意起落、字体端正、结构匀称、填满方格。

2. 字母和数字

字母和数字分 A 型和 B 型两类。A 型字的笔画宽度（d）为字高（h）的十四分之一，B 型字的笔画宽度（d）为字高（h）的十分之一。在同一图样上，只允许选用一种形式的字体。字母和数字均可写成直体或斜体。斜体字头向右倾斜与水平基准线成 75°。

四、图线（GB/T 17450—1998 和 GB/T 4457.4—2002）

GB/T 17450—1998 规定了绘制各种技术图样的基本线型。GB/T 4457.4—2002 中规定了机械制图中所用图线的一般规则，适用于机械工程图样。

机械制图中采用粗、细两种线宽，比例为 2∶1，设粗线的线宽为 d，d 应在 0.25、0.35、0.5、0.7、1、1.4、2mm 中根据图样的类型、尺寸、比例和微缩复制的要求确定。表 1-1 摘录了机械工程图样中几种图线的名称、线型和主要应用。

图线的画法应遵循以下要求：

① 在一张图中，同类图线的宽度应一致，各线型的线素长度应各自大致相等。

② 虚线、点画线、双点画线的相交处应是线段，而不是点或间隔处。

③ 虚线在粗实线的延长线上时，虚线应留出空隙。

④ 细点画线伸出轮廓线的长度一般为 2～3mm。当细点画线较短时，允许用细实线代替。点画线和双点画线的首末两端应是长画，而不是短画。

⑤ 图线重合时应遵循以下绘制原则：当两种或两种以上的图线重合时，其重合部分应视线型的优先顺序而定。例如，粗实线和细虚线重合时，应画粗实线；细虚线与细点画线重合时，应画细虚线。

表 1-1　图线名称、线型及应用

图线名称	基本线型	一般应用
粗实线	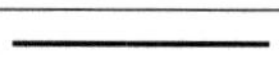	可见棱线、可见轮廓线、相贯线
细实线	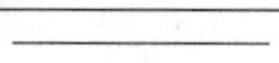	尺寸线、尺寸界线、剖面线、重合断面的轮廓线
细波浪线		机件断裂处的边界线、视图与局部剖视图的分界线
细双折线	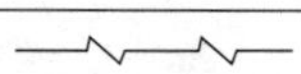	断裂处的边界线
细虚线	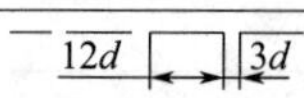	不可见棱线、不可见轮廓线
粗虚线	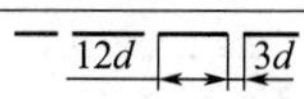	允许表面处理的表示线
细点画线	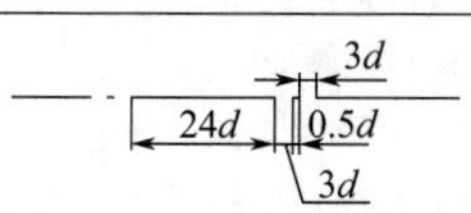	轴线、对称中心线
粗点画线	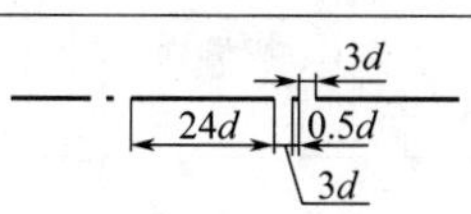	限定范围的表示线
细双点画线	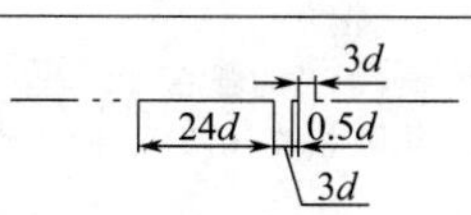	相邻辅助零件的轮廓线、可动零件的极限位置的轮廓线、剖切面前的结构轮廓线、中断线

五、尺寸标注（GB/T 4458.4—2003）

1. 基本规则

① 图样中的尺寸以毫米为单位时，不用注明，否则必须标注相应的单位符号。

② 图样中所注尺寸是零件的真实大小，与绘制比例和绘图准确度无关。

③ 零件的每一个尺寸，在图样中只标注一次，并应标注在反映该结构最清晰的图形上。

④ 图样中标注的尺寸是该零件的完工尺寸，与中间工序尺寸无关，否则应另加说明。

2. 尺寸要素

图样上每一个尺寸，都是由尺寸界线、尺寸线和尺寸数字组成。

（1）尺寸界线

表示所注尺寸的起止范围，用细实线绘制，并应由图形轮廓线、轴线或对称中心线引出，也可用这些图线代替。

（2）尺寸线

表示所注尺寸的方向，用细实线绘制。尺寸线终端有箭头和斜线两种形式。在同一图样中，尺寸线终端只能采用其中一种形式，一般采用箭头形式。尺寸线不能用其他图线代替，也不得与其他图线重合或画在其他线的延长线上。

（3）尺寸数字

一般应注写在尺寸线的上方，也允许注写在尺寸线的中断处。国标规定了一些注写在尺寸数字前面的符号，是对数字标注的补充与说明，如直径符号 ϕ 和半径符号 R 等。尺寸数字不得被任何图线通过，当无法避免时，必须把图线断开。

第二节　平面图形的绘制

一、圆弧连接

圆弧连接是指用已知半径的圆弧将两个几何元素（如直线、圆、圆弧）光滑连接。可看作几何图形间的相切问题，其中连接点为切点。将不同几何元素连接起来的圆弧称为连接圆弧。其几何作图方法及步骤，见表 1-2。

表 1-2　圆弧连接的作图

连接方式	已知条件	作图步骤	图例
圆弧连接两相交直线	直线 AB、CD，连接圆弧半径 R	①分别作与两已知直线 AB、CD 相距为 R 的平行线 L_1、L_2，得交点 O，即半径为 R 的连接弧的圆心； ②自点 O 分别向 AB 及 BC 作垂线，得垂足 K_1 和 K_2，即为切点； ③以 O 为圆心，R 为半径，自点 K_1 至 K_2 画圆弧，即为所求圆弧	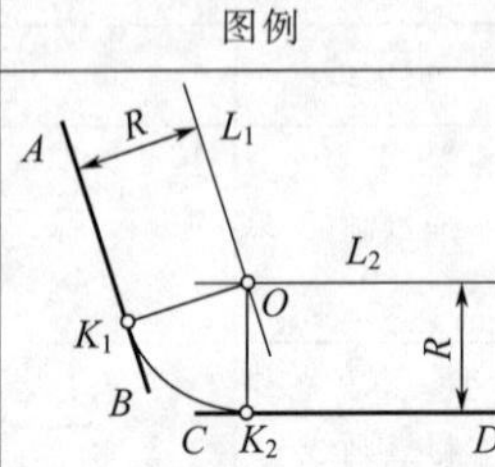
圆弧与两已知圆内切	两已知圆 O_1、O_2，连接圆弧半径 R	①分别以 O_1、O_2 为圆心，以 $(R-R_1)$ 和 $(R-R_2)$ 为半径作圆弧，两弧相交于 O 点，即为所求圆弧的圆心； ②连线 OO_1 和 OO_2，分别与两已知圆相交于 T_1、T_2，即为切点	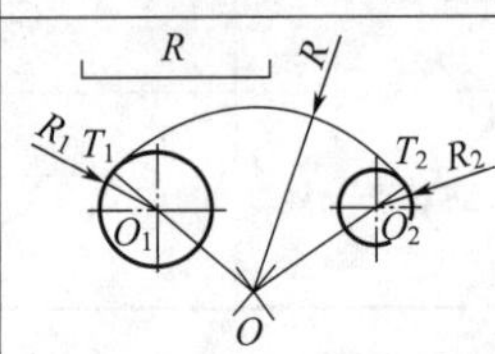

续表

连接方式	已知条件	作图步骤	图例
圆弧与两已知圆外切	两已知圆 O_1、O_2，连接圆弧半径 R	①分别以 O_1、O_2 为圆心，以 $(R+R_1)$ 和 $(R+R_2)$ 为半径作圆弧，两弧相交于 O 点，即为所求圆弧的圆心；②连线 OO_1 和 OO_2，分别与两已知圆相交于 T_1、T_2，即为切点	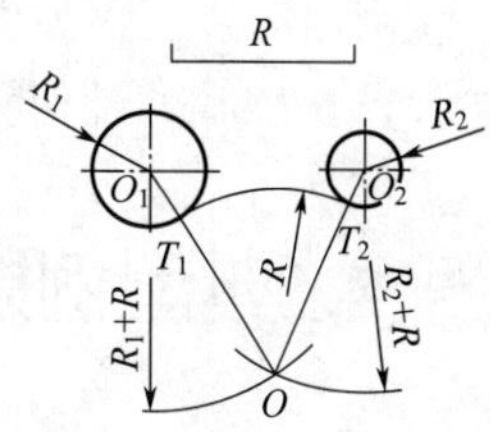

二、平面图形分析

平面图形的构型元素一般有直线段、正多边形、圆弧和圆。平面图形一般是由一个或多个元素组成的封闭图形。一个平面图形能否正确地绘制出来，要看所给的尺寸是否完整、正确，同时画图的先后顺序也与线段在图形中的位置和所给的尺寸数据有关。因此绘图时必须先对图形的尺寸及线段进行分析，才能确定作图步骤。

1. 平面图形的尺寸分析

平面图形的尺寸可以分为定形尺寸和定位尺寸两类。

(1) 定形尺寸

确定平面图形中各几何元素大小的尺寸。如线段的长度、圆的直径或半径等，如图 1-4 中 15、$\phi5$、$\phi20$、$\phi30$ 及各圆弧的半径尺寸。

(2) 定位尺寸

确定平面图形中各几何元素相对位置的尺寸。一般来说，平面图形中每个部分都要标出两个方向的定位尺寸。标注定位尺寸时，首先要确定尺寸基准。定位尺寸为 0 时，不标注。

(3) 尺寸基准

标注定位尺寸的起点称为尺寸基准，通常以点、直线、对称中心线等作为尺寸基准。一个平面图形应有 x、y 两个坐标方向的尺寸基准。如图 1-4 中距图形左端 15mm 的直线和对称中心线分别为 x、y 两个方向的尺寸基准。

2. 平面图形的线段分析

根据平面图形所标注的尺寸和线段的连接关系，可将图形中的线段分为已知线段、中间线段和连接线段三类。以图 1-4 为例，对各类线段进行分析。

(1) 已知线段

具有定形尺寸和齐全的定位尺寸的线段称为已知线段。它可以直接画出，如图 1-4 中的 $\phi5$、$R15$ 和 $R10$ 为已知弧，左侧的线段为已知线段。

(2) 中间线段

具有定形尺寸和不齐全的定位尺寸的线段称为中间线段。即除图形中标注的尺寸外，还需要根据相邻线段中的一个连接关系才能画出的线段。如图 1-4 中的 $R50$ 圆弧，其圆心的 x 方向定位尺寸，需利用其与 $R10$ 圆弧的内切关系才能求出，然后此圆弧才能画出。

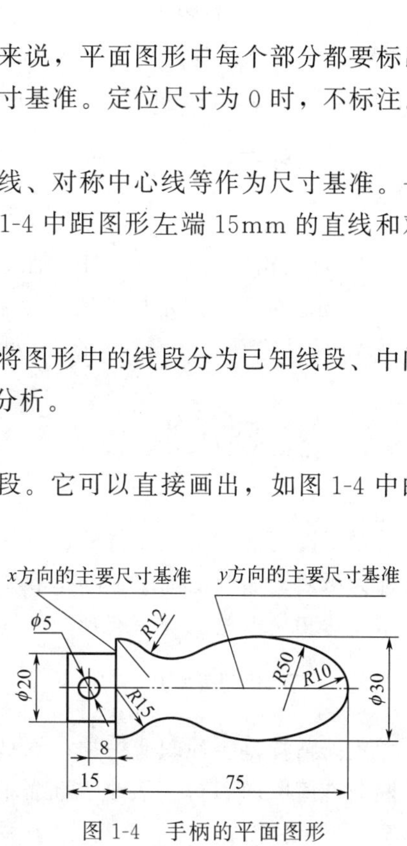

图 1-4　手柄的平面图形

（3）连接线段

只有定形尺寸没有定位尺寸的线段称为连接线段。即需要依靠相邻线段的两个连接关系才能画出的线段。如图 1-4 中的 $R12$ 圆弧，其圆心的两个方向定位尺寸均未知，需要利用其与 $R15$、$R50$ 的外切关系才能确定圆心和切点，然后此圆弧才能画出。

典型例题解析及习题

一、典型例题解析

1. 国家标准中规定了细实线的一般用途，下列错误的是（　　）。

A. 尺寸界线　　B. 不可见轮廓线　　C. 剖面线　　D. 尺寸线

【解析】 国家标准中规定细实线的一般用途有尺寸线及尺寸界线、剖面线、螺纹的牙底线及齿轮的齿根线、指引线和基准线、局部放大部位的范围线等。不可见轮廓线是用虚线表示的，此外虚线还可表示不可见过渡线。此题选 B。

2. 关于国家标准规定正确的是（　　）。

A. 机械制图中所用图线线宽一致

B. 标题栏可以在图纸任意位置

C. 粗实线常用于绘制可见棱边线、可见轮廓线

D. 机械制图中所用图线线宽可随意设定

【解析】 机械制图中图线一般只有两种宽度，分别是粗线和细线，其宽度之比是 2∶1。通常情况下，粗线的线宽采用 0.5mm、0.7mm，细线的线宽采用 0.25mm、0.35mm，故 A、D 错误。标题栏一般位于图框的右下角，故 B 错误。此题选 C。

二、习题

1. 国家标准中规定了粗实线的用途，下列说法错误的是（　　）。

A. 可见轮廓线　　B. 轴线　　C. 可见棱线　　D. 图框线

2. 国家标准中规定用细实线绘制（　　）。

A. 可见轮廓线　　B. 不可见轮廓线　　C. 轴线　　D. 尺寸线

拓展知识

制图国家标准与工匠精神、科学家精神相互关联、相辅相成。工匠精神是基础，科学家精神为引领，而制图国家标准是载体，它以规范形式凝聚工匠精神和科学家精神的要求，为技术表达和交流提供统一准则，共同推进科技进步。

一、工匠精神

工匠精神是一种职业精神，它是职业道德、职业能力、职业品质的体现，是从业者的一种职业价值取向和行为表现。工匠精神的基本内涵包括敬业、精益、专注、创新等方面的内容。

敬业是从业者基于对职业的敬畏和热爱而产生的一种全身心投入的认认真真、尽职尽责的职业精神状态。中华民族历来有敬业乐群、忠于职守的传统，敬业是中国人的传统美德，也是当今社会主义核心价值观的基本要求之一。早在春秋时期，孔子就主张人在一生中始终要“执事敬”“事思敬”“修己以敬”。“执事敬”是指行事要严肃认真不怠慢；“事思敬”是指临事要专心致志不懈怠；“修己以敬”是指加强自身修养，保持恭敬谦逊的态度。

精益就是精益求精，是从业者对每件产品、每道工序都凝神聚力、追求极致的职业品质。所谓精益求精，是指已经做得很好了，还要求做得更好。正如老子所说，“天下大事，必作于细”。

专注就是内心笃定而着眼于细节的耐心、执着、坚持的精神，这是一切大国工匠所必须具备的精神特质。从中外实践经验来看，工匠精神都意味着一种执着，即一种几十年如一日的坚持和韧性。在中国，早就有“艺痴者技必良”的说法，如《庄子》中记载的“庖丁解牛”、《核舟记》中记载的奇巧人王叔远等。

工匠精神还包括着追求突破、追求革新的创新内蕴。古往今来，热衷于创新和发明的工匠们一直是世界科技进步的重要推动力量。中华人民共和国成立初期，涌现出一大批优秀的工匠，如倪志福、郝建秀等，他们为社会主义建设事业作出了突出贡献。改革开放以来，汉字激光照排系统之父王选，从事高铁建设的铁路工人和从事高压、智能电网建设的电力工人等都是工匠精神的优秀传承者，他们让中国创新重新影响了世界。

二、科学家精神

我国基础研究和原始创新不断加强，一些关键核心技术实现突破，战略性新兴产业发展壮大，进入创新型国家行列。科学成就离不开精神支撑。一座座科技创新丰碑与科学家精神密切相关。党的二十大报告在“实施科教兴国战略，强化现代化建设人才支撑”部分提出“培育创新文化，弘扬科学家精神，涵养优良学风，营造创新氛围”。科学技术从来没有像今天这样深刻影响着国家前途命运和人民幸福安康。实践也反复告诉我们，关键核心技术是要不来、买不来、讨不来的。作为年轻人，要继承和弘扬科学家精神，心系国家事，肩扛国家责，在实现高水平科技自立自强的火热实践中贡献青春力量。

第二章
立体投影

【学习目标】

1. 能够说出投影法的分类、特点及应用场合；

2. 能够根据三视图投影规律进行立体投影分析、图示立体形状；

3. 能够运用形体分析法和线面分析法分析组合体的组合方式，根据三视图判断立体的形状和结构，测量、绘制立体的三视图并标注尺寸；

4. 能够根据立体已知视图画第三视图或补画三视图中的漏线。

【学习重难点】

1. 投影法分类及特点；

2. 三视图的投影规律；

3. 基本立体的投影规律；

4. 被截切立体的投影和立体表面的交线；

5. 运用形体分析法和线面分析法读、画组合体三视图；

6. 组合体的尺寸标注方法和立体的测绘方法。

第一节　投影法和三视图

一、投影法原理

投射线通过物体向选定的投影面投射，并在该投影面上得到图形的方法，称为投影法。所得到的图形称为该物体在这个投影面上的投影。如图 2-1 所示，平面 P 为投影面，S 称为投射中心。过空间点 A、B 由投射中心 S 可引投射线，投射线与投影面的交点 a、b 称为空间点 A、B 在投影面上的投影。

二、投影法分类

投影法分为中心投影法和平行投影法。

1. 中心投影法

投射线汇交于一点的投影法（投射中心位于有限远处）称为中心投影法，如图 2-2 所示。

中心投影法投影的大小随空间物体与投射中心的远近而变化，一般不反映空间物体的真实形状和大小，且度量性较差，所以常作为工程上的辅助图样。但是，采用中心投影法绘制的图样具有较强的立体感，在建筑工程的外形设计中经常使用，如图 2-3 所示的透视图就是通过中心投影法得到的。

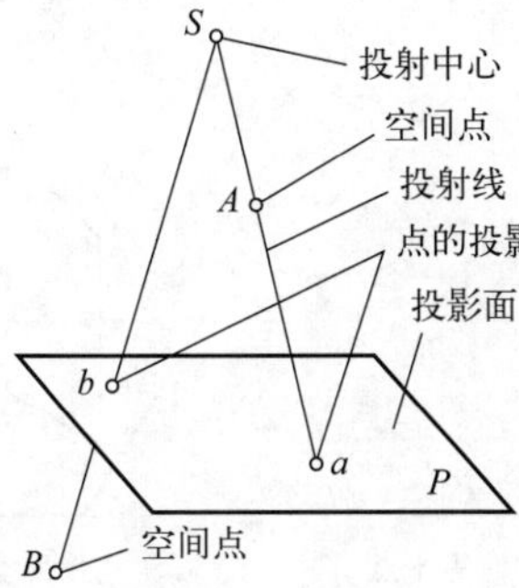

图 2-1　投影法

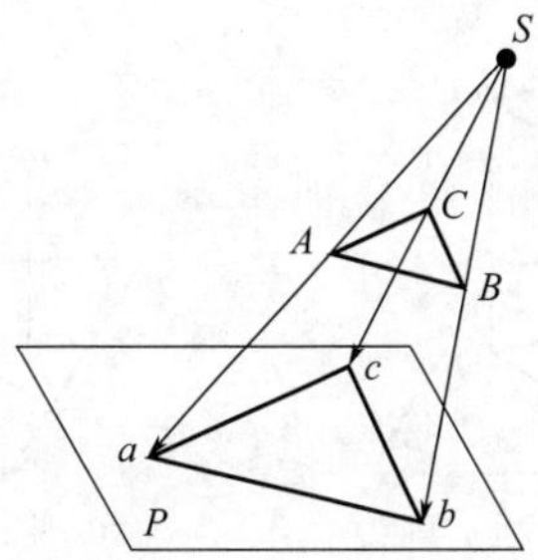

图 2-2　中心投影法

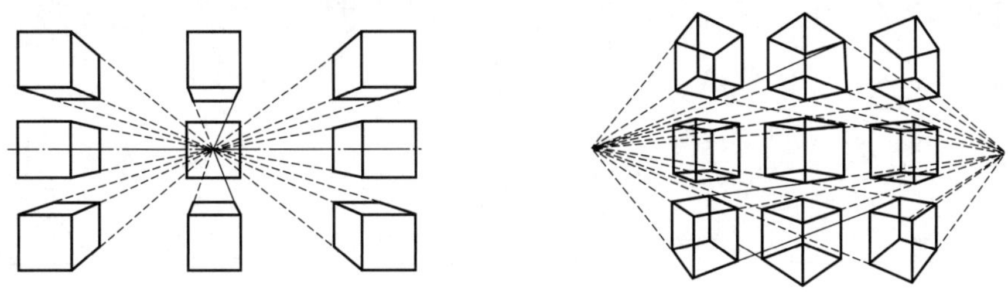
(a) 一点透视　　(b) 两点透视

图 2-3　透视图（中心投影法）

2. 平行投影法

投射线相互平行的投影法称为平行投影法。根据投射线与投影面的相对位置（垂直或倾斜），又可分为斜投影法和正投影法，如图 2-4、图 2-5 所示。

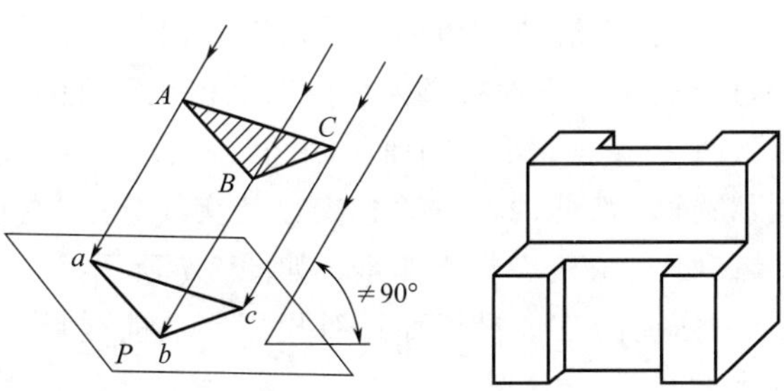

(a) 斜投影法　　(b) 斜二等轴测图

图 2-4　斜投影法

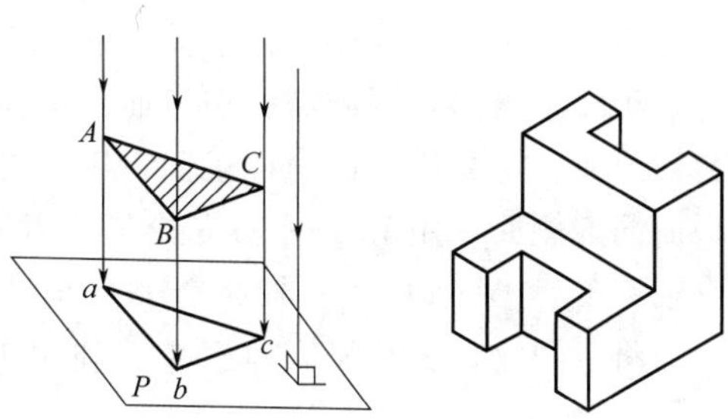

(a) 正投影法　　(b) 正等轴测图

图 2-5　正投影法

斜投影法的投射线与投影面倾斜，如图 2-4(a) 所示，所得投影立体感较强，但是度量性较差，主要用于斜轴测图的绘制，如图 2-4(b) 所示。正投影法的投射线与投影面垂直，如图 2-5(a) 所示，所得投影度量性好，常用来绘制工程图样。正投影法还用于正轴测图的绘制，如图 2-5(b) 所示。

三、正投影特性

正投影的特性有从属性、定比性、平行性、全等性、积聚性和类似性，如图 2-6 所示。

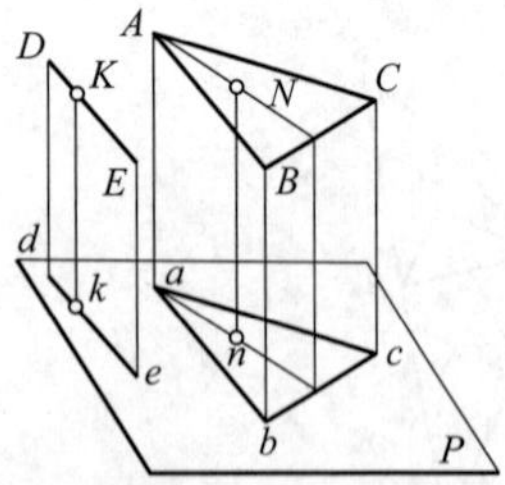

(a) 从属性(若点在直线上，则点的投影仍然在该直线的投影上)

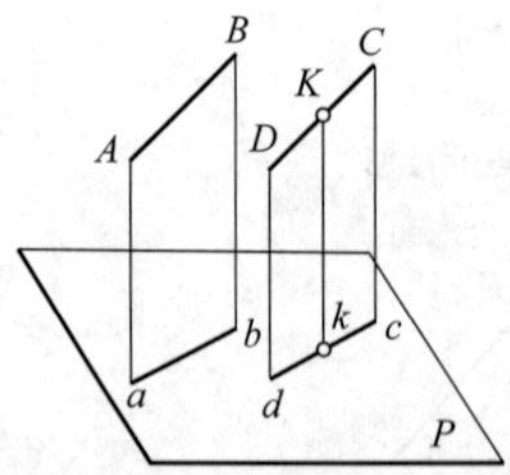

(b) 定比性(分线段之比等于点的投影分线段同面投影之比)

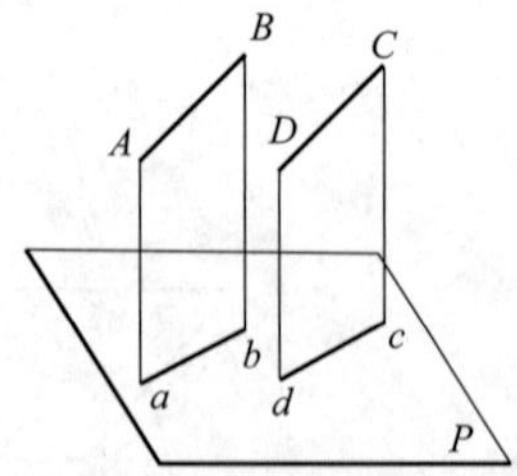

(c) 平行性(空间两平行直线其同面投影一定相互平行)

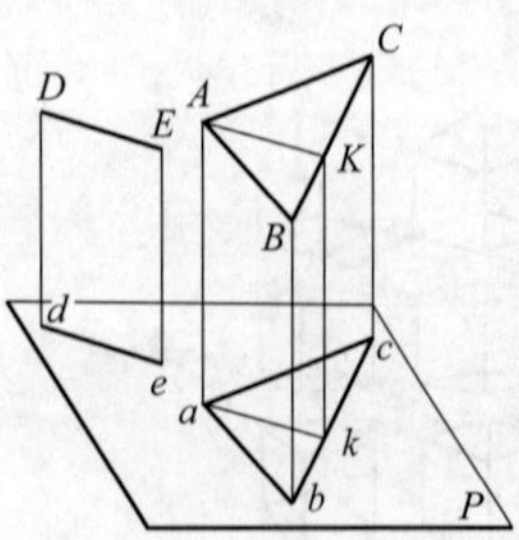

(d) 全等性[当直线(或平面)平行于投影面时，其在该投影面内的投影反映其实长(或实形)]

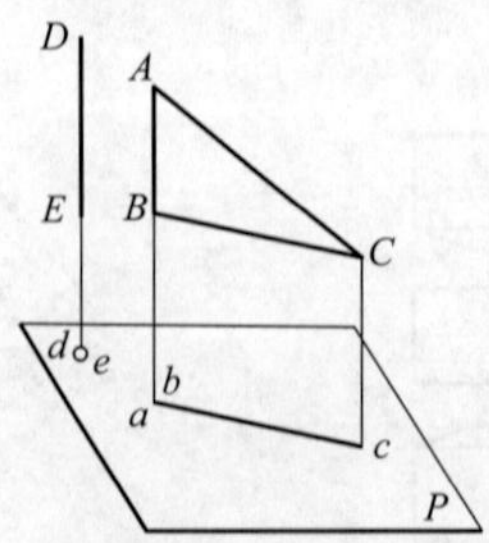

(e) 积聚性[当直线(或平面)垂直于投影面时，其在该投影面内的投影积聚成一点(或一直线)]

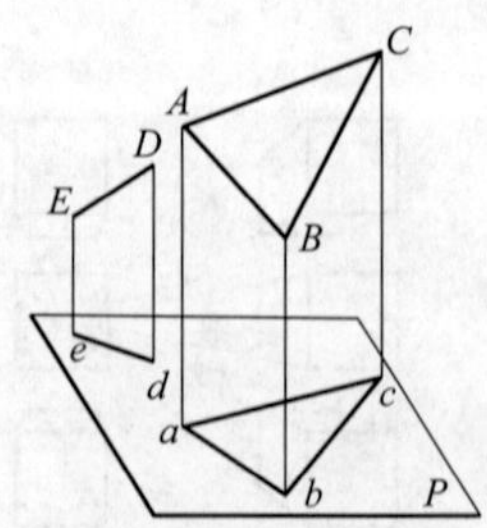

(f) 类似性[当直线(或平面)倾斜于投影面时，其在该投影面内的投影与原形之间保持类似形状]

图 2-6　正投影法的基本投影特性

四、三视图的形成

通常单凭一个投影不能确定物体的形状，要想表达清楚物体的形状，需画出物体的第二、第三个投影，因此需要在三面投影体系中进行投影。三面投影体系由三个相互垂直的投影面组成。正立投影面简称正面，用 V 表示；水平投影面简称水平面，用 H 表示；侧立投影面简称侧面，用 W 表示。三个互相垂直的投影面，彼此两两垂直相交，其交线分别为投影轴 OX、OY、OZ，三轴共交于一点称为原点 O，构成三面投影体系，如图 2-7 所示。

将空间物体放在投影体系中，利用正投影法分别向三个投影面进行投影。从前往后投影，在 V 面上得到正投影；从上往下投影，在 H 面上得到水平投影；从左往右投影，在 W 面上得到侧面投影，如图 2-8(a) 所示。

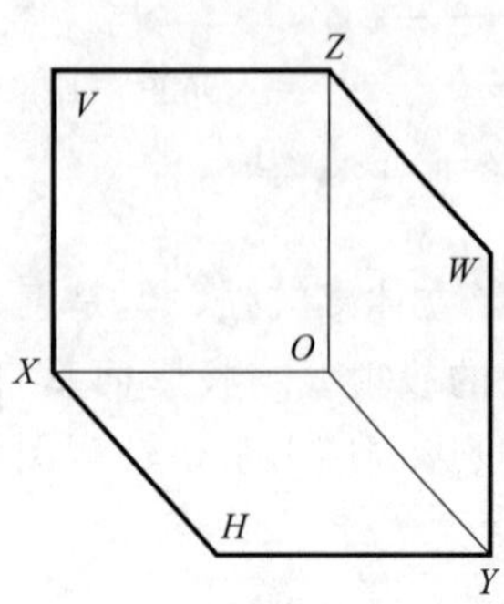

图 2-7　三面投影体系

为了将空间的三面投影画在同一张图纸上，国家标准规定，将空间物体移走，正立投影面 V 面保持不动，水平投影面 H 绕 OX 轴向下转 90°，侧立投影面 W 绕 OZ 轴向后转 90°，如图 2-8(b) 所示，使它们与 V 面展开成一个平面，线框用来表示投影面，如图 2-8(c) 所示。工程图中常省略边界线和投影轴，这就形成了物体的三视图，如图 2-8(d) 所示。

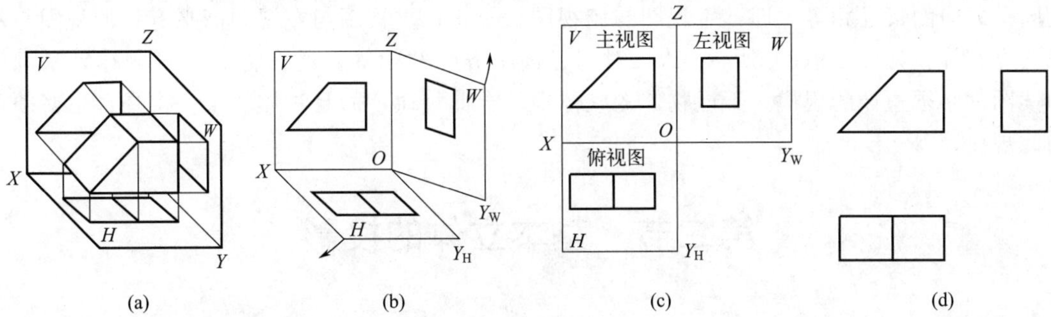

图 2-8　物体的三视图

五、三视图的投影规律

1. 方位关系

空间物体有上、下、左、右、前、后六个方位，如图 2-9(a) 所示。在所获得的三视图中，主视图反映物体的上、下、左、右方位关系，俯视图反映物体的前、后、左、右方位关系，左视图反映物体的上、下、前、后方位关系，如图 2-9(b) 所示。判断三视图的方位关系时应注意：俯视图、左视图靠近主视图的一方都是物体的后面，远离主视图的一方是物体的前面。

2. 位置关系

国家标准规定，以主视图为主，俯视图在主视图的正下方，左视图在主视图的正右方。绘制三视图严格按这种关系排列三个视图的位置，称作按投影关系配置视图，如图 2-9(b) 所示。

3. 尺寸关系

空间物体有长、宽、高三个方向的尺寸，如图 2-9(c) 所示。三视图中每对相邻的视图

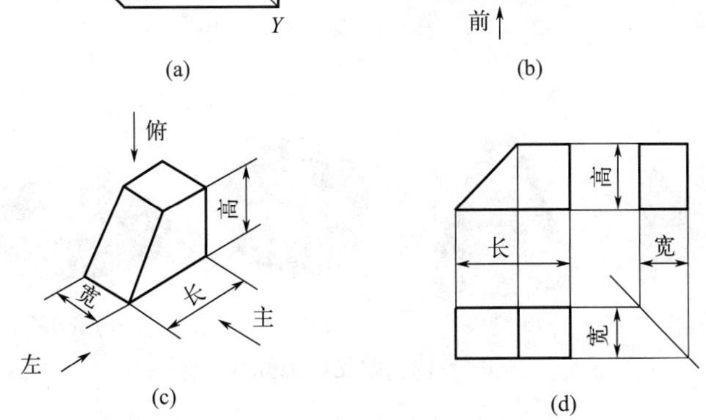

图 2-9　三视图的投影规律

在同一方向的尺寸相等。即：主视图与俯视图长对正；主视图与左视图高平齐；俯视图与左视图宽相等，如图 2-9(d) 所示。“长对正、高平齐、宽相等”通常称为三等规律，是画图和读图都必须遵循的规律。不但物体的整体要符合此规律，而且物体的某一个局部也必须遵循此规律。

第二节　基本立体的投影

一、平面立体的投影

表面全部由平面多边形构成的立体几何体，称为平面立体。常见的平面立体有棱柱和棱锥，如图 2-10 所示。平面立体的三视图中可见轮廓线画成粗实线，不可见轮廓线画成虚线。

(a) 棱柱　　(b) 棱锥

图 2-10　常见平面立体

常见平面立体的三视图，如图 2-11 所示。

二、曲面立体的投影

由曲面或由曲面和平面围成的立体，称为曲面立体。常见的曲面立体有圆柱、圆锥、圆球和圆环等，如图 2-12 所示。

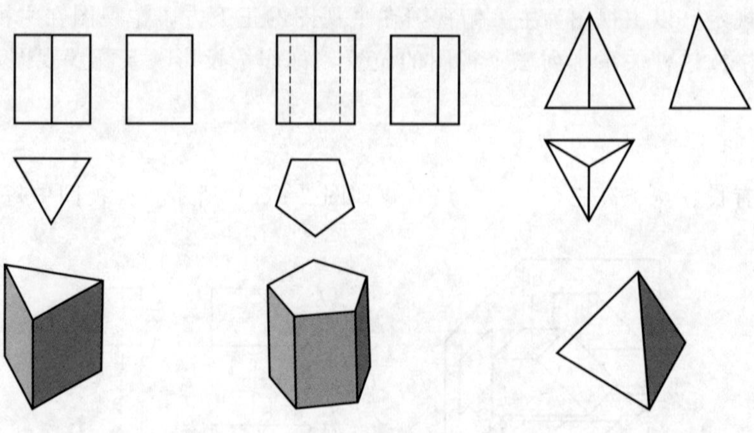

(a) 三棱柱　　(b) 五棱柱　　(c) 三棱锥

图 2-11　常见平面立体的三视图

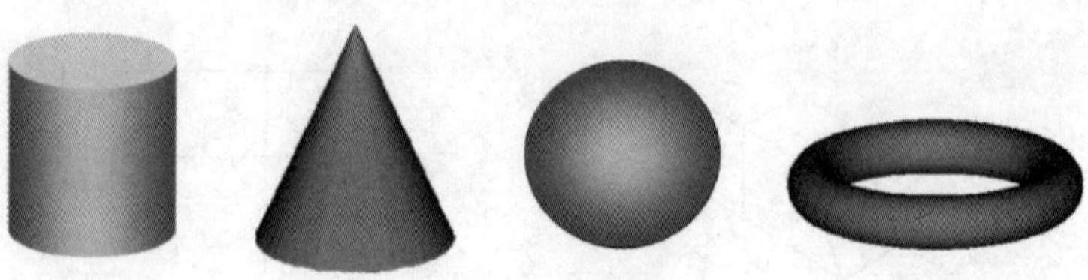

(a) 圆柱　　(b) 圆锥　　(c) 圆球　　(d) 圆环

图 2-12　常见曲面立体

常见曲面立体的三视图，如图 2-13 所示。

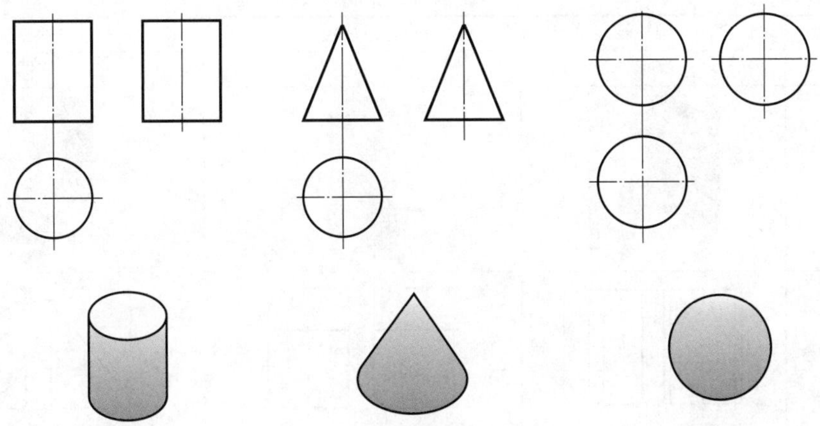

(a) 圆柱　(b) 圆锥　(c) 圆球

图 2-13 常见曲面立体的三视图

第三节 基本立体的截切和相贯

平面与立体相交并截去立体的一部分，称为截切，平面称为截平面，截平面与立体的交线称为截交线。

一、平面截切体的三视图

求解平面立体的截交线投影实际就是求平面立体表面的线的投影，可以转化为立体表面取点的问题。正五棱柱和三棱锥的截切体三视图，如图 2-14 所示。

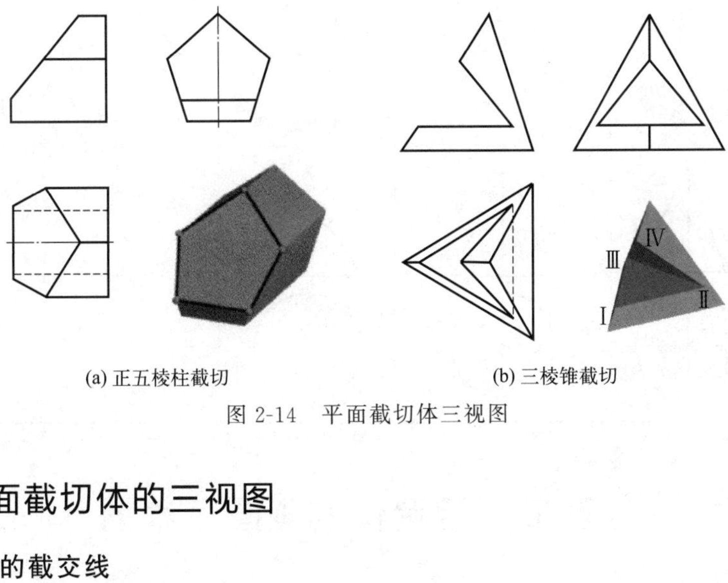

(a) 正五棱柱截切　(b) 三棱锥截切

图 2-14 平面截切体三视图

二、曲面截切体的三视图

1. 圆柱上的截交线

平面与圆柱相交，根据截平面与圆柱轴线相对位置的不同，所得的截交线有三种情况，见表 2-1。

表 2-1　圆柱上的截交线

截平面的位置	截平面与圆柱轴线平行	截平面与圆柱轴线垂直	截平面与圆柱轴线倾斜
截交线形状	矩形	圆	椭圆
立体图	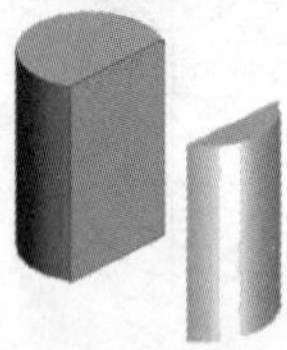		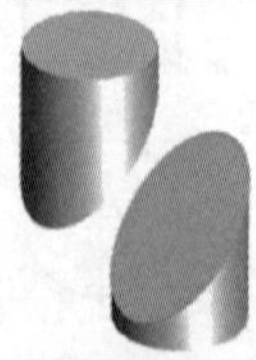
投影图	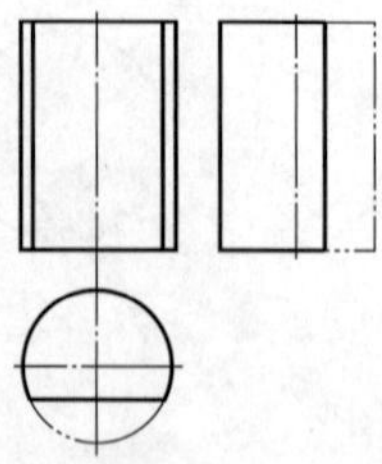	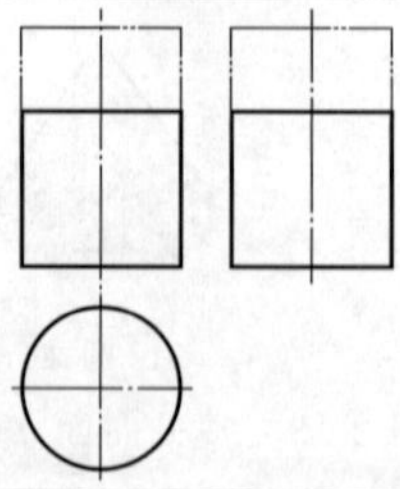	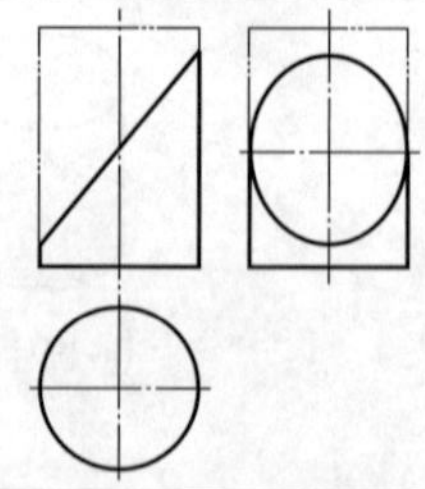

需要注意的是，当截平面与圆柱轴线倾斜成 45°角时，其截交线的侧面投影为圆。

2. 圆锥上的截交线

当平面与圆锥截交时，根据截平面与圆锥轴线相对位置的不同，可产生五种不同形状的截交线，见表 2-2。

表 2-2　圆锥上的截交线

截平面的位置	过锥顶	不过锥顶			
		$\theta=90°$	$\theta>\alpha$	$\theta=\alpha$	$\theta<\alpha$
截交线的形状	三角形	圆	椭圆	抛物线	双曲线
立体图	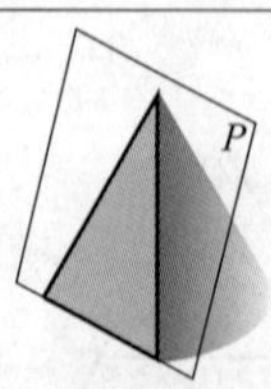	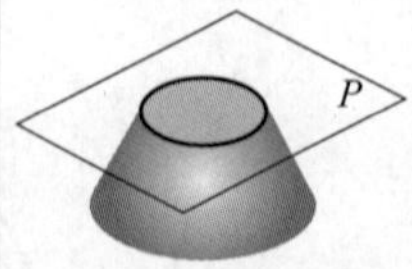	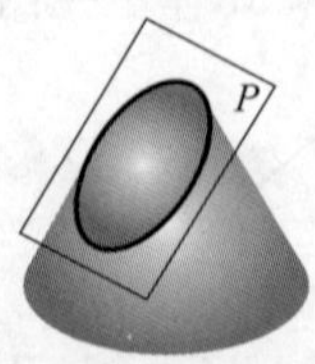	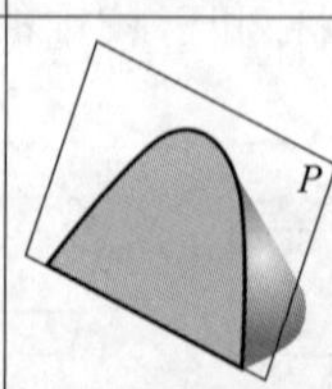	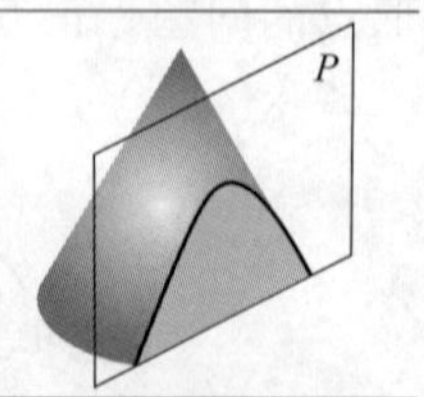
投影图	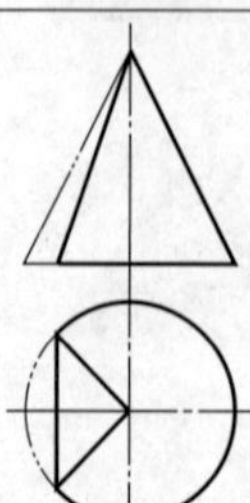	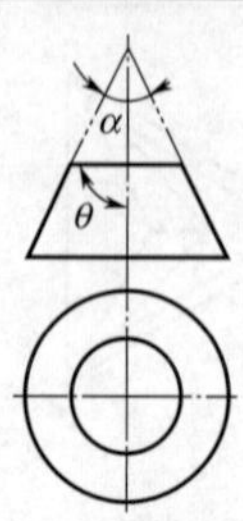	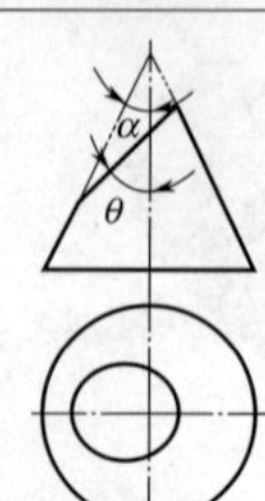	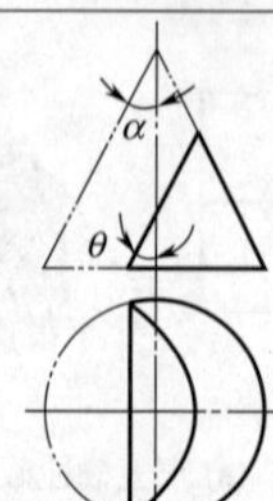	

第四节　组合体的画图和读图

任何复杂的机械零件，从几何形体的角度看，都可以看成由若干个基本立体按一定的连接方式组合而成。这种由两个或两个以上的基本立体按一定的方式所组成的物体称为组合体。

一、组合体的组合形式

组合体按其组合形式，通常分为叠加式、切割式和综合式三种，如图 2-15 所示。

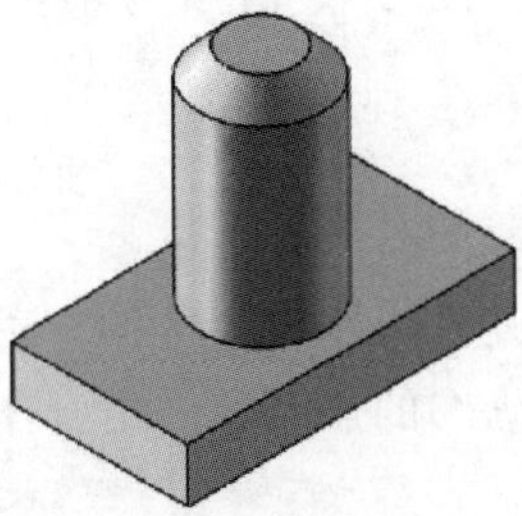

(a) 叠加式组合体

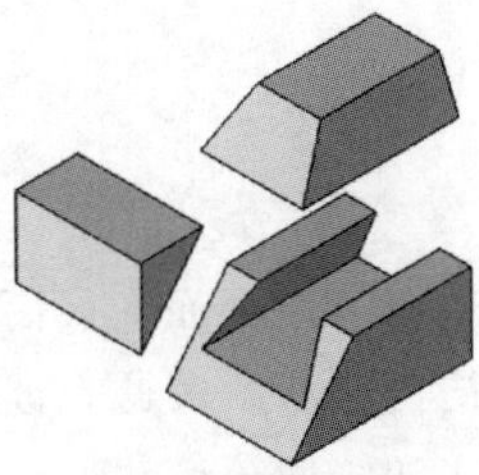

(b) 切割式组合体

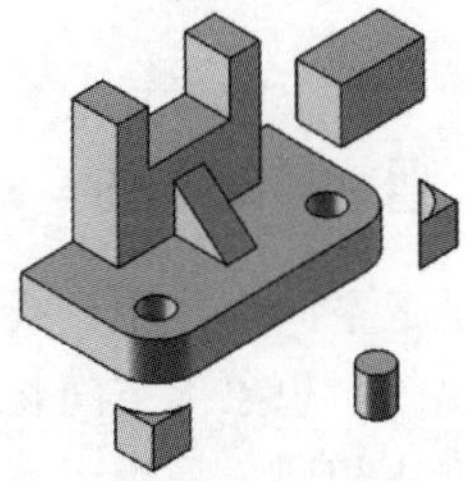

(c) 综合式组合体

图 2-15 组合体组合形式

基本立体邻接表面可能产生平齐、相切和相交三种相对位置关系。当两立体表面平齐时，在共面处构成一个完整的表面，无分界线，画图时不可用线隔开，如图 2-16(a) 所示。相切的两个基本立体表面光滑连接，相切处无分界线，视图上不应该画线，如图 2-16(b) 所示。两立体表面相交时，相交处有交线，视图上应画出表面交线，如图 2-16(c)、(d) 所示。

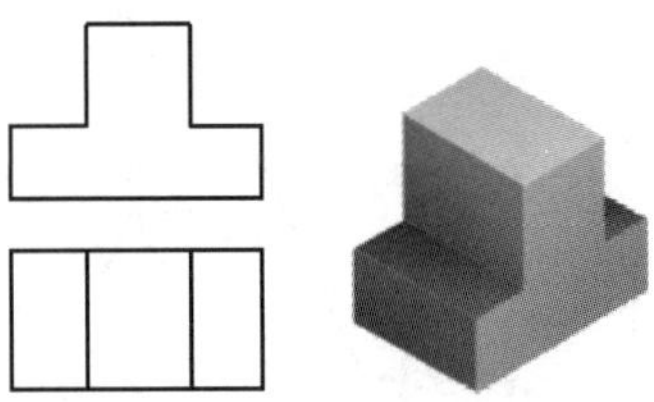

(a) 平齐

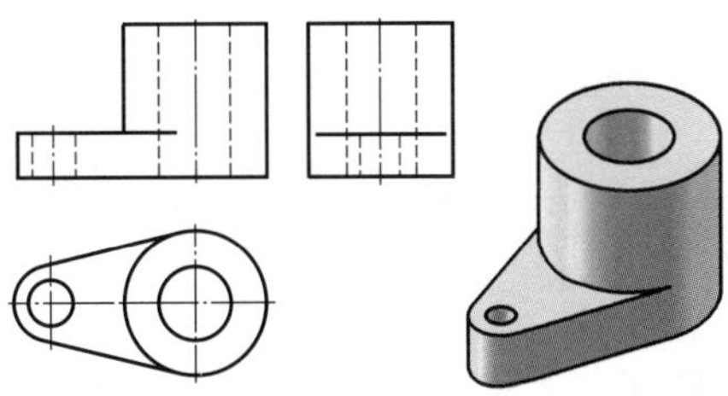

(b) 相切

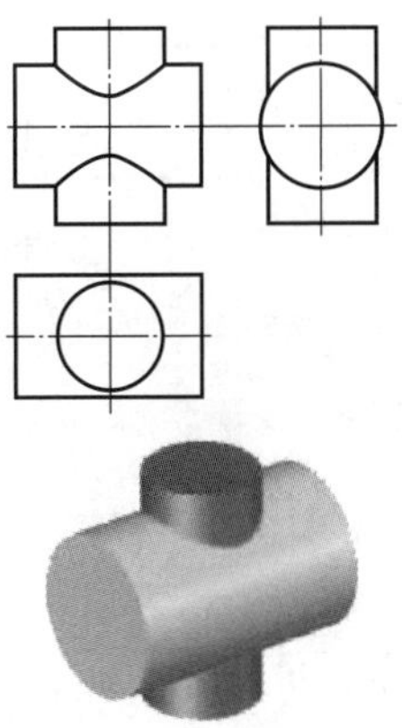

(c) 相交1

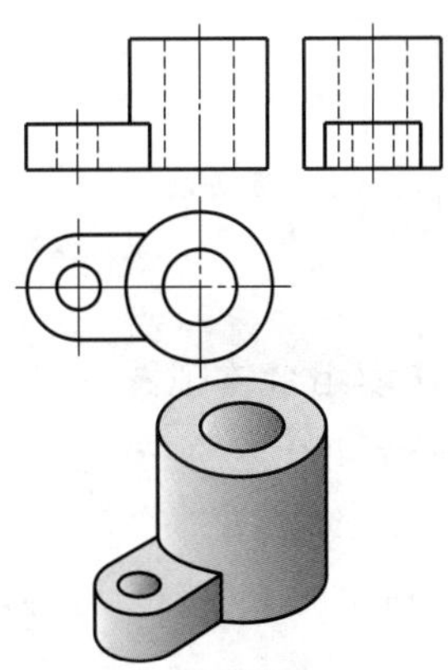

(b) 相交2

图 2-16 基本立体邻接表面位置关系

二、组合体画法

组合体的画图方法有两种：形体分析法和线面分析法。

形体分析法，就是假想把组合体分解成若干个基本立体，并对它们的组合形式、相对位置、表面连接关系进行分析，在此基础上画出组合体的视图的方法。线面分析法，就是将组合体分解为若干个表面，运用线、面的投影特性（积聚性、类似性等）分析物体各表面的形状、相对位置及表面连接关系，来进行画图和读图的方法。图 2-17 所示为轴承座的画图步骤。

三、组合体读图

画图是把空间物体用正投影方法表达在平面上，而读图则是运用正投影的方法，根据已经画出的视图，想象出空间物体的结构形状。因此，读图是画图的逆过程。组合体的读图方法与画图方法相同，采用形体分析法和线面分析法。

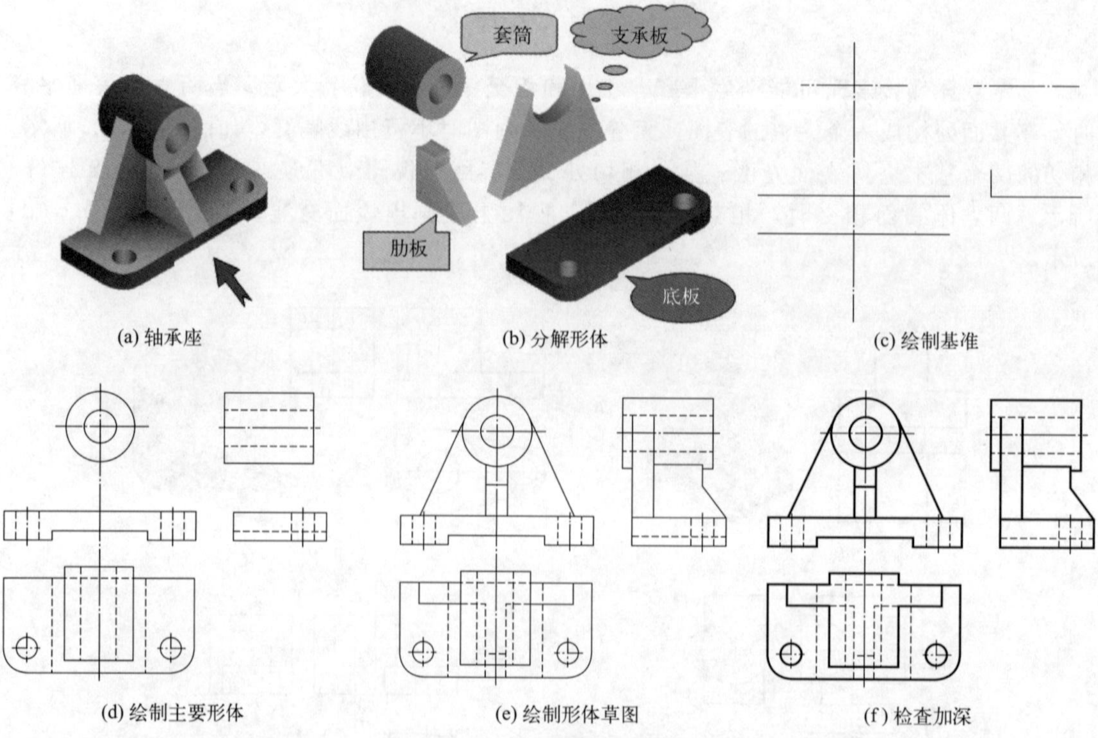

图 2-17　轴承座的画图步骤

1. 形体分析法读组合体视图

根据图 2-18 所示组合体的三视图，可以通过以下步骤想象出该组合体的形状。

(1) 抓特征，分线框

如图 2-18(a) 所示的主视图，分为四个封闭线框Ⅰ、Ⅱ、Ⅲ、Ⅳ。

(2) 对投影，定形体

分别找出每个线框在三视图中的相应投影，将有投影关系的线框联系起来看，确定各线框所表示的基本立体的形状，如图 2-18(b)～(d)所示。

(3) 综合起来想整体

根据整体的三视图，分析各基本立体的组合方式、表面连接关系及其相对位置，综合起来想象出组合体的整体形状，如图 2-18(e) 所示。

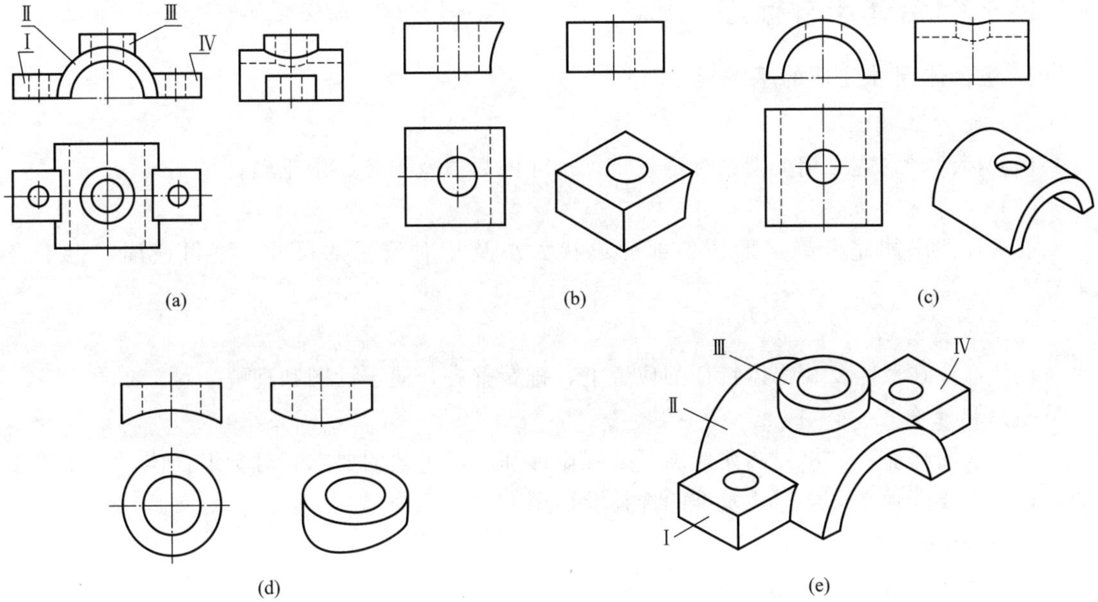

图 2-18　形体分析法读图步骤举例

2. 线面分析法读组合体视图

采用线面分析法读图，就是运用线、面的投影规律，分析视图中的线条、线框所代表的含义和空间位置，从而想象出组合体整体形状的方法。线面分析法多用于以切割为主的组合体读图中。对于形状比较复杂的组合体读图，往往将形体分析法和线面分析法结合起来使用，即在形体分析法的基础上，对不易读懂的局部再运用线面分析法来帮助想象，以读懂局部形状。下面以压块为例来说明线面分析法在读图中的应用。

图 2-19(a) 所示为压块的三视图。综上可知，组合体的读图方法，是以形体分析法为主，线面分析法为辅。一般按以下四个步骤进行：

① 认识视图抓特征；

② 分析投影想形体；

③ 线面分析攻难点；

④ 综合起来想整体。

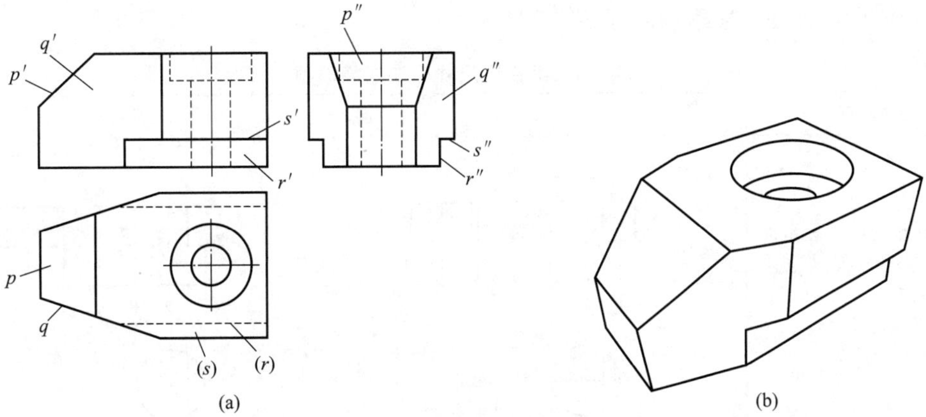

图 2-19　线面分析法读图步骤举例

四、组合体尺寸标注

1. 组合体尺寸注法的基本要求

（1）标注正确

尺寸标注严格遵守相关国家标准规定，尺寸的数值及单位必须正确。

（2）尺寸完整

要求标注出能完全确定形体各部分形状大小及相对位置的尺寸，不得遗漏，也不得重复。

（3）布置清晰

尺寸标注在最能反映物体特征的位置上，排布整齐，便于读图和理解。

（4）标注合理

就工程图样而言，尺寸标注应满足工程设计和制造工艺的要求。对于组合体，尺寸标注的合理性主要体现在尺寸标注基准的选择及运用上。

2. 尺寸标注示例

（1）基本立体尺寸注法

基本立体尺寸注法，如图 2-20 所示。

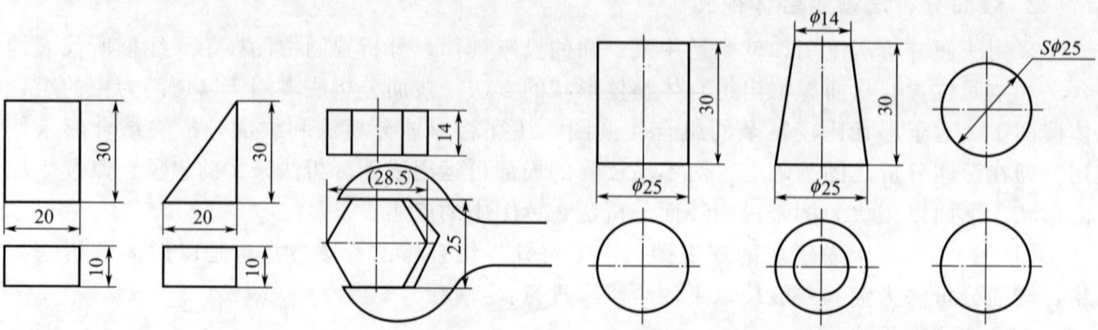

(a) 四棱柱　(b) 三棱柱　(c) 正六棱柱　(d) 圆柱　(e) 圆台　(f) 圆球

图 2-20　基本立体尺寸注法

（2）尺寸标注注意事项

组合体尺寸标注注意事项，见表 2-3。

表 2-3　组合体尺寸标注注意事项

注意事项	正确示例	错误示例
组合体中截交线和相贯线处不标注尺寸，要标注基本体的定形尺寸和截平面的定位尺寸，虚线上尽量不标注尺寸	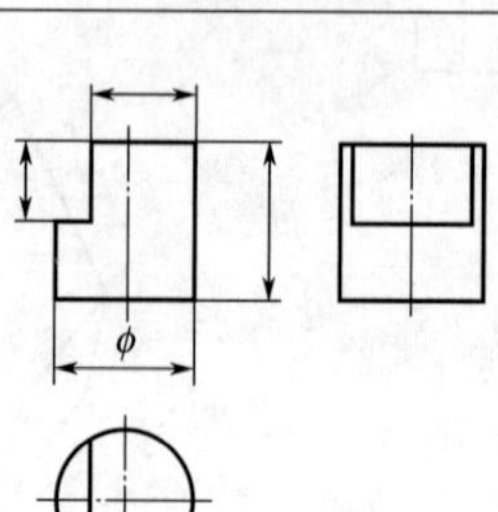	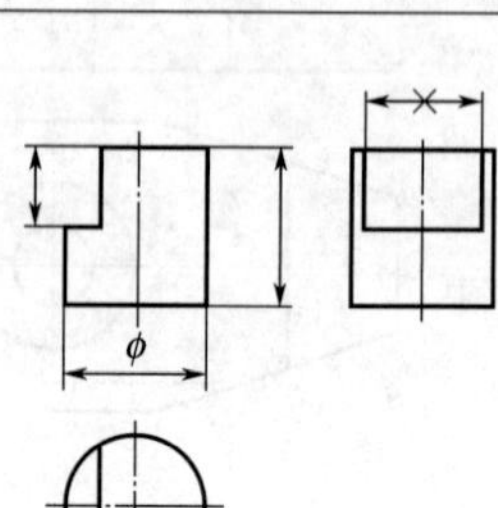

续表

<table>
<tr><th>注意事项</th><th>正确示例</th><th>错误示例</th></tr>
<tr><td>组合体中截交线和相贯线处不标注尺寸，要标注基本体的定形尺寸和截平面的定位尺寸，虚线上尽量不标注尺寸</td><td>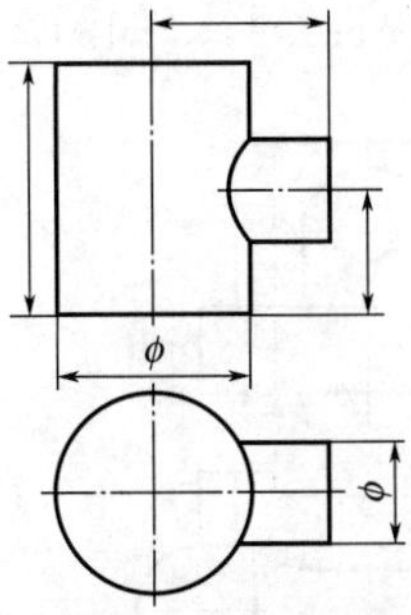</td><td>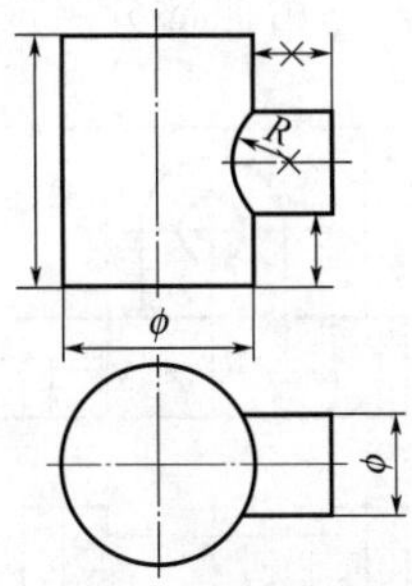</td></tr>
<tr><td>同心圆柱的直径尺寸，最好注在非圆的视图上</td><td>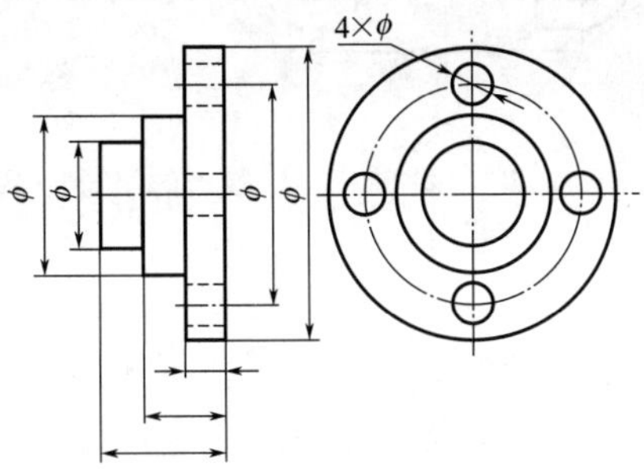</td><td>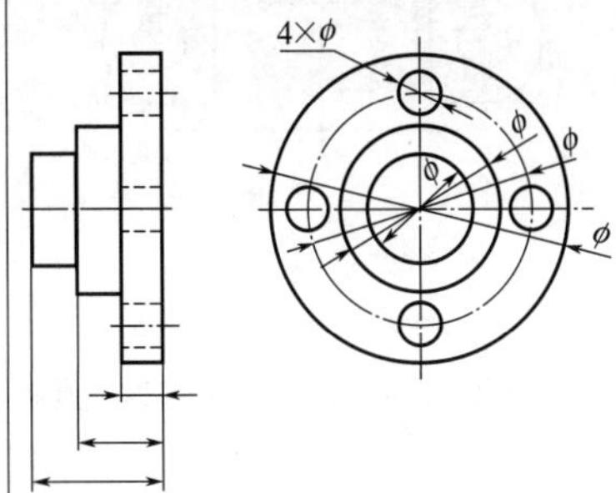</td></tr>
<tr><td>对称结构的尺寸不能只注一半，应对称标注</td><td>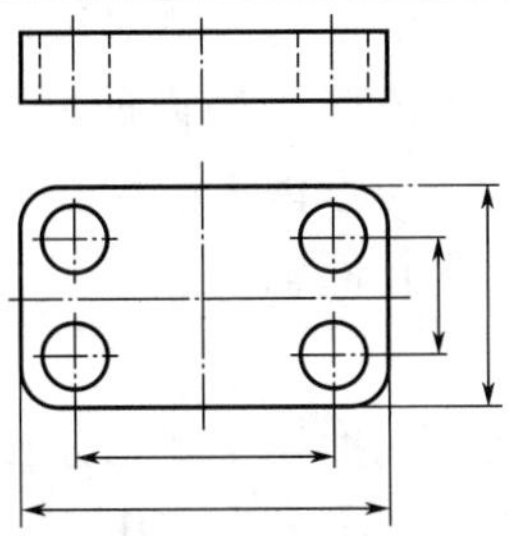</td><td>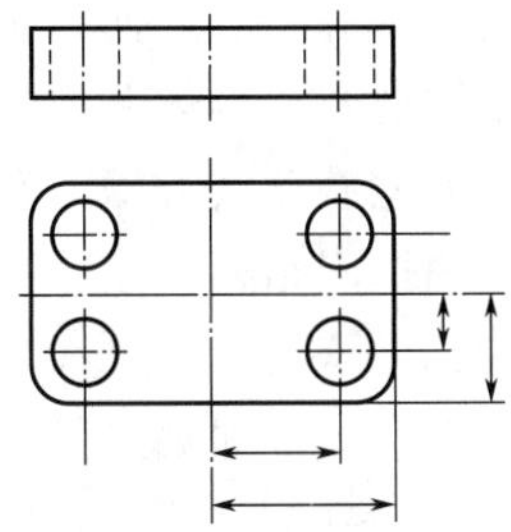</td></tr>
<tr><td>互相平行的尺寸，小尺寸在内，大尺寸在外，应尽量标注在视图外面，以免尺寸线、尺寸数字与视图的轮廓线相交</td><td>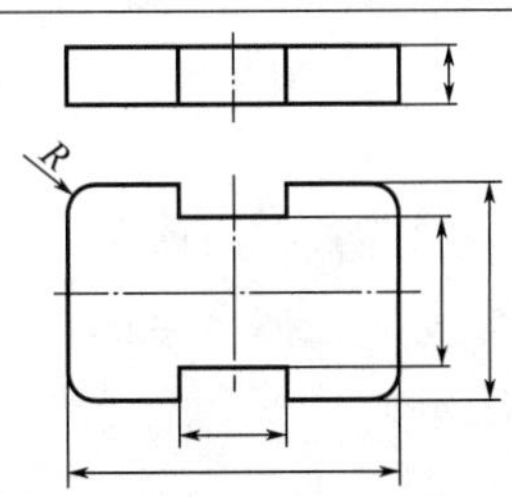</td><td>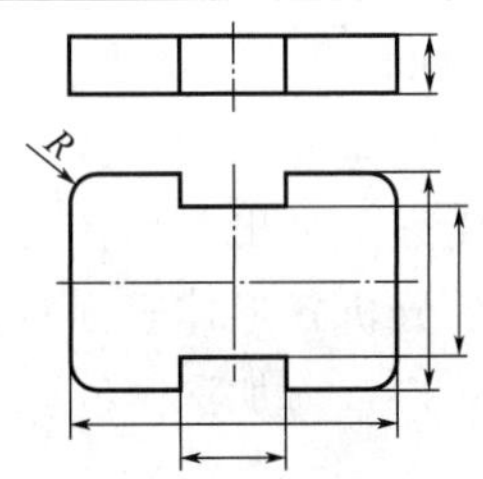</td></tr>
</table>

典型例题解析及习题

一、典型例题解析

如图 2-21 所示，已知立体主视图和俯视图，画第三视图。

【解析】这是一道典型的组合体读图题，通过分析已知视图，想象立体空间结构，根据投影规律，画出第三视图。根据组合体读图方法进行读图，然后绘图。

（1）抓特征，分线框

对照分析图 2-21 两个视图，可以看出该组合体左右对称。从反映形状特征较多的主视图可知，它由四部分组成，即形体Ⅰ、Ⅱ、Ⅲ、Ⅳ，如图 2-22(a) 所示。

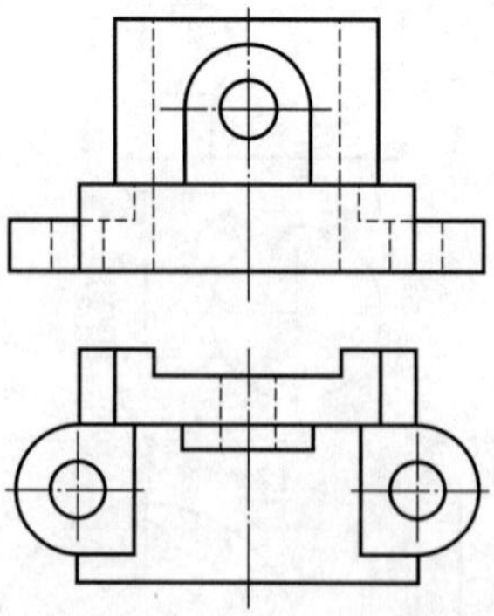

图 2-21　立体视图

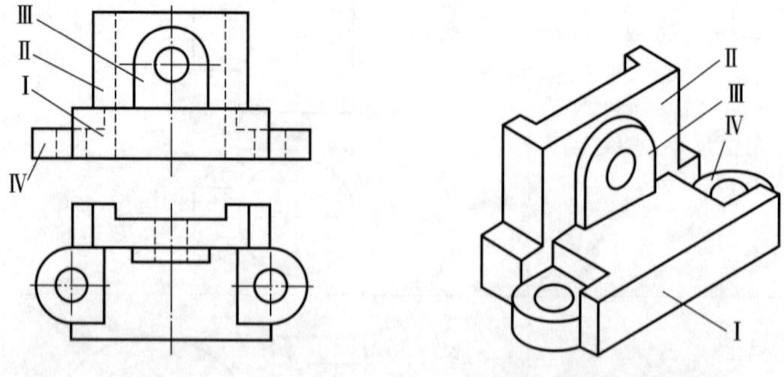

(a)　(b)

图 2-22　想象出的组合体整体形状图

（2）对投影，定形体

根据投影规律，分别在俯视图中找到各部分的投影。可知形体Ⅰ的基本形状是以水平投影为底面的柱体，左右两边开有不到底的方槽。形体Ⅳ是半圆柱体，其上底面与形体Ⅰ上的方槽底面平齐，下底面与Ⅰ的下底面平齐，前后与方槽对准，形体Ⅳ还有与其半圆柱面同轴线的小圆柱孔。形体Ⅱ的主体是一个以水平投影为底面的柱体，上方中央挖去一圆形通孔，中间后方挖有到底方槽，左右两侧各有一个与形体Ⅰ高度相等的矩形块。形体Ⅲ为一带有圆形通孔的拱门结构，该圆孔与形体Ⅱ上的圆孔同轴线。

（3）综合起来想整体

四个形体叠加组成一个左右对称的整体，形体Ⅰ在前方位，Ⅳ在后方位，Ⅱ在Ⅰ的后方两侧对齐，且Ⅰ、Ⅱ、Ⅳ底面平齐，形体Ⅲ在Ⅰ的上方中央、Ⅱ的前方。想象出的组合体整体形状如图 2-22(b) 所示。

（4）画图

① 逐个画出各形体的左视图，如图 2-23(a)～(c)所示。

② 分析各形体表面相对位置，绘制交线并去掉多余的线。

③ 检查、加深图线，如图 2-23(d) 所示。

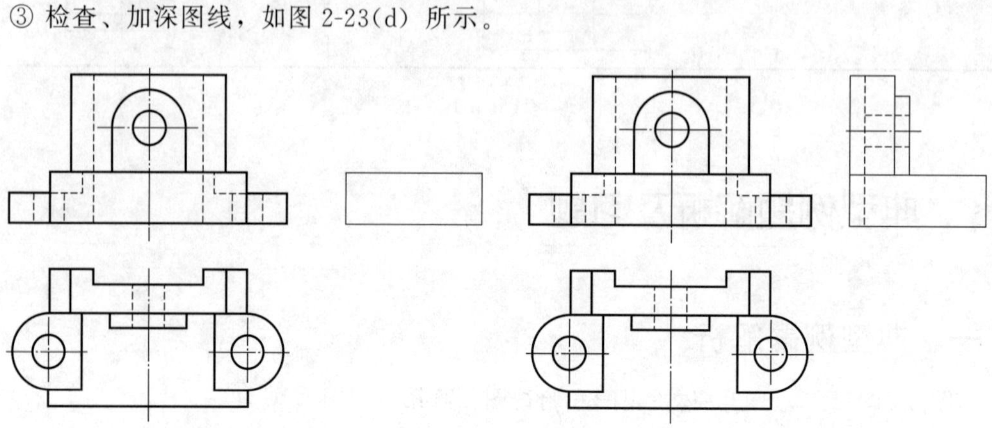

(a) 画形体Ⅰ的轮廓

(b) 画形体Ⅱ和Ⅲ的投影

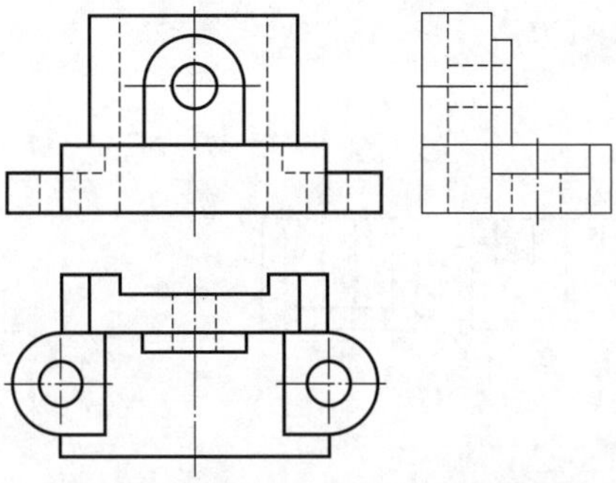

(c) 画形体Ⅳ和Ⅰ上方槽和小孔的投影

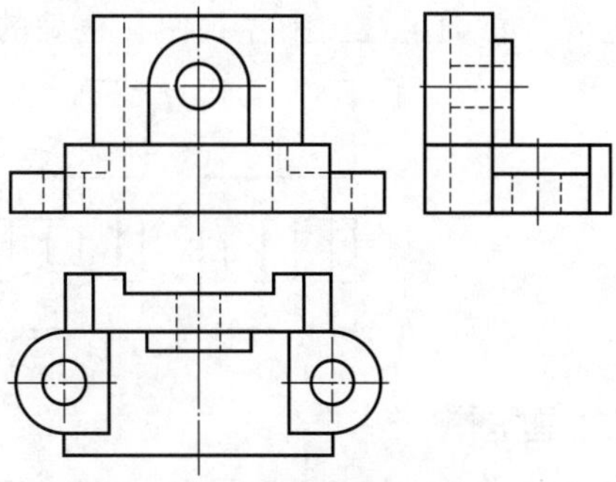

(d) 加深后的三视图

图 2-23　根据组合体的两视图画第三视图

二、习题

（一）选择题

1. 已知立体的主视图和俯视图，正确的左视图是（　　）。

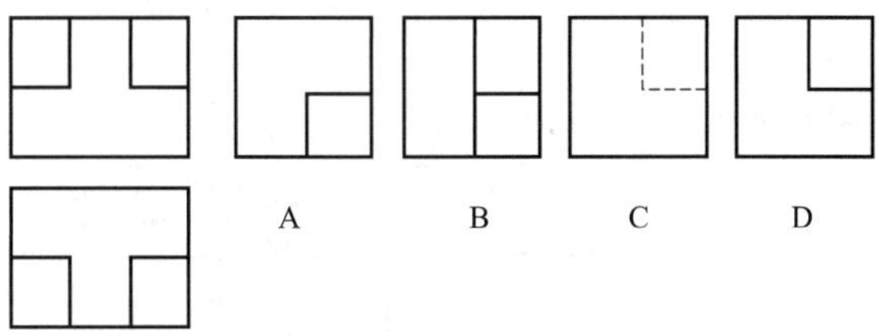

2. 已知立体的主视图和俯视图，正确的左视图是（　　）。

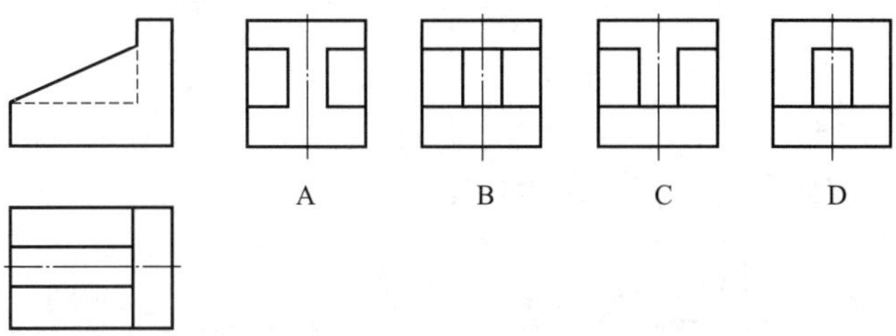

3. 已知立体的主视图和俯视图，正确的左视图是（　　）。

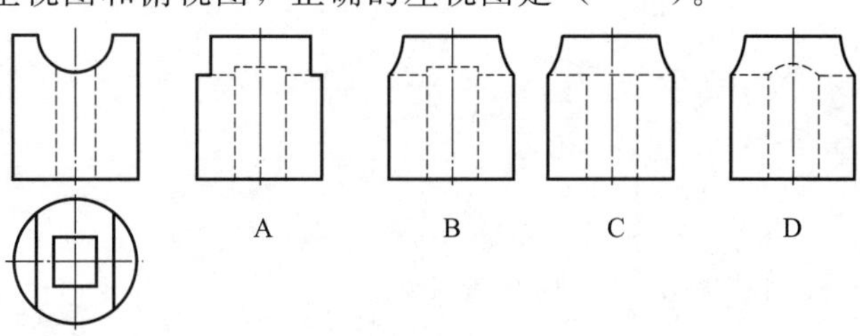

4. 已知立体的主视图和左视图，正确的俯视图是（　　）。

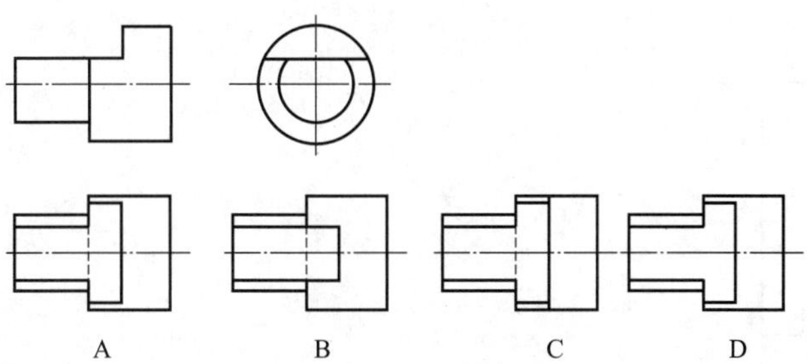

5. 已知立体的主视图和左视图，正确的俯视图是（　　）。

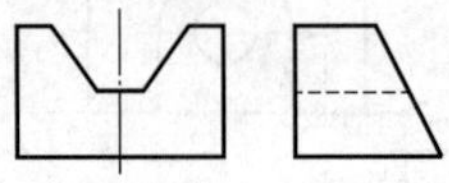

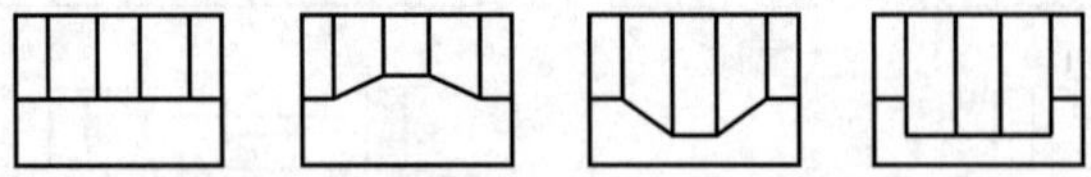

A　　　　B　　　　C　　　　D

（二）画图题

1. 已知立体的主视图和俯视图，画左视图。

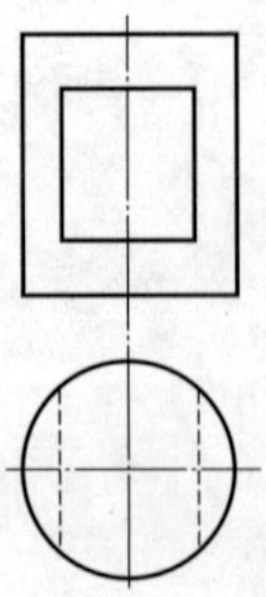

2. 已知立体的主视图和左视图，画俯视图。

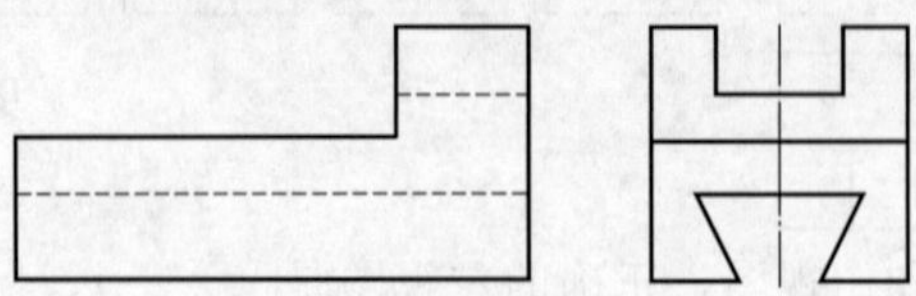

3. 已知立体的左视图和俯视图，画主视图。

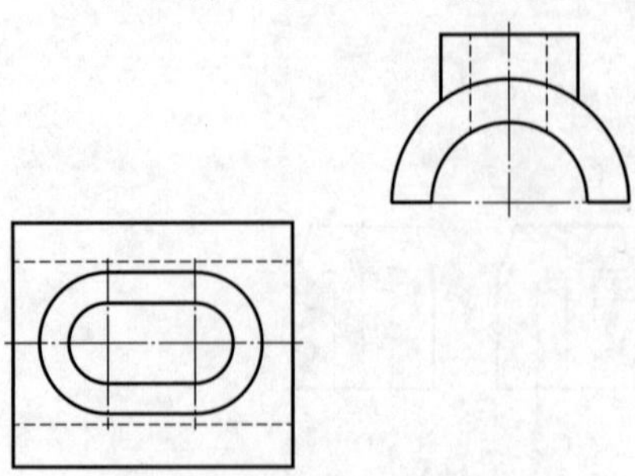

4. 已知立体的主视图和俯视图，画左视图。

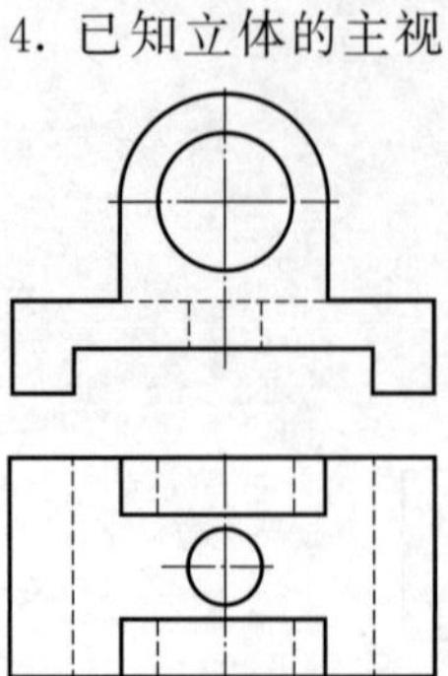

5. 已知立体的主视图和左视图，画俯视图。

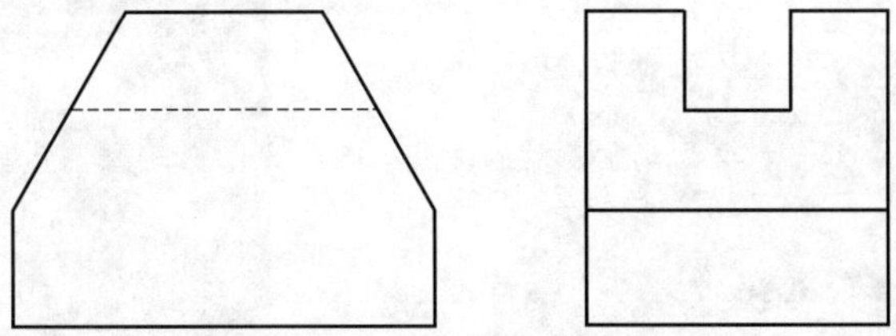

6. 已知立体的主视图和俯视图，画左视图。

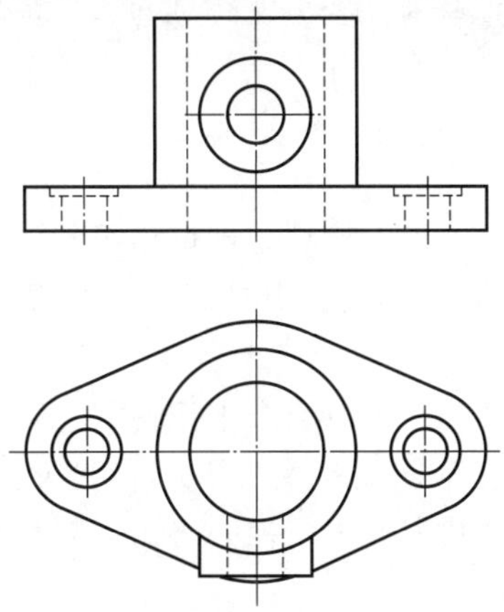

拓展知识

立体投影、哲学与航天精神三者在思维本质、方法论和价值维度上存在深层关联。黑格尔认为“真理是全体”，在部分与整体的互动中把握事物，这与投影思维中“局部服从整体、整体统帅局部”的原则高度契合。而航天精神的基础底色与投影的技术灵魂均为精准严谨、系统思维。

一、哲学要素

任何复杂形体，究其根本都是由基本立体组成的，从一个螺栓到一台装备，其图样都是从基础的几何元素开始的。在工程实践中，截交线、相贯线的实例更是随处可见，如国家体育场“鸟巢”（图 2-24）的钢结构、发动机的壳体（图 2-25）、火箭的发射筒等。“鸟巢”是我国自主施工建造的钢结构建筑，体现了高超的工艺水平。党的二十大报告中提出“质的有效提升和量的合理增长”的概念，在学习的过程中把握“量”和“质”的关系，不断积累基础知识，才能形成有效的质的提升。“九层之台，起于累土；千里之行，始于足下”，基本立体和组合体的三视图对于工程图样的阅读来说就是垒土之基，初步培养空间思维能力，学会立体的三视图才能进一步识读工程图样。

图 2-24 “鸟巢”

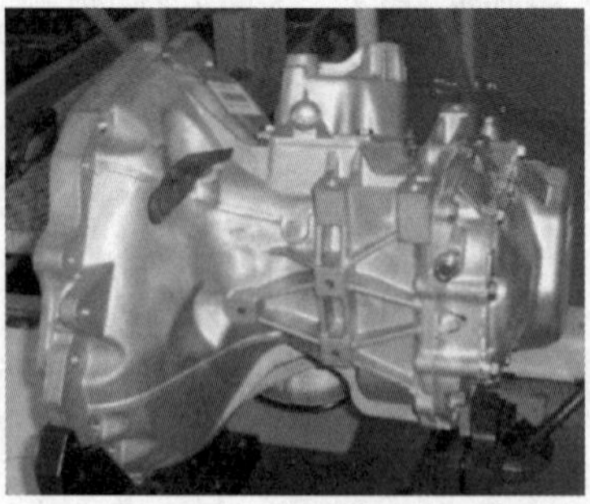
图 2-25　发动机壳体

“横看成岭侧成峰，远近高低各不同”，古诗的魅力不单在于文学，还阐释了工程领域的科学的世界观和方法论。观察组合体的方法同样适用于生活，要从多角度观察事物，抓住主要矛盾，把握整体和局部的关系，培养大局观，树立科学的思维，多角度看待问题，深刻认识到事物的本质特征。

二、航天精神

党在百余年奋斗历程中，经受住了各种风险考验，付出了巨大牺牲，锤炼出了鲜明政治品格，形成了以伟大建党精神为源头的精神谱系，载人航天精神就是其中的一笔宝贵精神财富。

星空浩瀚无比，探索永无止境。实施载人航天工程以来，广大航天人牢记使命、不负重托，培育铸就了“特别能吃苦、特别能战斗、特别能攻关、特别能奉献”的载人航天精神。伟大的事业孕育伟大的精神，伟大的精神成就伟大的事业。载人航天精神必将为新时代新征程推进中国式现代化贡献的强大精神力量。

（一）特别能吃苦

载人航天精神中的“特别能吃苦”精神，是中国航天人在自然环境恶劣、技术底子薄弱的重重压力下凝结而成的。中国航天人把“吃苦”精神充分融入我国载人航天事业发展中，他们以顽强拼搏的斗志、坚韧不拔的意志，在重重封锁中突围奋起，在艰难困苦的条件环境中激扬起豪情，在甘于吃苦、同甘共苦中实现自立自强、突破极限，创造了中国航天事业的辉煌成就。“特别能吃苦”精神既传承了中华民族吃苦耐劳的传统美德，又彰显了中国共产党带领中国人民艰苦奋斗、自力更生的精神追求。

在推进中国式现代化进程中要进一步弘扬“特别能吃苦”的精神。全面建设社会主义现代化国家、全面推进中华民族伟大复兴，是一项伟大而艰巨的事业，在前进道路上会出现各种困难、风险、挑战，改革发展稳定面临的不少深层次矛盾躲不开、绕不过。历经磨难洗礼的中华民族，凝聚力、向心力更加坚强，物质和精神财富更加丰富。载人航天精神中的“特别能吃苦”精神就是越面对困难、风险、挑战，越不能退缩让步，越要激发克服艰苦、战胜艰苦、驾驭艰苦的决心和勇气。“越是条件艰苦、困难大、矛盾多的地方，越能锤炼人”，要发扬“特别能吃苦”精神，事不避难、义不逃责，到基层和艰苦地区，在一线岗位和关键技术攻关中锤炼党性、砥砺意志、提高能力，全身心投入党的伟大事业。

（二）特别能战斗

载人航天精神中的“特别能战斗”精神，是中国航天人在破解航天事业发展中难度极大、挑战极高的难题中凝结而成的。正是这种“战斗”精神，使得中国航天人在面对规模最庞大、系统最复杂、技术难度最大、可靠性要求最严和风险挑战最大的载人航天工程时，以“革命加拼命”的战斗姿态，战胜了航天器发射及研制、发射平台及机构建立、航天员培训及选拔等环节中的无数个难题，建立起了世界领先的载人航天系统。“特别能战斗”精神既传承了中华民族迎难而上的精神传统，又是中国共产党带领中国人民敢于斗争、善于斗争的生动写照。

在推进中国式现代化进程中要进一步弘扬“特别能战斗”的精神。当前，我国发展进入战略机遇和风险挑战并存、不确定难预料因素增多的时期，特别需要发扬斗争精神、掌握斗争策略、练就斗争本领，依靠顽强斗争打开事业发展新天地。载人航天精神中的“特别能战斗”精神就是在一片空白、阻碍重重、环境恶劣情况下发奋图强的担当体现，也是敢于斗争的精神积淀。新时代新征程要以“特别能战斗”的精神面对国内外复杂严峻形势以及各种可以预料和难以预料的风险挑战，坚定“明知山有虎，偏向虎山行”的决心和斗志，关键时候豁得出去，敢想敢闯敢干，敢作为敢担当，不信邪、不怕鬼、不怕压，在各种斗争中经受锻炼磨砺，在实践历练中增长经验智慧，知难而进、迎难而上，全力战胜前进道路上各种困难和挑战。

（三）特别能攻关

载人航天精神中的“特别能攻关”精神，是中国航天人在进行大量自主创新以突破关键核心技术的过程中凝结而成的。中国航天人把“攻关”特质充分体现在载人航天工程实践中，在薄弱技术储备和生产能力基础上，发挥举国体制优势、集中力量协同攻关，系统性地攻克了巨大技术空白和制造难关，贡献出世界航天史上独特的中国方案、中国智慧。“特别能攻关”精神，既传承了中华民族开拓创新这一最深沉的民族禀赋，又是中国共产党带领中国人民解放思想、锐意进取的重要体现。

在推进中国式现代化进程中要进一步弘扬“特别能攻关”的精神。当前，新一轮科技革命和产业变革突飞猛进，学科交叉融合不断发展，科学研究范式发生深刻变革，科学技术和经济社会发展加速渗透融合，我国经济社会发展和民生改善比过去任何时候都更加需要科学技术解决方案。“关键核心技术是要不来、买不来、讨不来的”，实现高质量发展、高水平科技自立自强以及“生产力高度发达，物质财富极大丰富”都更加迫切需要增强创新这个第一动力，从统筹国家安全和发展的高度把关键技术掌握在自己手里。

（四）特别能奉献

载人航天精神中的“特别能奉献”精神，是中国航天人在一代代接力奋斗、无悔奉献青春年华甚至生命中凝结而成的。正是秉承这种血液中流淌着的“奉献”品格，中国航天人在载人航天事业中几十年如一日舍小家为大家，树立起了中华民族征服星空之海、屹立世界民族之林的精神丰碑。“特别能奉献”精神，传承了中华民族舍生取义、公而忘私的优良品质，也彰显了中国共产党人为中国人民谋幸福、为中华民族谋复兴、为人类谋进步、为世界谋大同的精神。

在推进中国式现代化进程中要进一步弘扬“特别能奉献”的精神。全球性问题加剧，国际力量对比深刻调整，全球治理严重缺失，粮食和能源等多重危机叠加。在世情国情党情纷繁复杂环境下，全面建成社会主义现代化强国、全面推进中华民族伟大复兴，“绝不是轻轻松松、敲锣打鼓就能实现的”，“走和平发展道路的现代化”也绝非一路坦途。既要在坚定维护世界和平与发展中谋求自身发展，也要以自身发展、高质量发展更好维护世界和平与发展，这都需要付出更为艰巨、更为艰苦的努力。载人航天精神中的“特别能奉献”精神所展现出来的爱国情怀、世界胸怀，自觉将个人发展同祖国命运、人民利益紧密联系起来，不计个人得失、忘我牺牲奉献，凸显了鲜明的时代特质，开启了我国航天事业的新篇章，标刻了精神力量新高度。在进行伟大斗争、建设伟大工程、推进伟大事业、实现伟大梦想新征程上，尤其要以“特别能奉献”的精神姿态，把淡泊名利、无私奉献的精神品质转化为前进动力，将伟大的精神财富转化成为源源不绝的物质创造力。

第三章
工程图样的表达方法

【学习目标】

1. 能够区分机件各种表达方法、特点、画法及标注；
2. 能够将三视图改画为全剖视图、半剖视图或者能够补全漏线；
3. 能够判断断面图的正误、区分断面图和剖视图、识别局部放大图。

【学习重难点】

1. 基本视图、向视图、局部视图和斜视图的画法及标注方法；
2. 剖视图的画法及标注；
3. 断面图和局部放大图的画法及标注；
4. 判断具体零部件采用何种视图表达。

第一节　视图

根据机件的结构特点，《机械制图 图样画法 视图》（GB/T 4458.1—2002）规定视图可以分为基本视图、向视图、局部视图和斜视图四种。

一、基本视图

机件向六个基本投影面进行正投射得到六个正投影图，这六个投影图称为六个基本视图，三视图属于基本视图中的三个视图。基本投影面是在正立投影面、水平投影面、侧立投影面基础上，再增加与它们对应平行的三个投影面，相当于一个正六面体的六个表面，如图 3-1(a) 所示。

机件放置在六个基本投影面之间，从六个方向分别向基本投影面投射，得到六个基本视图，即主视图、俯视图、左视图、右视图、仰视图、后视图。

六个投影面的展开方法与三视图的展开方法类似，如图 3-1(b) 所示，即将俯视图向下旋转，左视图、后视图向右旋转，仰视图向上旋转，右视图向左旋转，使这些视图位于与主视图重合的平面上，即得到平面上的六个基本视图，如图 3-1(c) 所示。展开后的六个基本视图按图 3-1(c) 所示的位置关系配置，无须标注视图的名称，且六个视图仍保持着“长对正、高平齐、宽相等”的投影规律，即：

主视图、俯视图、仰视图、后视图，长对正；

主视图、左视图、右视图、后视图，高平齐；

俯视图、左视图、仰视图、右视图，宽相等。

在实际画图时，并不是所有机件都需要六个基本视图，而是根据机件的结构特点选用必要的基本视图。一般优先选用主、俯、左三个视图，但任何机件的表达都必须有主视图。

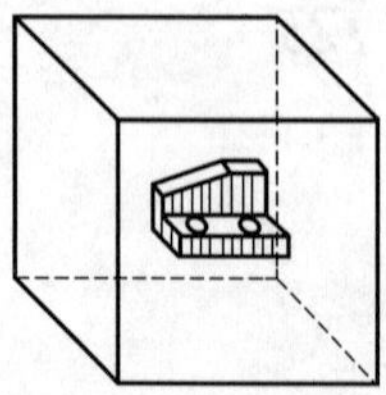

(a) 机件在六个基本投影面之中

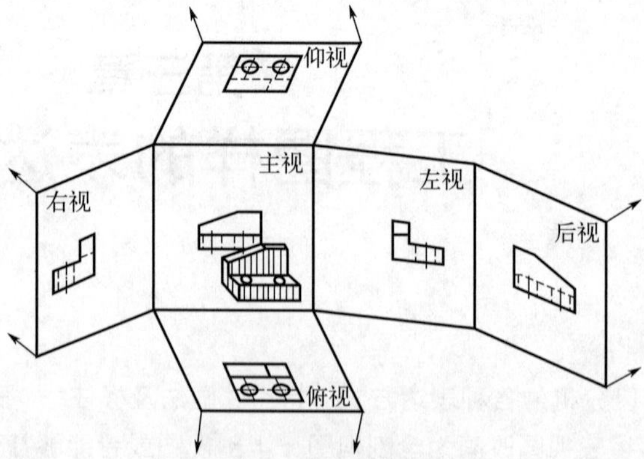

(b) 六个基本投影面的展开方法

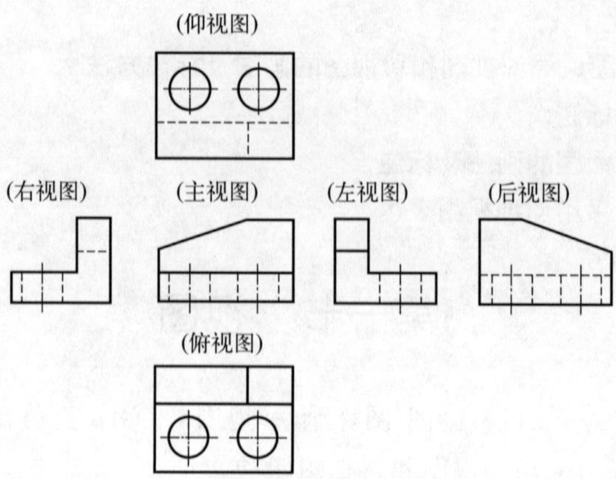

(c) 六个基本视图

图 3-1　基本视图的形成

二、向视图

向视图是可以自由配置的基本视图。为了合理地利用图幅，某个基本视图可以不按规定的位置关系配置，即可自由配置，此时即为向视图，但应在该视图上方用大写的拉丁字母标注出视图的名称“×”（×为大写的英文字母，如“*A*”“*B*”“*C*”等），并在相应视图附近用箭头指明投射方向，注上相同的字母，如图 3-2 所示。通常，指明投射方向的箭头宜配置在主视图附近，指明后视图投射方向的箭头宜配置在左、右视图附近。

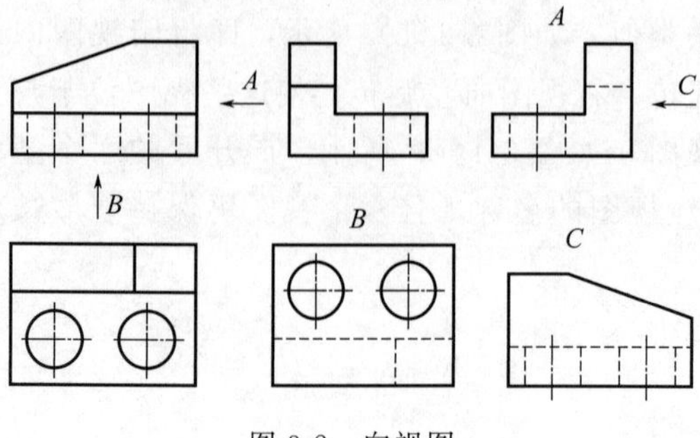

图 3-2　向视图

三、局部视图

图 3-3 管接头右端有一个小的凸台，它是机件的局部结构，在表达时，如果选用完整的右视图表达它的形状，显然是不必要的，

可以仅将右视图中凸台部分的图样绘出，其余部分都省略。这种只将机件的某一部分向基本投影面投射所得到的视图称为局部视图，如图 3-3 所示。

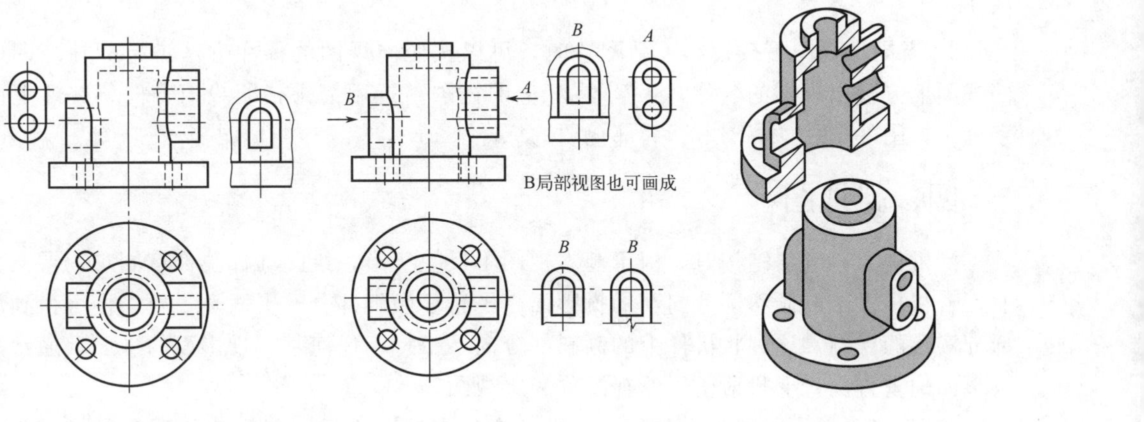

(a) 按基本视图配置的局部视图不标注　(b) 按向视图配置的局部视图要标注　(c) 立体模型

图 3-3　局部视图 1

1. 局部视图的画法

① 局部视图中用波浪线（或双折线）表示机件断裂部分的边界，波浪线不得超出机件实体的投影范围，如图 3-3(a)、(b) 中局部视图的波浪线画法。

② 当所表示的局部结构外悬且端部有法兰凸缘[如图 3-4(c)中的上部法兰] 或是外伸端部无法兰凸缘，只要周边是完整的，其外轮廓线又呈完整的封闭图形时（如图 3-3 右上方凸出部分），表示断裂的波浪线则可以省略不画，如图 3-3 和图 3-4 中“*A*”向局部视图。

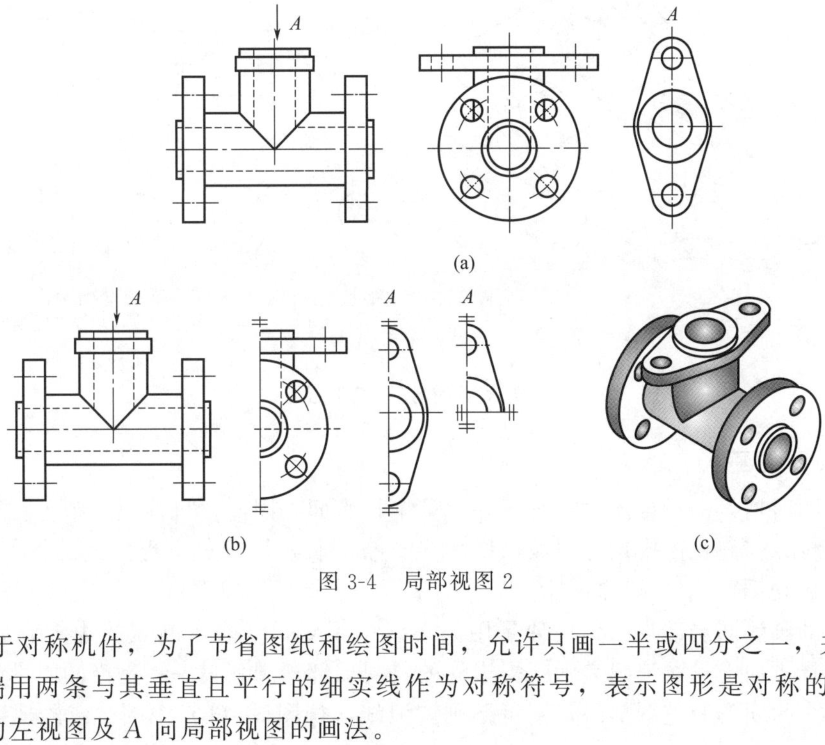

(a)

(b)　(c)

图 3-4　局部视图 2

③ 对于对称机件，为了节省图纸和绘图时间，允许只画一半或四分之一，并在对称中心线的两端用两条与其垂直且平行的细实线作为对称符号，表示图形是对称的，如图 3-4 (b) 所示的左视图及 *A* 向局部视图的画法。

2. 局部视图的配置与标注

① 同向视图一样，当局部视图按投影关系配置，中间又没有其他图形隔开时，可省略标注。

② 当局部视图不按投影关系配置时，可以按照向视图的标注方法进行标注。即应在局部视图上方标出视图的名称“×”，在相应的视图附近用箭头指明投射方向，并注上同样的字母，如图 3-3 中“*A*”“*B*”局部视图的标注。

四、斜视图

当机件上有倾斜结构时，由于基本视图不反映实形，绘图和标注都有困难，看图也不方便，若将机件上的倾斜部分向新的投影面（平行于倾斜部分的平面）投射，便可得到反映这部分实形的视图。这种将机件上的倾斜部分向不平行于任何基本投影面的平面（通常是基本投影面的垂直面）上投射所得的视图称为斜视图。

如图 3-5(a) 所示机件上的斜板，在各个基本视图中均不能反映其真实形状，此时，为了表达该部分的实形，可以设立一个平行于倾斜结构表面的正垂面作为辅助投影面，将倾斜部分的结构向此辅助投影面投射，便得到反映该倾斜结构表面真实形状的斜视图，如图 3-5 中的“*B*”斜视图。

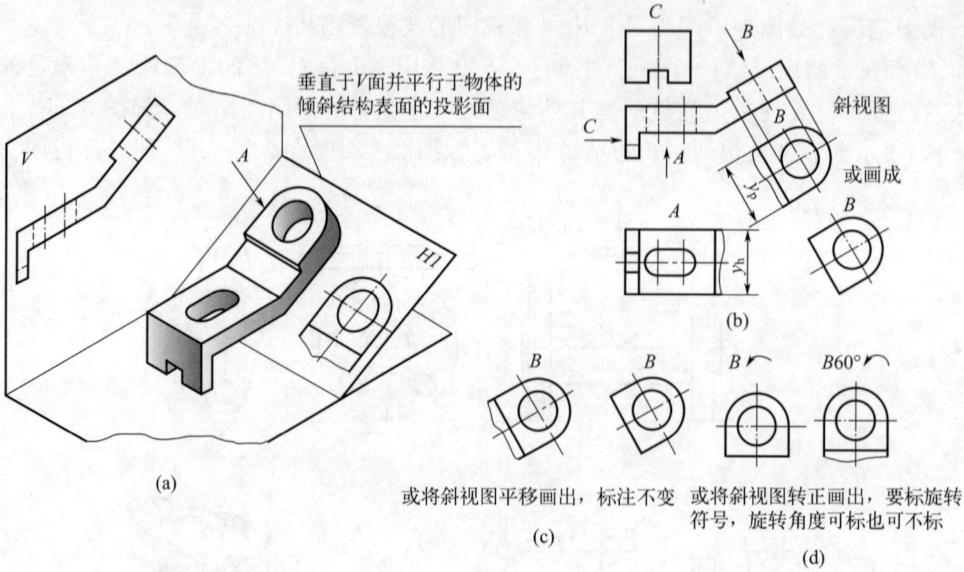

图 3-5　斜视图的形成

1. 斜视图的画法

画斜视图时增设的投影面只垂直于一个基本投影面，因此，机件上原来平行于基本投影面的一些结构，在斜视图中最好以波浪线为界省略不画，以避免出现失真的投影，如图 3-5（b）中不用俯视图而用“*A*”向视图。

斜视图的画法同局部视图，一种是用波浪线或用双折线表示断裂的边界，如图 3-5(b) 中在箭头所指方向上用波浪线表示断裂边界的斜视局部视图；另一种是当倾斜部分的结构表面轮廓是一个封闭的完整图形时，则可不画波浪线，如图 3-5(b) 中的“或画成”的斜视局部视图。

2. 斜视图的配置与标注

① 斜视图无论是配置在箭头所指方向上还是平移到其他位置上，均按向视图的标注形式进行标注，即用箭头表示投射方向，用字母表示视图的名称。表示视图名称的文字应采用水平方向，不能随视图倾斜，如图 3-5 中右上方和左下方的注释。

② 斜视图一般按照投影关系配置，有时为了在图纸上更好地布局，也可以配置在其他适当的位置。

③ 为了绘图简便、看图方便，在不引起误解的情况下，也允许将斜视图旋转到水平或垂直位置后放置。斜视图旋转配置时，旋转方向和旋转角度的确定应考虑便于看图。但必须加上旋转符号，旋转符号的箭头指向应与旋转方向一致，表示斜视图名称的大写拉丁字母应靠近旋转符号的箭头端，如图 3-6 和图 3-7 所示。需给出旋转角度时，角度应注写在字母之后，如图 3-7 所示。

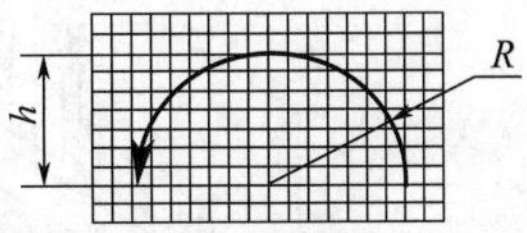

图 3-6　旋转符号

[h 为符号与字体高度，$h=R$。符号笔画宽度为$\frac{1}{10}h$ 或$\frac{1}{14}h$]

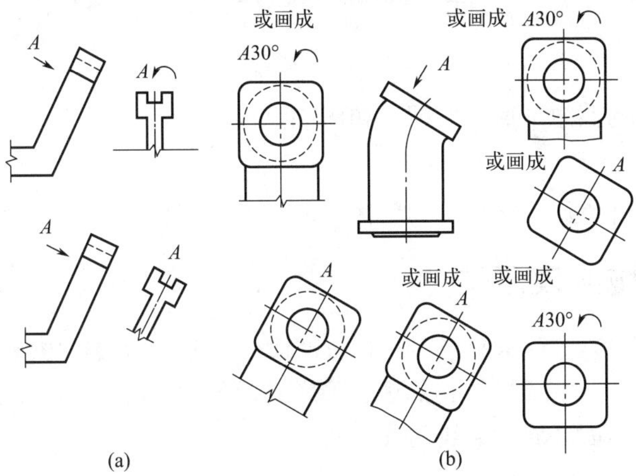

图 3-7　斜视图

第二节　剖视图

一、基本概念

1. 剖视图

如图 3-8(a) 所示的机件，用视图表达时，虚线较多，影响图形的清晰度，同时也不便标注尺寸，如图 3-8(b) 所示。

如图 3-9(a) 所示，假想用一正平面沿机件的前后对称位置将其剖开，移去前面部分，使内部的孔等的轮廓显露出来，然后按正投影法对未移去部分进行投射得到图形。这种假想用

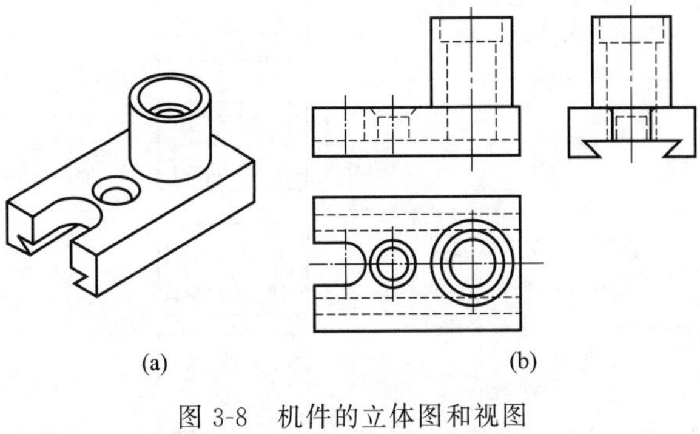

图 3-8　机件的立体图和视图

剖切面（平面或柱面）切开机件，将处在观察者与剖切面之间的部分移去，将剩下的部分向与剖切面平行的投影面投射，所得到的图形称为剖视图，简称剖视。

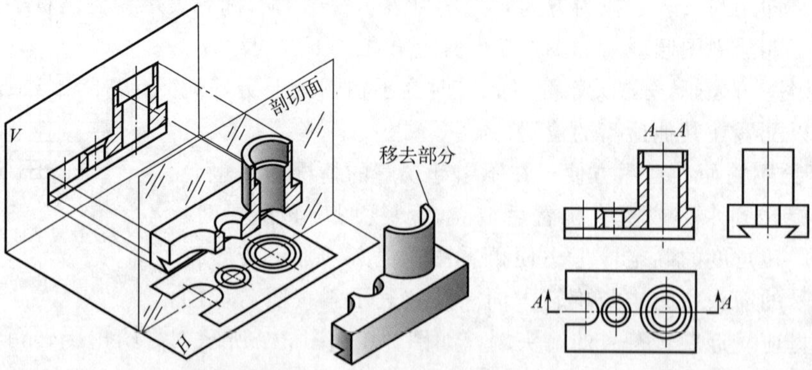

(a) 剖视图的形成　　(b) 剖视图

图 3-9　剖视图的基本概念

2. 剖切面

剖切被表达物体的假想平面或曲面，如图 3-9(a) 所示。

3. 剖面区域

假想用剖切面剖开物体，剖切面与物体接触的部分，如图 3-9(b) 的斜线部分。

二、剖面区域的表示法

GB/T 17453 — 2005《技术制图图样画法剖面区域的表示法》中规定了剖面区域的表示法，有用剖面线表示法、特定材料表示法、阴影或调色表示法、狭小剖面区域的表示法、相近的狭小剖面和加粗剖面区域轮廓线的表示法。

剖面区域的表示法的注意事项：

① 为了便于识图，标准规定在剖面区域内一般应采用一种表示法，以便使剖视图更清楚地表示出物体有材料的实体和空腔部分，通常采用“剖面线表示法”。

② 当需要在剖面区域表示材料时，采用有关剖面符号，采用表 3-1 所列的有关剖面符号。

表 3-1　剖面符号

材料类型	符号	材料类型		符号
金属材料(已有规定符号者除外)	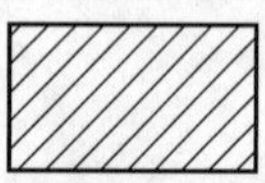	木材	纵断面	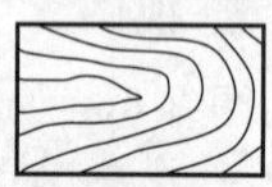
线圈绕组元件	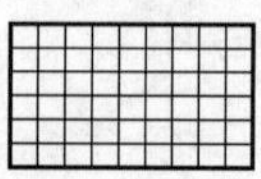		横断面	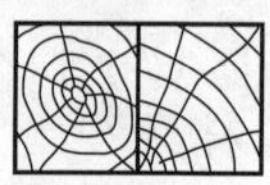
转子、电枢、变压器和电抗器等的叠钢片	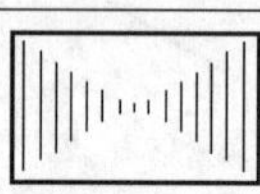	混凝土		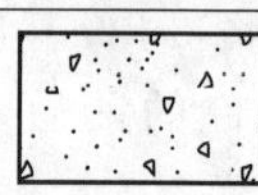
非金属材料(已有规定符号者除外)	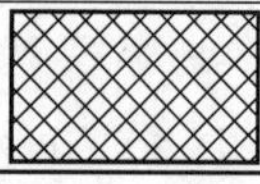	钢筋混凝土		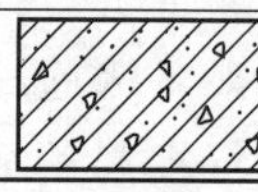

续表

材料类型	符号	材料类型	符号
型砂、填砂、粉末、冶金砂轮、陶瓷刀片、硬质合金刀片等	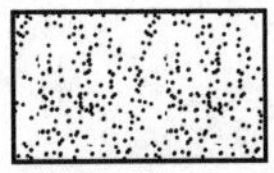	砖	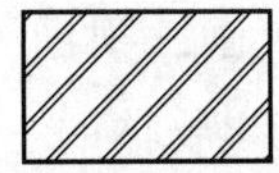
玻璃及观察用的其他透明材料	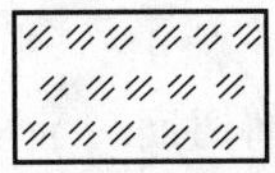	液体	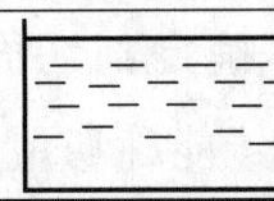

③ 剖面线是以与剖面或断面外轮廓线呈对称或相适宜的角度（参考角 45°），间距不小于 0.7mm 的平行细实线表示。剖面线的间隔（即平行细实线间的距离）应按剖面区域的大小而定，一般为 2～6mm，当图形的主要轮廓线与水平方向成 45°时，该图形的剖面线可画成与水平方向成 30°或 60°的平行细实线。但其倾斜方向和间隔仍应与其他图形的剖面线保持一致，如图 3-10(a) 所示。

④ 对于大面积剖面区域剖面线的画法，可使用沿周线的等长剖面线表示。剖面内可以标注尺寸，如图 3-10(b) 所示。

⑤ 阴影可以是带点的图案或是一个全色。剖面区域点的间距应根据底纹尺寸按比例选择。对于大面积剖面区域内，亦可沿周线画等距点的图案。阴影面和调色［如图 3-10(c) 所示］内允许尺寸标注。

⑥ 狭小剖面区域用完全黑色表示，这种方法表示实际的几何形状，如图 3-10(d) 所示。

⑦ 相近的狭小剖面可以表示成完全黑色，相邻剖面之间至少应留下 0.7mm 的间距，这种方法不表示实际的几何形状，如图 3-10(e) 所示。

⑧ 断面或剖面可用 GB/T 17450—1998《技术制图 图线》所规定的加粗实线来强调表示，如图 3-10(f) 所示。

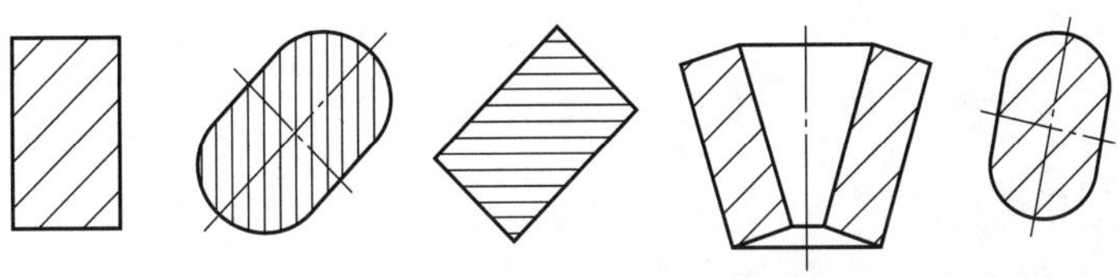

(a) 用参考角45°，间距不得小于0.7mm的平行细实线画剖面线的示例

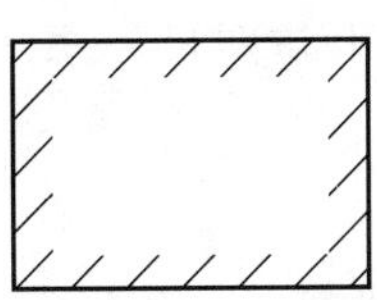

(b) 大面积剖面区域的剖面线允许画法

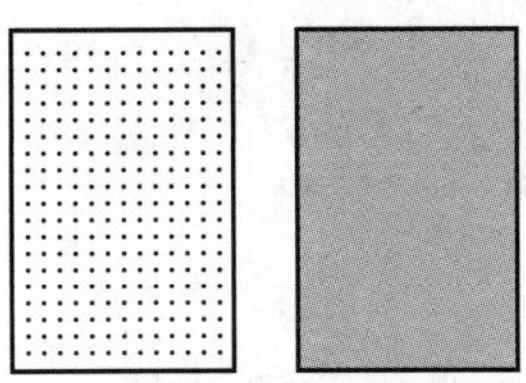

(c) 用带点的阴影图案或调色填充剖面区域

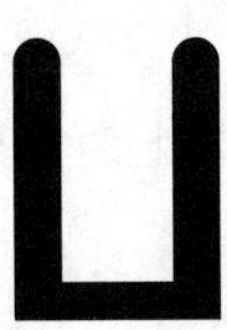

(d) 狭小剖面区域用完全黑色表示

(e) 相近的狭小剖面

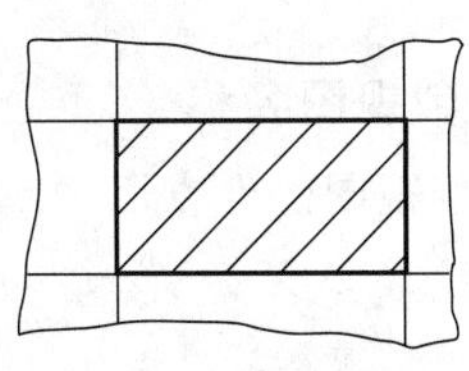

(f) 剖面边框使用加粗线型

图 3-10 剖面区域表示符号（剖面线）

三、画剖视图的步骤

1. 画三视图

画出物体的三视图，确定哪个视图取剖视。

2. 确定剖切面的位置

为了能确切地表达机件内部的真实形状，所选剖切面一般应与某投影面平行，并应通过机件内部孔、槽的轴线或对称面。剖切面可以是平面或圆柱面，用得最多的是平面，如图 3-9(a) 主视图取剖视，在俯视图中标注剖切面的位置。

3. 画出剖视图

(1) 虚线改实线

剖切面与物体内部结构的交线原来看不见，投影为虚线，剖切后可见，改成实线。

(2) 不忘可见线

原来看不见的线，即断面（断面就是剖切面剖切到的机件的实体部分）后的可见轮廓线，原来投影为虚线，现改成实线，一定要用粗实线画出，不能漏画。

(3) 去掉多余线

擦去剖掉的轮廓线。

(4) 画上剖面线

为了区分断面后的空心部分和实体部分，在机件的剖面区域上应按表 3-1 中所规定的各种不同材料的剖面符号画上相应的剖面线。

4. 进行标注

按规定对剖视图的名称、剖切面的位置和投射方向进行标注。

5. 校核

校核并按图线的应用规定加深、加粗图形。

四、剖视图的标注

1. 剖切符号

剖切符号包括剖切面的位置、名称和投射方向。剖切符号表示剖切面的起、迄和转折位置，为线宽 (1～1.5)d，长为 3～6mm 的粗短线，尽可能不与图形轮廓线相交，如图 3-9(b) 所示。

2. 投射方向

在剖切符号的起、迄位置的外侧画上与之垂直的箭头表示投射方向，如图 3-9(b) 所示。

3. 剖视图名称

在剖视图的上方用“X—X”标出剖视图的名称，“X”应与剖切符号上的字母相同（避免用“*I*、*O*、*X*、*Z*”），如图 3-9(b) 所示。

五、剖视图省略标注的条件

① 当剖切平面通过的不是对称平面，而剖视图按基本视图的规定位置配置，中间又无

其他图形隔开时，可省略箭头，如图 3-11 中“C—C”全剖俯视图的标注。

② 当单一的剖切平面通过物体的对称（或基本对称）平面，且剖视图按基本视图的规定位置配置，中间又无其他图形隔开时，可省略标注，如图 3-11 的主视图的剖视省略标注，图 3-9(b) 也可以省略标注。

③ 当单一剖切平面的剖切位置明确时，局部剖视图不标注（见局部剖视图）。

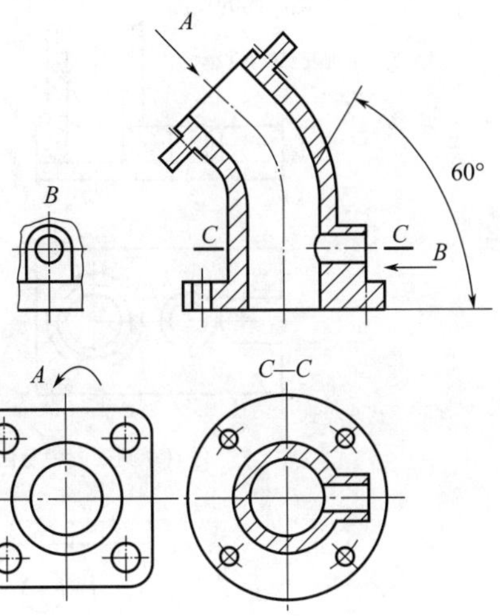

图 3-11 剖面线的画法

六、画剖视图应该注意的问题

① 画剖视图的目的是表达机件内部结构形状，因此应使剖切面平行于剖视图所在的投影面，且尽量通过较多的内部结构（孔、槽等）的对称平面或轴线等，如图 3-9 所示的剖切面通过物体的左右对称平面。

② 剖切只是假想，并非真的将机件切去一部分，因此在画其他视图时，仍应按整体考虑，如图 3-9(a) 中的主视图画成剖视图，其他视图仍为完整机件的投影。

③ 在剖视图中已经表达清楚的机件内部结构形状，在其他视图上就不必画出表示它的内部结构的虚线，如图 3-9 左视图和俯视图中的虚线不再画出。

④ 位于剖切面后的可见轮廓应全部画出，不要漏线，对于剖切面前方的可见外形，由于剖切后不存在了，所以不应再画出，如图 3-12(a) 主视图所示，为剖视图中易出现的错误。

⑤ 位于剖切面后的不可见轮廓在其他视图中已经表达清楚了，在剖视图中一般不再画出。对于在其他视图中难以表达清楚的部分，必要时允许在剖视图中画出虚线，如图 3-12(b) 所示主视图中的虚线。

⑥ 同一机件的各个剖面区域的剖面符号应一致，若采用剖面线表示，则在各个剖面区域中的剖面线的方向、间隔应一致。

⑦ 剖视图的标注提倡能省则省的简化标注原则。

⑧ 剖视图的位置配置有三种方式

a. 按基本视图的规定位置配置；

b. 按投影关系配置在与剖切符号相对应的位置上；

c. 必要时允许配置在其他适当位置上。

这三种配置方式，原则上优选第一种，只有当基本视图位置被占据时才选用第二种，如图 3-12(c) 所示。当第一种和第二种均不便采用时，方可选用第三种。

七、剖视图的种类

画剖视图时，根据表达的需要，既可以将机件完全切开后按照剖视绘制，又可只将它的一部分画成剖视图，而另一部分保留外形。国标规定了全剖视图、半剖视图和局部剖视图三种剖视图。

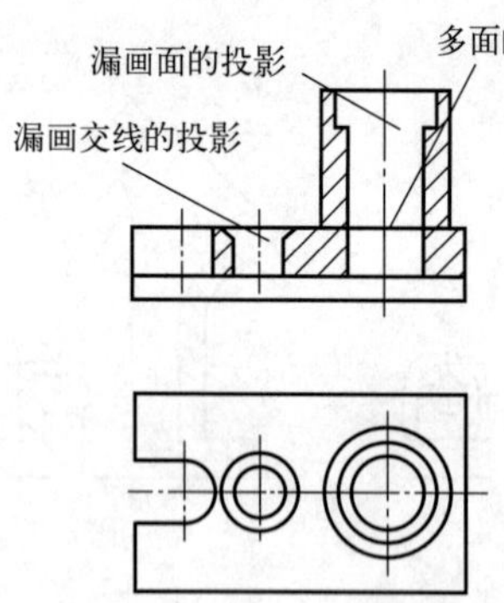

(a) 剖视图中易出现的错误

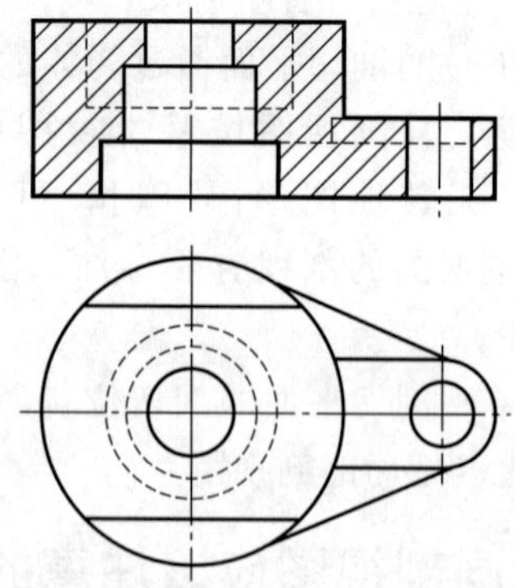

(b) 必要虚线允许画出

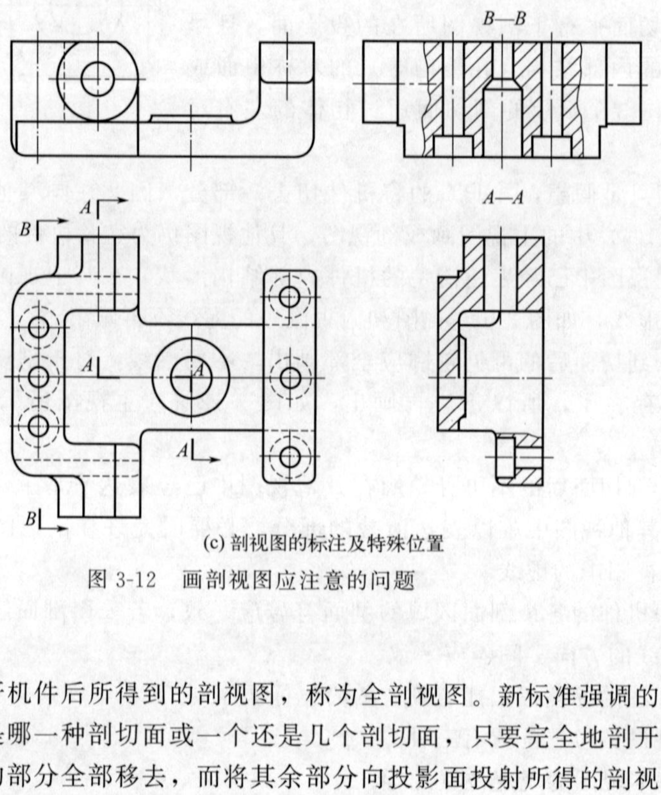

(c) 剖视图的标注及特殊位置

图 3-12　画剖视图应注意的问题

1. 全剖视图

用剖切面完全地剖开机件后所得到的剖视图，称为全剖视图。新标准强调的是完全地剖开机件，并不关心用的是哪一种剖切面或一个还是几个剖切面，只要完全地剖开机件，将处在观察者和剖切面之间的部分全部移去，而将其余部分向投影面投射所得的剖视图即为全剖视图。图 3-13 的主、左视图均为全剖视图。

全剖视图用于表达外部结构形状简单、内部结构形状复杂的不对称机件，如图 3-13 所示。对于外部结构形状虽然复杂，但在其他视图中已表达清楚的机件，也常采用全剖视图，如图 3-9(a) 的主视图，图 3-11 的主、俯视图均为全剖视图。

2. 半剖视图

当物体具有对称平面时，向垂直于对称平面的投影面上投射所得的图形，可以对称中心线为界，一半画成视图，一半画成剖视图，这种剖视图称为半剖视图。从图 3-14 所示机件的三视图可以看出，该机件的内外结构形状比较复杂，但其前、后对称且左、右对称。如果用全剖视图，则机件的前面凸台外形、顶板的形状及顶板上四个小孔的位置不能表达清楚。而采用图 3-15 所示的剖切方法，移去剖切面与观察者之间那部分的一半，将三个视图均画

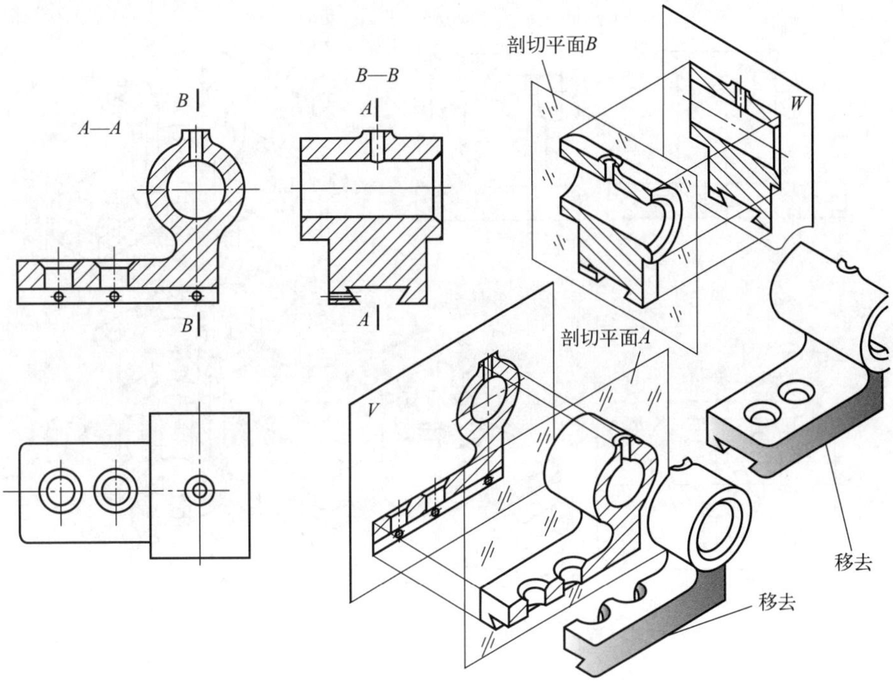

图 3-13　全剖视图

成半剖视图来表达机件，这样既能保留外形，又能表达内部结构。

半剖视图适用于内、外结构形状均需要表达，且具有对称平面的机件，如图 3-15 所示；或者机件基本对称，不对称的部分已经由其他视图明确表示，如图 3-16 所示。这样一个半剖视图既可以表达机件的内部结构，又可以表达机件的外部形状。

画半剖视图时应注意：

① 具有对称平面的机件，只能在垂直于对称面的投影面上取半剖；半剖视图中视图与剖视图的分界线必须是点画线，不要画成粗实线，如图 3-15 所示。

② 由于半剖视图同时表达机件的内、外结构形状，所以机件的内部结构已在剖视图中表达清楚了，因此在表达外形的半个视图中，表达对称的内部结构的虚线可以省略不画，如图 3-15 所示。

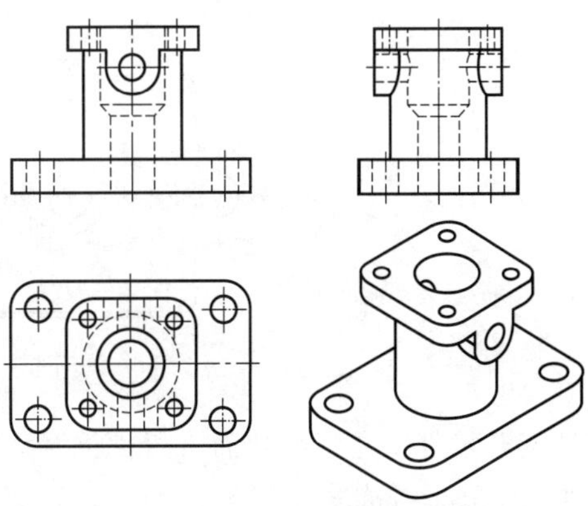

图 3-14　机件的视图

③ 半剖视图的配置位置和标注方法与全剖视图完全相同，如图 3-15 所示。标注方法是用粗实线在图形轮廓线之外画两个短线表示剖切位置，这两个短线不应与轮廓线相交，且在两段短线的旁边写上两个相同的大写字母，然后在剖视图的上方标出同样的字母，例如“*A*—*A*”，如图 3-15 主视图。

3. 局部剖视图

用剖切面局部地剖开机件得到的剖视图称为局部剖视图，如图 3-17 所示。这里的“局

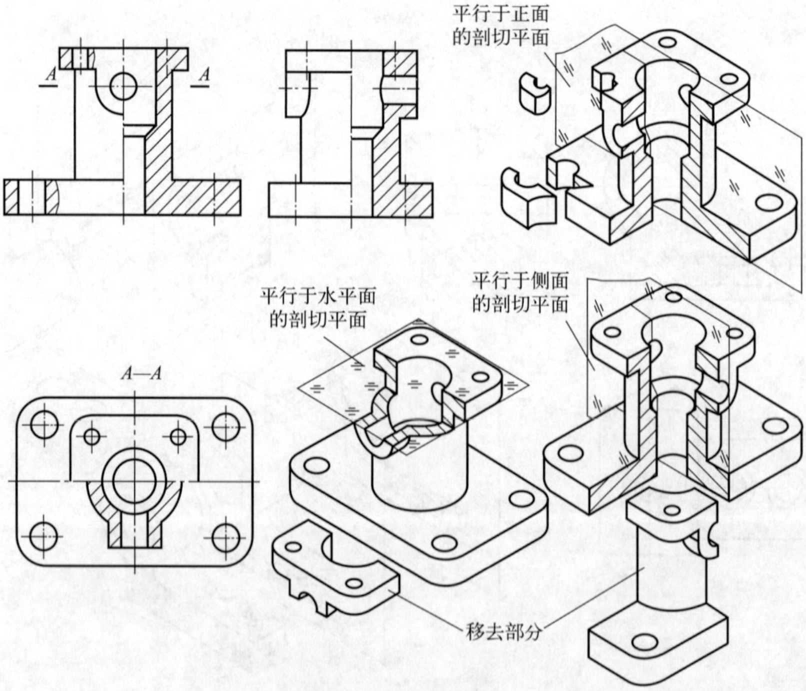

图 3-15　半剖视图 1

[仅主、俯视图可表达清楚此物体，这里主要为说明三个方向的半剖]

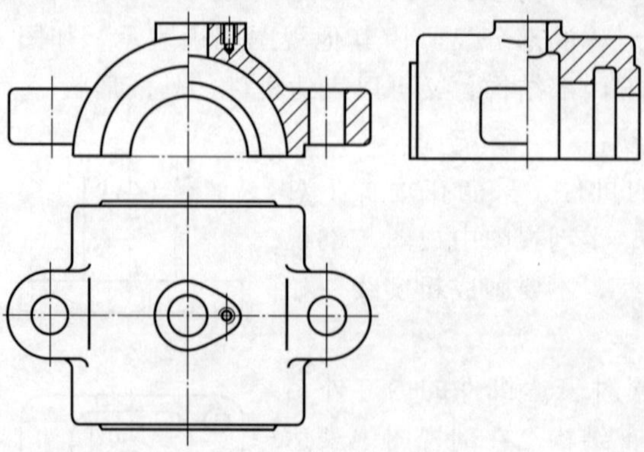

图 3-16　半剖视图 2

部地剖开机件”是指剖切面将机件剖开后，移去的是剖切面与观察者之间的一部分，既不是一半，也不是全部。

局部剖视图的画法是以波浪线或双折线为界，一部分画成视图表达外部形状，另一部分画成剖视图表达内部结构。剖切面的位置和剖切范围的大小可根据表达物体的需要而定。

局部剖视图一般不用标注，为了读图时不引起误解，波浪线不要与图形中其他图线重合，也不要画在其他图线的延长线上。注意，波浪线是机件断开的实体部分的边界，如果遇到投射方向上有开口（无盖）的空洞，空洞部分的波浪线应断开，如图 3-18 为错误画法。当被剖结构为回转体时，允许将该结构的轴线作为局部剖视图与视图的分界线，如图 3-19 所示。

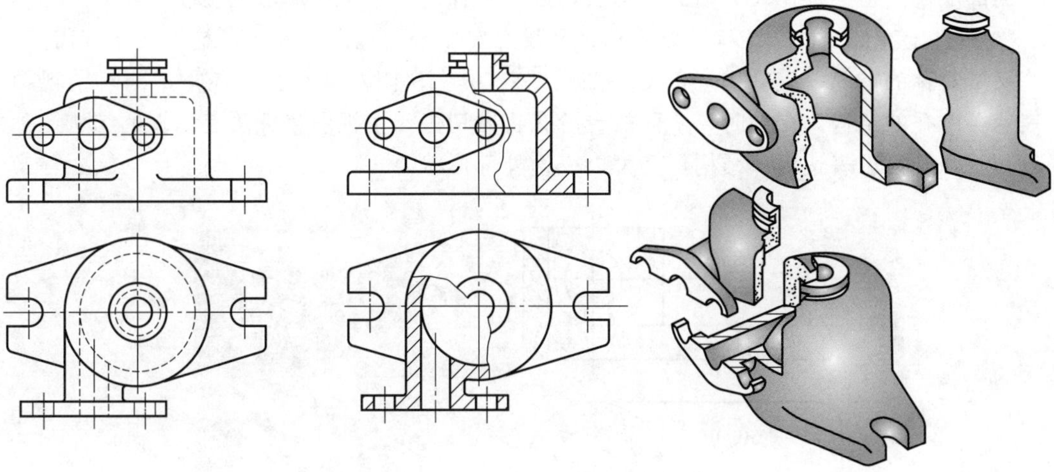

(a) 视图　　(b) 局部剖视图　　(c) 局部剖视图形成的模型图

图 3-17　局部剖视图示例

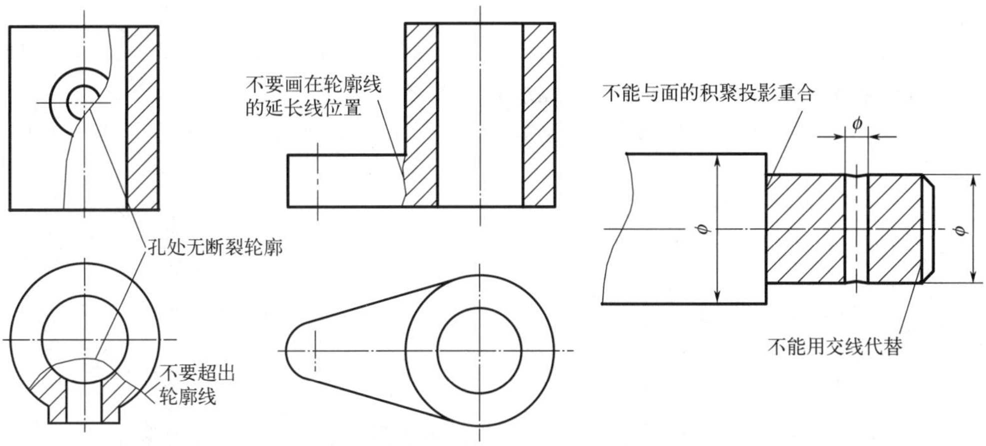

(a)　　(b)　　(c)

图 3-18　局部剖视图的错误画法

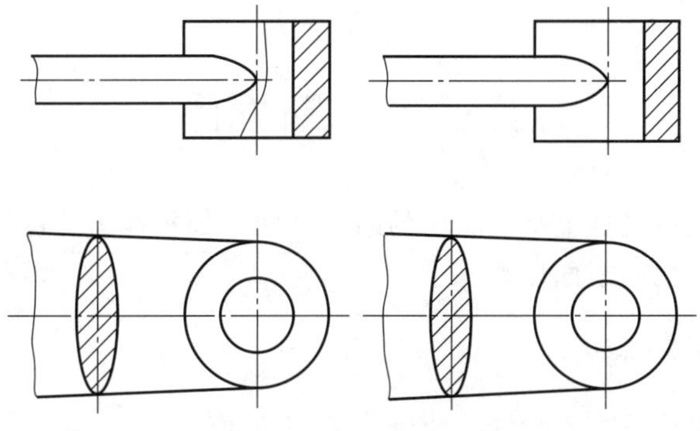

(a) 一般画法　　(b) 允许画法

图 3-19　局部剖视图的应用 1

局部剖视图是一种比较灵活的表示法，以下几种情况宜采用局部剖视图：

① 机件上有部分内部结构需要表示，又没必要作全剖视，或内、外结构形状都需兼顾，结构又不对称的情况，宜采用局部剖。如图 3-20 中主视图左端小孔的表达，同时主视图需要表达台阶孔的结构，全剖时，前面的台阶孔将被切去，主视图将无法表达它的结构，采用局部剖视则既可以表达内部结构，又可以表达外部形状。

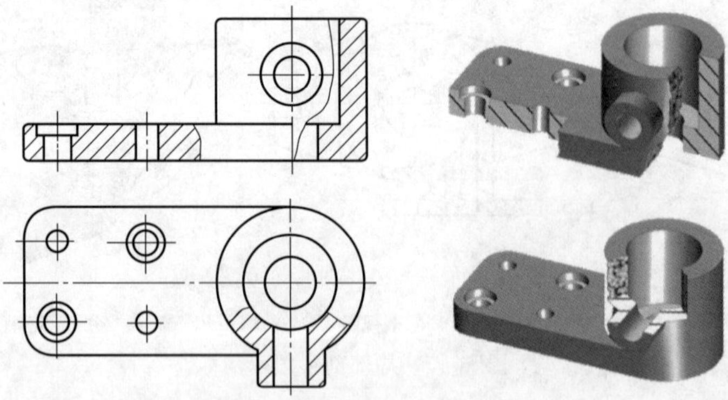

图 3-20　局部剖视图的应用 2

② 机件具有对称的结构，但由于轮廓线与中心线重合而不宜采用半剖视图时（分界线处为粗实线时容易混淆），可用局部剖视图表达，如图 3-21 所示。

③ 实心机件上有孔、凹坑和键槽等需要表示时，可用局部剖视图表达，如图 3-22 所示。

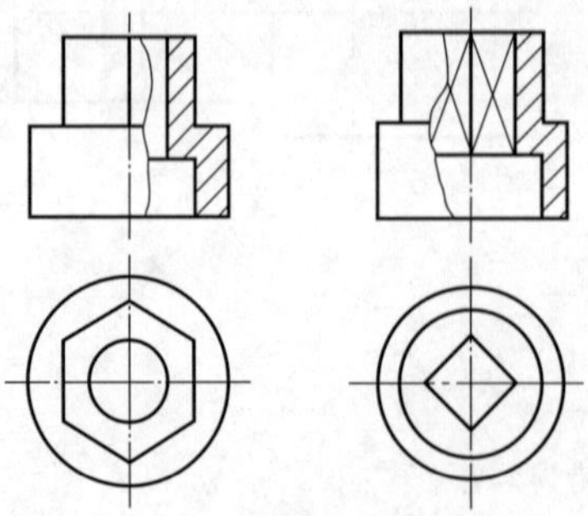

图 3-21　局部剖视图的应用 3

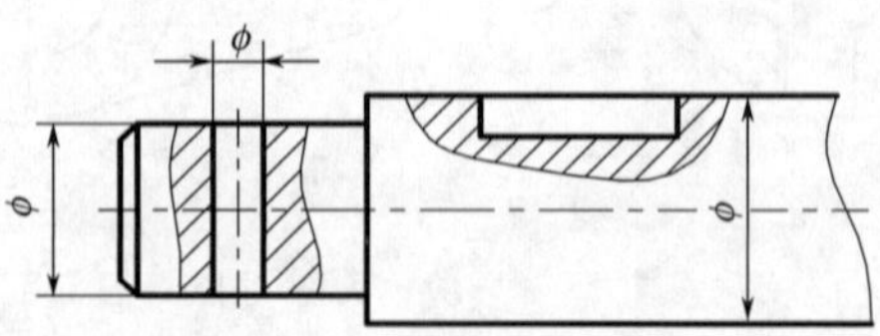

图 3-22　局部剖视图的应用 4

第三节　断面图

断面图主要用来表达机件上某一结构的断面形状，如机件上的键槽、肋板形状，以及按照一定规律或无规律变化的断面形状。

一、断面图的概念

假想在机件的某处用垂直于轮廓线或轴线的剖切面切断，仅画出断面（即剖切面与机件接触部分）的图形，称为断面图，简称断面，如图 3-23 所示。断面图主要用于表达机件的断面形状，如轴或杆上的槽或孔的深度及机件上的肋、轮辐等结构的断面的形状。

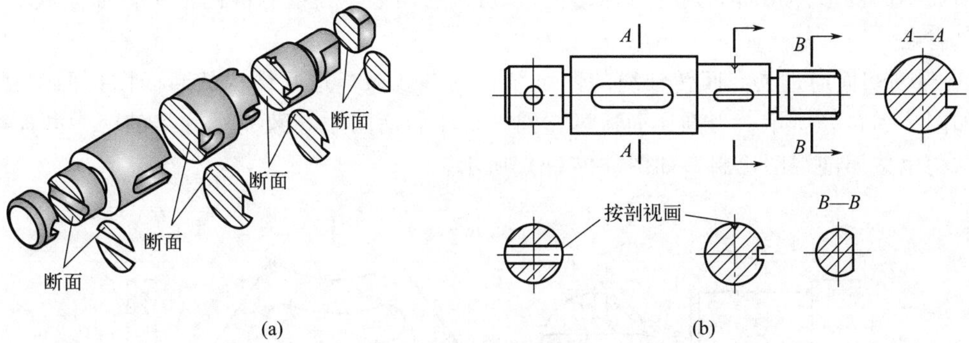

图 3-23　断面图

二、断面图的种类

断面图按其配置的位置不同，可以分为移出断面和重合断面两种。

1. 移出断面图

画在视图之外的断面图称为移出断面图，如图 3-24 所示。移出断面图画在原有视图之外，不影响原有视图的清晰度。

（1）移出断面图的画法

① 移出断面的轮廓线用粗实线表示，并在断面上画上剖面符号，如图 3-25 所示。如果不影响看图，不会引起误解，剖面符号也可以省略。

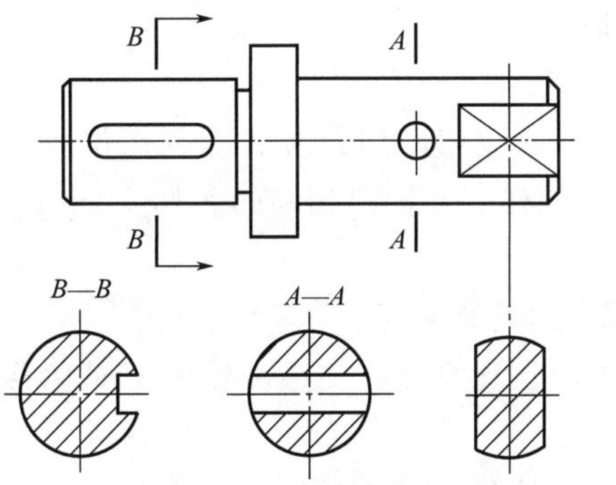

图 3-24　移出断面图

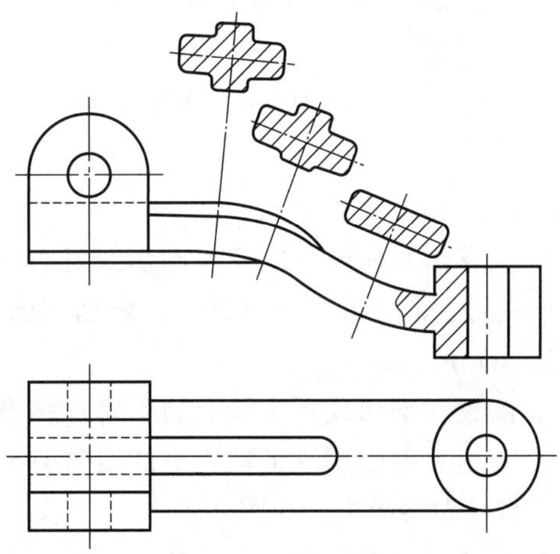

图 3-25　布置在剖切线延长线上的断面图

② 移出断面应当尽量布置在剖切面的剖切延长线上，此时表示视图名称的字母可以省略，如图 3-25 所示。如果布置在其他位置，表示断面图名称的字母不能省略。

③ 移出断面也可以绘制在视图的中断处，如图 3-26 所示。

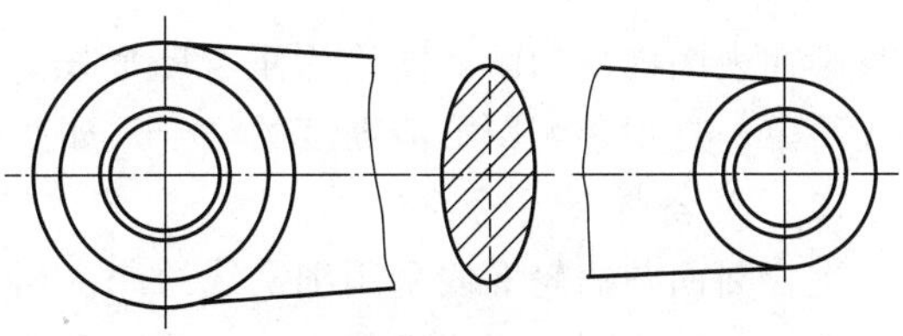

图 3-26　移出断面图可以绘制在视图中断处

④ 如果断面图沿剖切面向两个方向投

射，断面图的图形都相同（具有对称结构），可以省略表示投射方向的箭头，如图 3-24 所示箭头已省略。

⑤ 当剖切面通过具有回转轴线的凹坑结构的轴线时，这些结构的断面图按照剖视图绘制，如图 3-27(a) 所示。当剖切面通过非圆孔，在断面图中导致完全分离的两个断面图时，这些结构也按照剖视图绘制，如图 3-27(b) 所示。

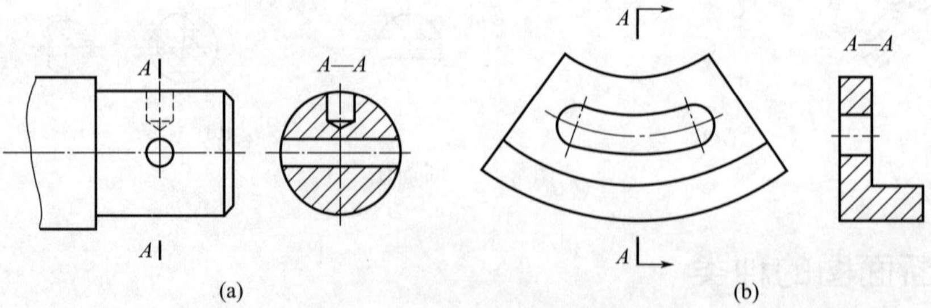

图 3-27　移出断面图的标注

⑥ 为了能够表示断面的真实形状，剖切面一般应垂直于机件的轮廓线（直线）或通过圆弧轮廓线的中心，如图 3-28 所示。

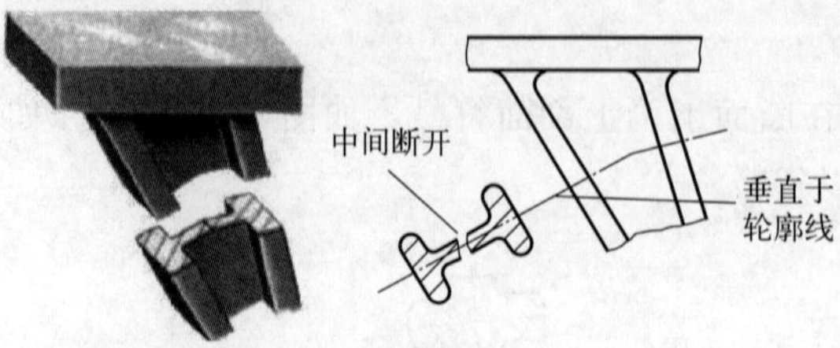

图 3-28　相交剖切面形成的断面图

⑦ 如果一个剖切面不能满足垂直于机件轮廓线的要求时，可以使用两个相交的剖切面，使其分别垂直于各自的轮廓线，断面图的中间应当用波浪线断开。必要时可以采用将断面图旋转到水平或垂直位置，在断面图名称中用箭头标明旋转的方向，标注方法与剖视图的标注方法完全相同，如图 3-28 所示。

(2) 移出断面的标注

① 当移出断面图不配置在剖切线延长线上时，一般应用剖切符号表示剖切位置，用箭头表示投射方向，并注上字母，在断面图的上方应用同样字母标出相同的名称“X—X”，如图 3-27(b) 所示。

② 配置在剖切线延长线上的不对称移出断面图，可省略字母。

③ 不配置在剖切线延长线上的对称移出断面图，以及按投影关系配置的不对称移出断面图，均可省略箭头，如图 3-27(a) 所示。

④ 配置在剖切线延长线上的对称移出断面图及配置在视图中断处的移出断面图，均可省略标注，如图 3-25 和图 3-26 所示。

2. 重合断面图

画在视图内部的断面图称为重合断面图，如图 3-29 所示。重合断面图适用于断面形状比较简单，且不影响图形清晰度的场合，如肋板的形状等。

(1) 重合断面图的画法

重合断面图的轮廓线采用细实线绘制，当视图中的轮廓线与重合断面图中的轮廓线重合时，视图中的轮廓线仍连续画出，不可断开，如图 3-30 所示。

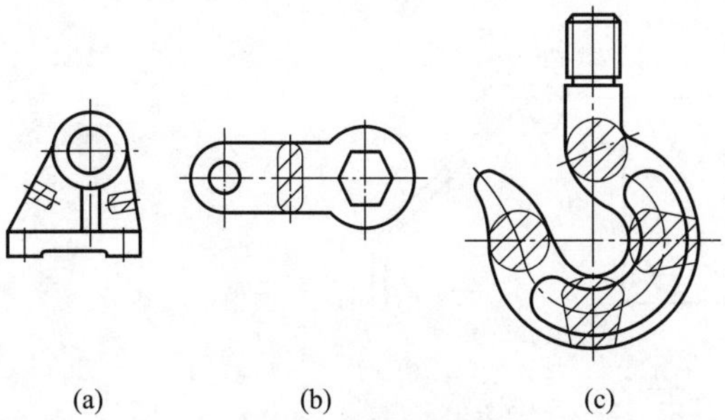

图 3-29　重合断面图

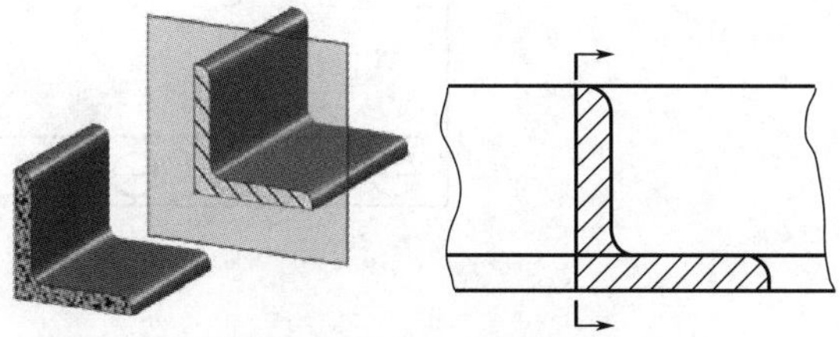
图 3-30　不对称重合断面图

（2）重合断面的标注

重合断面图的标注与移出断面图的标注相同。因重合断面图直接画在视图内剖切位置处，在标注时对称的重合断面图不必标注，如图 3-29 所示；不对称的重合断面图可省略字母，如图 3-30 所示。

第四节　局部放大图

国家标准 GB/T 4458.1—2002 对局部放大图的概念、画法和标注作出了明确规定。

将机件的部分结构，用大于原图所采用的比例画出的图形，称为局部放大图，如图 3-31 所示。

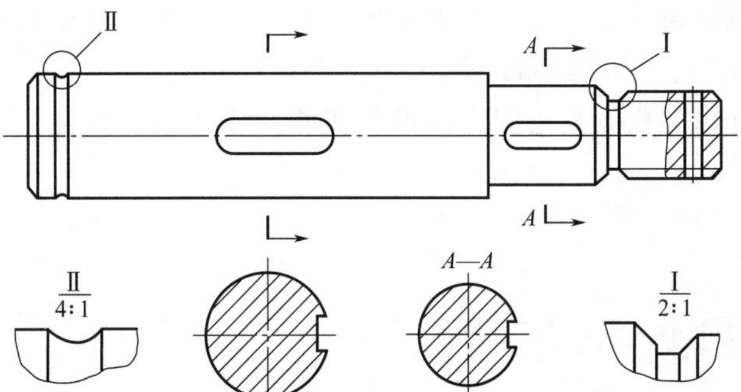

图 3-31　局部放大图 1

局部放大图的规定画法、配置及标注：

① 局部放大图可以画成视图、剖视图、断面图等，与被表达部位的表达方式无关。

② 画图时一般用细实线在视图上圈出被放大的部位，并用罗马数字注明放大部位的放大图名称。如有多处被放大，用罗马数字依次标记，并在局部放大图上方居中处用分式形式标注，分子标注相应的罗马数字，分母标注局部放大图采用的比例，如图 3-31 所示。

③ 局部放大图应当尽量配置在被放大部位的附近。必要时可用几个图形表达同一个被放大部分的结构，如图 3-32 所示。

④ 当机件上仅有一个部位需要放大时，在局部放大图的上方只需注明所采用的比例，如图 3-32 所示。

⑤ 同一机件上不同部位局部放大图的图形相同或对称时，只需画出一个放大图，如图 3-33 所示。

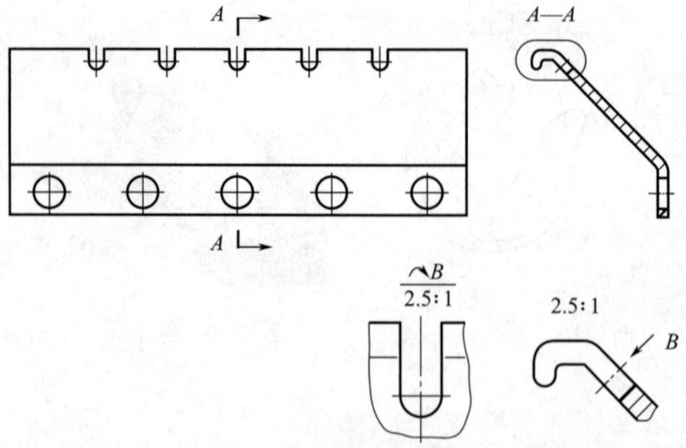

图 3-32　局部放大图 2

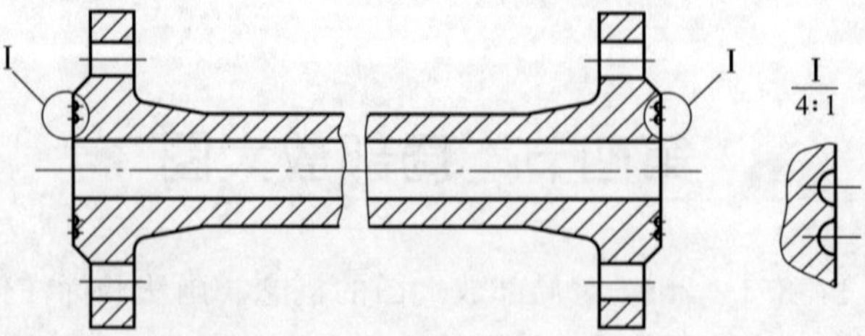

图 3-33　局部放大图 3

⑥ 局部放大图应和被放大部分的投射方向一致。若为剖视图或断面图时，其剖面线的方向和间隔应与原图相同，如图 3-33 所示。

⑦ 局部放大图标出的比例是指图中图形与实物相应要素的线性尺寸之比，与原图比例无关。

典型例题解析及习题

一、典型例题解析

（一）选择题

1. 下列断面图中，表达正确的是（　　）。

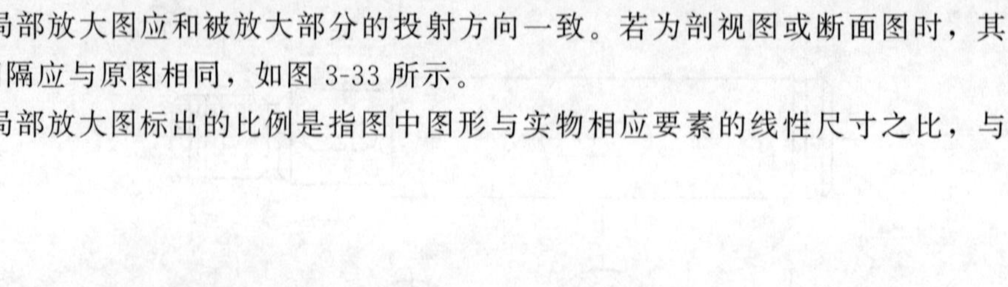

【解析】 在画断面图时，国家标准规定当剖切面通过具有回转轴线的凹坑或孔洞结构的轴线时，这些结构的断面图按照剖视图绘制，选项中的通孔和凹坑都属于回转体，在绘制断面图时都应该按照剖视绘制，故此题选 C。

2. 下列局部视图中，表达正确的是（　　）。

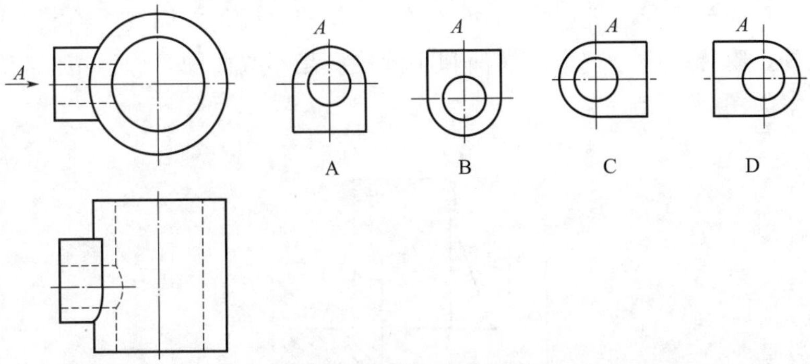

【解析】此题中的立体是由圆筒和凸台相贯得到，从主视图中的箭头方向可知局部视图的投影方向是从左向右投影，由俯视图中立体外表面相贯线的形状可以判断出凸台的回转体部分是向下的，故此题选 B。

3. 下列断面图中，正确的是（　　）。

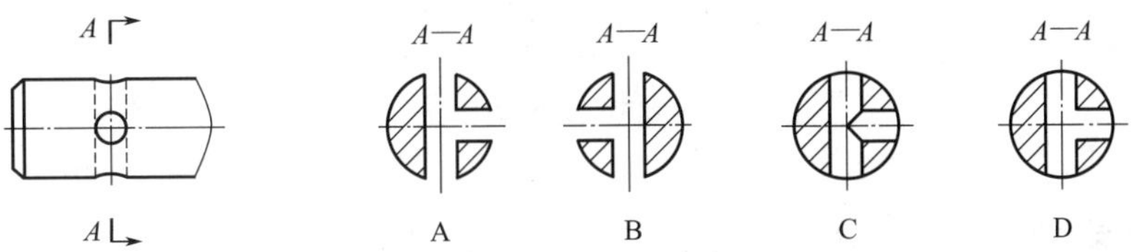

【解析】此题中的轴是从上向下、从前向后打了两个通孔，两个通孔内表面是相贯的，两个通孔直径相等，内表面的相贯线应该是两条相交的直线，又因为在画断面图时，国家标准规定当剖切面通过具有回转轴线的凹坑或孔洞结构的轴线时，这些结构的断面图应按照剖视图绘制，所以此题选 C。

(二) 画图题

补画视图（图 3-34）中所缺的图线。

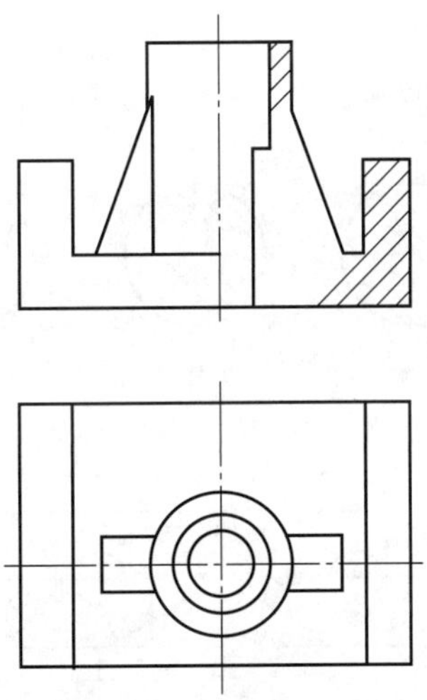

图 3-34　画图题视图

【解析】此题是补画半剖视图中的漏线。在画剖视图时，国家标准规定当剖切面通过板状轮辐和肋板厚度方向的对称平面或回转状轮辐的轴线时（即纵向剖切），这些结构都按不剖绘制，即这些结构都不画剖面线，而用粗实线将它们与其邻接部分分开。当剖切面垂直轮辐和肋板的对称平面或轴线（即横向剖切）时，轮辐和肋板仍按剖视图绘制，此题肋板属于纵向剖切。此外，阶梯孔部分，大圆柱面和小圆柱面是不共面的，应该用粗实线把过渡面表示出来，故答案如图 3-35 所示。

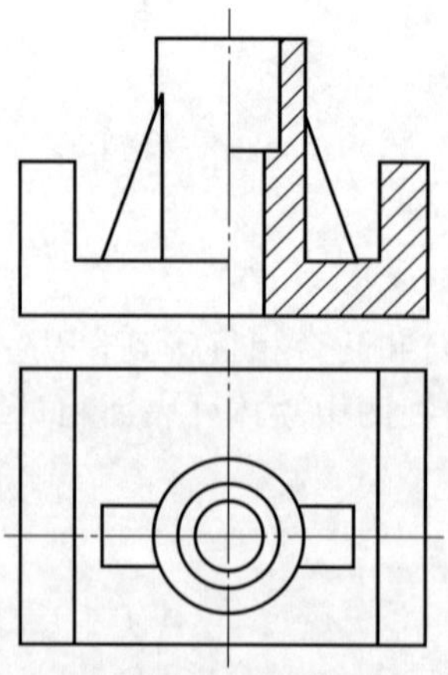

图 3-35　画图题解析

二、习题

（一）选择题

1. 按剖切范围，剖视图分为全剖、半剖和（　　）。

A. 旋转剖　　B. 复合剖　　C. 局部剖　　D. 阶梯剖

2. 断面图分为移出断面图和（　　）。

A. 重合断面图　　B. 单一断面图　　C. 旋转断面图　　D. 综合断面图

3. 根据表达的结构形状不同，视图包括基本视图、向视图、局部视图和（　　）。

A. 斜视图　　B. 剖视图　　C. 断面图　　D. 简化视图

4. 下列断面图中，表达正确的是（　　）。

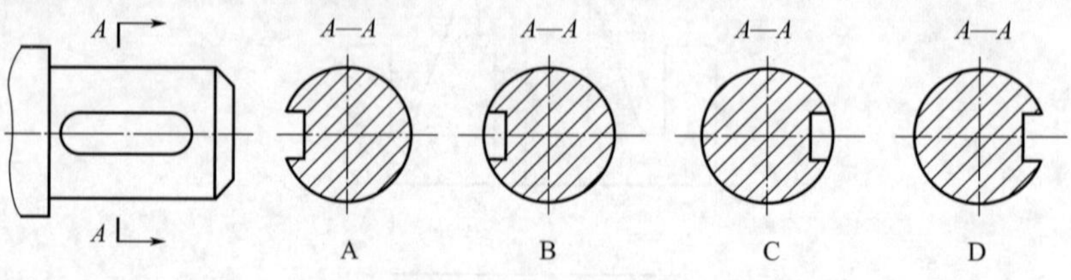

5. 下列断面图中，表达正确的是（　　）。

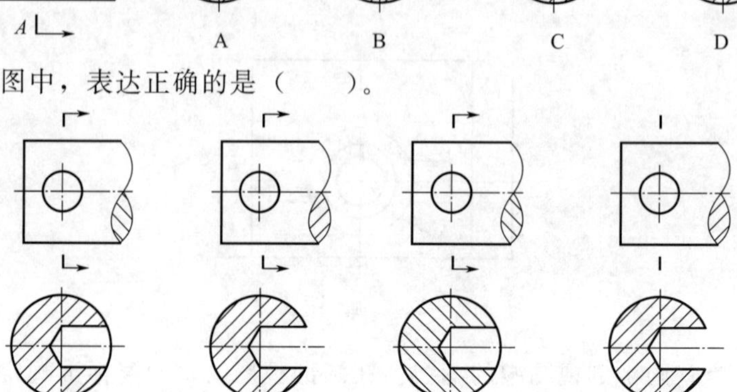

6. 下列断面图中，表达正确的是（　　）。

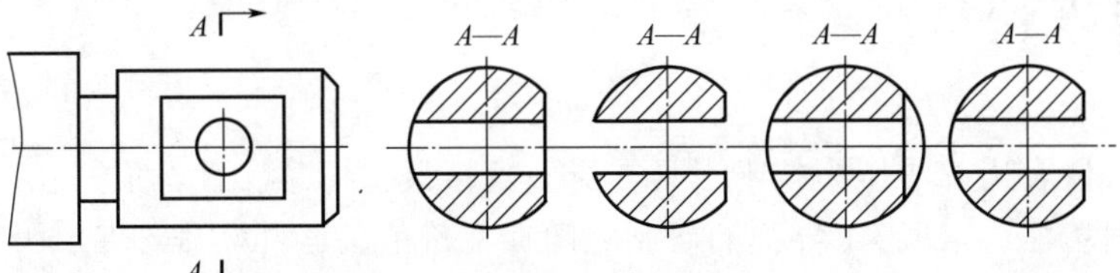

A　　B　　C　　D

7. 下列断面图中，表达正确的是（　　）。

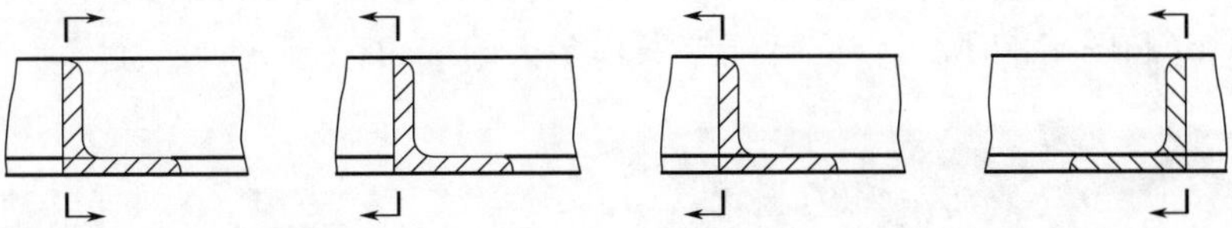

A　　B　　C　　D

8. 已知立体的主视图和俯视图，主视图的全剖视图表达正确的是（　　）。

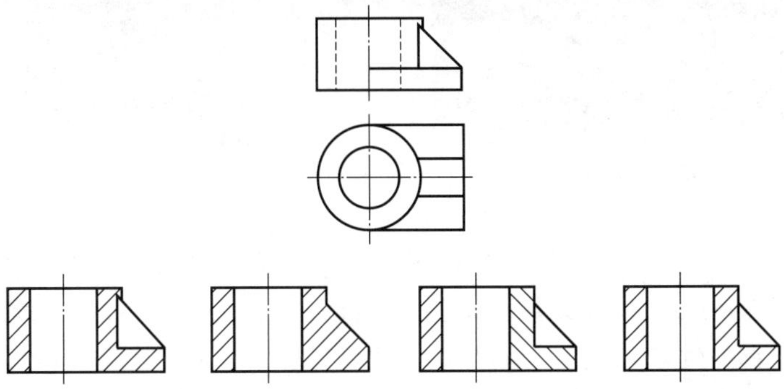

A　　B　　C　　D

（二）画图题

补画视图中所缺的图线。

1.

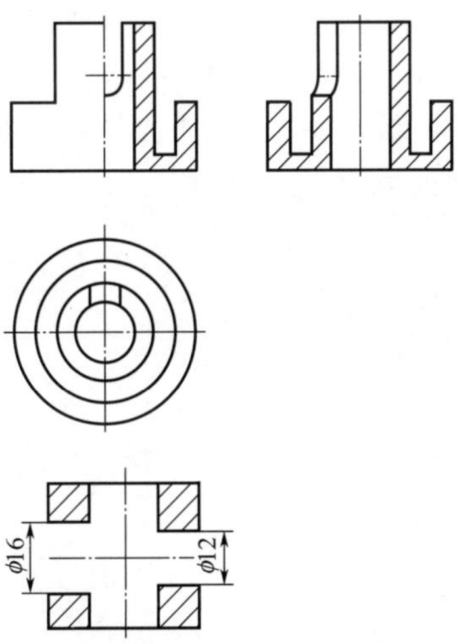

2.

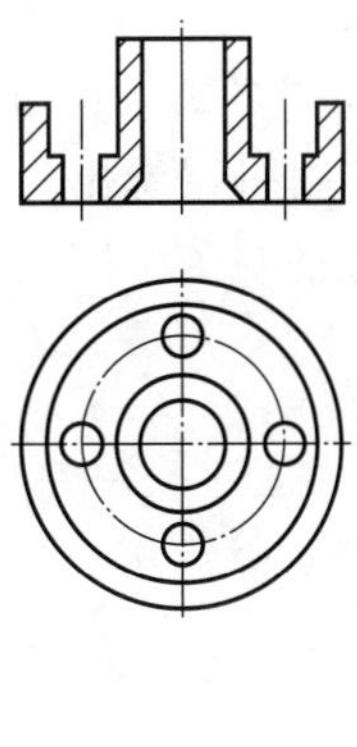

3.

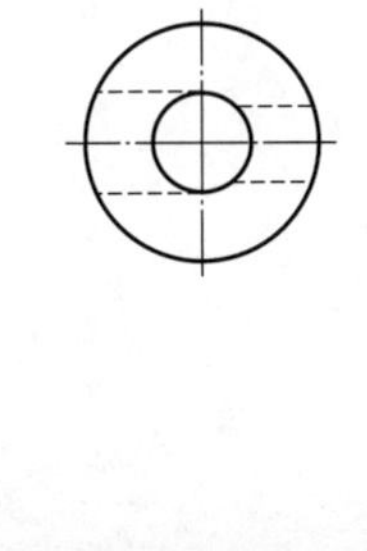

拓展知识

制图中的机件表达方法作为技术工具本身不直接具备情感属性，但其在国防装备研发中的应用，与爱国精神、东风-41导弹的研制之间存在价值关联和实践纽带。

近年来，随着中国国防事业的不断发展，中国军力也得到了高速增长。其中，东风-41导弹就是我国现役最先进的战略导弹之一，其本身具有着强大的打击威力。那么，东风-41导弹，如图3-36和图3-37所示，究竟能够发挥多大的威力呢？下面，就一起来了解一下。

图3-36　东风-41导弹

图3-37　东风-41导弹发射

东风-41导弹是由中国航天科技集团有限公司研制的一枚洲际弹道导弹，其主要特点是射程远、精度高、速度快，并且具备强大的杀伤能力。作为罕见的新一代洲际导弹，它不仅具备了传统重型导弹的性能和能力，而且还采用新的技术手段和改进措施，具备先进的突防能力和信息化作战能力，其致命杀伤半径在几百甚至数千公里之内。

东风-41导弹最大射程达到1.4万公里，实现了远程战略打击能力。

东风-41导弹作为一种洲际弹道导弹，能够搭载核弹头，每枚导弹的杀伤力与搭载弹头的数量和威力有关系。根据公开资料介绍，东风-41导弹搭载单个核弹头，威力可以达到300万吨TNT当量[1]级别，也可以搭载6至10枚分导式弹头。

综合以上的资料可以看出，东风-41导弹的实力非常惊人。它拥有强大的打击速度和远距离杀伤力。充分证明了中国国防事业发展的成果，让中国军力的崛起举世瞩目。

[1] 1吨TNT当量等于4184000kJ。

第四章
零件图

【学习目标】

1. 能够说出零件图的组成；
2. 能够读懂零件图的尺寸、说出零件图中符号的含义、判断采用的表达方式。

【学习重难点】

1. 典型零件图的表达方法及技术要求；
2. 读懂较复杂的零件图。

第一节 零件图的作用和内容

任何机械或部件都是由若干个零件按一定的装配关系和技术要求组装而成的。表示单个零件的结构、尺寸、材料、加工制造和检测所需要的全部技术要求等信息的图样，称为零件图。

由图 4-1 所示齿轮油泵泵盖的零件图可看出，一张完整的零件图应包括下列基本内容。

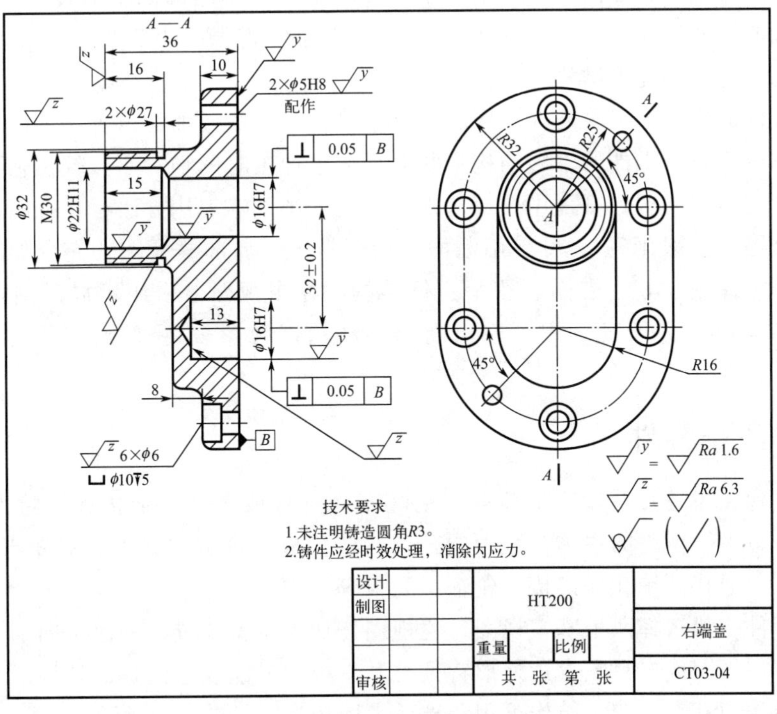

图 4-1 齿轮油泵泵盖的零件图

1. 图形

用一组恰当的视图完整、清楚、准确地表达零件的内、外结构和形状。一组图形包括基本视图、局部视图、向视图、斜视图、剖视图、断面图、局部放大图、简化画法等表示法。

2. 尺寸

正确、完整、清晰、合理地标注出零件结构、形状、大小及其相对位置的尺寸，以满足零件制造和检验的需要。

3. 技术要求

用规定的符号、数字、字母和文字注解，简明、准确地给出零件制造加工应达到的质量要求，包括表面粗糙度、尺寸公差、几何公差、热处理及表面处理等。

4. 标题栏

用以填写零件的名称、材料、比例、数量、图号，以及设计、绘图、审核等人员的签名和日期等。

第二节　典型零件的视图选择

零件种类繁多，结构形状也不尽相同，但可根据它们的结构、用途、加工制造等方面的特点，将零件分为轴套类、轮盘类、叉架类、箱体类四类典型零件。由于每一类零件的结构及其制造工艺大致相同，所以，在零件图的视图选择上也有共同之处。下面逐一进行分析。

一、轴套类零件

这类零件通常指轴、套筒等，其主要结构一般由大小不同的同轴回转面（圆柱、圆锥）组成，具有轴向尺寸大于径向尺寸的特点。零件上常有键槽、退刀槽、挡圈槽、螺纹、销孔、倒圆、倒角、中心孔等结构。

轴套类零件的切削加工主要在车床和磨床上进行，一般按加工位置将轴线水平放置来画主视图，这样既反映了零件的轴向结构形状，也便于加工时图物对照。较长轴可采用折断画法；空心轴中的内部结构，可采用局部剖视、全剖、半剖等表达方法；主视图尚未表达清楚的局部结构（键槽、螺孔等），可采用断面、局部视图、局部放大图补充。如图 4-2 所示的齿轮泵主动轴零件图，其主视图表达了主体结构。在主视图上采用了局部剖视图（表达键槽、销钉孔）、断开画法，还采用了移出断面图和局部视图表达键槽，局部放大图表达越程槽。

二、轮盘类零件

这类零件包括齿轮、手轮、端盖等，毛坯多为铸件或锻件。结构形状特点是轴向尺寸小，径向尺寸较大。零件的主体多数由同轴回转体构成（也有主体形状是矩形的），并在径向分布有螺孔、通孔、销孔、键槽、轮辐、肋板等结构。

轮盘类零件一般选择两个基本视图，主视图按加工位置放置，采用轴向剖视图，表达轴向剖面结构，左视图或右视图表达外形特征。基本视图未能表达清楚的结构形状，可用断面图或局部视图作为补充，较小结构可用局部放大图表达，如图 4-3 所示。

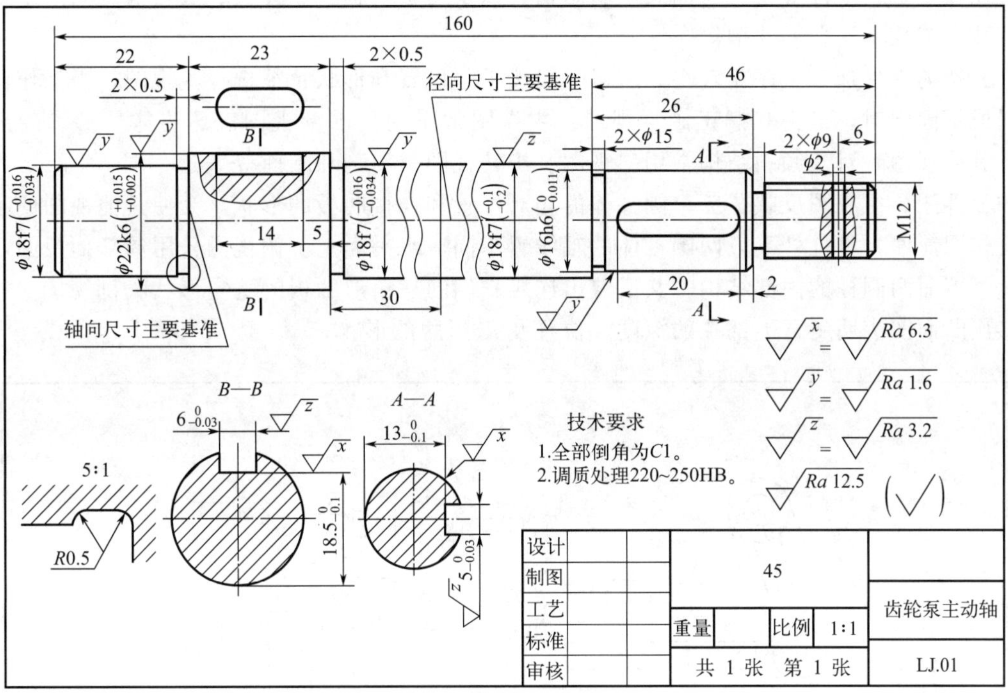

图 4-2　齿轮泵主动轴零件图

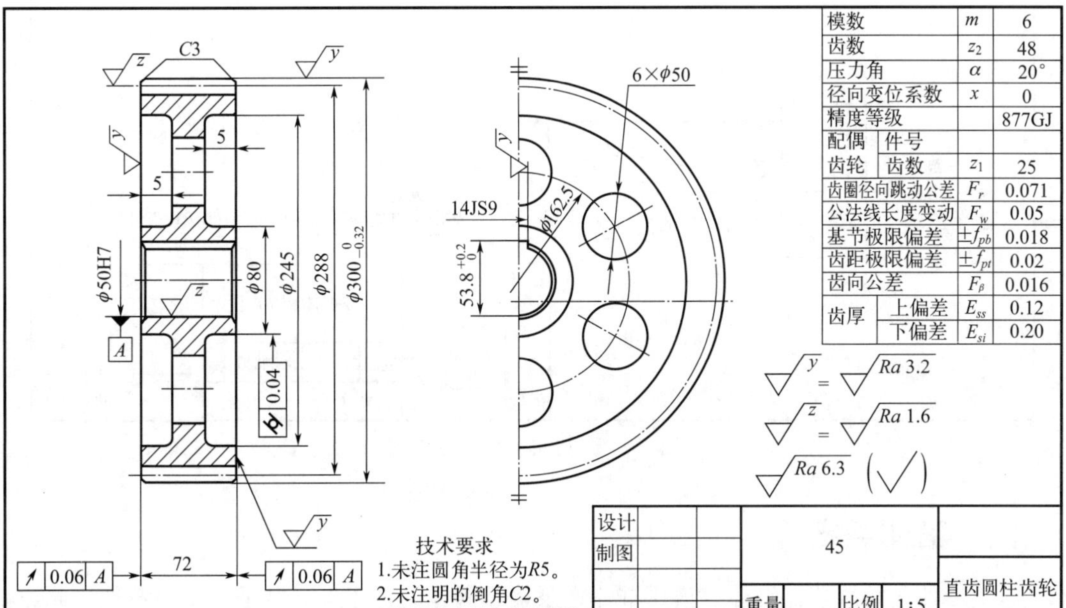

图 4-3　直齿圆柱齿轮的零件图

三、叉架类零件

叉架类零件包括拨叉、连杆、支架等零件。此类零件结构形状差别较大，结构不规则，外形比较复杂。零件上常有弯曲或倾斜结构，以及肋板、轴孔、耳板、底板等。局部结构常有螺孔、沉孔、油孔、油槽等。

叉架类零件加工工序比较多，所以一般按工作位置和形状特征选择主视图，当工作位置倾斜或不固定时，可将其摆正画主视图。主视图常采用局部剖视图表达主体外形和局部形状。其他视图，对其倾斜结构常用斜视图、旋转视图、斜剖和断面等表达。图 4-4 所示为杠杆的零件图。主视图反映了三个圆柱体的相对位置和连接肋板的形状。为使其他视图便于表达及作图简便，将杠杆下方两圆柱体的轴线置于同一水平面上。俯视图采用局部剖视图，既表达了下面两圆柱的内部结构，又反映出连接它们的三角形肋板的真实形状。剖视图 $A—A$ 及移出断面图表明斜臂上部孔的深度、位置及 T 形肋的形状。

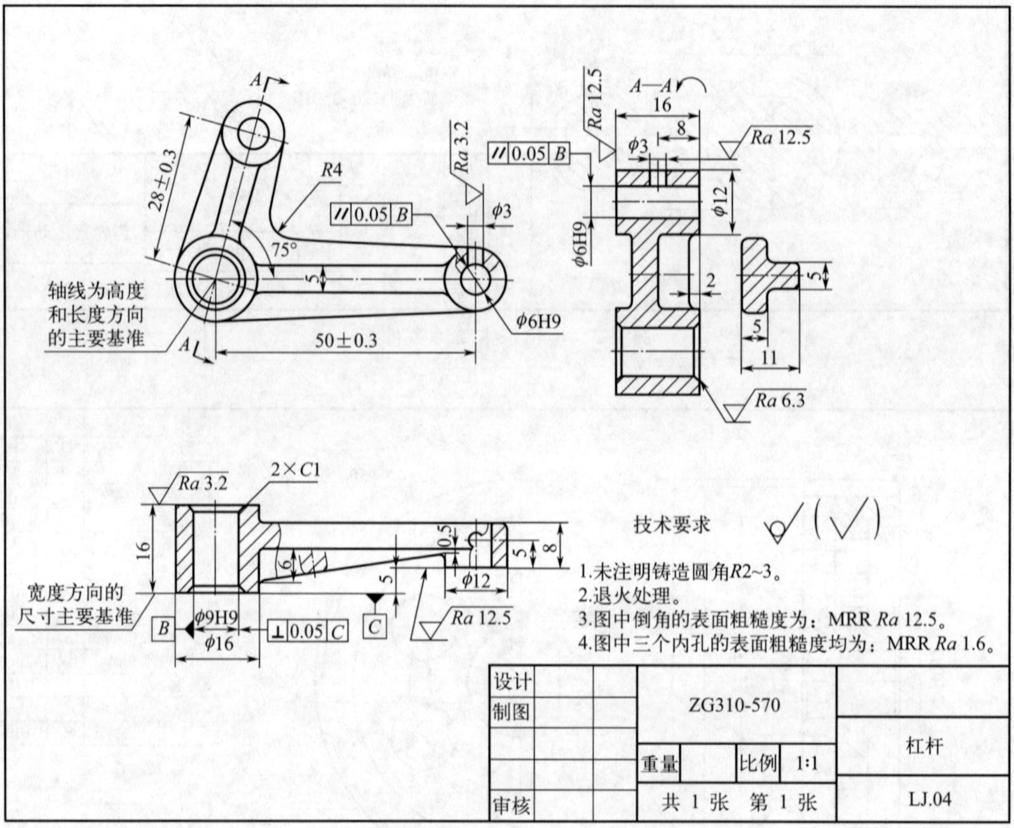

图 4-4　压砖机杠杆的零件图

四、箱体类零件

这类零件包括减速器箱体、液压缸体、泵体、阀体、机座等，其毛坯多为铸件。此类零件多为中空壳体，其内外结构形状都比较复杂，常有轴孔、轴承孔或活塞孔、油腔等结构。这类零件常具有安装底板、法兰、安装孔、螺孔、销孔等结构，还有安装油标、油塞等零件的凸缘、凸台、凹坑等。

如图 4-5 所示，回转泵泵体的主视图按泵体的工作位置安放，左视图采用局部剖视图，反映了内部结构和组成部分的前后相对位置。俯视图采用全剖视图，将 T 形连接板断面及安装板的形状表达清楚。

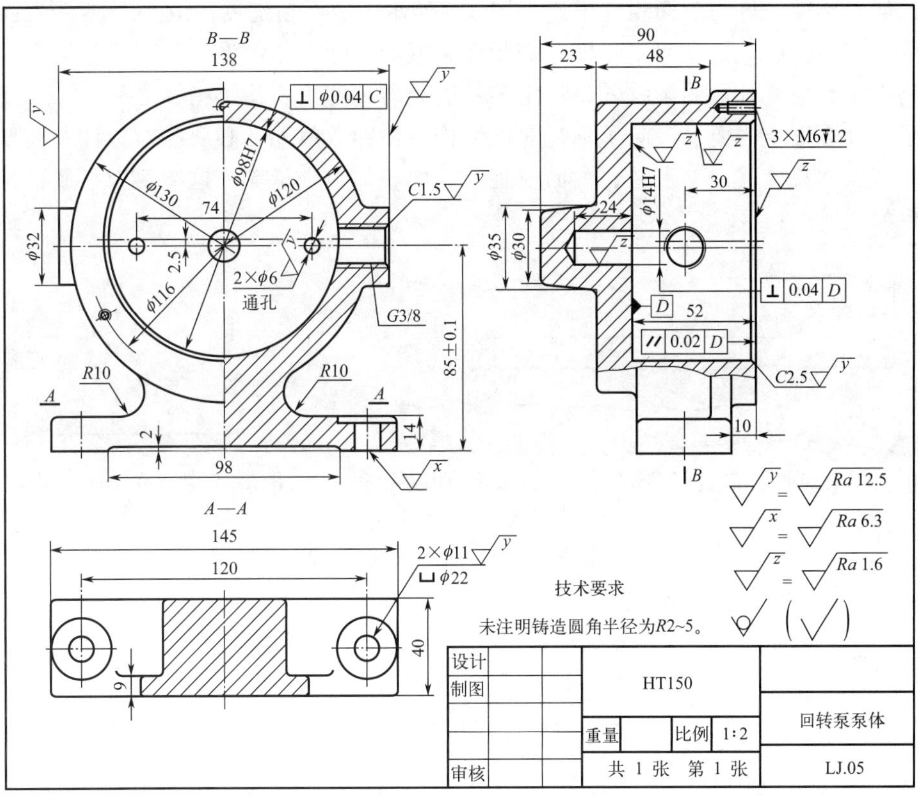

图 4-5 回转泵泵体的零件图

第三节 零件图的尺寸标注

零件图中的视图主要用来表达零件的结构形状，而零件的大小依靠标注的尺寸来确定，所以尺寸标注是零件图的重要内容，它直接影响零件的加工和检测。标注零件尺寸时，应力求做到：

① 正确。尺寸的标注要符合机械制图国家标准，同时尺寸数字注写要正确无误。

② 完整。所标注的尺寸能完整确定零件的形状和大小，即尺寸标注不得遗漏，也不得重复。

③ 清晰。标注尺寸时，尺寸应标注在形状特征比较突出的视图上，并且布置整齐清晰，便于识读和理解。

④ 合理。尺寸标注既要符合零件的设计要求，又要便于加工和测量。

第四节 零件图的技术要求

一、表面粗糙度

表面结构的各项要求在图样上的表示法在 GB/T 131—2006 中均有具体规定。零件经过机械加工后，表面会留有许多较小间距的高低不平的凸峰和凹谷，这种在零件表面上所形成的微观几何形状特征称为表面粗糙度，如图 4-6 所示。表面粗糙度的大小对零件表面的耐磨性、疲劳强度、接触刚度、冲击强度、密闭性、振动、噪声、镀涂、外观质量以及零件间配合性质的稳定性均有较大的影响，是评定零件表面质量的重要技术指标之一。

为了明确表面结构要求，除了标注表面结构参数和数值外，必要时应标注补充要求，包括传输带、取样长度、加工工艺、表面纹理及方向、加工余量等。这些要求在图形符号中的注写位置如图 4-7 所示。

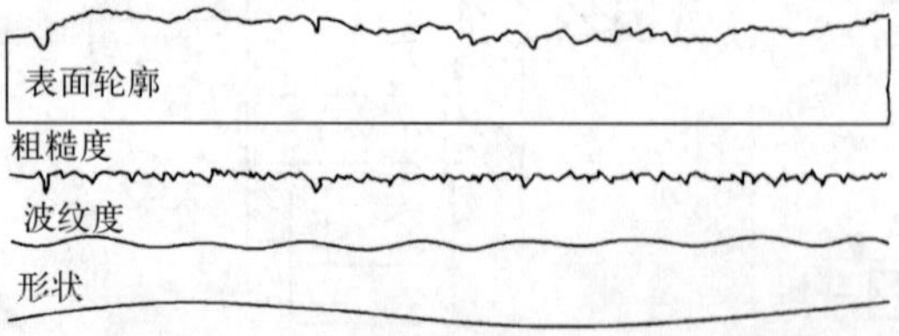

图 4-6　粗糙度、波纹度和形状误差综合影响的表面轮廓

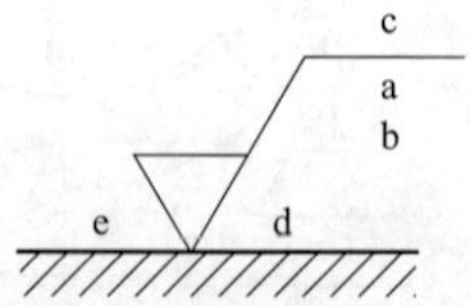

图 4-7　补充要求的注写位置

位置 a：注写表面结构的单一要求［粗糙度高度参数代号及其数值（单位为微米）］。

位置 b：注写第二表面结构要求。

位置 c：注写加工方法、表面处理、涂层或其他加工工艺要求等。

位置 d：注写加工纹理方向符号如“=”“⊥”“M”等。

位置 e：注写加工余量（以毫米为单位给出数值）。

二、极限与配合

同一规格的零件不需要做任何挑选、调整或修配，就能装到机器上，满足使用要求，零件的这种性质称为互换性。互换性对保证产品质量、提高生产效率具有重大意义。

在加工零件的过程中，由于种种因素的影响，零件各部分的尺寸、形状、方向和位置难以达到理想状态，从零件的使用功能看，需要要求零件的几何量在某一范围内变动，保证同一规格的零件彼此充分接近，这个允许变动的范围被称为公差。零件的加工要以“公差”的标准化来解决，而相互结合的零件之间要以“配合”的标准化来解决，由此产生了公差与配合制度。合理地确定公差与配合，并把它在图样上明确地表示出来是实现零件互换性的前提。

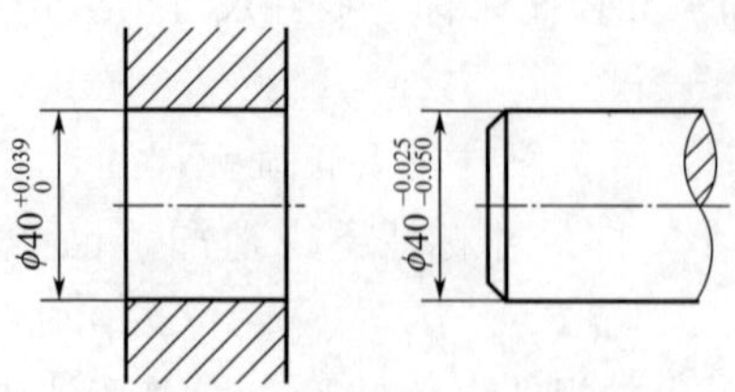

图 4-8　轴、孔的尺寸公差

允许尺寸的变动量，叫作尺寸公差，简称公差。如图 4-8 所示的孔直径尺寸允许在 40～40.039mm 之间变动，轴直径尺寸允许在 39.95～39.975mm 之间变动。

第五节　读零件图

看零件图的目的，就是根据零件图了解零件的名称、用途、材料等，通过分析视图，分析尺寸，弄清零件各部分的结构形状、大小、功用及其相对位置，了解零件的各项技术要求，以确定加工方法和检测手段。下面以图 4-9 所示减速箱箱体零件图为例，说明看零件图的方法和步骤。

一、读标题栏，初步了解零件

从标题栏中可以了解到零件的名称、材料、比例等，结合零件在机器中的作用和特点，建立起初步印象。对较复杂的零件图，还需参考零件所在部件的装配图以及与该零件相关的零件图等技术资料，帮助了解该零件的功用和结构特点，为进一步看懂零件图创造条件。由图 4-9 标题栏可知，该零件是减速箱箱体，材料为 HT150 钢，绘图比例是 1∶4，属于箱体类零件。

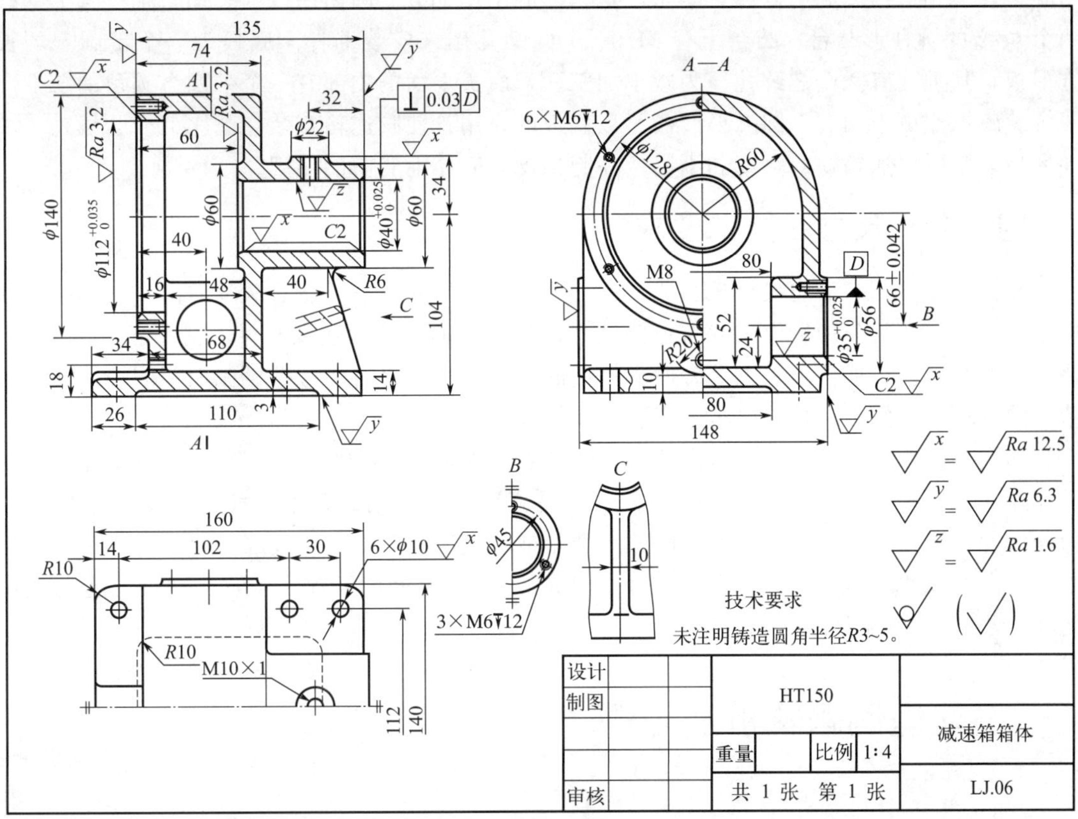

图 4-9　减速箱箱体的零件图

二、看视图，明确表达目的

看视图，首先应找到主视图，相应地认定其他视图，再分析剖视、剖面的剖切位置，以及局部视图或斜视图的投影部位，从而弄清各视图的表达目的。该箱体零件共采用了主、俯、左三个基本视图和两个局部视图、一个重合断面图来表示减速箱箱体的内、外结构形状。主视图采用单一剖切平面的全剖视图，其剖切位置在零件的前后对称面上，主要表达箱体内部空腔结构的形状及上部左右通孔和下部前后通孔以及肋板、底板的结构等；左视图采用了单一剖切平面的 *A*—*A* 半剖视图，主要表达左端面的外形、6×M16 螺纹孔的分布情况和下部内腔的前后通孔的结构；俯视图采用了对称零件的局部画法，主要表达箱体顶部外形及底板的形状；*B* 向局部视图主要表达前边凸台上 3×M6 螺孔的分布情况；*C* 向局部视图与重合断面图配合来表达肋板与相邻部分的连接情况及其断面形状。

三、对投影，想象空间形体

在明确了各视图的表达目的的基础上，可根据零件的各组成部分的功用和视图特征对其进行形体分析，通过对各部位投影的分析，把每个部分的结构形状及其相对位置弄清楚，最后综合起来想象出零件的整体形状。

通过对图 4-9 的分析，可看出减速箱箱体是由壳体、圆筒、底板和肋板四部分结构组成。每个部分的详细结构分析如下。壳体部分上部为半圆柱形、下部为长方形的拱门形状，内腔与外形相似。内腔用以放置蜗轮，是箱体的工作部分。圆筒用以安装蜗轮轴，其上部有一个 $\Phi22$ 的圆柱形凸台，凸台上有 M10×1 的螺孔用来安装油杯。底板为一个带圆角的长方形板，其上面有六个螺纹孔。为减小加工面，底板下面的中部有一个带四个圆角的长方形凹坑。底板左侧上面有一圆弧形凹槽。该底板的作用是使减速箱安装在基座上。肋板是一块梯形板，用以增加箱体的强度和刚度，并起到支承壳体上套筒的作用。

四、分析尺寸和技术要求

分析尺寸时，一般先找出长、宽、高三个方向的尺寸基准，然后从基准出发，以结构分析为线索找出各部分的定位尺寸与定形尺寸，分析影响性能的主要尺寸。分析技术要求时，要结合尺寸公差、形位公差以及表面粗糙度的标注，区别出需要进行机械加工的表面及其对精度的要求，以便于对零件组织生产和质量检验。

如图 4-9 所示，减速箱箱体的高度方向的主要基准为蜗杆轴孔，从该基准出发标注主要尺寸如 66±0.042mm、24mm。蜗轮孔轴线是高度方向的辅助基准。长度方向的主要基准为壳体的左端面，右端面是长度方向的辅助基准。宽度方向的主要基准为前后对称平面，从该基准出发标注的主要尺寸如总宽尺寸 148mm、孔内侧间的距离 80mm、底板上孔的定位尺寸 112mm、肋板厚度 10mm 等。

典型例题解析及习题

一、典型例题解析

1. 读图 4-10 所示的零件图，并回答问题。

（1）该零件图是用____________个视图表达零件，主视图采用____________视图表达。

（2）该零件的名称是____________，图样比例是____________。

（3）该零件的总长为____________，总高为____________。

（4）小孔 3×M6-7H 的定位尺寸是________________和________________，M 表示____________。

（5）图中是____________符号。

【解析】从图 4-10 所示的零件图中，可以看出图中有 3 个视图相互配合表达零件结构，主视图采用的是半剖视图，一半表达外部形状，一半表达内部结构，零件的名称和比例可从标题栏中读出，零件叫阀体，采用的比例是 1∶1，零件的总长和总高可以从主视图中读出，

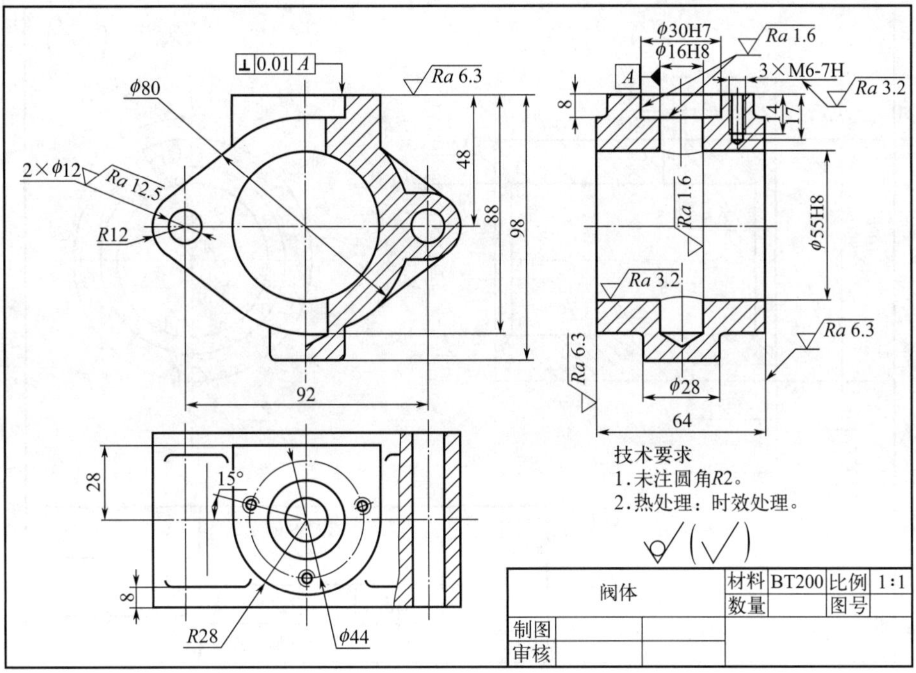

图 4-10　典型例题 1 零件图

总长等于 2 个圆孔中心距 92mm 加上 2 个圆角半径 $R12$，总长为 116mm，总高可以从主视图中直接读出 98mm。小孔 3×M6-7H 是零件顶部凸台上的 3 个定位螺纹孔，它们均匀分布在直径为 $\Phi44$ 的圆上，所以小孔的定位尺寸是 $\Phi44$ 和 15°，M 表示普通螺纹，图中 是表面粗糙度符号。

2. 读图 4-11 所示的零件图，并回答问题。

（1）此图样采用________个视图表达机件，左视图采用________视图表达。

（2）小孔 $\Phi4$ 的定位尺寸是________和________，定形尺寸是________。

（3）图中 $\Phi24^{+0.072}_{+0.020}$ 的基本尺寸是________最大极限尺寸为________，下偏差为________。

（4）说明尺寸“$C0.5$”中的“C”表示________，“0.5”表示________。

【解析】从图 4-11 所示零件图的标题栏可以读出零件叫衬套，绘图比例是 1∶1，图中有 2 个视图相互配合表达零件结构。左视图采用的是局部剖视图表达小孔的深度。小孔 $\Phi4$ 的定位尺寸有 2 个，1 个是主视图中小孔中心线距离左端面的距离 14mm，1 个是左视图中小孔中心距与零件对称中心线的夹角 30°。图中 $\Phi24^{+0.072}_{+0.020}$ 的基本尺寸是 $\Phi24$，最大极限尺寸为基本尺寸加上上偏差＋0.072mm，得数为 $\Phi24.072$mm，下偏差为＋0.020mm。说明尺寸“$C0.5$”中的“C”表示 45°倒角，“0.5”表示轴向距离为 0.5mm。

3. 读图 4-12 所示的零件图，并回答问题。

（1）该零件图是由一组视图、____________、____________和标题栏四部分内容组成。

（2）该零件的材料是____________，图样绘图比例为____________。

（3）该图样左视图采用了____________视图表达，A—A 视图采用____________视图表达。

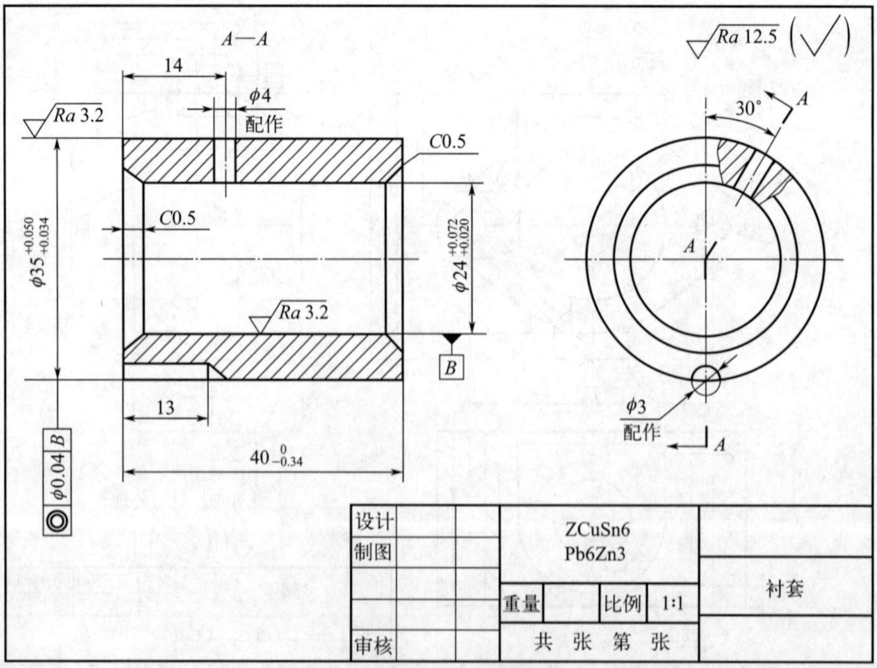

图 4-11　典型例题 2 零件图

（4）*B* 向视图中公称直径为 4mm 的螺纹孔有＿＿＿＿＿个，其定位尺寸为＿＿＿＿＿。

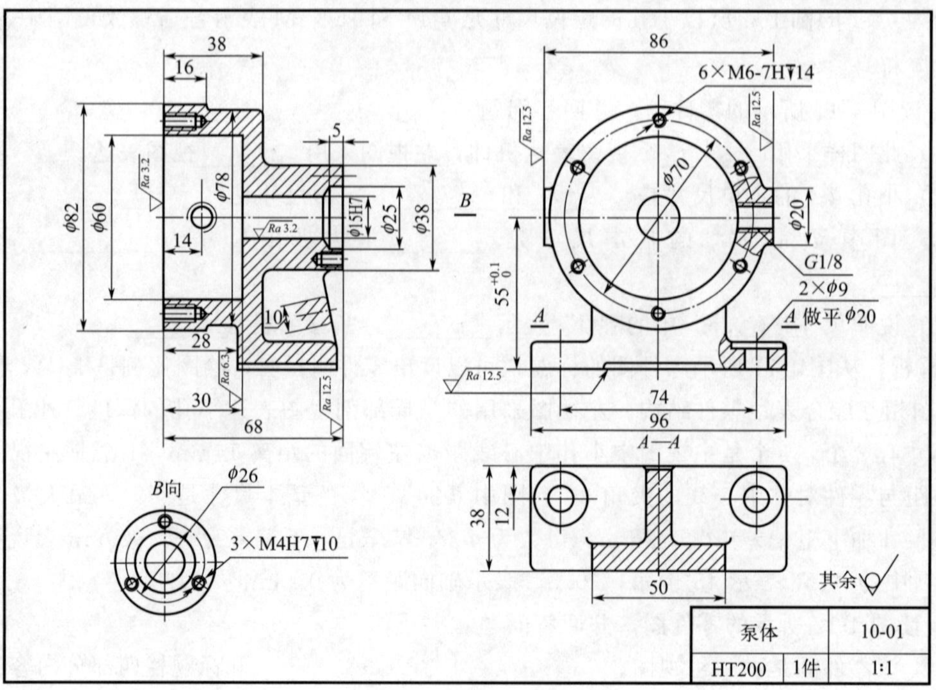

图 4-12　典型例题 3 零件

【**解析**】图 4-12 所示的零件图是由一组视图、全部尺寸、技术要求和标题栏四部分内容组成。该零件的材料可以从标题栏读出 HT200，绘图比例为 1∶1。该零件由 4 个视图表达，即 2 个全剖视图，1 个局部剖视图，1 个局部视图。左视图为局部剖视图，*A*—*A* 视图为全剖视图。从图中可知，*B* 向视图中公称直径为 4mm 的螺纹孔有 3 个，均匀分布在直径为 *Φ*26 的圆上，所以其定位尺寸为 *Φ*26。

二、习题

1. 读图 4-13 所示的零件图，并回答问题。

（1）该零件的名称是____________，图样采用的绘图比例是____________。

（2）该零件的结构形状共用 4 个视图来表达，其中主视图和左视图采用了____________剖视图，其他 2 个视图采用了____________图和____________图的表达方法。

（3）左视图中 $6^{+0.078}_{+0.030}$ mm 的基本尺寸是____________ mm，公差是____________ mm。

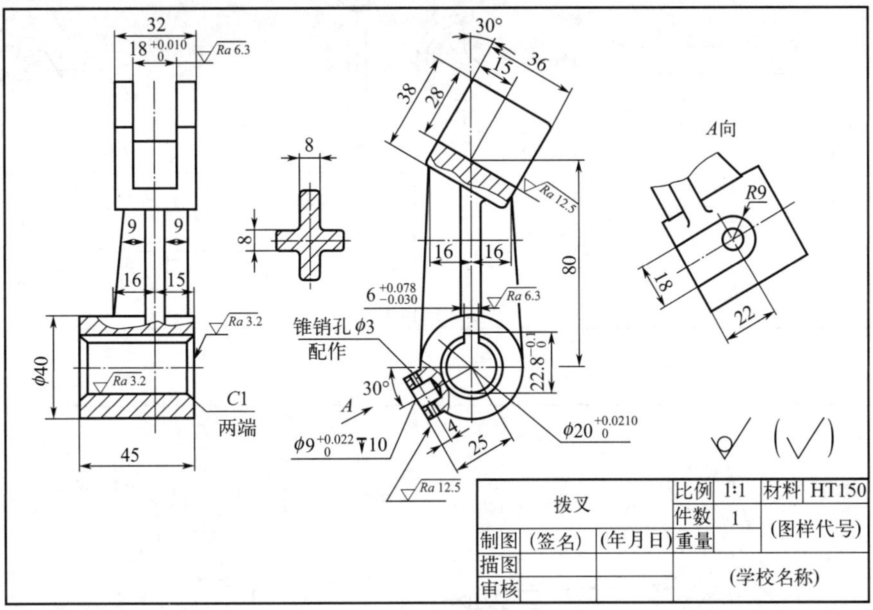

图 4-13　习题 1 零件图

2. 读图 4-14 所示的零件图，并回答问题。

（1）该零件的名称是____________，图样的绘图比例是____________。

（2）图中 *C* 视图是____________视图表达，左视图采用____________剖和____________剖表达。

（3）左视图中 6×M16，M 表示____________，其定位尺寸是____________。

（4）图中 $\Phi112^{+0.035}_{0}$ 表示其基本尺寸为____________，公差为____________ mm，最大极限尺寸为____________。

3. 读图 4-15 所示的零件，图并回答问题。

（1）该零件的名称是____________，绘图比例是____________。

（2）该零件总长为____________ mm，左视图中 *Φ*3 的定位尺寸为____________ mm。

（3）图中√是____________符号，通过____________方法获得。

（4）俯视图中 2×*C*1，其中 *C* 表示____________。

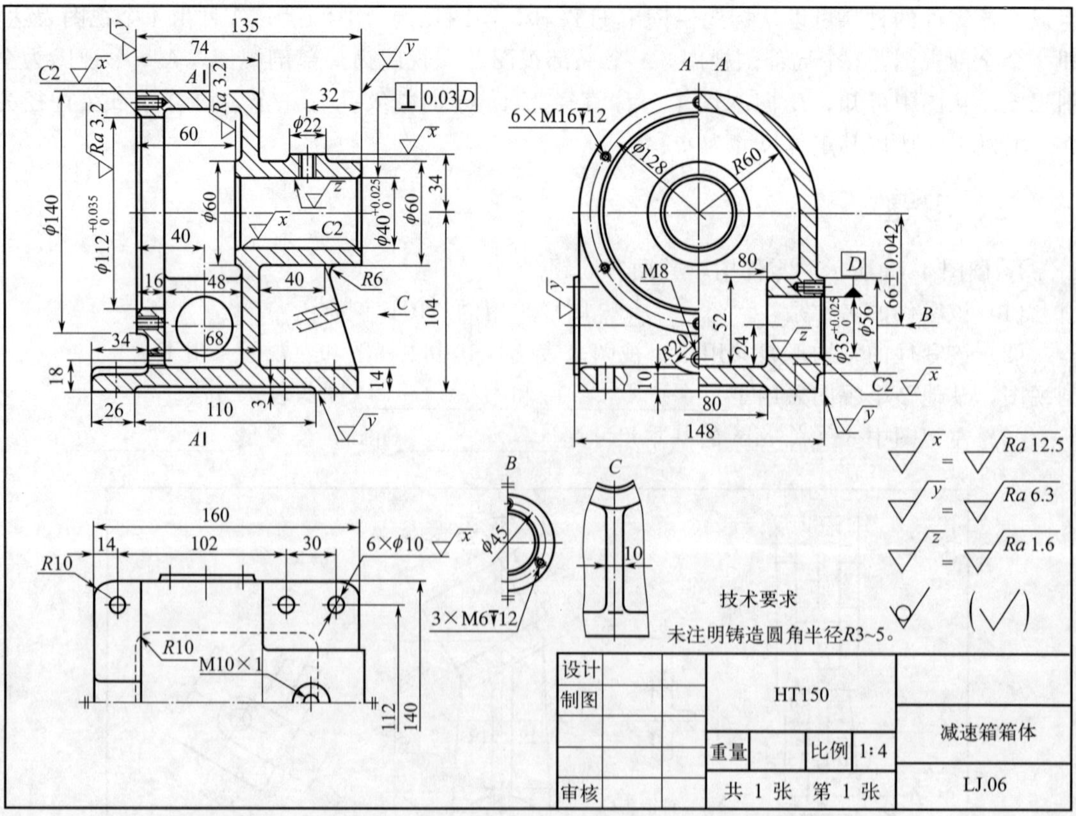

图 4-14　习题 2 零件图

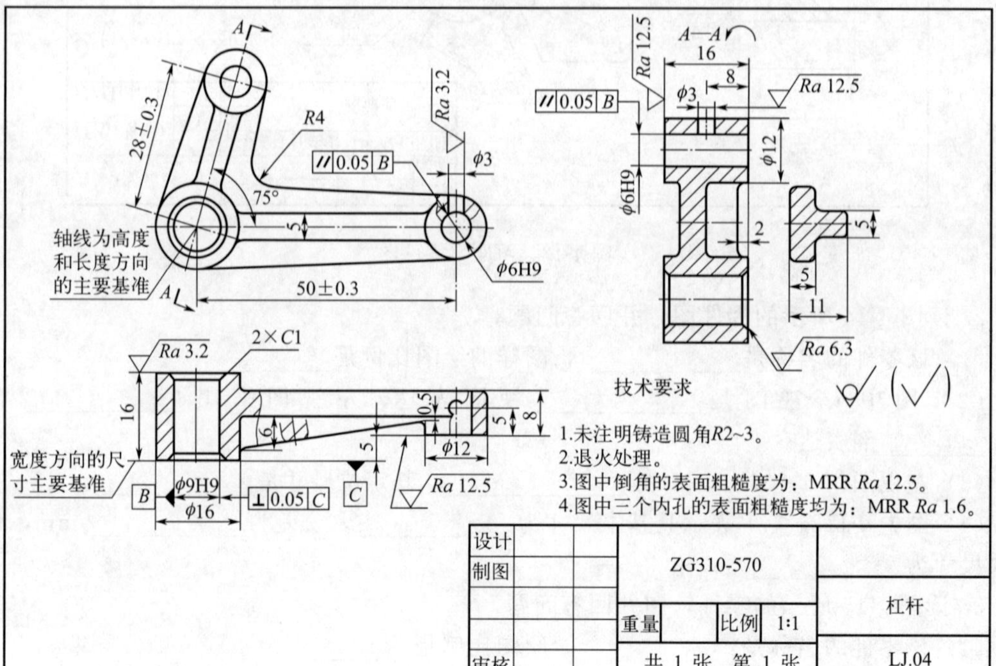

图 4-15　习题 3 零件图

4. 读图 4-16 所示的零件图，并回答问题。

（1）该零件图采用了主视图、__________图和__________图三种表达方法。

（2）该零件的名称是__________，图样绘图比例为__________。

（3）左侧直径为 Φ15 的轴段上键槽的定位尺寸是__________mm，键槽宽度是__________mm，深度是__________mm。

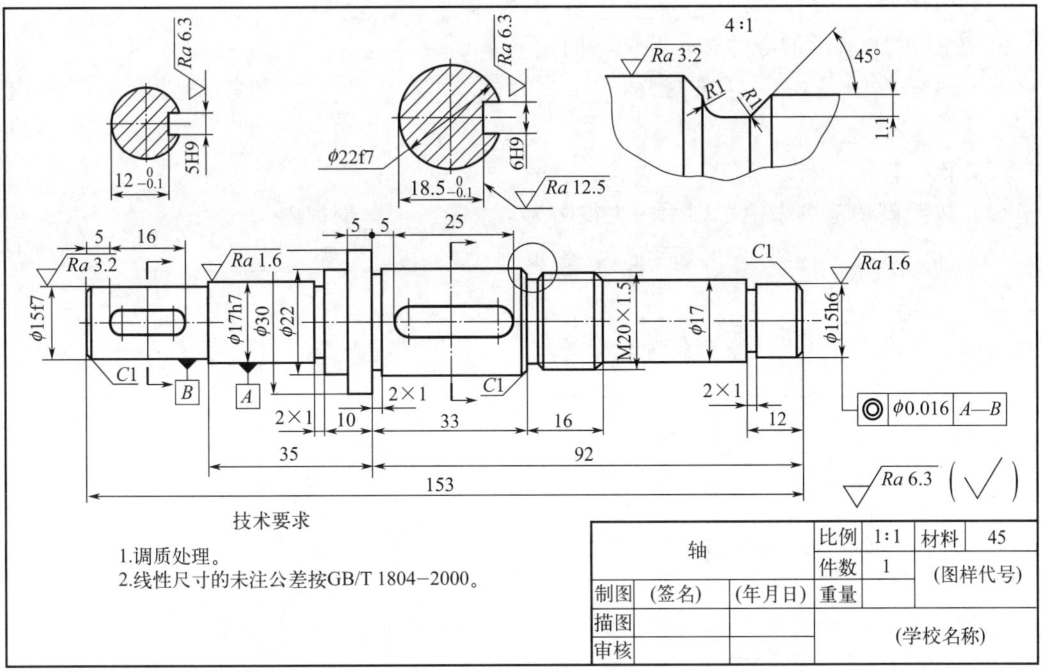

图 4-16 习题 4 零件图

5．读图 4-17 所示的零件图，并回答问题。

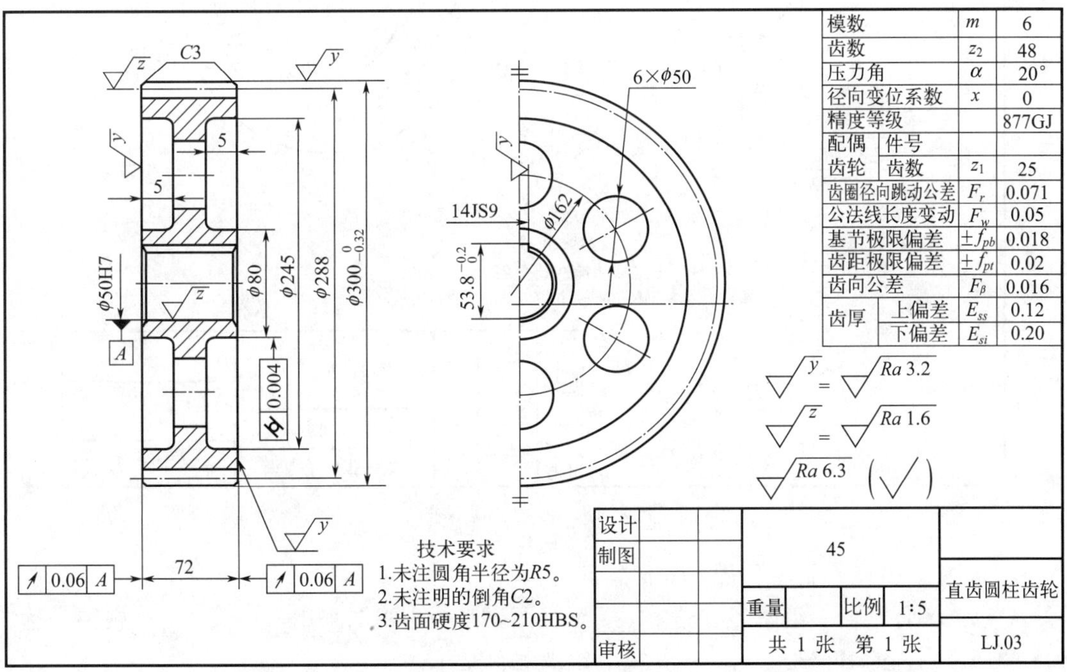

图 4-17 习题 5 零件图

（1）该零件的名称是____________，图样绘图比例是____________。

（2）按照剖切面剖开物体的程度来说，该零件的主视图是采用____________剖视图。

（3）图中 $\phi300^{0}_{-0.32}$ 的基本尺寸为____________，公差为____________mm，最大极限尺寸为____________。

（4）图中零件的齿数为____________，模数为____________。

6. 读图 4-18 所示的零件图，并回答问题。

（1）该零件图是由一组视图、____________、____________和技术要求四部分内容组成。

（2）该零件的材料是____________。

（3）按照剖切范围来说，图示的主视图为____________剖视图。

（4）小孔 $2\times\phi5H8$ 的定位尺寸是____________和____________，定形尺寸是____________。

（5）图中 32 ± 0.2mm 的公差是____________mm。

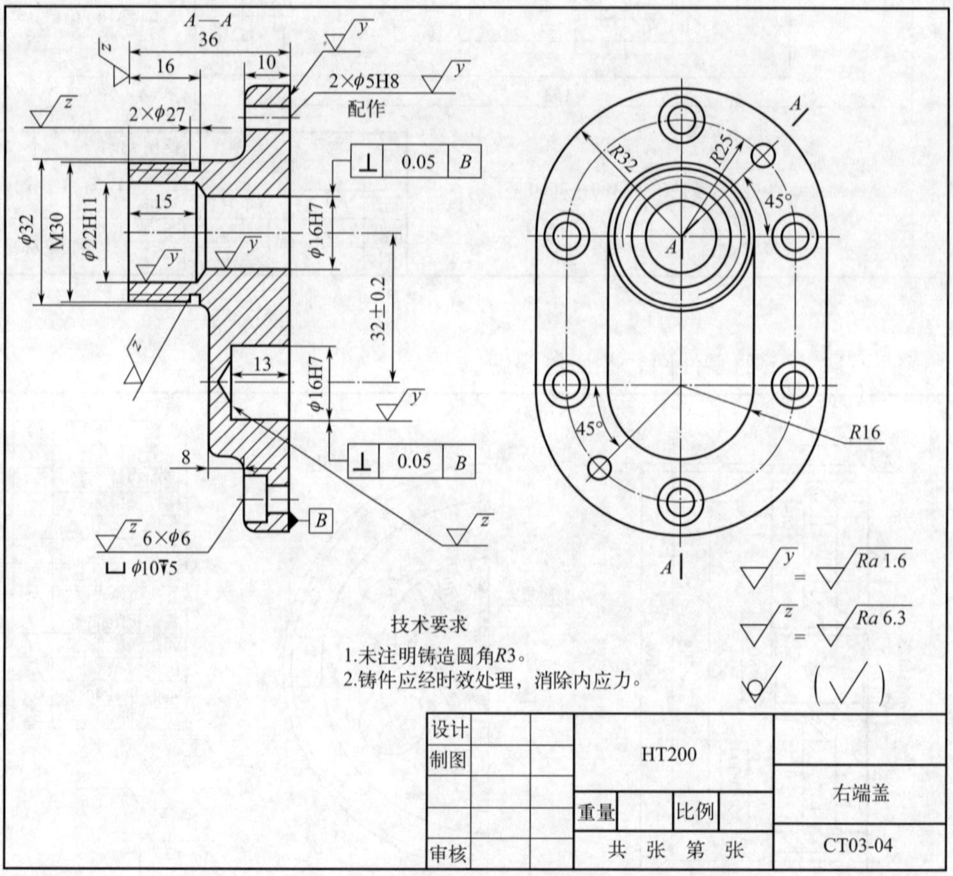

图 4-18　习题 6 零件图

7. 读图 4-19 所示的零件图，并回答问题。

（1）该零件图的一组图形有________个视图，其中主视图采用____________视图表达。

（2）该零件的名称是____________，绘图比例是____________。

（3）主视图中 85 ± 0.1mm 基本尺寸是____________mm，最大极限尺寸是

____________ mm，公差是____________ mm。

（4）左视图中 3×M6 中 M 的含义是____________。

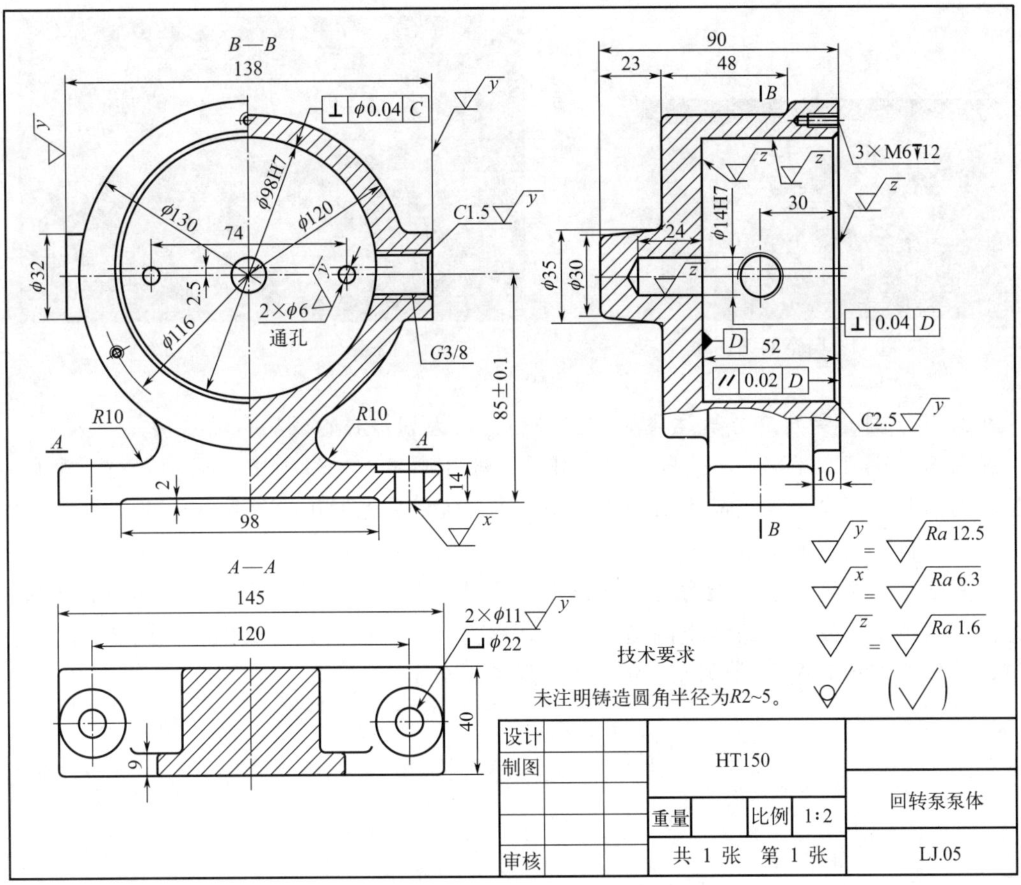

图 4-19　习题 7 零件图

拓展知识

零件图作为工程技术语言的核心载体，与空间站发展史之间存在着密切的技术关联和演进呼应，二者通过“精准定义、系统集成、工程实现”完成了从图纸到国之重器的价值跃迁。

中国空间站计划是继 1992 年中国正式提出载人航天“三步走”计划后提出来的空间发展计划。

伴随着神舟五号、神舟六号的成功发射，中国又在 2008 年发射载有多名航天员的神舟七号升空。发射空间站所需要的更大推力的火箭已经逐步准备完成。随后在 2011 年，神舟八号发射飞行器，实现了无人对接。组装空间站最重要的一步也有了实践经验。

2016 年 9 月和 10 月，分别成功发射天宫二号和神舟十一号载人飞船，这是中国第六次载人飞行任务。神舟十一号实现了中国载人航天工程“三步走”中从第二步到第三步的过程，为中国空间站建造运营和航天员长期驻留奠定了坚实的基础。2017 年 4 月，天舟一号货运飞船发射升空，完成与天宫二号对接和推进剂补加试验。

2021 年 4 月 29 日，搭载空间站天和核心舱的长征五号运载火箭点火升空。天和核心舱的发射成功，标志着我国空间站建造进入全面实施阶段。如图 4-20 和图 4-21 所示。

图 4-20　中国空间站图 1

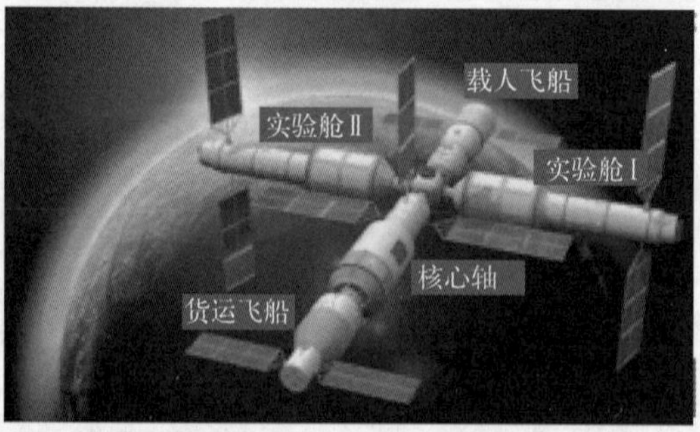

图 4-21　中国空间站图 2

2021 年 5 月，天舟二号货运飞船发射升空，与天和核心舱成功自动对接。

2021 年 6 月 17 日 9 点，神舟十二号载人飞船在酒泉卫星发射中心成功发射，顺利将聂海胜、刘伯明、汤洪波 3 名航天员送入太空。3 名航天员先后进入天和核心舱，标志着中国人首次进入自己的空间站。

空间站是一个国家航天能力的完全体现，也是空间科学发展的重要实践场所。作为一项领先世界的技术，发射、组装空间站可以显著地提升人民的民族自豪感和认同感，增强民族自信，并且能够提升中国的国际地位，展现国家综合实力。

第二篇　机械设计基础

第五章
常用机构

【学习目标】

1. 能够列举常见机构的组成与基本类型，辨析常见机构的相关概念，阐述常见机构的工作原理和应用特点；

2. 能够分析连杆机构、凸轮机构、齿轮机构等常见机构的动力特性和运动规律；

3. 学会使用逆向工程方法分析解决机构问题。

【学习重难点】

1. 常用机构中名词术语辨析，运动副分类、表达，机构简图识读；

2. 平面机构自由度计算；

3. 平面四杆机构的类型、特点、应用和类型判断；

4. 凸轮的特点及类型、从动件的运动规律；

5. 渐开线标准齿轮正确啮合条件、标准安装、连续传动；

6. 渐开线标准齿轮各部分名称及基本尺寸计算。

第一节　常用机构概述

一、常用机构中的名词术语

1. 零件

零件是制造的单元。任何机器都是由许多零件组成的。若将一部机器进行拆卸，拆到不可再拆的最小单元就是零件。机械中的零件可分为两类：一类是在各类机械中经常用到的零件，称为通用零件，如齿轮、螺钉、轴、弹簧等；另一类是只出现于某些特定机械之中的零件，称为专用零件，如汽轮机的叶片、内燃机的活塞等。

2. 构件

构件是运动的单元。一个构件可以是单一的零件，也可以是由刚性组合在一起的几个零件组成。如图 5-1 所示的齿轮 9 既是零件又是构件；而连杆 5 则是由连杆体 1、连杆盖 2、轴瓦 3、螺杆 4、螺母 5 及轴套 6 几个零件组成，这些零件形成一个整体而进行运动，所以称为一个构件，如图 5-2 所示。

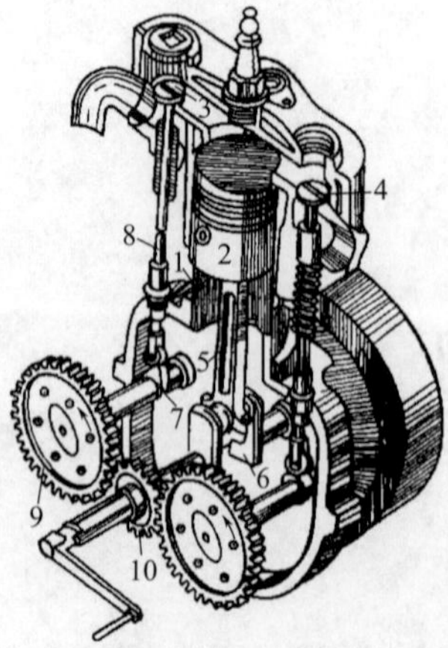

图 5-1 内燃机

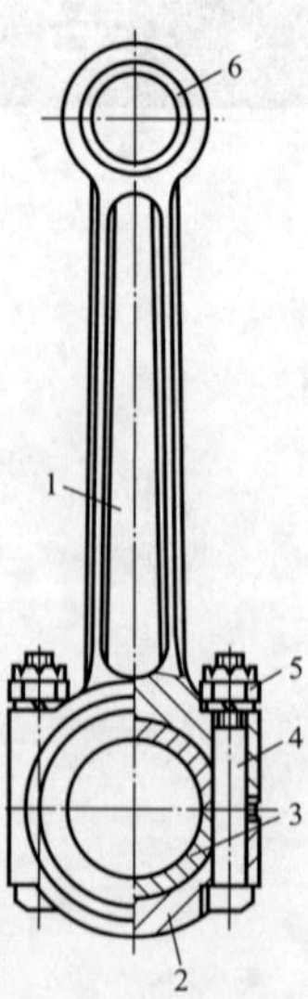

图 5-2 连杆

1—连杆体；2—连杆盖；3—轴瓦；
4—螺杆；5—螺母；6—轴套

3. 部件

在机械中把为完成共同任务、彼此协同工作的一系列零件或构件所组成的组合体称为部件，它是装配的单元，如滚动轴承、联轴器、减速器等。

4. 机器

人类经过长期的生产实践，逐步创造了各种机器，从家用的电风扇、洗衣机到工业上使用的各种机床，从汽车、火车、轮船、飞机到火箭、宇宙飞船、航天飞机，从挖掘机、起重机到各种机器人等。机器的种类很多，构造、性能和用途各不相同，但它们却有一些共同的特征。图 5-1 所示为单缸四冲程内燃机，它由气缸体 1、活塞 2、进气阀 3、排气阀 4、连杆 5、曲轴 6、凸轮 7、顶杆 8、齿轮 9 和齿轮 10 等组成。燃气推动活塞往复移动，通过连杆转变为曲轴的连续转动。凸轮和顶杆是用来启闭进气阀和排气阀的。为了保证曲轴每转两周进、排气阀各启闭一次，曲轴与凸轮轴之间安装了齿数比为 1∶2 的齿轮。这样，当燃气推动活塞运动时，各构件能够协调地动作，进、排气阀有规律地启闭，加上汽化、点火等装置的配合，从而将燃气的热能转换为曲轴转动的机械能。

如图 5-3 所示为一自动送料冲压机，它由冲压机和送料传动装置两大部分组成。其工作原理为：机座 4 是整个装置的支承，电动机通过带传动和齿轮传动（图中未标出）减速后，把运动和动力传递给冲压机的曲轴 1，曲轴 1 带动连杆 2，由连杆 2 传给冲头 3（即滑块），使冲头做上下往复运动。送料传动装置的曲柄 1′与冲压机的曲轴 1 固连在同一轴上，由曲柄 1′经连杆 5、齿条 5′、齿轮 6、单向离合器 7、锥齿轮 8 与 9、圆柱齿轮 9′与 10，以及与两圆柱齿轮分别固连的滚筒的转动，将带状料或棒状料送入冲压模具中进行冲压。送料长度的调节是靠调整曲柄 1′的长度来实现的。送料与冲压过程靠机械来实现，从而代替人完成有用的机械功。

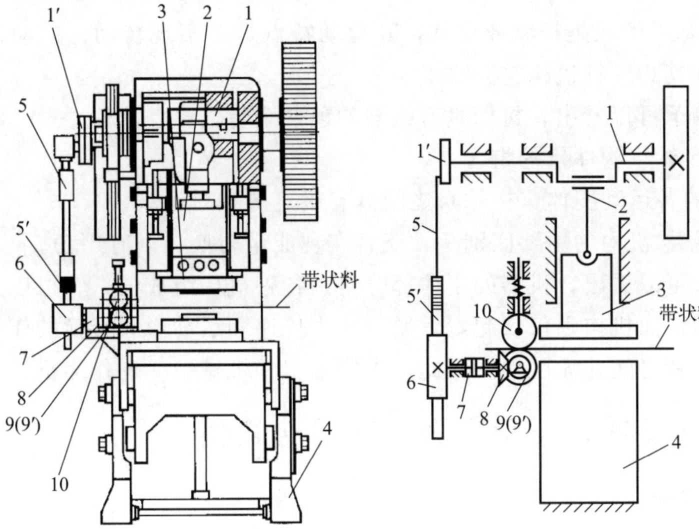

图 5-3　自动送料冲压机

从以上两个实例以及日常生活中所接触的其他机器可以看出，虽然各种机器的构造、用途和性能各不相同，但是从它们的组成、运动确定性以及功能关系来看，都具有以下共同特征：

① 都是人为实体（构件）的组合；

② 各个运动实体（构件）之间具有确定的相对运动；

③ 能够实现能量的转换，代替或减轻人类完成有用的机械功。现代机器还包括信息处理、影像处理等功能。

同时具备上述 3 个特征的实物组合体就称为机器。

但是随着现代科学技术的迅猛发展，机器的概念也相应发生变化。尤其是计算机的出现和不断完善，在减轻人类脑力劳动方面获得显著成效。这类机器除具有使其内部各机构正常运动的先进控制系统外，还包含信息采集、处理和传递系统等。

因此机器的概念可以这样表述：机器是执行机械运动的装置，用来变换或传递能量、物料、信息。

5. 机构

机器的概念已如上所述，那么什么是机构？为了说明这个问题，需要进一步分析上述几个实例。

在图 5-1 所示的单缸内燃机中，活塞、连杆、曲轴和气缸体组合起来，可将活塞的往复移动变成曲轴的连续转动；凸轮、顶杆和气缸体的另一组合，可将凸轮的连续转动变成顶杆按某种预期运动规律的往复移动；而三个齿轮与气缸体组合在一起后，又可将转动变快或变慢，甚至改变转向。这些具有各自运动特点且均含有一个机架（这里是气缸体）的组合体是基本组合体，通常把能实现预期机械运动的各构件（包括机架）的基本组合体称为机构。在工程实际中，人们常根据实现各种运动形式的构件及主要零件外形特点定义机构的名称。例如，图 5-1 中的齿轮 9 和 10，图 5-3 中的锥齿轮 8 和 9，其构件形状的特点是具有轮齿，其主要运动特点是把高速转动变成低速转动或反之，称其为齿轮机构；图 5-1 中的凸轮 7 和顶杆 8，其主要构件是具有特定轮廓曲线的凸轮，利用其轮廓曲线使顶杆按指定规律做周期性往复移动，称其为凸轮机构；图 5-1 中的活塞 2、连杆 3 和曲轴 4，图 5-3 中杆件 1、2、3、1′和 5，其构件的基本形状是杆状或块状，其运动特点是能实现转动、摆动、移动等运动形式的相互转换，称其为连杆机构。

由以上几个例子可以看出，机构具有机器的前两个特征：

① 都是人为实体（构件）的组合；

② 组成机构的各运动实体（构件）之间具有确定的相对运动。

★ 提示：机器与机构的主要区别是，能否实现能量转换、做有用功。

通过以上分析可以看出，机器的主体部分是由各种机构组成的，它可以完成能量的转换或做有用的机械功；而机构则仅仅起着运动及动力传递和运动形式转换的作用。从结构和运动的观点来看，两者之间并无区别。因此，人们常用“机械”一词作为机器与机构的总称。

二、运动副及其分类和平面机构运动简图

1. 运动副及其分类

机构是由许多构件组合而成的。在机构中，每个构件都以一定方式与其他构件相互连接，这种连接不是固定连接，而是能产生一定相对运动的连接。相互连接的两构件既保持直接接触，又能产生一定的相对运动，这种连接称为运动副。例如轴颈与轴承之间的连接、滑块与导槽之间的连接以及传动齿轮两个轮齿之间的连接等都构成运动副。

两构件组成的运动副，不外乎通过点、线或面接触来实现。按照这种接触特性，运动副通常被分为低副和高副两类。

（1）低副

两构件通过面接触组成的运动副称为低副。根据组成低副两构件之间的相对运动形式，又可分为转动副和移动副。

① 转动副。若组成运动副的两构件只能在同一个平面内绕同一轴线相对转动，则这种运动副称为转动副。组成转动副的构件的相对运动形式类似于日常生活中的铰链，所以，转动副亦称为回转副或铰链，如图 5-4(a) 轴颈 1 与轴承 2 之间的连接、图 5-4(b) 铰链 1 和 2 的连接都是转动副。

② 移动副。若组成运动副的两构件（如图 5-5 中的构件 1 和构件 2）只能沿某一轴线相对移动，则该运动副称为移动副，如图 5-5 所示。

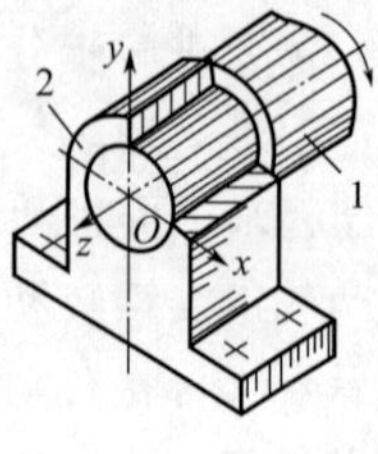

(a)

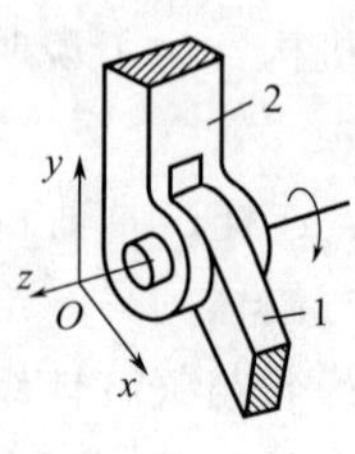

(b)

图 5-4　转动副

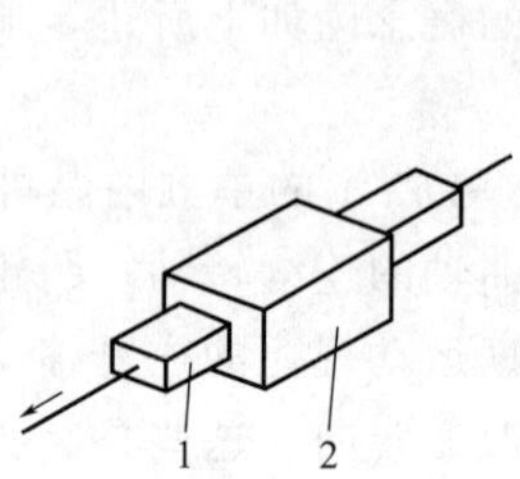

图 5-5　移动副

（2）高副

两构件通过点或线接触组成的运动副称为高副。两个构件连接形成高副时，构件在接触处的相对运动是绕接触点或者绕接触线的相对转动，以及沿接触点切线方向的相对移动。图 5-6(a) 中的车轮 1 与钢轨 2 为线接触、图 5-6(b) 中凸轮 1 与推杆 2 为点接触、图 5-6(c) 中的齿轮 1 与齿轮 2 为线接触，它们分别在接触处组成高副。高副两构件间的相对运动是沿接触点切线 t-t 方向的相对移动和在平面内的相对转动，n-n 为公法线。

上述低副和高副为平面低副和平面高副，除此之外，机械中还经常见到如图 5-7(a) 所示的球面副和图 5-7(b) 所示的螺旋副，它们都属于空间运动副。对于空间运动副，本节不做进一步讨论。

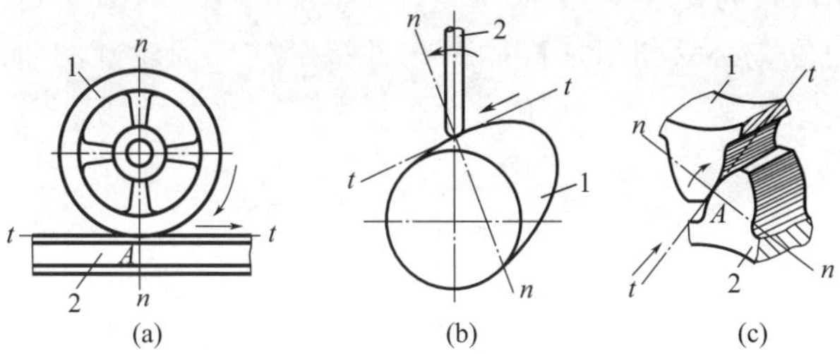

图 5-6　高副

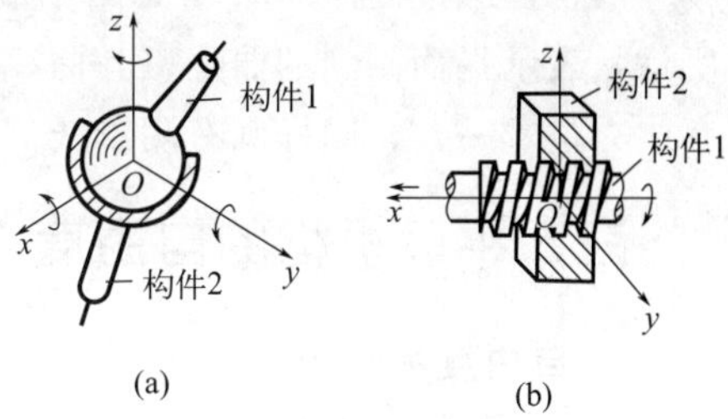

图 5-7　球面副和螺旋副

2. 平面机构运动简图

为了便于分析或设计，通常不考虑构件的外形、截面尺寸、组成构件的零件数目和运动副的实际结构，而是用简单的线条与规定的符号表示构件和运动副，并按比例确定各运动副间的相对位置，这种表达机构各构件间相对运动关系和运动特征的图形，称为机构运动简图。如图 5-8 所示为颚式破碎机及其机构运动简图。只要求表示机构的组成和运动情况而不严格按比例绘制的机构运动简图，称为机构示意图。

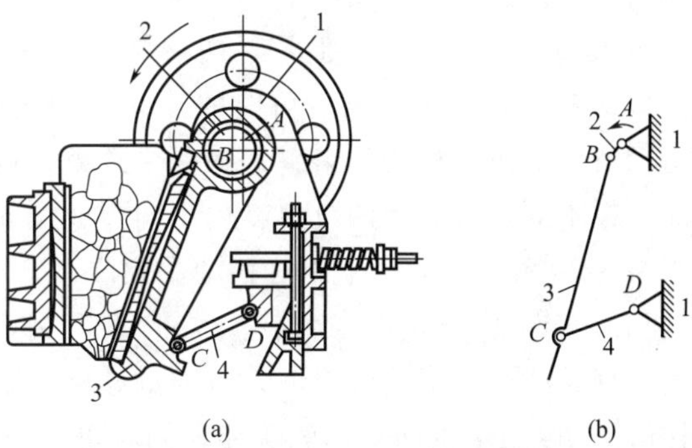

图 5-8　颚式破碎机及其机构运动简图

1—机架；2—偏心轴（曲轴）；3—动颚板；4—肘板

3. 平面机构运动简图中构件与运动副的表示方法

（1）构件

构件一般用线段、小方块、封闭的曲线、点画线的圆周等来表示。

（2）转动副

图 5-9 所示为两构件间组成的转动副。图 5-9(a) 所示组成转动副的两构件（1、2）均是活动构件；图 5-9(b) 和图 5-9(c) 所示组成转动副的两构件中，构件 2 是活动构件，构件 1 为机架固定不动。圆圈表示转动副，其圆心代表回转轴线。

（3）移动副

图 5-10 所示为两构件（1、2）间组成的移动副。移动副的导路必须与构件的相对移动方向一致。同上所述，图 5-10 中画有阴影线的构件表示机架。

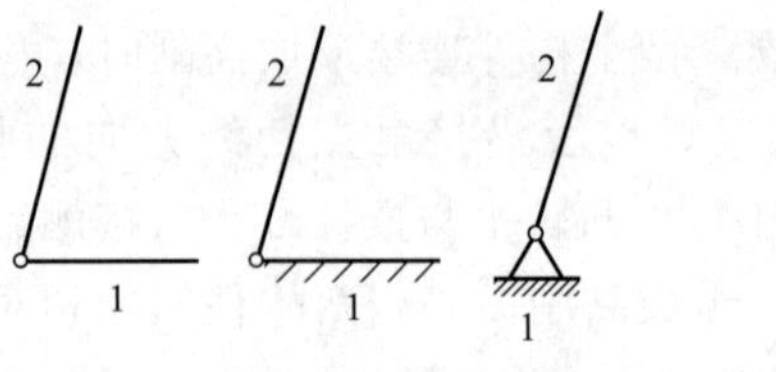

图 5-9　转动副的表示方法

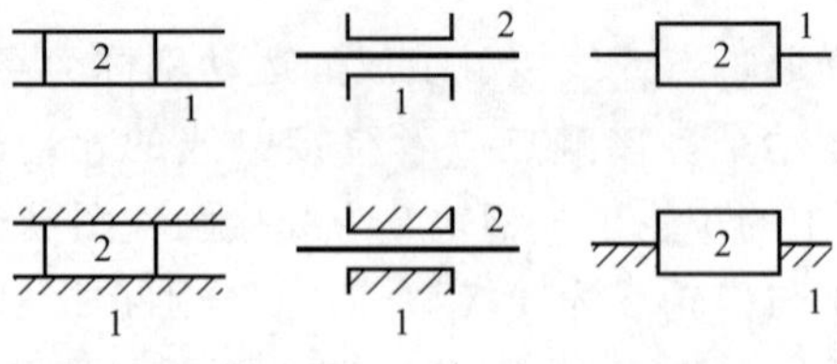

图 5-10　移动副的表示方法

（4）高副

两构件组成高副时，在简图中应当画出两构件（1、2）接触处的曲线轮廓，如图 5-11 所示，表示平面高副的曲线，其曲率中心的位置必须与组成高副两构件接触处实际轮廓的曲率中心位置一致，同样画有阴影线的构件表示机架。

三、平面机构的自由度

1. 自由度和约束

一个做平面运动的自由构件有三个独立运动的可能性。如图 5-12 所示，自由构件 S 在 xOy 坐标系中的三个可能的独立运动是：沿 x 轴和 y 轴的移动，绕过任一点 A 垂直于 xOy 平面的转动。这种构件相对于参考系具有的独立运动称为自由度。显然，做平面运动的自由构件 S 具有三个自由度。但是，当它与另外一个构件 Q 组成运动副之后，由于 S 与 Q 之间的直接接触，构件 S 的某些可能的独立运动受到限制，自由度随之减少，这种对可能的独立运动所加的限制称为约束。每加一个约束，构件便失去一个自由度。不同种类的运动副引入的约束不同，所保留的自由度也不同。如图 5-4 所示转动副，构件 2 对 1 施加了约束，构件 1 沿 x 轴和 y 轴的两个相对移动受到限制，构件 1 相对于构件 2 只有绕垂直于 xOy 平面的轴相对转动的可能。因此，引入一个转动副，引入两个约束，保留一个自由度。图 5-6 所示的高副，构件 2 沿公法线 n-n 方向的移动受到构件 1 的约束，构件 2 相对于构件 1 有沿二者接触点切线 t-t 方向移动的可能，同时也有绕接触处 A 点转动的可能，故高副保留了两个自由度。

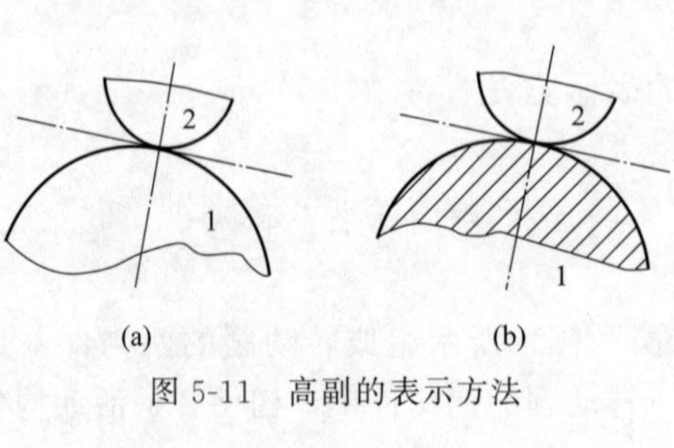

图 5-11　高副的表示方法

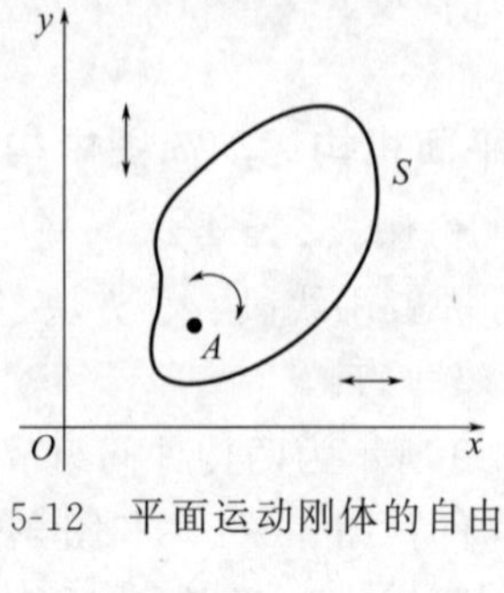

图 5-12　平面运动刚体的自由度

2. 平面机构自由度计算公式

设某平面机构共有 K 个构件。除去固定构件，活动构件数为 $n=K-1$。在未用运动副连接之前，这些活动构件的自由度总数为 $3n$。当用运动副将构件连接组成机构之后，机构中各构件具有的自由度随之减少。若机构中低副数为 P_L 个，高副数为 P_H 个，则运动副引入的约束总数为 $2P_L+P_H$。活动构件的自由度总数减去运动副引入的约束总数就是机构自由度（旧称机构活动度）。以 F 表示，即

$$F=3n-2P_L-P_H \tag{5-1}$$

这就是计算平面机构自由度的公式。由式(5-1) 可知，机构自由度取决于活动构件的个数以及运动副的性质和个数。

3. 平面机构具有确定运动的条件

机构的自由度是机构中各构件相对于机架具有的独立运动的数目。显然，只有机构的自由度大于零，且机构原动件数与机构的自由度数相等，机构的运动才能确定。

当原动件数小于自由度数时，机构会出现运动不确定的现象，如图 5-13 所示的铰链五杆机构。当原动件数大于自由度数时，机构中较薄弱的构件或运动副可能被破坏，如图 5-14 所示。

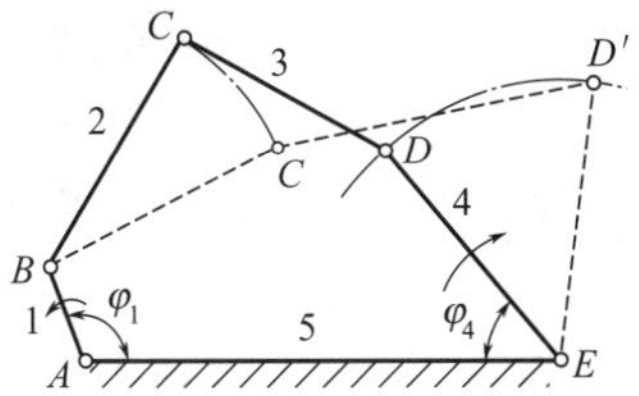

图 5-13 铰链五杆机构

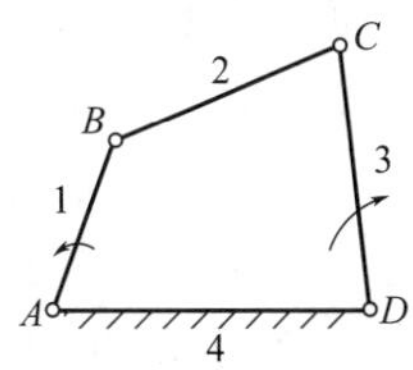

图 5-14 铰链四杆机构

由此可见，机构具有确定运动的条件是：机构自由度 $F>0$，且 F 等于原动件数。

4. 计算平面机构自由度的注意事项

应用式(5-1) 计算平面机构自由度时，要注意以下几个问题。

(1) *复合铰链*

三个或三个以上构件在一处用转动副相连接，就构成复合铰链。如图 5-15 所示是三个构件（1、2、3）汇交成的复合铰链，图 5-15(b) 是它的俯视图，可以看出，这三个构件共组成两个转动副。以此类推，K 个构件汇交而成的复合铰链有（$K-1$）个转动副。在计算机构自由度时应注意识别复合铰链，以免把转动副的个数算错。

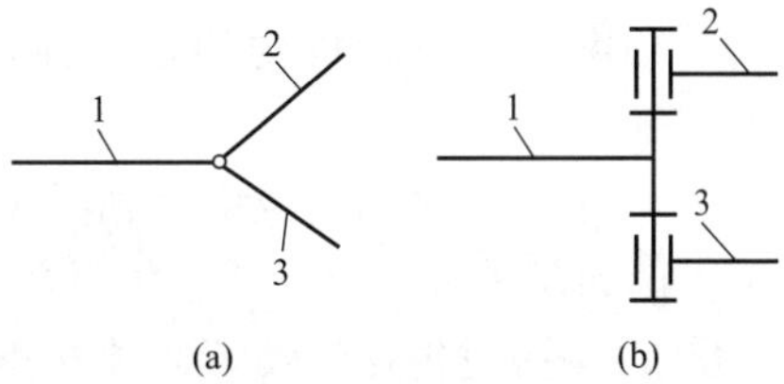

图 5-15 复合铰链

(2) *局部自由度*

机构中常出现一种与输出构件运动无关的自由度，称为局部自由度（或称多余自由度），在计算机构自由度时应予以排除。

如图 5-16(a) 所示，当原动件凸轮 1 转动时，通过滚子 3 驱使从动件 2 以一定运动规律在机架 4 中往复移动。从动件 2 是输出构件。滚子 3 是为减少高副元素的磨损，安装在从动件与凸轮接触处的构件，从而使凸轮与从动件之间的滑动摩擦变为滚动摩擦。不难看出，在这个机构中，滚子 3 绕其轴线是否转动或转动快慢，都不影响输出构件 2 的运动，因此，在计算机构的自由度时应预先将转动副 C 除去不计。或如图 5-16(b) 所示，可设想将滚子 3 与从动件 2 固连在一起作为一个构件来考虑，此时，$n=2$，$P_L=2$，$P_H=1$。

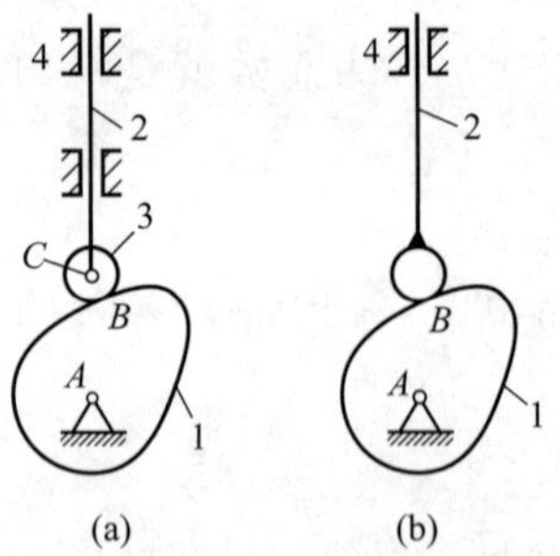

图 5-16 局部自由度

由式(5-1) 可得

$$F=3n-2P_{\mathrm{L}}-P_{\mathrm{H}}=3\times2-2\times2-1=1$$

局部自由度虽然不影响整个机构的运动，但滚子可使高副接触处的滑动摩擦变成滚动摩擦，减少磨损，所以实际机械中常有局部自由度出现。

(3) 虚约束

对机构自由度不起独立限制作用的重复约束称为虚约束或消极约束。在计算机构自由度时应予以排除不计。

如图 5-17 所示的机构中，$L_{AB}=L_{CD}=L_{EF}$，$L_{BF}=L_{AE}$，$L_{FC}=L_{ED}$，在此机构中，$n=4$，$P_{\mathrm{L}}=6$，$P_{\mathrm{H}}=0$。

由式(5-1) 可得

$$F=3n-2P_{\mathrm{L}}-P_{\mathrm{H}}=3\times4-2\times6=0$$

这表明该机构不能运动，显然与实际情况不符。进一步分析可知，机构中的运动轨迹有重复现象。因为当原动件 1 转动时，构件 2 上的 C 点的运动轨迹是以 D 点为圆心，以 L_{CD} 为半径的圆弧，如果去掉构件 4（转动副 E、F 也不再存在），C 点的运动轨迹没有变化，这说明构件 4 及转动副 C、D 是否存在，对整个机构的运动并无影响。也就是说，机构中加入构件 4 及转动副 C、D，虽然使机构增加了一个约束，但此约束并不起限制机构运动的作用，所以是虚约束。在计算机构自由度时应除去构件 4 和转动副 C、D，此时，$n=3$，$P_{\mathrm{L}}=4$，$P_{\mathrm{H}}=0$，由式(5-1) 可得

$$F=3n-2P_{\mathrm{L}}-P_{\mathrm{H}}=3\times3-2\times4=1$$

此结果与实际情况相符。

虚约束是构件间几何尺寸满足某些特殊条件的产物，如图 5-17 所示。平面机构中的虚约束常出现在以下场合：

① 两构件间组成多个导路平行的移动副，只有一个移动副起作用，其余都是虚约束。如图 5-16(a) 中凸轮机构的运动简图，从动件与机架间组成两个移动副，其中之一为虚约束。

② 两个构件之间组成多个轴线重合的转动副时，只有一个转动副起作用，其余都是虚约束。例如两个轴承支承一根轴只能看作一个转动副。

③ 机构中对传递运动不起独立作用的对称部分。如图 5-18 所示的行星轮系中，中心轮 1 通过两个对称布置的小齿轮 2 和 2′驱动内齿轮 3，其中有一个小齿轮对传递运动不起独立作用。但第二个小齿轮的加入，使机构增加了一个虚约束（引入两个转动副和两个高副），计算自由度时应予以排除。

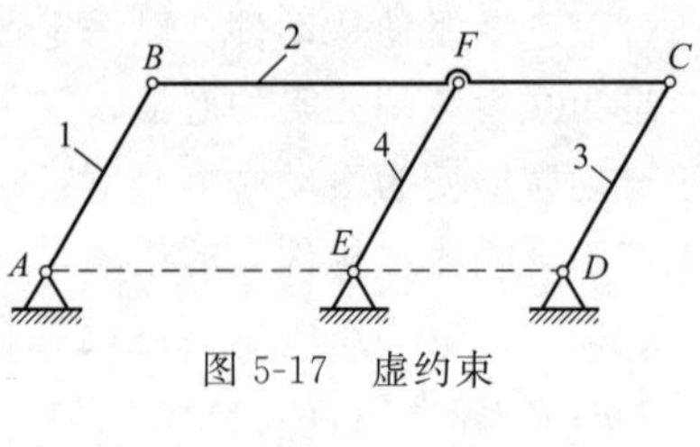

图 5-17 虚约束

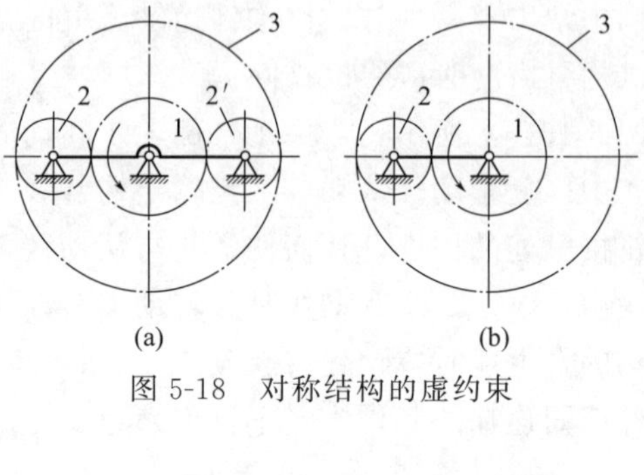

图 5-18 对称结构的虚约束

还有一些类型的虚约束需要通过复杂的数学证明才能判别，这里不再一一列举。虚约束对运动虽不起作用，但从增加构件的刚度、改善机构受力状况等方面看，却是必须的。虚约束要求较高的制造精度，如果加工误差太大，不能满足某些特殊几何条件，虚约束就会变成实际的约束，阻碍构件运动。

第二节 平面连杆机构类型及基本特性

平面连杆机构构件的形状多种多样，不一定为杆状，但从运动原理来看，均可用等效的杆状构件来替代。最常用的平面连杆机构是具有四个构件（包括机架）的低副机构，称为四杆机构。

构件间用四个转动副相连的平面四杆机构，称为平面铰链四杆机构，简称铰链四杆机构。铰链四杆机构是四杆机构的基本形式，也是其他多杆机构的基础。本小节重点介绍铰链四杆机构的基本形式、应用、演化形式、特性及其常用的设计方法。

一、铰链四杆机构的基本形式及应用

图 5-19(a) 所示剪板机中的固定机架 AD、剪刀 DC 等构件，虽然形状各不相同，但在进行分析时，均可简化为杆件形式。用小圆圈表示铰链，线段表示构件，机构运动简图如图 5-19(b) 所示。

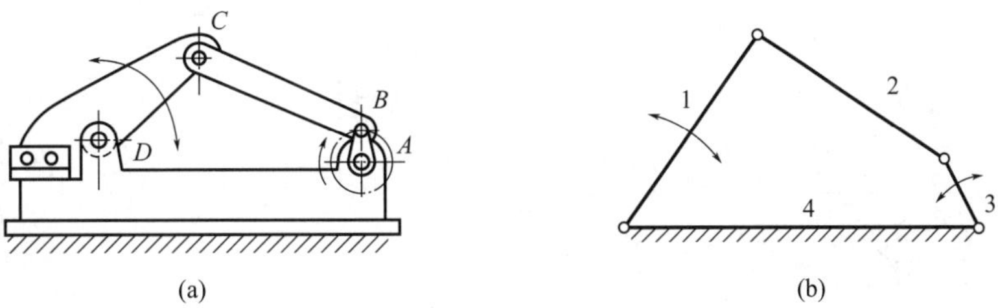

图 5-19 剪板机

铰链四杆机构中，固定构件 4 称为机架；与机架通过转动副连接的构件 1 和 3 称为连架杆；不与机架直接连接的构件 2 称为连杆，连杆一般做平面复杂运动。

若组成转动副的两构件能做整周相对转动，则称该转动副为整转副，否则称摆动副。与机架组成整转副的连架杆称为曲柄，与机架组成摆动副的连架杆称为摇杆。

按照两连架杆运动形式的不同，可将铰链四杆机构分为曲柄摇杆机构、双曲柄机构和双摇杆机构三种基本形式。

1. 曲柄摇杆机构

在铰链四杆机构的两个连架杆中，若其中一个为曲柄，另一个为摇杆，则称其为曲柄摇杆机构，如图 5-20 所示。

在曲柄摇杆机构中，取曲柄 AB 为主动件，并做逆时针等速转动。当曲柄 AB 的 B 端从 B 点回转到 B_1 点时，从动件摇杆 CD 上的 C 端从 C 点摆动到 C_1 点，而当 B 端从 B_1 点回转到 B_2 点时，C 端从 C_1 点顺时针摆动到 C_2 点。当 B 端继续从 B_2 点回转到 B_1 点时，C 端将从 C_2 点逆时针摆回到 C_1 点。这样，在曲柄 AB 连续做等速回转时，摇杆 CD 将在

C_1C_2 范围内做变速往复摆动。即曲柄摇杆机构能将主动件（曲柄）整周的回转运动转换为从动件（摇杆）的往复摆动。图 5-21 所示为雷达天线俯仰机构。曲柄 AB 缓慢均匀转动，通过连杆 BC 使摇杆 DC 在一定角度的范围内摆动，从而达到调整天线俯仰角，搜索信号的目的。

曲柄摇杆机构在生产中应用很广，除图 5-19(a) 所示剪板机和图 5-21 所示雷达天线俯仰机构的一些应用实例以外，图 5-22 又列举了一些应用实例。图 5-22(a) 为汽车刮雨器，图 5-22(b) 为颚式破碎机，图 5-22(c) 为搅拌机。它们在曲柄 AB 连续回转的同时，摇杆 CD 可以往复摆动，完成刮窗、矿石破碎、搅拌等动作。

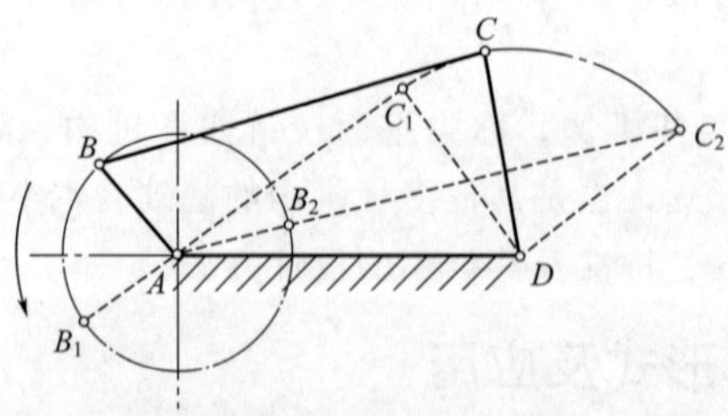

图 5-20　曲柄摇杆机构

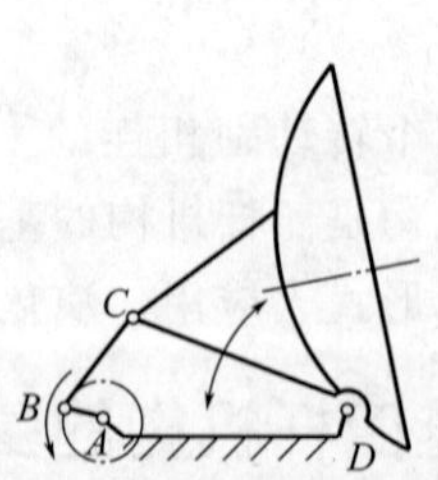

图 5-21　雷达天线俯仰机构

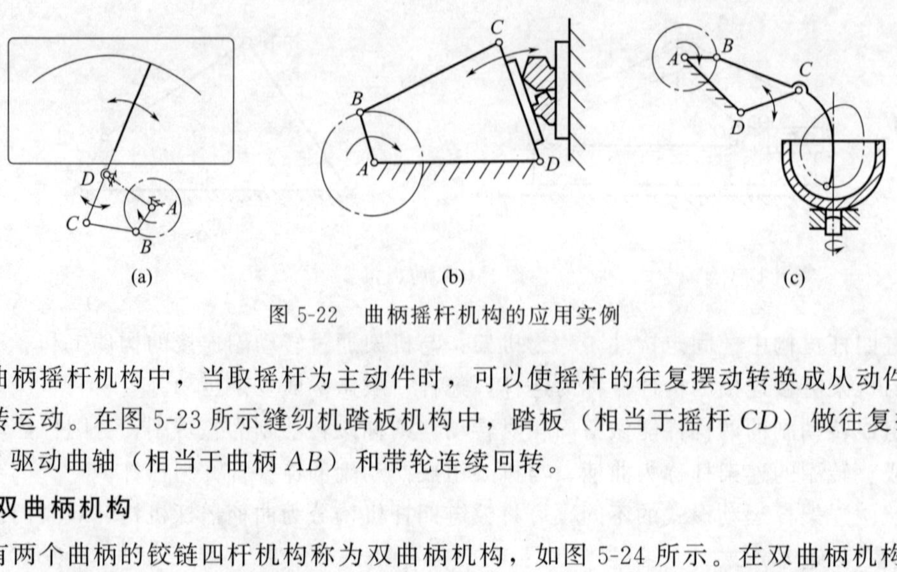

图 5-22　曲柄摇杆机构的应用实例

在曲柄摇杆机构中，当取摇杆为主动件时，可以使摇杆的往复摆动转换成从动件曲柄的整周回转运动。在图 5-23 所示缝纫机踏板机构中，踏板（相当于摇杆 CD）做往复摆动时，连杆 BC 驱动曲轴（相当于曲柄 AB）和带轮连续回转。

2. 双曲柄机构

具有两个曲柄的铰链四杆机构称为双曲柄机构，如图 5-24 所示。在双曲柄机构中，两个连架杆均为曲柄，均可做整圈旋转。两个曲柄可以分别为主动件。在图 5-24 所示双曲柄机构中，取曲柄 AB 为主动件：主动曲柄 AB 顺时针回转 180°到 AB_1 位置时，从动曲柄 CD 顺时针回转到 C_1D，转过角度 φ_1；主动曲柄 AB 继续回转 180°，从动曲柄 CD 转过角度 φ_2。显然 $\varphi_1>\varphi_2$，$\varphi_1+\varphi_2=360°$。所以双曲柄机构的运动特点是：主动曲柄匀速回转一周，从动曲柄随之变速回转一周，即从动曲柄每回转的一周中其角速度有时大于主动曲柄的角速度，有时小于主动曲柄的角速度。（平行双曲柄机构中从动曲柄与主动曲柄角速度一致。）

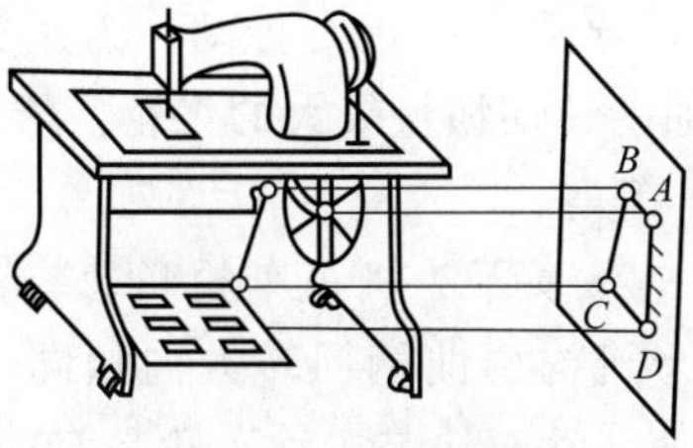

图 5-23　缝纫机踏板机构

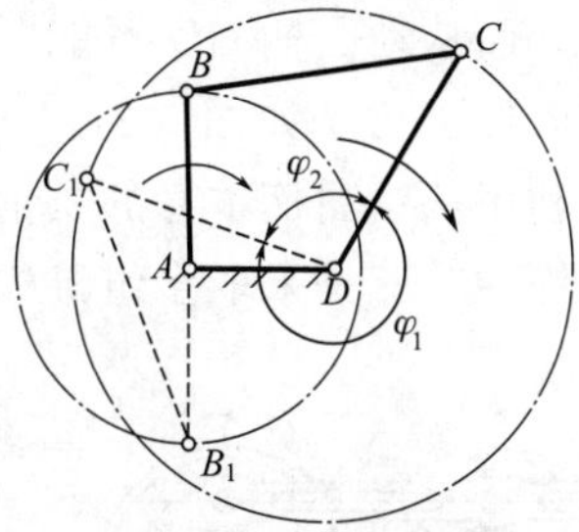

图 5-24　双曲柄机构

图 5-25 所示为插床的主运动机构运动简图，主动曲柄 AB 做等速回转时，连杆 BC 带动从动曲柄构件 CDE 做周期性变速回转，再通过构件 EF 使滑块带动插刀做上下往复运动，实现慢速工作行程（下插）和快速退刀行程的工作要求。

图 5-26 所示为双曲柄机构在惯性筛中的应用。工作时，等速转动的主动曲柄 AB，通过连杆 BC 带动从动曲柄 CD 做周期性变速转动，并通过构件 CE 的连接，使筛子变速往复移动。

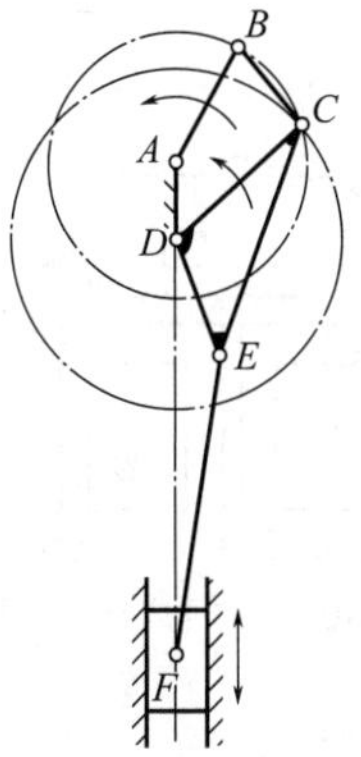

图 5-25　插床的主运动机构

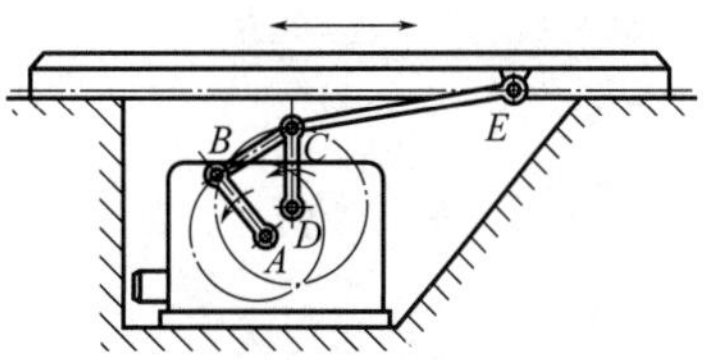

图 5-26　惯性筛

双曲柄机构中，当连杆与机架的长度相等且两个曲柄长度相等时：若曲柄转向相同，称为平行四边形机构，如图 5-27(a) 所示；若曲柄转向不同，称为反向平行双曲柄机构，简称反向双曲柄机构，如图 5-27(b) 所示。

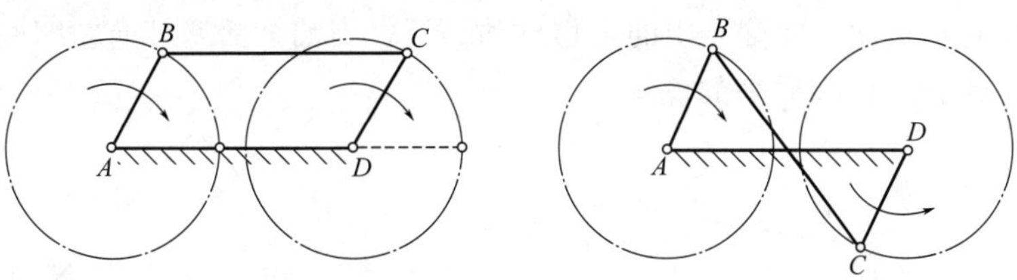

(a)　(b)

图 5-27　等长双曲柄机构

平行四边形机构的运动特点是：两曲柄的回转方向相同，角速度相等。反向平行双曲柄机构的运动特点是：两曲柄的回转方向相反，角速度不等。

平行四边形机构在运动过程中，主动曲柄 AB，如图 5-27(a) 所示，每回转一周，两曲柄与连杆 BC 出现两次共线，此时会产生从动曲柄 CD 运动的不确定现象，即主动曲柄 AB

的回转方向不变，而从动曲柄 CD 可能顺时针方向回转，也可能逆时针方向回转，而使机构变成反向平行双曲柄机构，如图 5-27(b) 所示，导致不能正常传动。为避免这一现象，常采用的方法有：利用从动曲柄本身的质量或附加一转动惯量较大的飞轮，依靠其惯性作用来导向；增设辅助构件；三是采取多组机构错列；等等。

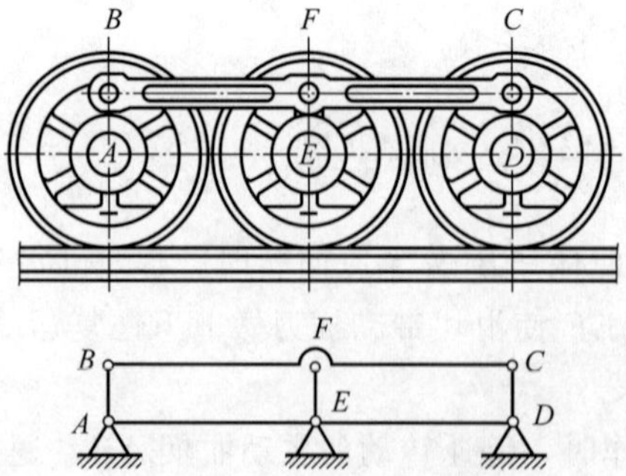

图 5-28　机车车轮联动装置

图 5-28 所示为机车车轮联动装置，它利用了平行四边形机构两曲柄回转方向相同、角速度相等的特点，使从动车轮与主动车轮具有完全相同的运动，为了防止这种机构在运动过程中变为反向平行双曲柄机构，在机构中增设了一个辅助构件（曲柄 EF）。

图 5-29 所示为机车车轮错列装置，左右两组车轮采用错列结构，使左右两组车轮的曲柄相错 90°，从而保证了车轮的正常回转。

图 5-30 所示为车门启闭装置，采用的是反向平行双曲柄机构。当主动曲柄 AB 转动时，通过连杆 BC 使从动曲柄 CD 反向转动，从而保证两扇车门同时开启或关闭至各自的预定位置。

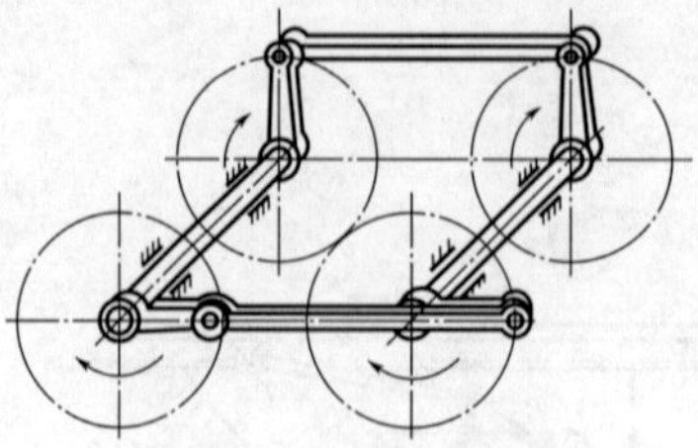
图 5-29　机车车轮错列装置

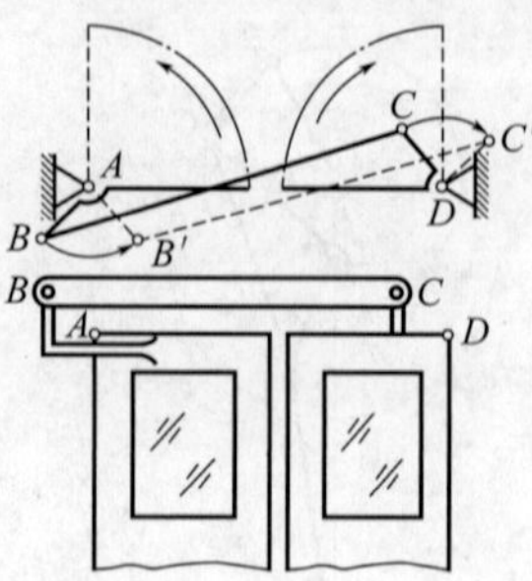

图 5-30　车门启闭装置

3. 双摇杆机构

在铰链四杆机构中，若两连架杆均为摇杆，则称其为双摇杆机构，如图 5-31 所示。

在双摇杆机构中，两摇杆可以分别为主动件。当连杆与摇杆共线时（图 5-31 中 B_1C_1D 与 C_2B_2A），机构处于死点位置。此时，φ_1 与 φ_2 分别为两摇杆的最大摆角。图 5-32 所示为利用双摇杆机构的自卸翻斗装置。杆 AD 为机架，当油缸活塞杆向右伸出时，可带动双摇杆 AB 与 CD 向右摆动，使翻斗中的货物自动卸下；当油缸活塞杆向左缩回时，则带动双摇杆向左摆动，使翻斗回到原来的位置。

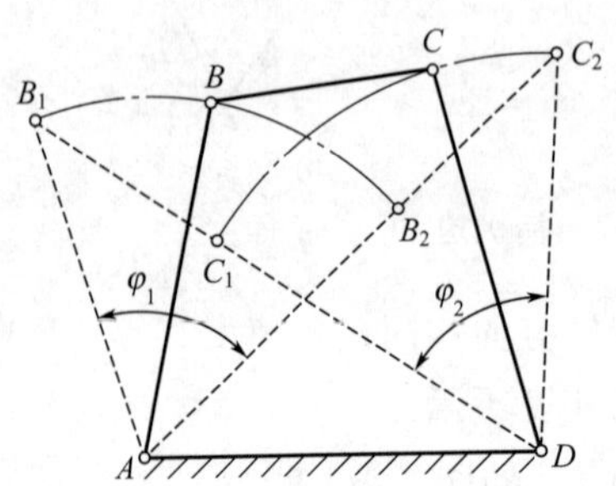

图 5-31　双摇杆机构

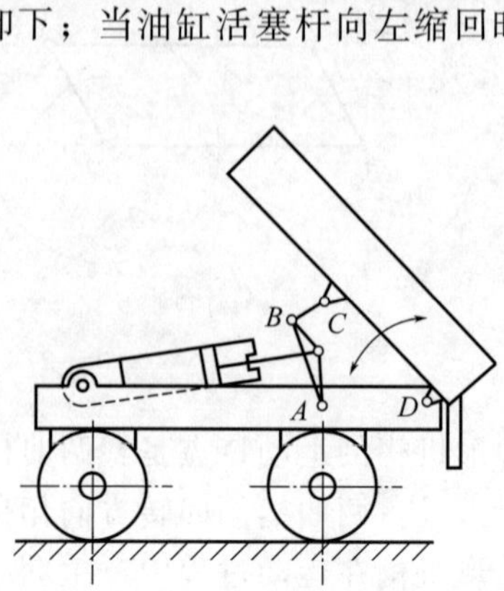

图 5-32　自卸翻斗装置

图 5-33 所示为港口起重机，也采用了双摇杆机构，该机构利用连杆上的特殊点 E 实现货物 Q 的水平吊运。

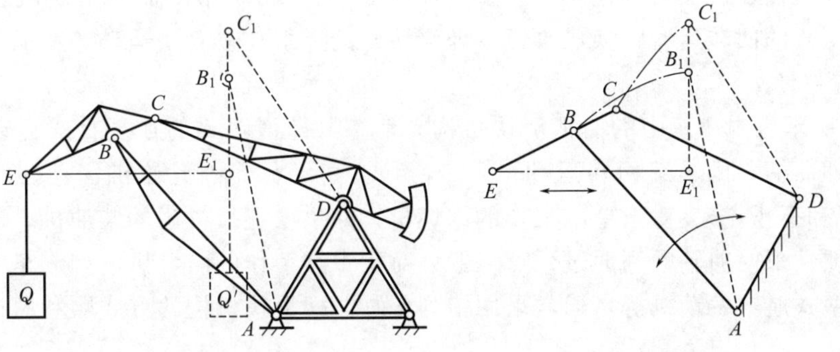

(a) 港口起重机装置　　(b) 机构运动简图

图 5-33　港口起重机

图 5-34 为采用双摇杆机构的飞机起落架收放机构。飞机着陆前，着陆轮 5 须从机翼（机架）2 中推放至图中实线所示位置，该位置处于双摇杆机构的死点，即 AB 与 BC 共线。飞机起飞后，为减小飞行中的空气阻力，又须将着陆轮收入机翼中（图中虚线位置）。上述动作由主动摇杆 AB 通过连杆 BC 驱动从动摇杆 CD 带动着陆轮实现。

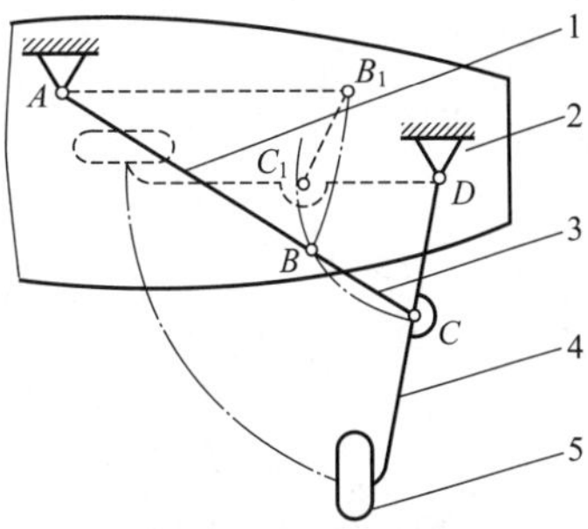

图 5-34　飞机起落架收放机构

1—主动摇杆；2—机架；3—连杆；4—从动摇杆；5—着陆轮

二、铰链四杆机构的演化

在生产实际中，除了前面讲述的三种类型的铰链四杆机构外，还广泛应用着其他各种形式的四杆机构。其他四杆机构可以看作是由铰链四杆机构演化来的。

1. 曲柄滑块机构

曲柄滑块机构实质上是通过改变曲柄摇杆机构的运动副形状尺寸演化而来的。由图 5-20 可知，当摇杆 CD 的长度趋向无穷大时，原来沿圆弧往复运动的 C 点就会变成沿直线往复移动，也就是摇杆 CD 会变成沿导轨往复运动的滑块，曲柄摇杆机构就会演化成如图 5-35 所示的曲柄滑块机构。

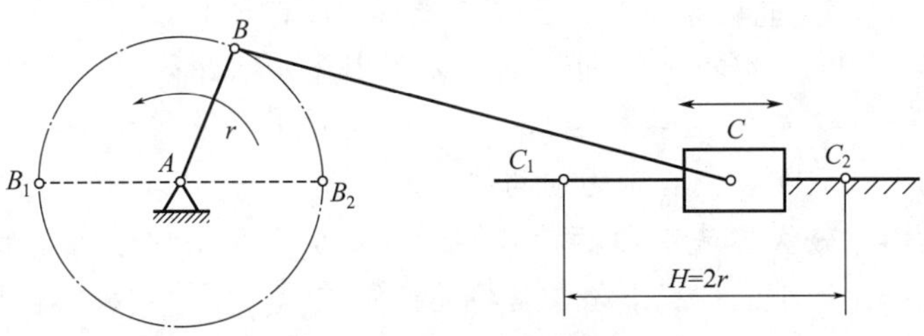

图 5-35　曲柄滑块机构

图 5-35 的曲柄滑块机构中，若取曲柄 AB 为主动件，并做连续整周回转时，通过连杆 BC 可以带动滑块 C 做往复直线运动，滑块 C 移动的距离（C_1、C_2）H 等于曲柄长度 r 的 2 倍，即 $H=2r$。反之，若取滑块 C 为主动件，当滑块做往复直线运动时，通过连杆 BC

可以带动曲柄 AB 做整周回转，但存在从动件曲柄与连杆共线的两个死点位置（B_1 和 B_2），需要采取相应的措施。

曲柄滑块机构在机械中应用很广，图 5-36 所示为压力机中的曲柄滑块机构。该机构将曲轴（即曲柄）的回转运动转换成重锤（即滑块）的上下往复直线运动，从而完成对工件的压力加工。

图 5-37 所示为内燃机中的曲柄滑块机构。活塞（即滑块）的往复直线运动通过连杆转换成曲轴（即曲柄）的连续回转运动。由于滑块为主动件，因此该机构存在两个死点位置（俗称上止点和下止点）。对于单缸工作的内燃机，如手扶拖拉机用的柴油机，通常采用附加飞轮，利用惯性来使曲轴顺利通过死点位置；对于多缸工作的内燃机，如汽车发动机、船用柴油机和活塞式航空发动机等，通常采用错列各缸曲柄滑块机构的方式顺利通过死点位置。

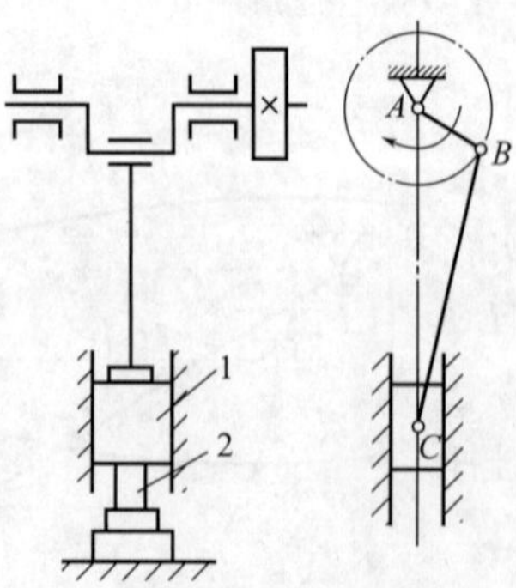

图 5-36　压力机中的曲柄滑块机构

1—滑块；2—工件

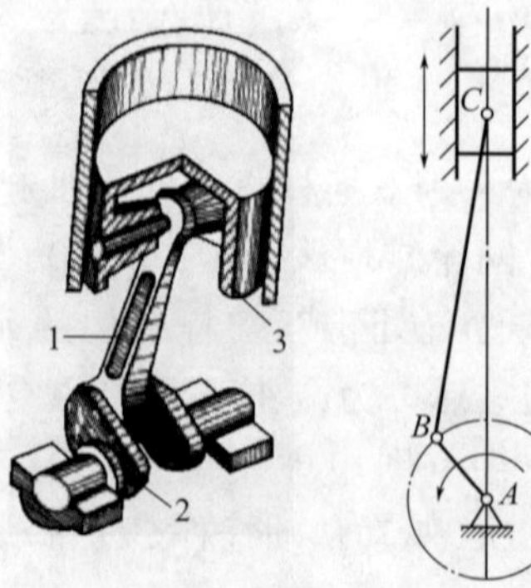

图 5-37　内燃机中的曲柄滑块机构

1—连杆；2—曲轴（曲柄）；3—活塞（滑块）

扩大转动副尺寸是一种常见的、具有实际应用价值的机构演化方法。转动副直径愈大，其强度愈高，机构的刚性也愈好。

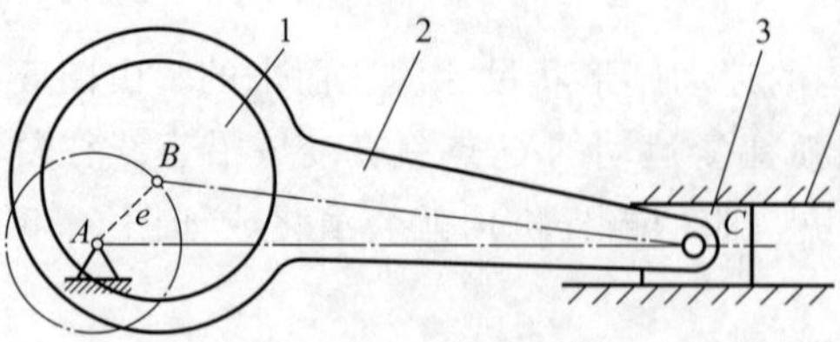

图 5-38　偏心轮机构

1—偏心轮；2—连杆；3—滑块；4—机架

2. 偏心轮机构

当曲柄滑块机构中要求滑块的行程 H 很小时，曲柄长度必须很小。此时，为了提高机构的刚性和使运动副具有比较高的强度，常将曲柄做成偏心轮，用偏心轮的偏心距 e 来替代曲柄的长度，曲柄滑块机构演化成偏心轮机构，如图 5-38 所示。在偏心轮机构中，滑块的行程等于偏心距的 2 倍，即 $H=2e$。在偏心轮机构中，只能以偏心轮为主动件。

机构传递的动力比较大，或者曲柄销（转动副）承受载荷比较大，或者曲柄长度比较短，或者从动件行程比较小的情况下，常常将曲柄做成偏心轮。这种结构尺寸的演化，不会影响机构的运动性质，避免了因曲柄长度尺寸太短，无法在曲柄两端设置转动副等结构设计难题。

3. 导杆机构

导杆机构可以看成是由曲柄滑块机构中的固定构件演化来的。如图 5-39(a) 所示的曲柄滑块机构，当改曲杆 1 为固定件时，即可得到如图 5-39(b) 所示的导杆机构。在该导杆机构中，与构件 3 组成移动副的构件 4 称为导杆。构件 3 称为滑块，可相对导杆滑动，并可随导杆一起绕 A 点回转。在导杆机构中通常取杆 2 为主动件。导杆机构分转动导杆机构与摆动导杆机构，当机架的长度 l_1 小于杆 2 的长度 l_2 时（$l_1<l_2$），主动件杆 2 与从动件（导杆）4 均可做整周回转，即为转动导杆机构；当 $l_1>l_2$，主动件杆 2 做整周回转时，从动件 4 只能做往复摆动，即为摆动导杆机构，如图 5-40 所示。

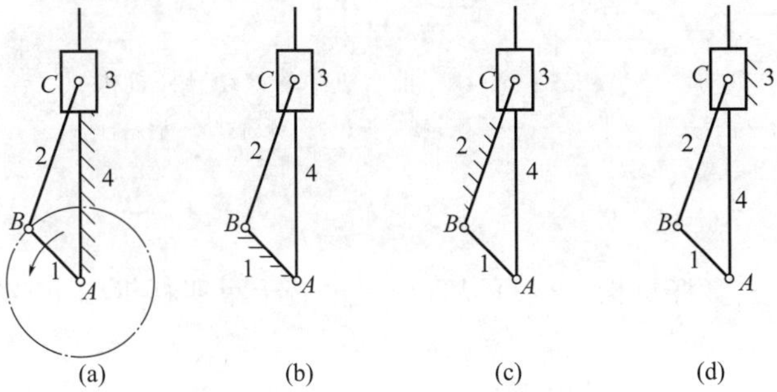

图 5-39　曲柄滑块机构的演化

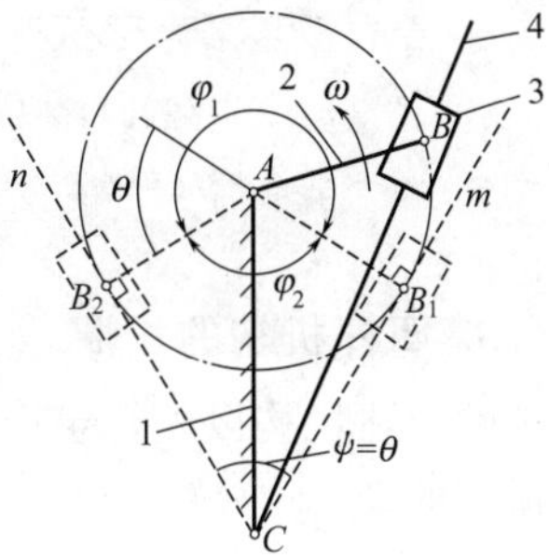

图 5-40　摆动导杆机构

图 5-41 所示为牛头刨床中的摆动导杆机构。杆 BC 为主动件做等速回转运动。当杆 BC 沿顺时针方向从 BC_1 回转到 BC_2 时，从动件导杆 AD 由左极限位置 AD_1 摆动到右极限位置 AD_2，牛头刨床滑枕的行程 D_1D_2 即为工作行程；当杆 BC 继续由 BC_2 回转到 BC_1 时，导杆 AD 从 AD_2 摆回 AD_1，滑枕行程 D_2D_1 即为空回行程。显然摆动导杆机构具有急回特性。为实现滑枕做往复直线运动，在机架 A 处导杆的导槽中设置一个滑块，使导杆在摆动时能上下移动。杆 BC 为传动丝杠，在 C 点处与铰链（螺母）连接，可通过改变杆 BC 的长度，从而实现滑枕行程的调节。

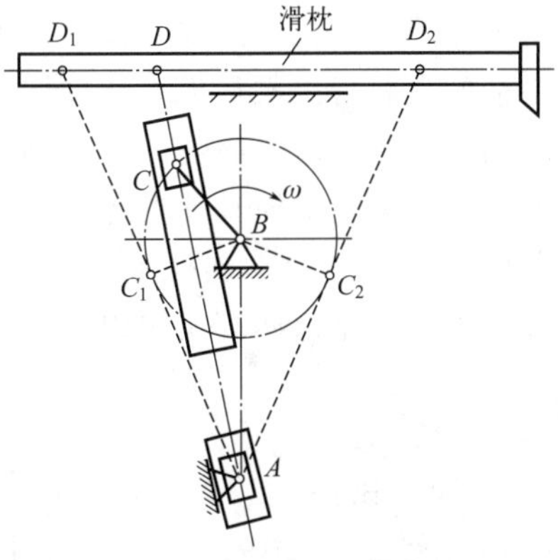

图 5-41　牛头刨床中的摆动导杆机构

4. 摇块机构和定块机构

当取杆 2 为固定件（机架）时，即可得到图 5-39(c) 所示的摇块机构。此机构一般以杆 1（或杆 4）为主动件。$l_1<l_2$ 时，杆 1 可做整周回转，$l_1>l_2$ 时，杆 1 只能做摆动。当杆 1 做整周回转或摆动时，导杆 4 相对滑块 3 滑动，并一起绕 C 点摆动。滑块 3 只能绕机架上 C 点摆动，称为摇块。当杆 4 为主动件在摇块 3 中移动时，杆 1 则绕 B 点回转或摆动。图 5-42 所示的自翻卸料装置，车厢（杆 1）可绕车架（机架 2）上的 B 点摆动，活塞杆（导杆 4）、液压缸（摇块 3）可绕车架上的 C 点摆动，当液压缸中的活塞杆运动时，车厢绕 B 点转动，转到一定角度时，货物自动卸下。

当取构件 3 为固定件（机架）时，即可得到图 5-39(d) 所示的固定滑块机构，简称定块机构。此机构通常以杆 1 为主动件，杆 1 回转时，杆 2 绕 C 点摆动。杆 4 仅相对固定滑块做往复移动。图 5-43 所示的抽水机即采用了定块机构。摆动手柄 1，在杆 2 的支承下（杆 2 自身绕机架上 C 点摆动），活塞杆 4 在固定滑块（唧筒 3，即机架）内上下往复移动，实现抽水的动作。

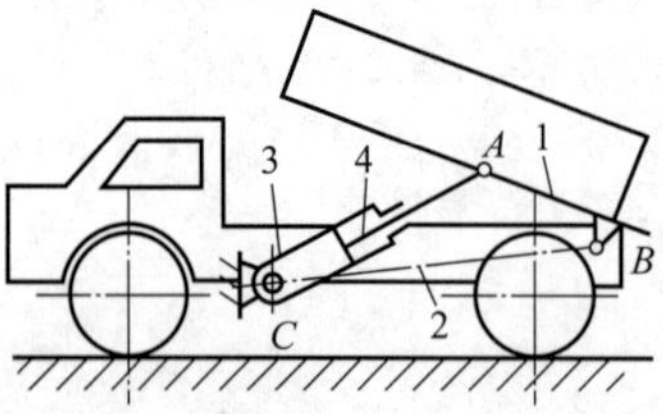

图 5-42　自翻卸料装置中的曲柄摇块机构

1—车厢；2—车架；3—液压缸；4—活塞杆

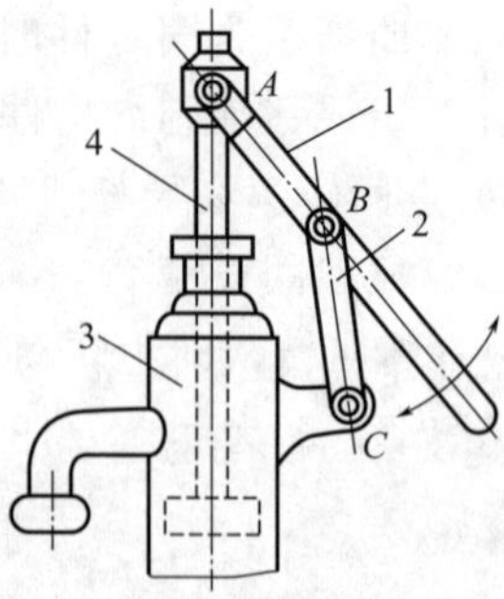

图 5-43　抽水机中的移动导杆机构

1—手柄；2—杆；3—唧筒；4—活塞杆

5. 四杆机构的扩展

除上述机构以外，生产中常见的某些多杆机构，也可以看成是由若干个四杆机构组合扩展形成的。

图 5-44 所示的手动冲床是一个六杆机构。它可以看成是由两个四杆机构组成的。第一个是由原动摇杆（手柄）1、连杆 2、从动摇杆 3 和机架 4 组成的双摇杆机构；第二个是由摇杆 3、小连杆 5、冲杆 6 和机架 4 组成的摇杆滑块机构。其中前一个四杆机构的输出件被作为第二个四杆机构的输入件。扳动手柄 1，冲杆 6 就上下运动。采用六杆机构，可以使扳动手柄的力获得两次放大，从而增大冲杆的作用力。这种增力作用在连杆机构中经常用到。

图 5-45 所示为筛料机主体机构的运动简图。这个六杆机构也可以看成由两个四杆机构组成。第一个是由原动曲柄 1、连杆 2、从动曲柄 3 和机架 6 组成的双曲柄机构；第二个是由曲柄 3（原动件）、连杆 4、滑块 5（筛子）和机架 6 组成的曲柄滑块机构。需要指出，有些多杆机构不是由四杆机构组成的。

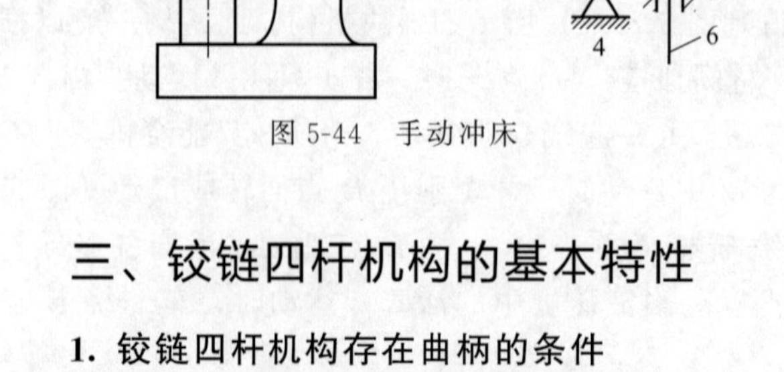

图 5-44　手动冲床

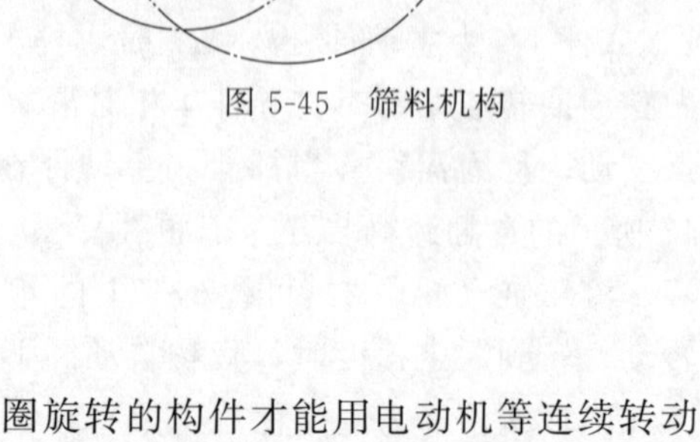

图 5-45　筛料机构

三、铰链四杆机构的基本特性

1. 铰链四杆机构存在曲柄的条件

曲柄是能做整圈旋转的连架杆，只有这种能做整圈旋转的构件才能用电动机等连续转动的装置来带动，所以，能做整圈旋转的构件在机构中具有重要的地位，即曲柄是机构中的关键构件。铰链四杆机构中是否能有做整圈旋转的构件，取决于各构件长度的关系，这就是所谓的曲柄存在条件。

在图 5-46 所示的曲柄摇杆机构中，设曲柄 AB、连杆 BC、摇杆 CD 和机架 AD 的杆长

分别为 l_1、l_2、l_3、l_4，当曲柄 AB 回转一周时，B 点的轨迹是以 A 为圆心，半径等于 l_1 的圆。B 点通过 B_1 和 B_2 点时，曲柄 AB 与连杆 BC 共线，AB 能否顺利通过这两个位置，是 AB 能否成为曲柄的关键。下面就 B 点在这两个位置时各构件的几何关系来分析曲柄存在的条件。

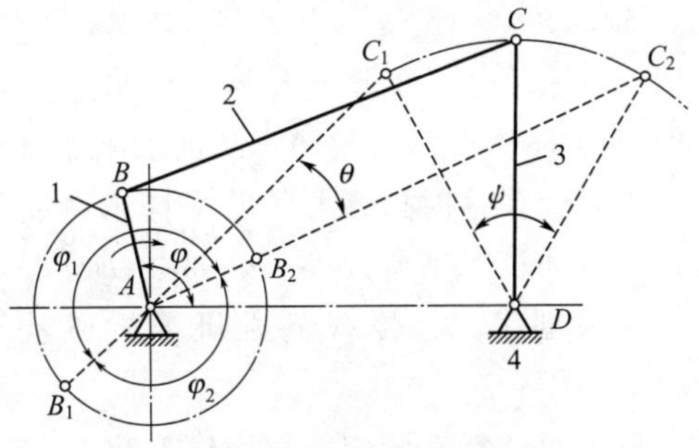

图 5-46　曲柄摇杆机构

当构件 AB 与 BC 在 B_1 点共线时，由 $\triangle AC_1D$ 可得：$l_2-l_1+l_3\geqslant l_4$；$l_2-l_1+l_4\geqslant l_3$（AB、BC、CD 在极限情况下重合成一直线时等号成立）。

当构件 AB 与 CD 在 B_2 点共线时，由 $\triangle AC_2D$ 可得：$l_1+l_2\leqslant l_3+l_4$。

综合两种情况有

$$\begin{aligned} l_1+l_4&\leqslant l_2+l_3\\ l_1+l_3&\leqslant l_2+l_4\\ l_1+l_2&\leqslant l_3+l_4 \end{aligned} \tag{5-2}$$

将式(5-2) 中的三个不等式两两相加，经化简后可得

$$l_1\leqslant l_2;\quad l_1\leqslant l_3;\quad l_1\leqslant l_4 \tag{5-3}$$

由式(5-2) 与式(5-3) 可得铰链四杆机构中曲柄存在的条件：

① 连架杆与机架中必有一个是最短杆；

② 最短杆与最长杆长度之和必小于或等于其余两杆长度之和。

上述两个条件必须同时满足，否则铰链四杆机构中无曲柄存在。

根据曲柄存在条件，可以推论出铰链四杆机构三种基本类型的判别方法：

① 若铰链四杆机构中最短杆与最长杆长度之和小于或等于其余两杆长度之和，则：

a. 取最短杆为连架杆时，构成曲柄摇杆机构；

b. 取最短杆为机架时，构成双曲柄机构；

c. 取最短杆为连杆时，构成双摇杆机构。

② 若铰链四杆机构中最短杆与最长杆长度之和大于其余两杆长度之和，则无曲柄存在，只能构成双摇杆机构。

2. 急回特性

图 5-47 所示为一曲柄摇杆机构，其曲柄 AB 在转动一周的过程中，有两次与连杆 BC 共线。在这两个位置铰链中心 A 与 C 之间的距离 AC_1 和 AC_2 分别为最短和最长，因而摇杆 CD 的位置 C_1D 和 C_2D 分别为其左、右极限位置。摇杆在两极限位置间的夹角 ψ 称为摇杆的摆角。

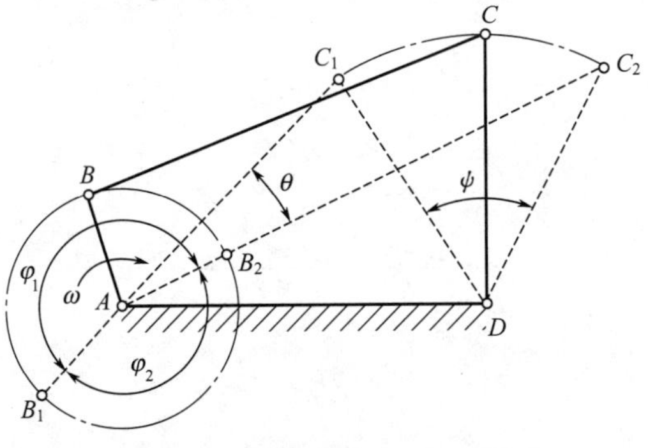

图 5-47　曲柄摇杆机构的急回特性

当曲柄 AB 以等角速度 ω 顺时针回转，自位置 AB_1 回转到位置 AB_2 时，转过角度 $\varphi_1=180°+\theta$，这时摇杆 CD 自 C_1D（左端极限位置）摆动到 C_2D（右端极限位置），摆动角度为 ψ；而当曲柄 AB 继续由 AB_2 转到

AB_1 时，转过角度 $\varphi_2=180°-\theta$，摇杆 CD 自位置 C_2D 摆回到位置 C_1D，摆动角度仍为 ψ。虽然摇杆来回摆动的摆角相同，但对应的曲柄转角不等（$\varphi_1>\varphi_2$）；当曲柄匀速转动时，对应的时间也不等（$t_1>t_2$），从而反映了摇杆往复摆动的快慢不同。令摇杆自 C_1D 摆至 C_2D 为工作行程，这时摇杆 CD 的平均角速度是 $\omega_1=\psi/t_1$；摇杆自 C_2D 摆回至 C_1D 为空回行程，这时摇杆的平均角速度是 $\omega_2=\psi/t_2$。显然，$\omega_1<\omega_2$，它表明摇杆具有急回运动的特性。牛头刨床、往复式输送机等机械就利用这种急回特性来缩短非生产时间，提高生产率。

急回运动特性可用行程速度变化系数（或称行程速比系数）K 表示，即

$$K=\frac{\omega_2}{\omega_1}=\frac{\psi/t_2}{\psi/t_1}=\frac{t_1}{t_2}=\frac{\varphi_1}{\varphi_2}=\frac{180°+\theta}{180°-\theta} \tag{5-4}$$

$$\theta=180°\frac{K-1}{K+1} \tag{5-5}$$

式中 K——急回特性系数；

θ——极位夹角，是摇杆位于两极限位置时，两曲柄所夹的锐角。

机构有无急回特性，取决于急回特性系数 K 的值。K 值愈大，急回特性愈显著，也就是从动件回程愈快；$K=1$ 时，机构无急回特性。

急回特性系数 K 与极位夹角 θ 有关。$\theta=0°$，$K=1$，机构无急回特性；$\theta>0°$，机构有急回特性，且 θ 愈大，急回特性愈显著。

3. 压力角和传动角

在生产中，不仅要求连杆机构能实现预定的运动规律，而且希望运转轻便，效率较高。

如图 5-48(a) 所示的曲柄摇杆机构，如不计各杆的质量和运动副中的摩擦，则连杆 BC 为二力杆，它作用于从动杆 3 上的力 F 是沿 BC 方向的。作用在从动件上的驱动力 F 与该力作用点绝对速度 v_C 之间所夹的锐角 α 称为压力角。由图可见，力 F 在 v_C 方向的有效分力为 $F'=F\cos\alpha$，即压力角越小，有效分力就越大。也就是说，压力角可作为判断机构传动性能的标志。在连杆机构设计中，为度量方便，习惯用压力角 α 的余角 γ（即连杆和从动摇杆之间所夹的锐角）来判断传力性能，γ 称为传动角。因 $\gamma=90°-\alpha$，所以 α 越小，γ 越大，机构传力性能越好；反之，α 越大，γ 越小，机构传力越费劲，传动效率越低。机构运转时，传动角是变化的，为了保证机构正常工作，必须规定最小传动角 γ_{min} 的下限。对于一般机械，通常取 $\gamma_{min}\geqslant40°$；对于颚式破碎机、冲床等大功率机械，最小传动角应当取大一些，可取 $\gamma_{min}\geqslant50°$；对于小功率的控制机构和仪表，γ_{min} 可略小于 40°。

由图 5-48 可知，摆动导杆机构的传动角始终等于 90°，具有很好的传力性能。

对于出现最小传动角 γ_{min} 的位置分析如下。

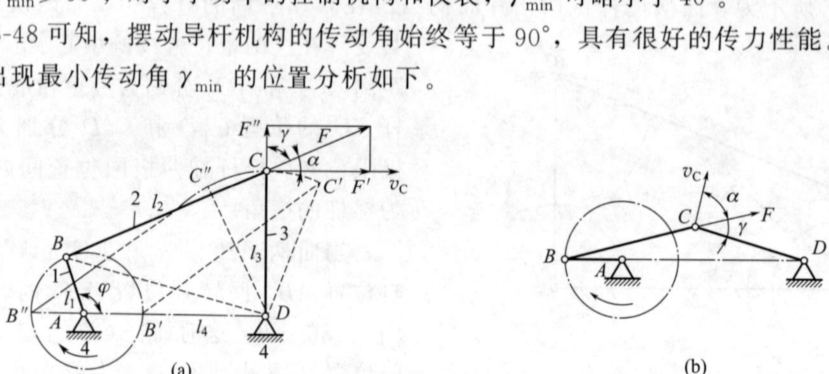

图 5-48 连杆机构的压力角和传动角

由图 5-48(a) 中△ABD 和△BCD 可分别写出

$$BD^2=l_1^2+l_4^2-2l_1l_4\cos\varphi$$

$$BD^2=l_2^2+l_3^2-2l_2l_3\cos\angle BCD$$

由此可得

$$\cos\angle BCD=\frac{l_2^2+l_3^2-l_1^2-l_4^2+2l_1l_4\cos\varphi}{2l_2l_3} \tag{5-6}$$

当 $\varphi=0°$时，得$\angle BCD_{\min}$；当 $\varphi=180°$时，得$\angle BCD_{\max}$。传动角是用锐角表示的。若$\angle BCD$ 在锐角范围内变化，则如图 5-48(a) 所示，传动角 $\gamma=\angle BCD$，显然，$\angle BCD_{\min}$即为传动角最小值，它出现在 $\varphi=0°$的位置。若$\angle BCD$ 在钝角范围内变化，则如图 5-48(b) 所示，其传动角表示 $\gamma=180°-\angle BCD$，显然，$\angle BCD_{\max}$ 对应传动角的另一极小值，它出现在曲柄转角 $\varphi=180°$的位置。校核压力角时只需将 $\varphi=0°$和 $\varphi=180°$代入式(5-6)，求出$\angle BCD_{\min}$ 和$\angle BCD_{\max}$，然后按式(5-7) 校核即可。

$$\gamma=\begin{cases}\angle BCD, \angle BCD \text{ 为锐角}\\180°-\angle BCD, \angle BCD \text{ 为钝角}\end{cases} \tag{5-7}$$

4. 死点位置

在铰链四杆机构中，当连杆与从动件处于共线位置时，如不计各运动副中的摩擦和各杆件的质量，则主动件通过连杆传给从动件的驱动力必通过从动件铰链的中心，也就是说驱动力对从动件的回转力矩等于零。此时，无论施加多大的驱动力，均不能使从动件转动，且转向也不能确定。机构中的这种位置称为死点位置。

在摇杆为主动件、曲柄为从动件的曲柄摇杆机构中，如图 5-49 所示，当摇杆 CD 处于 C_1D、C_2D 两极限位置时，连杆 BC 与从动件曲柄 AB 出现共线，这两个位置就是死点位置。

实际应用中，在死点位置常出现机构从动件无法运动或出现运动不确定现象。如图 5-23 所示的缝纫机踏板机构，踏板 CD（即摇杆，为主动件）做往复摆动时，连杆 BC 与曲轴 AB（即曲柄）在两处出现共线，即处于死点位置，致使曲轴 AB 不转或出现倒转现象。

对于传动机构来说，机构有死点位置是不利的，应采取措施使机构顺利通过死点位置。对于连续回转的机器，通常可利用从动件的惯性（必要时附加飞轮以增大惯性）来通过死点位置，如缝纫机就是借助带轮的惯性通过死点位置的。

在工程上，有时也利用死点位置的特性来实现某些工作要求。图 5-50 所示为一种钻床连杆式快速夹具。当通过手柄 2（即连杆 BC）施加外力 F，使连杆 BC 与连架杆 CD 成一直线时，连架杆 AB 的左端夹紧工件 1，撤去手柄 2 上的外力后，工件对连架杆 AB 的弹力 T 因机构处于死点位置而不能使其转动，从而保证了工件的可靠夹紧。当需要松开工件时，则必须向上扳动于柄，使机构脱出死点位置。

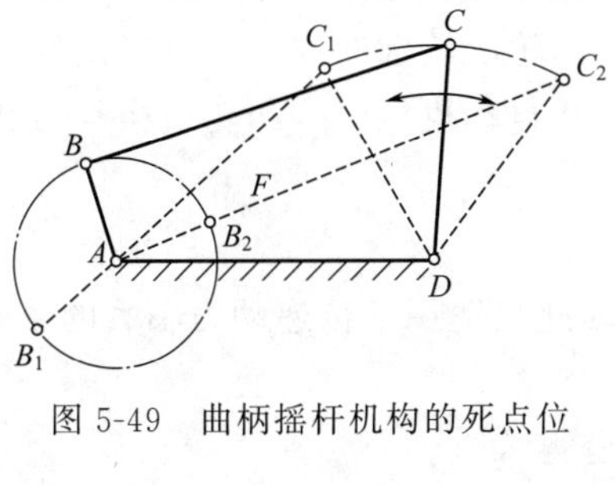

图 5-49　曲柄摇杆机构的死点位

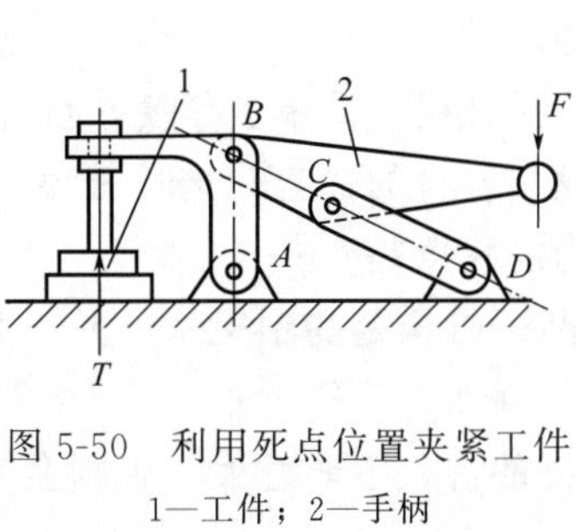

图 5-50　利用死点位置夹紧工件

1—工件；2—手柄

第三节　凸轮机构

一、凸轮机构的应用

在各种机器中，为实现各种复杂的运动要求，广泛应用凸轮机构。

如图 5-51 所示为内燃机的配气机构。图中具有曲线轮廓的构件 1 为凸轮，当它做等速转动时，其曲线轮廓驱使从动件 2（阀杆）按预期的运动规律启、闭阀门。阀门开启或关闭时间的长短及其运动的速度和加速度的变化规律，均是通过凸轮 1 的轮廓曲线来实现的。

如图 5-52 所示为利用靠模法车削手柄的凸轮机构。凸轮 1 作为靠模被固定在床身上，滚轮 2 在弹簧作用下与凸轮轮廓紧密接触，当拖板 3 横向运动时，与从动件相连的刀头便走出与凸轮轮廓相同的轨迹，从而切削出工件的曲线形面。

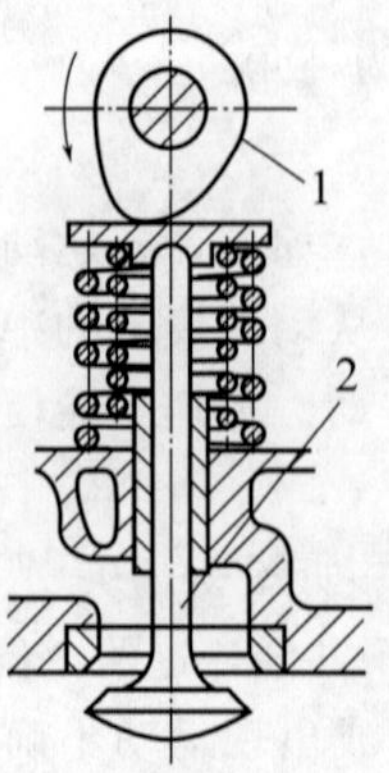

图 5-51　内燃机配气机构

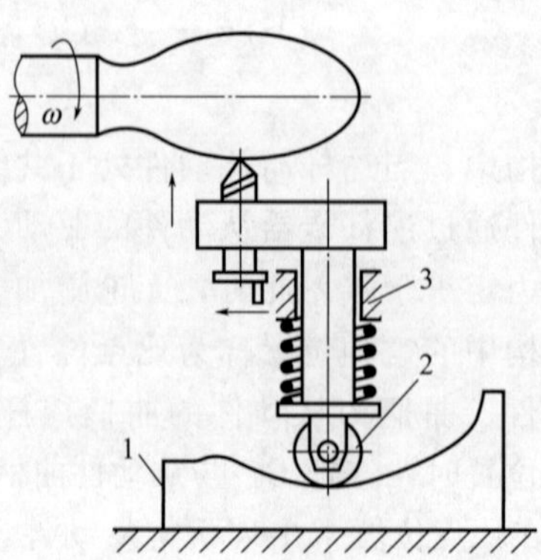

图 5-52　靠模机构

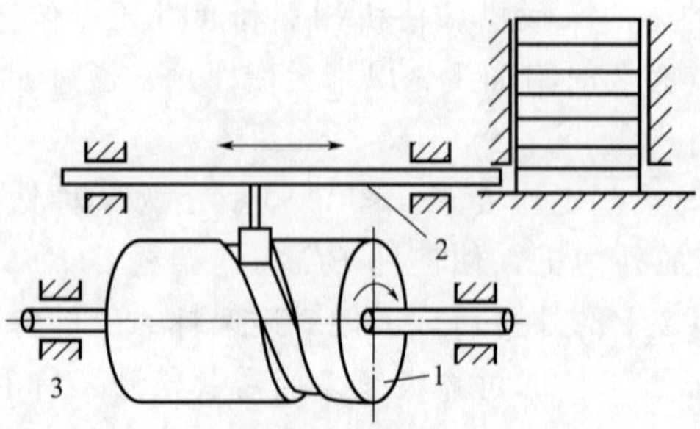

图 5-53　自动送料机构

如图 5-53 所示为自动送料机构。当带有凹槽的凸轮 1 转动时，凸轮通过槽中的滚子，驱使从动件 2 做往复移动（3 为机架）。凸轮每回转一周，从动件从储料器中推出一个毛坯，送到加工位置。

从以上所举的例子可以看出，凸轮机构主要由凸轮、从动件和机架三个基本构件组成。当凸轮运动时，通过其曲线轮廓与从动件的高副接触，从而使从动件得到预期的运动。

凸轮机构的最大优点是：只要适当地设计出凸轮的轮廓曲线，就可以使从动件实现任意的运动规律，而且机构简单、紧凑，设计方便。在自动机械中，凸轮机构常与其他机构组合使用，充分发挥各自的优势，扬长避短。

凸轮机构的缺点是：

① 由于凸轮机构是高副机构，易于磨损，因此只适用于传递动力不大的场合；

② 凸轮轮廓加工比较困难；

③ 从动件的行程不能过大，否则会使凸轮变得笨重。

二、凸轮机构的分类

凸轮机构的应用广泛，其类型也很多。按凸轮的形状分，有盘形凸轮、移动凸轮、圆柱凸轮等；按从动件的形式分，有尖顶从动件、滚子从动件、平底从动件等；按锁合方式分，有力锁合、几何锁合。表 5-1 列出了各类凸轮机构的特点及应用。

表 5-1　凸轮机构的特点及应用

类型		图例	特点与应用
按凸轮的形状分类	盘形凸轮	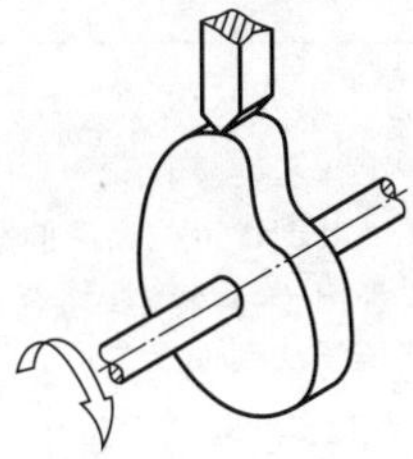	凸轮为径向尺寸变化的盘形构件，它绕固定轴做旋转运动。从动件在垂直于回转轴的平面内做直线移动或摆动往返运动。这种机构是凸轮的最基本形式，应用广泛
	移动凸轮	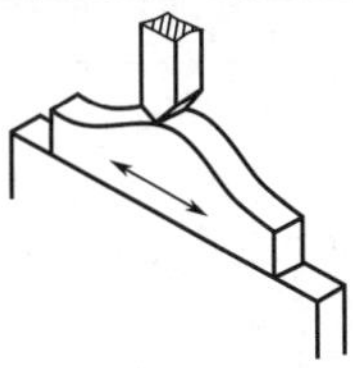	凸轮为一有曲面的直线运动构件，在凸轮的往返移动作用下，从动件可做直线移动或摆动往返运动。这种机构在机床上应用较多
	圆柱凸轮	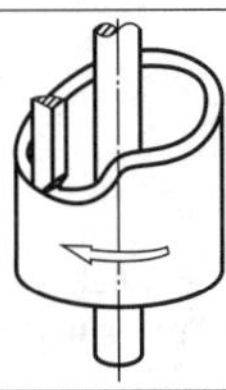	凸轮为一有沟槽的圆柱体，它绕中心轴做回转运动。从动件在与凸轮的轴线平行的平面内做直线移动或摆动。它与盘形凸轮相比，行程较长，常用于自动机床
按从动件的形式分类	尖顶	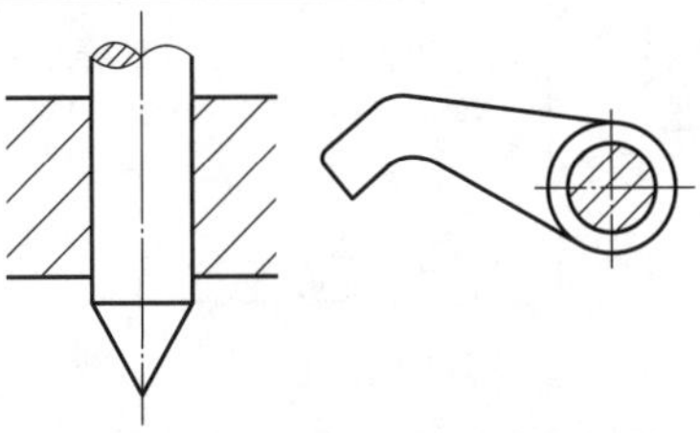	尖顶能与任意复杂的凸轮轮廓保持接触，从而使从动件实现预期的运动。但因尖顶易于磨损，故只宜用于传力不大的低速凸轮机构中
	滚子	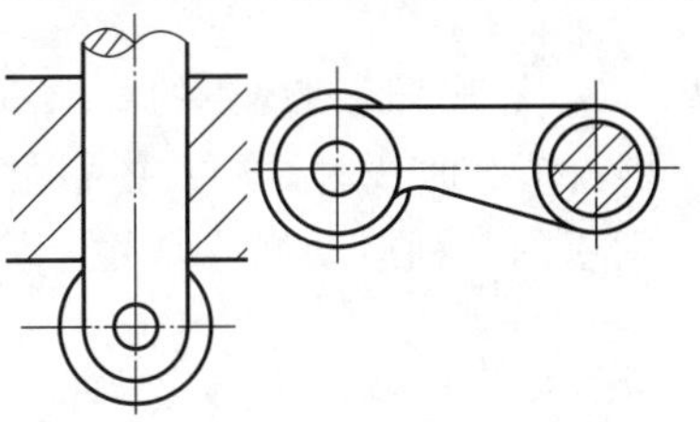	这种从动件由于滚子与凸轮之间为滚动摩擦，所以磨损较小，可用来传递较大的动力，应用最普遍
	平底	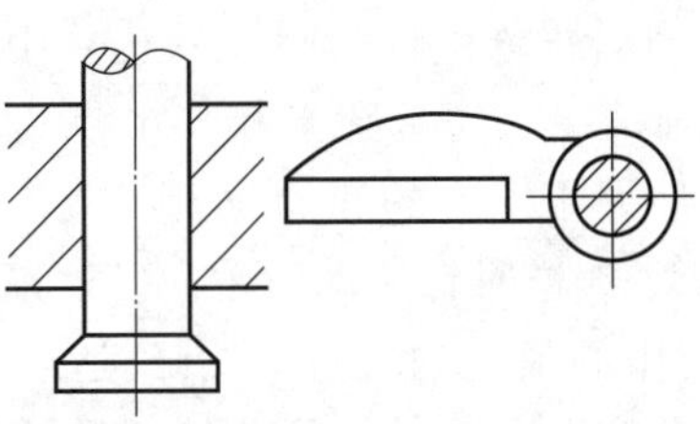	凸轮对从动件的作用力始终垂直于从动件的底边（不计摩擦时），故受力比较平稳。而且凸轮与平底的接触面间易于形成油膜，润滑良好，所以常用于高速传动中

续表

<table>
<tr><th colspan="3">类型</th><th>图例</th><th>特点与应用</th></tr>
<tr><td rowspan="4">按锁合方式分类</td><td colspan="2">力锁合</td><td>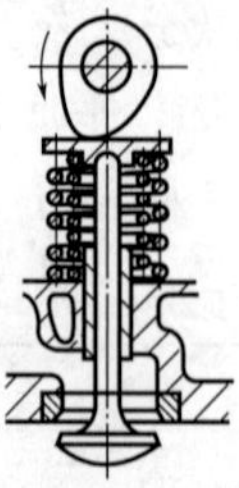</td><td>利用从动件的重力、弹簧力或其他外力使从动件与凸轮保持接触</td></tr>
<tr><td rowspan="3">几何锁合</td><td>沟槽凸轮</td><td>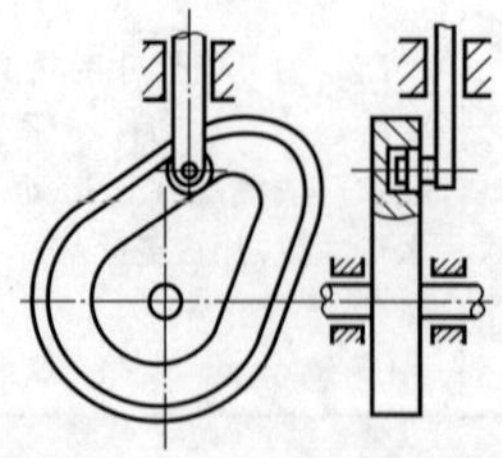</td><td>其凹槽两侧面间的距离等于滚子的直径，故能保证滚子与凸轮始终接触。因此这种凸轮只能采用滚子从动件</td></tr>
<tr><td>共轭凸轮</td><td>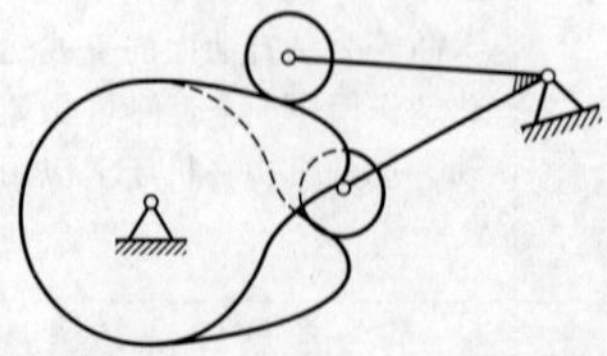</td><td>利用固定在同一轴上但不在同一平面内的主、回两个凸轮来控制一个从动件，从而形成几何封闭，使凸轮与从动件始终保持接触</td></tr>
<tr><td>等径和等宽凸轮</td><td>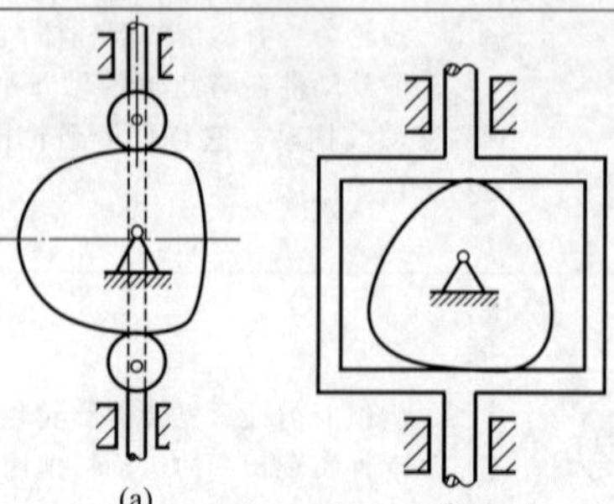
(a)　(b)</td><td>图(a)为等径凸轮机构，因过凸轮轴心任一径向线与两滚子中心距离处处相等，可使凸轮与从动件始终保持接触。图(b)为等宽凸轮机构，因与凸轮轮廓线相切的任意两平行线间距离处处相等且等于框形内壁宽度，故凸轮和从动件可始终保持接触</td></tr>
</table>

三、从动件常用运动规律

凸轮的轮廓形状取决于从动件的运动规律。对从动件运动规律的要求不同，就需要设计具有不同形状轮廓曲线的凸轮。因此，在设计凸轮轮廓曲线时，应首先根据工作要求和条件来选择从动件的运动规律。本节将介绍从动件常用的几种运动规律，并简单讨论一下从动件运动规律的选择问题。

1. 凸轮机构的运动参数

如图 5-54 所示为一对心尖顶直动从动件盘形凸轮机构。图 5-54(a) 中，以凸轮轮廓的最小向径 r_{min} 为半径所作的圆称为凸轮的基圆，r_{min} 为基圆半径。A 点为基圆与凸轮轮廓的切点。从动件与凸轮在 A 点接触时，从动件处于上升的起始位置（或者说，从动件处于与凸轮轴心 O 最近的位置）。当凸轮以等角速度 ω 逆时针转动时，向径逐渐增大，从动件尖顶被凸轮轮廓推动，以一定运动规律由离回转中心最近的位置 A 点到达最远位置 B 点，这一过程称为推程。与之对应的凸轮转角 δ_t 称为推程运动角，从动件上升的最大位移 h 称为行程。当凸轮继续转过 δ_s 时，由于轮廓 BC 段为一向径不变的圆弧，从动件停留在最远处不动，对应的凸轮转角 δ_s 称为远休止角。凸轮继续转过 δ_h 时，凸轮向径由最大减至最小，从动件又由最高位置回到最低位置，此过程称为回程，对应的凸轮转角 δ_h 称为回程运动角。当凸轮继续转过 δ_s'角时，由于轮廓 DA 段为向径不变的基圆圆弧，从动件继续停在距轴心最近处不动，对应的凸轮转角δ_s'称为近休止角。此时，凸轮刚好转过一圈，机构完成一个工作循环，从动件则完成一个“升—停—降—停”的运动循环。

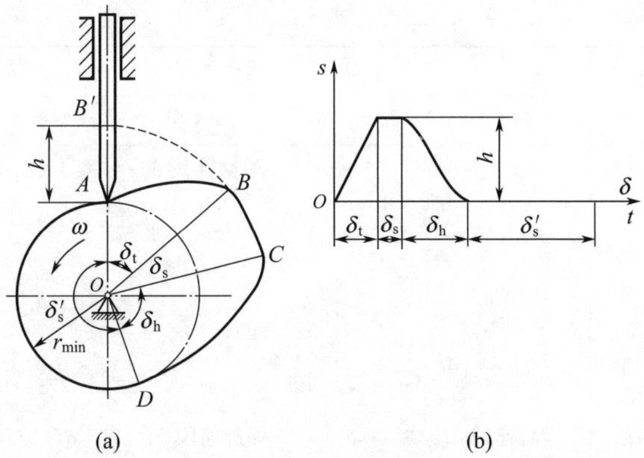

图 5-54　凸轮轮廓与从动件位移线图

上述过程可以用从动件的位移曲线来描述。以从动件的位移 s 为纵坐标，对应的凸轮转角 δ 为横坐标，将凸轮转角与对应的从动件位移之间的函数关系用曲线表达出来的图形称为从动件的位移线图，如图 5-54（b）所示。由于大多数凸轮是做等速转动，其转角与时间成正比，因此该线图的横坐标也代表时间 t。通过微分可以作出从动件速度线图和加速度线图，它们统称为从动件运动线图。

由以上分析可知，从动件的位移线图完全取决于凸轮轮廓曲线的形状。也就是说，从动件的不同运动规律要求凸轮具有不同的轮廓曲线。因此，在设计没有预先给定从动件位移曲线的凸轮机构时，重要的问题之一就是按照它在机械中所执行的工作任务选择合适的从动件运动规律，并据此设计出相应的凸轮轮廓曲线。

2. 从动件常用的运动规律

所谓从动件的运动规律是指从动件在运动过程中，其位移 s、速度 v、加速度 a 随时间 t（或凸轮转角）的变化规律。常用的从动件运动规律有等速运动规律、等加速等减速运动规律、简谐运动规律（余弦加速度运动规律）以及摆线运动规律（正弦加速度运动规律）等。下面就这几种常用运动规律的运动方程、运动线图（推程）和应用特点分别加以介绍。

（1）等速运动规律

从动件推程或回程的运动速度为常数的运动规律，称为等速运动规律。从动件在推程时做等速运动的运动线图见表 5-2。

表 5-2　从动件常用运动规律

运动规律	运动方程		推程运动线图
	推程（$0\leqslant\delta\leqslant\delta_t$）	回程（$\delta_t+\delta_s\leqslant\delta\leqslant\delta_t+\delta_s+\delta_h$）	
等速运动	$s=\dfrac{h}{\delta_t}\delta$ $v=v_0=\dfrac{h}{\delta_t}\omega$ $a=0$	$s=h-\dfrac{h}{\delta_h}(\delta-\delta_t-\delta_s)$ $v=-\dfrac{h}{\delta_h}\omega$ $a=0$	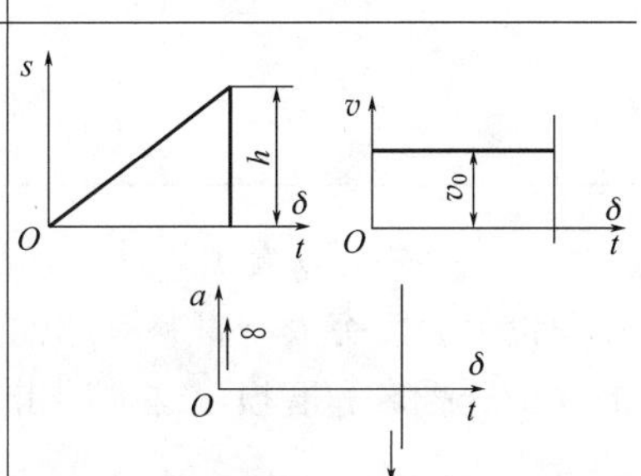

续表

运动规律	运动方程		推程运动线图
	推程($0\leqslant\delta\leqslant\delta_t$)	回程($\delta_t+\delta_s\leqslant\delta\leqslant\delta_t+\delta_s+\delta_h$)	
等加速等减速运动	等加速段 $0\leqslant\delta\leqslant\delta_t/2$ $s=\frac{2h}{\delta_t^2}\delta^2$ $v=\frac{4h\omega}{\delta_t^2}\delta$ $a=\frac{4h\omega^2}{\delta_t^2}$ 等减速段 $\delta_t/2\leqslant\delta\leqslant\delta_t$ $s=h-\frac{2h}{\delta_t^2}(\delta_t-\delta)^2$ $v=\frac{4h\omega}{\delta_t^2}(\delta_t-\delta)$ $a=-\frac{4h\omega^2}{\delta_t^2}$	等减速段 $\delta_t+\delta_s\leqslant\delta\leqslant\delta_t+\delta_s+\delta_h/2$ $s=h-\frac{2h}{\delta_h^2}(\delta-\delta_t-\delta_s)^2$ $v=-\frac{4h\omega}{\delta_h^2}(\delta-\delta_t-\delta_s)^2$ $a=-\frac{4h\omega^2}{\delta_h^2}$ 等加速段 $\delta_t+\delta_s+\delta_h/2\leqslant\delta_t+\delta_s+\delta_h$ $s=\frac{2h}{\delta_h^2}(\delta_t+\delta_s+\delta_h-\delta)^2$ $v=-\frac{4h\omega}{\delta_h^2}(\delta_t+\delta_s+\delta_h-\delta)$ $a=\frac{4h\omega^2}{\delta_h^2}$	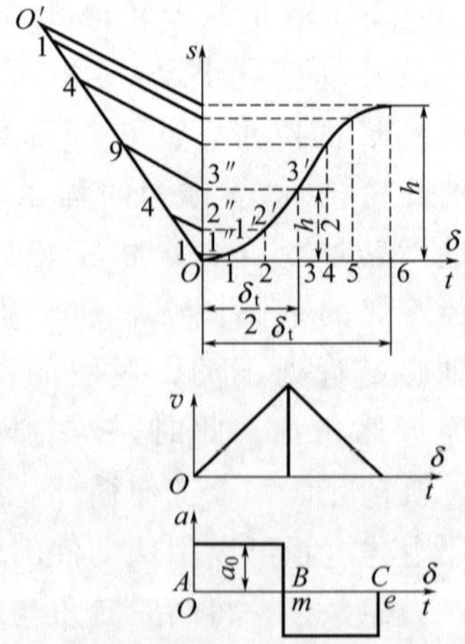
简谐运动	$s=\frac{h}{2}\left[1-\cos\left(\frac{\pi}{\delta_t}\delta\right)\right]$ $v=\frac{\pi h\omega}{2\delta_t}\sin\left(\frac{\pi}{\delta_t}\delta\right)$ $a=\frac{h\pi^2\omega^2}{2\delta_t^2}\cos(\frac{\pi}{\delta_t}\delta)$	$s=\frac{h}{2}\left\{1+\cos\left[\frac{\pi}{\delta_h}(\delta-\delta_t-\delta_s)\right]\right\}$ $v=-\frac{\pi h\omega}{2\delta_h}\sin\left[\frac{\pi}{\delta_h}(\delta-\delta_t-\delta_s)\right]$ $a=-\frac{h\pi^2\omega^2}{2\delta_h^2}\cos\left[\frac{\pi}{\delta_h}(\delta-\delta_t-\delta_s)\right]$	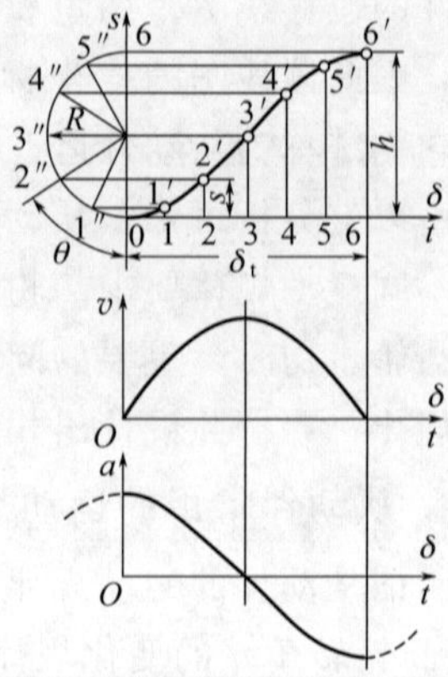
摆线运动	$s=h[\frac{\delta}{\delta_t}-\frac{1}{2\pi}\sin(\frac{2\pi}{\delta_t}\delta)]$ $v=\frac{h\omega}{\delta_t}[1-\cos(\frac{2\pi}{\delta_t}\delta)]$ $a=\frac{2\pi h}{\delta_t^2}\omega^2\sin(\frac{2\pi}{\delta_t}\delta)$	$s=h[1-\frac{\delta-\delta_t-\delta_s}{\delta_h}+\frac{1}{2\pi}\sin\frac{2\pi}{\delta_h}(\delta-\delta_t-\delta_s)]$ $v=-\frac{h\omega}{\delta_h}[1-\cos\frac{2\pi}{\delta_h}(\delta-\delta_t-\delta_s)]$ $a=-\frac{2\pi h}{\delta_h^2}\omega^2\sin\frac{2\pi}{\delta_h}(\delta-\delta_t-\delta_s)$	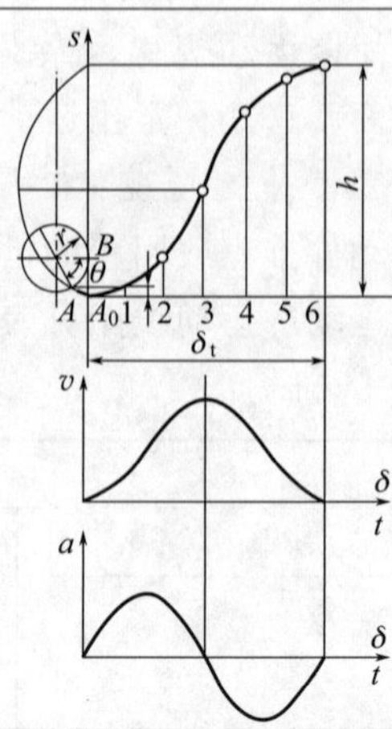

从表 5-2 可以看出，从动件在推程开始和终止的瞬间，速度有突变，其加速度和惯性力在理论上为无穷大（材料有弹性变形，实际上不可能达到无穷大），致使凸轮机构产生强烈的冲击、噪声和磨损，这种冲击称为刚性冲击。因此，等速运动规律只适用于低速、轻载的场合。

(2) 等加速等减速运动规律

所谓等加速等减速运动是指从动件在一个行程 h 中，先做等加速运动，后做等减速运动，且通常加速度和减速度的绝对值相等（根据工作的需要，二者也可以不相等）。从动件在推程时做等加速等减速运动的运动线图见表 5-2。从表 5-2 可知，这种运动规律的加速度在 A、B、C 三处存在有限的突变，因而会在机构中产生有限的冲击，这种冲击称为柔性冲击。与等速运动规律相比，其冲击程度大为减小。因此，等加速等减速运动规律适用于中速、中载的场合。

(3) 简谐运动规律（余弦加速度运动规律）

当一质点在圆周上做匀速运动时，它在该圆直径上投影的运动规律称为简谐运动。因其加速度运动曲线为余弦曲线，故也称余弦加速度运动规律。

简谐运动规律位移线图的做法，见表 5-2。把从动件的行程 h 作为直径画半圆，将此半圆分成若干等份，得 $1''$、$2''$、$3''$、……点。再把凸轮运动角 δ_t 也分成相应等分，并作垂线 $11'$、$22'$、$33'$、……，然后将圆周上的等分点投影到相应的垂直线上得 $1'$、$2'$、$3'$、……点。用光滑曲线连接这些点，即得到从动件的位移线图。从加速度线图可见，简谐运动规律在行程的始末两点加速度存在有限突变，故也存在柔性冲击，只适用于中速场合。但当从动件做无停歇的升—降—升连续往复运动时，则得到连续的加速度曲线（加速度曲线中虚线所示），柔性冲击被消除，这种情况下可用于高速场合。

(4) 摆线运动规律（正弦加速度运动规律）

当一圆沿纵轴做匀速纯滚动时，圆周上某定点 A 的运动轨迹为一摆线，而定点 A 运动时在纵轴上投影的运动规律即为摆线运动规律。因其加速度按正弦曲线变化，故又称正弦加速度运动规律。从动件做摆线运动时，其加速度没有突变（表 5-2），因而将不产生冲击，故适用于高速运动场合。

以上介绍了从动件常用的运动规律，实际生产中还有更多的运动规律，如复杂多项式运动规律、改进型运动规律等。了解从动件的运动规律，便于在凸轮机构设计时，根据机器的工作要求进行合理选择。

四、凸轮机构的压力角

在设计凸轮机构时，除了要求从动件能实现预期运动规律之外，还希望机构有较好的受力情况和较小的尺寸，为此，需要讨论压力角对机构的受力情况及尺寸的影响。

1. 凸轮机构压力角的概念

如前面所述，作用在从动件上的驱动力与该力作用点绝对速度之间所夹的锐角称为压力角。图 5-55 所示为凸轮机构在推程中某位置的情况，F 为作用在从动件上的外载荷，如不计凸轮与从动件之间的摩擦，则凸轮作用在从动件上的力 F 沿着接触点处的法线方向，从动件则在凸轮的推动下向上运动，运动方向 v 与作用力 F 之间的夹角 α 即为凸轮机构的压力角。显然角 α 随凸轮的转动而变化。

2. 压力角与作用力的关系

如图 5-55 所示，凸轮对从动件的作用力 F 可以分解为两个分力，即沿着从动件运动方向的分力 F'和垂直于运动方向的分力 F''。其中 F'是推动从动件克服载荷的有效分力，而 F''将增大从动件与导路之间的滑动摩擦，它是一种有害分力，且有

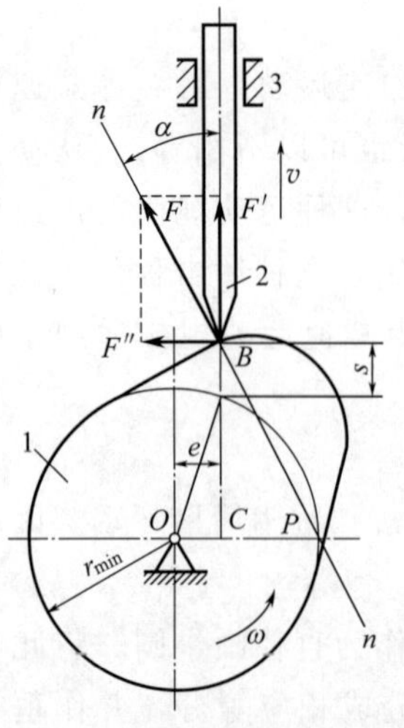

图 5-55　凸轮机构的压力角

$$F''=F'\tan\alpha$$

上式表明：驱动从动件的有效分力 F' 一定时，压力角 α 越大，则有害分力 F'' 越大，由 F'' 引起的摩擦阻力也越大，机构的效率也就越低。当 α 增大到一定程度时，由 F'' 引起的摩擦阻力将超过有效分力 F'，这时无论凸轮加给从动件的作用力多大，都不能推动从动件运动，这种现象称为自锁。为了保证凸轮机构工作可靠并具有一定的传动效率，必须对压力角加以限制，使最大压力角 α_{max} 不超过许用的压力角。通常，对于直动从动件凸轮机构，推程时建议取许用压力角［α］＝30°；对于摆动从动件凸轮机构，建议取许用压力角［α］＝45°。常见的依靠外力使从动件与凸轮保持接触的凸轮机构，其从动件是在外力作用下返回的，回程不会出现自锁。因此，对于这类凸轮机构通常只需对推程的压力角进行校核。

3. 压力角与凸轮机构尺寸的关系

在图 5-55 中，r_{min} 为凸轮的基圆半径。显然，基圆半径愈大，凸轮的尺寸也愈大。因此，要获得轻便紧凑的凸轮机构，应当使基圆半径尽可能地小。然而基圆半径的减小受到压力角的限制，这可从下面压力角的计算公式中得到证明。

图 5-55 所示凸轮机构中，过凸轮与从动件的接触点 B 作公法线（n-n），它与过凸轮轴心 O 且垂直于从动件导路的直线相交于 P，P 点就是凸轮和从动件的相对速度瞬心。根据瞬心的定义有 $v_P=v=\omega l_{OP}$。

所以
$$l_{OP}=\frac{v}{\omega}=\frac{\mathrm{d}s}{\mathrm{d}\delta}$$

因此，可得凸轮机构的压力角计算公式为

$$\tan\alpha=\frac{\dfrac{\mathrm{d}s}{\mathrm{d}\delta}\mp e}{s+\sqrt{r_{min}^2-e^2}} \tag{5-8}$$

式中　s——凸轮转角 δ 的从动件位移；

e——从动件导路偏离凸轮回转中心的距离，称为偏距。

当导路和瞬心 P 在凸轮轴心 O 的同侧时，式(5-9）中取“－”；反之，当导路和瞬心 P 在凸轮轴心 O 的异侧时，式(5-9）中取“＋”。

从式(5-8）可知压力角与凸轮机构尺寸有如下关系：

① 凸轮机构的压力角与凸轮基圆尺寸直接相关。

在其他条件不变的情况下，凸轮的基圆半径愈大，压力角愈小，机构的传力性能愈好。但是，基圆半径过大，会使得凸轮机构的结构不紧凑。设计时应根据具体条件抓住主要矛盾合理解决：如果对机构尺寸没有严格要求时，可将基圆选大些，以便减小压力角，使凸轮机构具有良好的受力条件；反之则应尽量减小基圆尺寸，但应注意勿使压力角 α 超过其许用值［α］。

② 凸轮机构的压力角与偏距有关，增大偏距既可使压力角增大，也可使压力角减小，关键取决于凸轮转动方向和从动件的偏置方向。

当压力角超过许用值而结构空间又不允许增加基圆半径时，可通过适当选取从动件的偏置方向来减小推程压力角。如图 5-56 所示，凸轮顺时针转动时，从动件偏于凸轮轴心左侧；凸轮逆时针转动时，从动件偏于凸轮轴心右侧。

需要指出的是，若推程的压力角减小，则回程的压力角将增大，即通过增加偏距来减小压力角是以增大回程压力角为代价的。由于回程的许用压力角一般比推程的许用压力角要大，所以仍能满足 $\alpha_{max} \leqslant [\alpha]$。

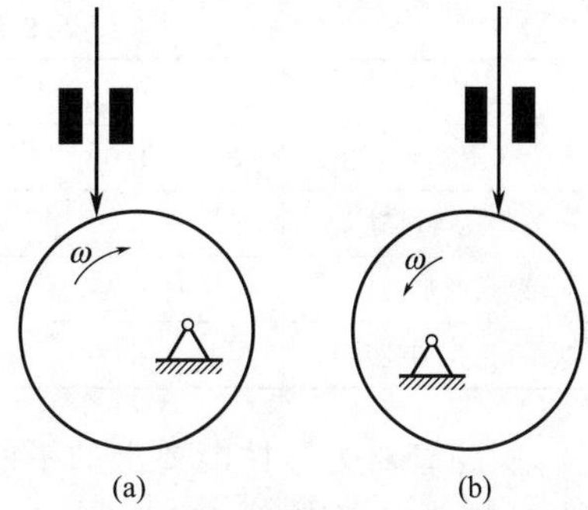

图 5-56　凸轮机构偏置方向的设置

4. 从动件运动规律的选择

在选择从动件的运动规律时，首先应考虑机器的工作过程对其提出的要求，同时又应使凸轮机构具有良好的动力特性，并在可能时兼顾到凸轮加工的难易性。从动件运动规律的选择涉及的问题很多，这里仅就凸轮机构的工作条件区分几种情况作简要的说明。

① 当机器的工作过程对从动件运动规律有特殊的要求时，应从实现工作过程的要求出发确定其运动规律。如图 5-51 所示为控制内燃机阀门启闭的凸轮机构，为了尽快地开启和关闭阀门，同时又不使最大加速度过大，故从动件可选用等加速等减速运动规律。

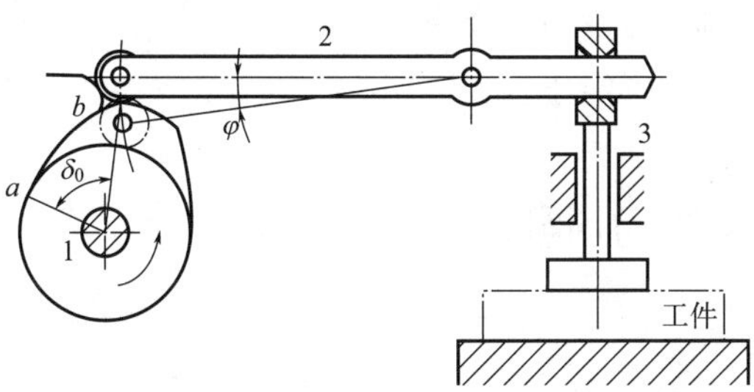

图 5-57　用于夹紧工件的凸轮机构
1—凸轮；2—从动件；3—压杆；a—凸轮上距离回转中心最近的点；b—凸轮上距离回转中心最远的点

② 当机器的工作过程对从动件运动规律无特殊要求时，对于低速轻载的凸轮机构[如图 5-57 所示用于夹紧工件的凸轮机构，其速度很低，而且它只要求当凸轮转过 δ_0（推程运动角）角度时，从动件摆动一定角度 φ 而使压杆压下将工件夹紧，至于在此过程中，从动件按什么规律运动则没有严格要求]，可以从便于凸轮加工的角度出发来选择从动件的运动规律。譬如，可以选用等速运动（直动从动件做等速运动时，盘状凸轮的轮廓曲线是阿基米德螺线，而圆柱凸轮的轮廓曲线是普通螺旋线），或者直接用圆弧和直线作为凸轮的轮廓曲线。

对于高速凸轮机构，即使工作过程对从动件的运动规律无特殊要求，但考虑到机构的运动速度较高，如果从动件的运动规律选择不当，可能会产生很大的惯性力和冲击，从而使凸轮机构加剧磨损和降低寿命，以致影响工作。因此减小惯性力、改善其动力性能就成为选择从动件运动规律的主要依据。摆线运动（正弦加速度运动），因其加速度无突变现象，不存在柔性冲击，故有较好的动力性能，可在高速下应用。

③ 在选择或设计从动件运动规律时，除了要考虑其冲击特性外，还应考虑其具有的最大速度 v_{max}、最大加速度 a_{max}，并对其影响进行比较。

v_{max} 越大，则机构动量 mv 越大。若从动件突然被阻止，过大的动量会导致极大的冲击力，危及设备和人身安全。因此，当从动件质量较大时，为了减小动量，应选择 v_{max} 值较小的运动规律。

a_{max} 越大，机构惯性力越大，作用在高副接触处的应力越大，机构的强度和耐磨性要求也就越高。对于高速凸轮，为了减小惯性力的危害，应选择 a_{max} 值较小的运动规律。

几种常用运动规律的 v_{max}、a_{max} 和冲击特性，见表 5-3。

表 5-3　从动件常用运动规律特性比较

运动规律	$v_{max}(h\omega/\delta)\times$	$a_{max}(h\omega^2/\delta^2)\times$	冲击	推荐应用范围
等速	1.00	∞	刚性	低速轻载
等加速等减速	2.00	4.00	柔性	中速轻载
简谐(余弦加速度)	1.57	4.93	柔性	中速中载
摆线(正弦加速度)	2.00	6.28	—	高速轻载

④ 随着对力学性能要求的不断提高，对从动件的运动规律要求也越来越高，有时单一型运动规律不能满足工程要求，就采用多种运动规律组合成新型的运动规律，以改善其运动特性。例如，当采用等速运动规律时，将等速运动规律的行程两端与正弦加速度运动规律组合起来，以使其运动动力性能得到改善。

组合后的从动件运动规律应满足以下要求：

a. 满足工作对从动件特殊的运动要求。

b. 为避免刚性冲击，位移曲线和速度曲线（包括起始点和终点）必须连续。对高、中速凸轮机构，还应当避免柔性冲击，其加速度曲线（包括起始点和终点）也必须连续。即在用不同运动规律组合起来形成从动件完整的运动规律时，各段的位移、速度、加速度曲线在连接点处其值应分别相等，这是运动规律组合时应满足的边界条件。

c. 应使最大速度 v_{max}、最大加速度 a_{max} 的值尽可能小。

第四节　齿轮机构

一、齿轮机构的特点和类型

齿轮机构是机械传动中应用最广的传动机构之一。它不仅可用于传递运动，而且可用于传递动力。

其主要优点是：能保证传动比恒定不变；适用的载荷与速度范围很广；结构紧凑；效率高，一般效率 $\eta=0.94\sim0.99$；工作可靠且寿命长；可实现平行轴、任意角相交轴和任意角交错轴之间的传动。

其主要缺点是：对制造及安装精度要求较高，不适宜远距离两轴之间的传动。

齿轮机构类型很多。按照两齿轮轴线的相对位置，可将其分为平面齿轮机构和空间齿轮机构两大类。

1. 平面齿轮机构

平面齿轮机构用于传递两平行轴之间的运动和动力。它的齿轮是圆柱形的，故称为圆柱齿轮。根据轮齿排列方向的不同，平面齿轮机构又可做如下分类。

（1）直齿圆柱齿轮机构

直齿圆柱齿轮简称直齿轮，其轮齿的齿向与轴线平行。直齿圆柱齿轮机构又可分为以下三种。

① 外啮合齿轮机构。轮齿分布在圆柱体外部且与其轴线平行，啮合的两外齿轮转向相反，如图 5-58(a) 所示。

② 内啮合齿轮机构。由一个内齿轮和一个小的外齿轮相啮合，啮合的两齿轮转向相同，

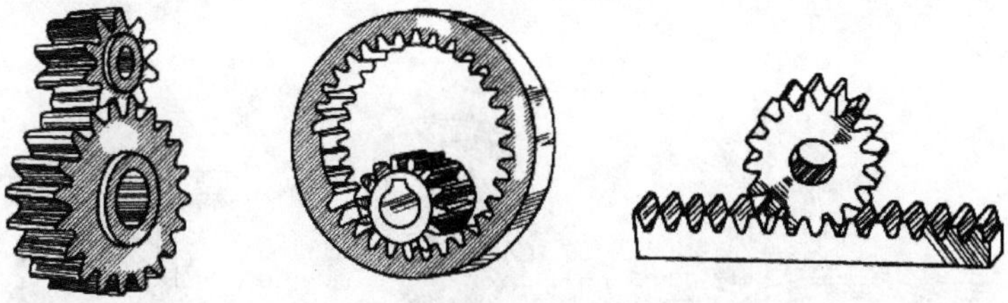

(a) 外啮合齿轮机构　(b) 内啮合齿轮机构　(c) 齿轮齿条机构

图 5-58　直齿圆柱齿轮机构

如图 5-58(b) 所示。

③ 齿轮齿条机构。齿数趋于无穷多的外齿轮演变成齿条，它与外齿轮啮合时，可将齿轮的转动转变为齿条的直线移动，或者将齿条的直线移动转变为齿轮的转动，如图 5-58(c) 所示。

(2) 平行轴斜齿圆柱齿轮机构

斜齿圆柱齿轮简称为斜齿轮。斜齿轮的轮齿与其轴线倾斜，形成了一个角度（螺旋角），如图 5-59 所示。平行轴斜齿轮机构也可分为外啮合、内啮合及齿轮齿条啮合三种形式。由于斜齿轮传动运转平稳、噪声小，因此适合于中、高速传动。

(3) 人字齿轮机构

人字齿轮可看作是由螺旋角方向相反的两个斜齿轮对称组成，可制成整体的或拼合式的。人字齿轮机构如图 5-60 所示，适合于高速和重载传动，但制造成本较高，一般应用于特别重要的场合。

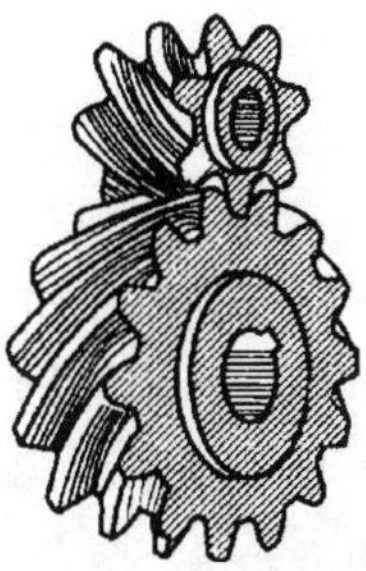

图 5-59　斜齿轮机构

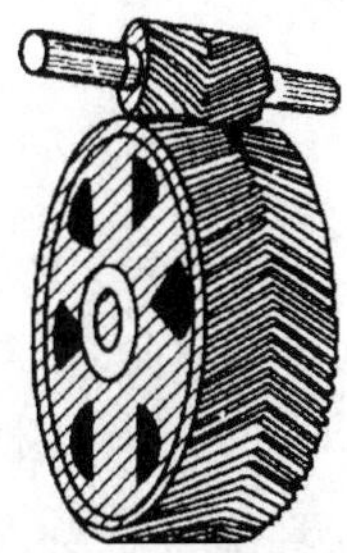

图 5-60　人字齿轮机构

2. 空间齿轮机构

空间齿轮机构用于传递两相交轴或交错轴（既不平行也不相交）之间的运动和动力，常见的类型有以下三种。

(1) 圆锥齿轮机构

圆锥齿轮机构用于两相交轴之间的传动。圆锥齿轮的轮齿排列在圆锥体的表面上，如图 5-61(a) 所示，有直齿、斜齿及曲齿之分。其中，直齿圆锥齿轮的设计、制造和安装均较简便，故应用最为广泛；斜齿圆锥齿轮则很少应用；曲齿圆锥齿轮由于传动平稳、承载能力较高，常用于高速重载的传动。

(2) 螺旋齿轮机构

螺旋齿轮机构是用于交错轴之间的一种斜齿圆柱齿轮传动，它是由两个互相啮合的螺旋

（斜齿圆柱）齿轮组成的，如图 5-61(b) 所示。由于螺旋齿轮机构承载能力较低，磨损严重，因此应用很少。

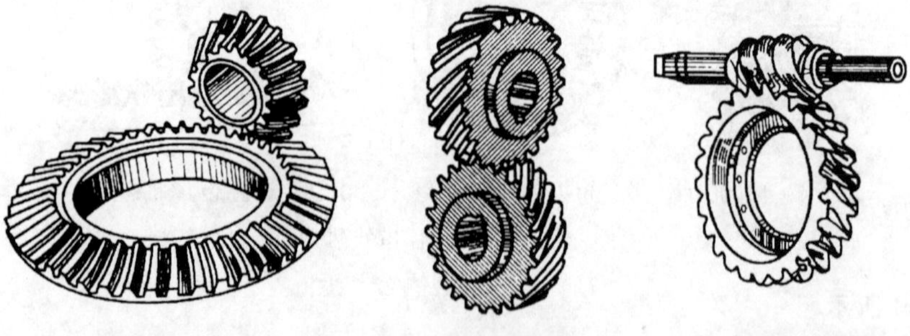

(a) 圆锥齿轮机构　(b) 螺旋齿轮机构　(c) 蜗轮蜗杆机构

图 5-61 空间齿轮机构

(3) 蜗轮蜗杆机构

蜗轮蜗杆机构是用于交错轴之间传动的主要形式，两轴间的交错角通常为 90°，如图 5-61(c) 所示。蜗轮蜗杆传动可获得很大的传动比，工作平稳、传动比准确，应用广泛。

齿轮机构的类型虽然很多，但是，直齿圆柱齿轮机构是齿轮机构中应用最广泛、最简单、最基本的一种类型。本节将以直齿圆柱齿轮机构为重点，就其啮合原理、几何尺寸计算等进行较为详细的阐述。在此基础上，对其他类型的齿轮机构做简要介绍。

二、直齿圆柱齿轮各部分名称及几何尺寸

为了进一步研究齿轮的啮合原理和齿轮的设计问题，必须对齿轮各部分的名称、符号及其尺寸间的关系加以介绍。

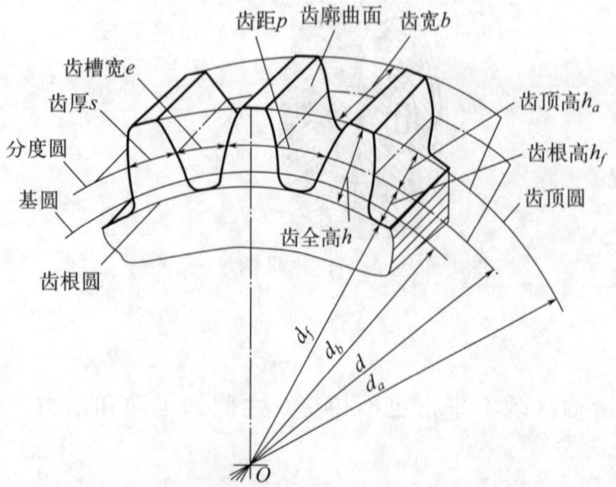

图 5-62 齿轮各部分名称

1. 齿轮各部分的名称

如图 5-62 所示为直齿圆柱外齿轮齿圈的一部分，每个轮齿两侧均是形状相同而方向相反的齿廓曲线（简称齿廓）。渐开线齿轮齿廓的各部分名称及符号如下。

(1) 齿顶圆、齿根圆

齿轮上每一个用于啮合的凸起部分均称为齿，齿轮所有齿的顶端都在同一圆周上，这个过齿轮各齿顶端的圆称为齿顶圆。其直径和半径分别以 d_a 和 r_a 表示。

齿轮上两相邻轮齿之间的空间称为齿槽，齿轮所有齿之间的齿槽底部也在同一圆周上，这个过齿轮各齿槽底部的圆称为齿根圆。其直径和半径分别以 d_f 和 r_f 表示。

(2) 齿槽宽、齿厚和齿距

在任意半径 r_K 的圆周上，齿槽的弧线长和轮齿的弧线长分别称为该圆上的齿槽宽和齿厚，分别用 e_K 和 s_K 表示。沿该圆上相邻两齿的同侧齿廓之间的弧长称为该圆上的齿距，

用 p_K 表示，并且有 $p_K=s_K+e_K$。

（3）分度圆

为了确定齿轮各部分的几何尺寸，在齿轮的齿顶圆和齿根圆之间取一个圆作为计算齿轮各部分几何尺寸的基准，称该圆为齿轮的分度圆，其直径和半径分别以 d 和 r 表示。分度圆上的齿厚、齿槽宽和齿距简称为齿厚、齿槽宽和齿距，分别用 s、e 和 p 表示，亦有 $p=s+e$。

（4）齿顶高、齿根高、齿高

分度圆把轮齿分为两部分。介于分度圆与齿顶圆之间的部分称为齿顶，其径向高度称为齿顶高，用 h_a 表示；介于分度圆与齿根圆之间的部分称为齿根，其径向高度称为齿根高，用 h_f 表示；齿顶圆与齿根圆之间的径向高度称为齿全高，用 h 表示，故有 $h=h_a+h_f$。

2. 标准齿轮的主要参数

（1）齿数 z

在齿轮整个圆周上轮齿的总数称为齿轮的齿数，用 z 表示。齿轮的大小和渐开线齿廓的形状均与齿数 z 这个基本参数有关。

（2）模数 m

齿轮分度圆周长为 $\pi d=pz$，则

$$d=\frac{p}{\pi}z$$

式中含有无理数 π，对于齿轮的计算、制造和测量等颇为不便。为此，人们人为地将比值 p/π 取为一有理数，并将该比值称为模数，用 m 表示，即

$$m=\frac{p}{\pi} \tag{5-9}$$

于是得

$$d=mz \tag{5-10}$$

模数是决定齿轮尺寸的一个基本参数。齿数相同的齿轮，模数越大，其轮齿也越大，如图 5-63 所示，轮齿的抗弯能力也就越强。所以模数又是轮齿抗弯能力的重要标志。

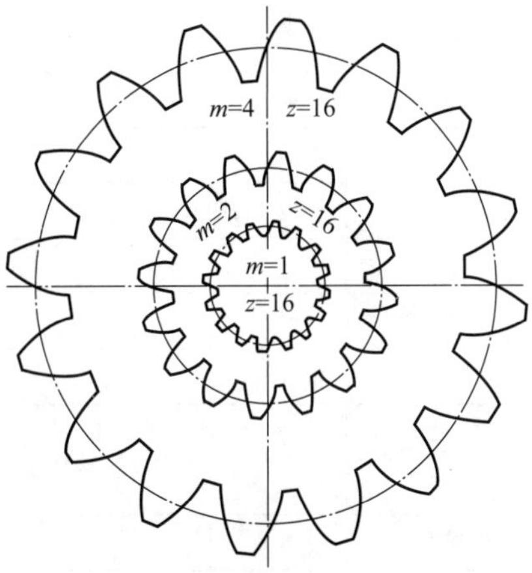

图 5-63　不同模数的轮齿

为了便于计算、制造和检验，齿轮的模数已标准化。我国常用的标准模数见表 5-4。

表 5-4　标准模数系列

第一系列	1　1.25　1.5　2　2.5　3　4　5　6　8　10　12　16　20　25　32　40　50
第二系列	1.75　2.25　2.75　(3.25)　3.5　(3.75)　4.5　5.5　(6.5)　7　9　(11)　14　18　22　28　36　45

注：优先采用第一系列，括号内的尽量不用。本表适用于渐开线圆柱齿轮，对斜齿轮是指法向模数。

（3）分度圆压力角

由渐开线的性质可知，同一渐开线齿廓上各点的压力角是不同的。在标准齿轮齿廓上，通常所说的齿轮压力角是指分度圆上的压力角，用 α 表示，并规定分度圆上的压力角为标准值。我国标准规定，分度圆上的压力角 $\alpha=20°$。

至此可以给分度圆下一个完整的定义：分度圆就是齿轮上具有标准模数和压力角的圆。

（4）齿顶高系数和顶隙系数

由上述可知，齿轮各部分尺寸均以模数为基础进行计算，因此轮齿的齿顶高和齿根高也不例外，即

$$h_a = h_a^* m \tag{5-11}$$

$$h_f = (h_a^* + c^*) m \tag{5-12}$$

式中，h_a^* 和 c^* 分别为齿顶高系数和顶隙系数。我国标准规定其标准值为 $h_a^* = 1$，$c^* = 0.25$。有时也采用非标准的短齿，其 $h_a^* = 0.8$，$c^* = 0.3$。

$c^* m$ 称为顶隙，为一齿轮顶圆与另一齿轮根圆之间的径向距离。顶隙可防止一对齿轮在传动过程中一齿轮的齿顶与另一齿轮的齿根发生顶撞，同时还能贮存润滑油，有利于齿轮啮合传动。

综上所述，m、α、h_a^*、c^* 和 z 是渐开线齿轮几何尺寸计算的五个基本参数。

3. 标准直齿圆柱齿轮的几何尺寸

标准齿轮是指 m、α、h_a^* 和 c^* 均为标准值，具有标准的齿顶高和齿根高，而且分度圆齿厚等于齿槽宽（$s=e$）的齿轮。标准直齿圆柱齿轮的几何尺寸按表 5-5 进行计算。

表 5-5　标准直齿圆柱齿轮各部分尺寸的几何关系

名称	符号	公式	
		外齿轮	内齿轮
分度圆直径	d	$d=mz$	
齿顶高	h_a	$h_a=h_a^* m$	
齿根高	h_f	$h_f=(h_a^*+c^*)m$	
齿全高	h	$h=(2h_a^*+c^*)m$	
齿顶圆直径	d_a	$d_a=(z+2h_a^*)m$	$d_a=(z-2h_a^*)m$
齿根圆直径	d_f	$d_f=(z-2h_a^*-2c^*)m$	$d_f=(z+2h_a^*+2c^*)m$
基圆直径	d_b	$d_b=d\cos\alpha$	
齿距	p	$p=\pi m$	
齿厚	s	$s=\pi m/2$	
齿槽宽	e	$e=\pi m/2$	
顶隙	c	$c=c^* m$	

三、直齿圆柱齿轮啮合基本定律

齿轮传动的基本要求之一是瞬时角速度之比（传动比）必须保持恒定，否则，当主动轮以等角速度回转时，从动轮的角速度为变数，从而产生惯性力。这种惯性力不仅影响齿轮的寿命，而且还引起机器的振动和噪声，影响其传动质量。齿廓啮合基本定律就是研究当齿廓形状符合什么条件时才能满足这个基本要求。

如图 5-64 所示为一对啮合齿轮的齿廓 E_1 和 E_2 在 K 点接触的情况。过 K 点作两齿廓的公法线 n-n，它与连心线 O_1O_2 的交点 C 称为节点。根据瞬心的知识可知，C 点就是齿轮 1、2 的相对速度瞬心，且

$$\frac{\omega_1}{\omega_2}=\frac{O_2C}{O_1C} \tag{5-13}$$

式(5-13）表明，要使两齿轮的角速度比恒定不变，则应使 O_2C/O_1C 恒为常数。但因两轮的轴心为定点，即 O_1O_2 为定长，故欲使齿轮传动保持定角速度比，必须使 C 点成为连心线上的一个固定点。

因此，两齿廓形状应满足如下条件：无论两齿廓在任何位置接触，过接触点所作齿廓的公法线都必须与连心线交于一定点，这就是齿廓啮合基本定律。该定律是各种平面齿轮机构轮齿齿廓正确啮合的基本条件。

能满足齿廓啮合基本定律的一对齿廓称为共轭齿廓，理论上共轭齿廓是很多的。齿廓曲线的选择除了应按传动比要求外，还应考虑到加工和测量的方便以及综合强度等因素。目前在机械制造业中用得最多的齿廓曲线是渐开线，故本节只讨论具有渐开线齿廓的齿轮。

上述定点 C 称为节点，过节点 C 所作的两个相切的圆称为节圆，以 r_1'、r_2'表示两个节圆的半径。由于节点的相对速度等于零，所以一对齿轮传动时，它的一对节圆在做纯滚动。又由图 5-64 可知，一对外啮合齿轮的中心距恒等于其节圆半径之和，角速度比恒等于其节圆半径的反比。

四、直齿圆柱齿轮正确啮合条件

如前所述，一对渐开线齿廓满足啮合的基本定律并能保证定传动比传动，但这并不是说任意两个渐开线齿轮都能搭配起来并正确地传动。一对渐开线齿轮要正确啮合传动，应该具备什么条件呢？为了解决这一问题，对图 5-65 所示的一对齿轮进行分析。

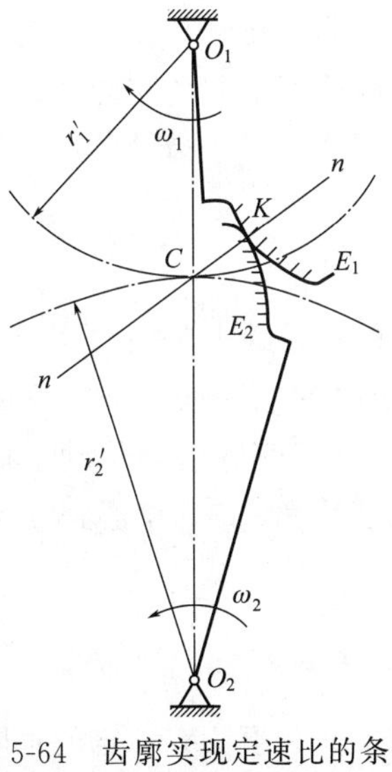

图 5-64　齿廓实现定速比的条件

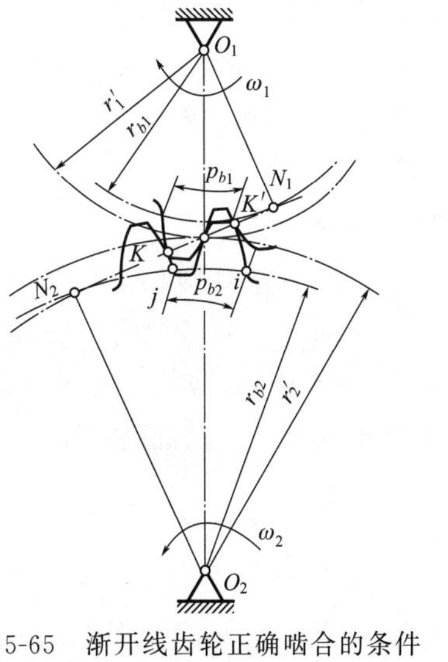

图 5-65　渐开线齿轮正确啮合的条件

与凸轮机构不同，齿轮传动是靠轮齿交替啮合保持连续传动的。为实现定传动比传动，啮合轮齿的工作侧齿廓的啮合点必须总是在啮合线上。因此，若有一对以上的轮齿同时参加啮合，则各对轮齿的工作侧齿廓的啮合点也必须同时都在啮合线上，如图 5-65 所示的啮合点 K 及 K'。线段 KK'同时又是两齿轮相邻同侧齿廓沿公法线的距离，称为法向齿距。显然，实现定传动比的正确啮合条件为两齿轮的法向齿距相等。即

$$\overline{K_1K_1'}=\overline{K_2K_2'}$$

由渐开线的性质可知，齿轮的法向齿距与基圆齿距相等。因此，该条件又可表述为两齿轮的基圆齿距相等，即

$$p_{b1}=p_{b2}$$

又因 $p_{b1}=p_1\cos\alpha_1=\pi m_1\cos\alpha_1$，$p_{b2}=p_2\cos\alpha_2=\pi m_2\cos\alpha_2$。可得两齿轮正确啮合的条件为

$$m_1\cos\alpha_1=m_2\cos\alpha_2$$

由于模数 m 和压力角 α 已经标准化，故上式成立的条件是

$$\begin{cases}m_1=m_2\\ \alpha_1=\alpha_2\end{cases} \tag{5-14}$$

式(5-14) 表明：渐开线齿轮的正确啮合条件是两轮的模数和压力角必须分别相等。

这样，一对齿轮的传动比可写成

$$i=\frac{\omega_1}{\omega_2}=\frac{d_2'}{d_1'}=\frac{d_{b2}}{d_{b1}}=\frac{d_2}{d_1}=\frac{z_2}{z_1} \tag{5-15}$$

五、齿轮传动的正确安装条件

1. 齿侧间隙

一对齿轮传动时，一齿轮节圆上的齿槽宽与另一齿轮节圆上的齿厚之差称为齿侧间隙。为了避免齿轮在正转和反转两个方向的传动中发生撞击，要求相啮合的轮齿的齿侧间隙为零。即：$s_1'=e_2'$，$s_2'=e_1'$。

齿侧间隙会使传动中产生轮齿间的冲击和噪声，从而影响传动精度。但为了在相啮合的齿廓间形成润滑油膜，避免因齿轮受力变形、摩擦发热膨胀所引起的挤轧现象，在实际传动中啮合轮齿间必须留有微量齿侧间隙，它由齿轮公差来保证，对于齿轮的运动设计仍是按无齿侧间隙啮合进行。

2. 标准齿轮的安装

一对模数、压力角分别相等的外啮合标准齿轮，其分度圆上的齿厚等于齿槽宽，即：$s_1=e_1=\pi m/2=s_2=e_2$。若把两轮安装成其分度圆相切的状态，也就是两轮的节圆与分度圆重合，如图 5-66 所示，则 $s_1'=s_1=e_2=e_2'$，所以能实现无侧隙啮合传动。标准齿轮的这种安装称为标准安装，显然此时的啮合角 α' 等于分度圆压力角 α，而中心距 a 称为标准中心距，即

$$a=r_1'+r_2'=r_1+r_2=\frac{m}{2}(z_1+z_2) \tag{5-16}$$

齿轮传动的安装要保证无侧隙。但为了储存润滑油，又必须留有一定的顶隙（一个齿轮的齿顶圆与另一齿轮的齿根圆之间的径向距离），这就是标准齿轮齿根高大于齿顶高的原因。标准齿轮在标准安装时的顶隙为

$$c=h_f-h_a=c^*m \tag{5-17}$$

应当指出，分度圆和压力角是单个齿轮本身所具有的，而节圆和啮合角是两个齿轮相互啮合时才出现的。标准齿轮传动只有在分度圆与节圆重合时，压力角与啮合角才相等；否则，压力角与啮合角就不相等。

六、直齿圆柱齿轮连续传动的条件

如图 5-67 所示为一对渐开线齿轮啮合的情况。设轮 1 为主动轮，轮 2 为从动轮，它们的转动方向如图所示。在两轮轮齿开始进入啮合时，首先是主动轮 1 的齿根推动从动轮 2 的齿顶，所以轮齿进入啮合的起点为从动轮的齿顶圆与啮合线 N_1N_2 的交点 A。随着啮合传动的进行，轮齿的啮合点随着啮合线 N_1N_2 移动，即主动轮轮齿上的啮合点逐渐向齿顶部分移动，而从动轮轮齿上的啮合点逐渐向齿根部分移动。当啮合进行到主动轮的齿顶圆与啮合线 N_1N_2 的交点 E 时，两轮齿即将脱离啮合。线段 AE 为啮合点的实际轨迹，故称为实际啮合线段。

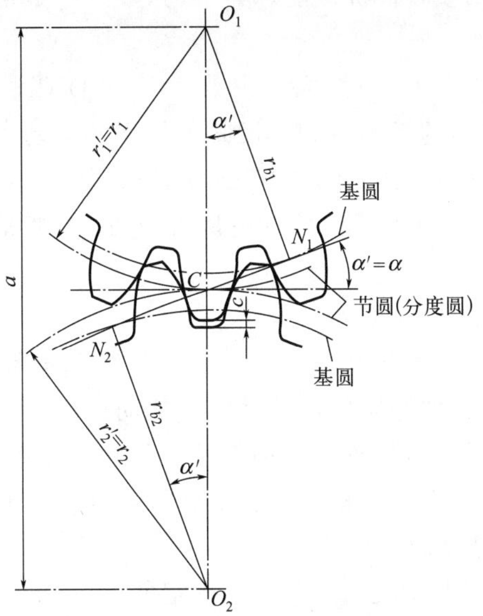

图 5-66　标准齿轮正确安装

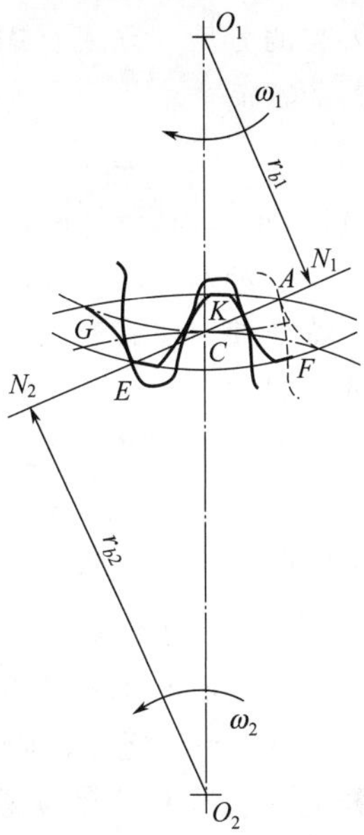

图 5-67　齿轮的啮合过程

当两齿轮齿顶圆加大时，点 A 和 E 将分别趋近于点 N_1 和 N_2，实际啮合线段将加长，但因基圆内无渐开线，所以啮合线 N_1N_2 是理论上可能的最大啮合线段，称为理论啮合线段。

若想实现齿轮定传动比的连续传动，仅具备两齿轮的法向齿距相等的条件是不够的。若两齿轮不但法向齿距相等，而且 $\overline{AE}>p_b$，则当前一对轮齿在点 E 脱离啮合时，后一对轮齿已经进入啮合，因此能保证齿轮做定传动比的连续传动。若 $\overline{AE}=p_b$，则表明始终只有一对轮齿处于啮合状态。若 $\overline{AE}<p_b$，则当前一对轮齿在点 E 脱离啮合时，后一对轮齿尚未进入啮合，传动将中断，从而引起轮齿间的冲击，影响传动的平稳性。

由此可知，齿轮连续传动的条件是：两齿轮的实际啮合线的长度应大于或至少等于齿轮的法向齿距。通常把这个条件用 $\overline{AE}$ 与 p_b 的比值表示，称为重合度，用 ε 表示。因此，齿轮连续传动的条件是

$$\varepsilon=\frac{\overline{AE}}{p_b}\geqslant 1 \tag{5-18}$$

重合度不仅反映一对齿轮能否实现连续传动，而且还表明同时参加啮合的轮齿对数的多少。如 ε=1.4，表示传动过程中有时 1 对轮齿接触，有时 2 对轮齿接触，其中 2 对轮齿接触

的时间占40%。齿轮传动的重合度愈大，表明同时参与啮合的轮齿对数愈多，且多对齿啮合的时间愈长，这对提高齿轮传动的承载能力和传动的平稳性有十分重要的意义。

典型例题解析及习题

一、典型例题解析

1. 机器的特征是：①人为的实物组合；②各组成部分之间具有确定的相对运动；③能代替或减轻人类的劳动，完成有用的机械功或转换机械能。其中，（　　）是从机器的组成方面总结机器的特征。

A. ①、②　　B. ②　　C. ①、③　　D. ①、②、③

【解析】机构是机器的主体部分，是机器的运动模型，反映了机器的运动本质。机构有两个基本特征：一是人为的实体组合；二是各实体之间具有确定的相对运动。而机器除了机构具有的两个特征外，还具有三个特征，即它可以用来完成有用机械功、转换能量或处理信息。该题目选择D。

2. 无急回特性的平面四杆机构，其极位夹角（　　）。

A. $\theta<0°$　　B. $\theta=0°$　　C. $\theta\neq0°$　　D. $\theta\geqslant0°$

【解析】铰链四杆机构中，当曲柄为主动件并做匀速转动时，从动摇杆的往返摆动速度往往是不一样的，返程比往程要快，这种运动特性称为急回特性。行程速比系数 K 是反映急回特性大小的参数，K 的大小与极位夹角有关，其公式为 $K=(180°+\theta)/(180°-\theta)$，所以，当 $\theta=0$ 时，$K=1$，无急回特性。该题目选择B。

3. 实际运行中凸轮机构的从动件的运动规律是由（　　）确定的。

A. 凸轮转速　　B. 从动件与凸轮的锁合方式

C. 从动件的结构　　D. 凸轮的工作轮廓

【解析】因为凸轮机构是由凸轮、从动件和机架三个主要构件组成，其中从动件与凸轮以高副接触，所以凸轮的轮廓形状决定了从动件的轨迹，因此，从动件的运动规律是由凸轮的工作轮廓确定的。该题目选择D。

4. 齿轮上（　　）是具有标准模数和标准压力角的圆。

A. 齿顶圆　　B. 分度圆　　C. 基圆

【解析】模数是人为规定的一个值。为了便于设计、制造及互换，把齿轮某一圆周上的齿距与 π 的比值规定为标准值（整数或者简单的有理数），并使该圆上的压力角也为标准值，这个圆就称为分度圆。该题目选择B。

5. 计算图5-68所示机构的自由度（若存在局部自由度、复合铰链、虚约束请指出）。

【解析】

滚子 B 带来一个局部自由度，应除去滚子引入的局部自由度，即将其与构件2固连；H、I 之一引入一个虚约束，计算自由度时只算一个低副。

【解题过程】

根据图5-68所示机构，计算机构的自由度

$$n=6, P_L=8, P_H=1$$
$$F=3n-2P_L-P_H=3\times6-2\times8-1=1$$

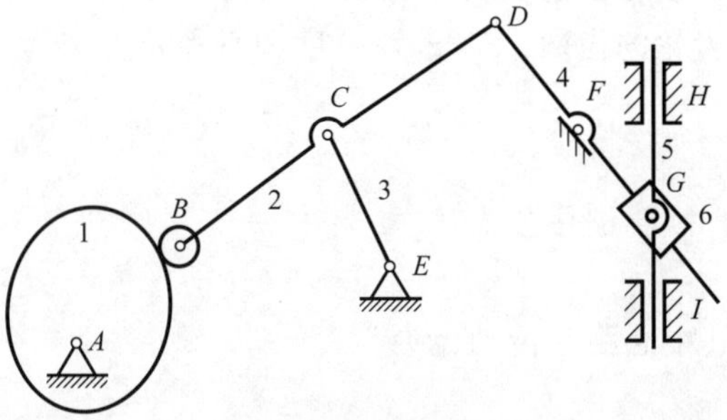

图 5-68　典型例题图 1

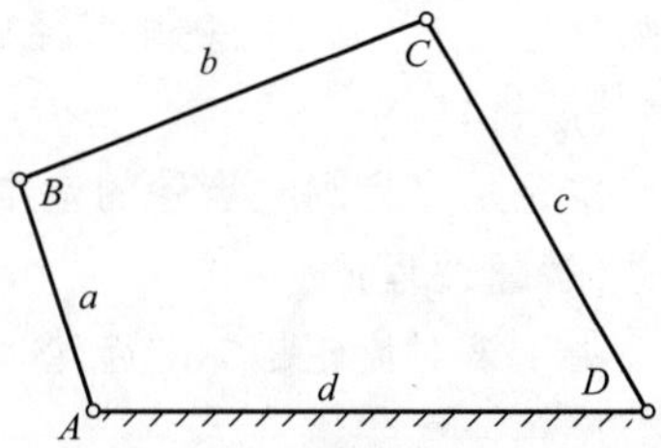

图 5-69　典型例题图 2

6. 图 5-69 所示的铰链四杆机构，若已知 $a=50$mm，$b=120$mm，$c=90$mm，试讨论，若机架 d 为变值，则 d 值在哪些范围内可取得双曲柄机构？在哪些范围内可取得曲柄摇杆机构？又在哪些范围内可取得双摇杆机构？

【解析】

本题的解题关键在于掌握四杆机构的基本形式及特性。当满足有曲柄条件时，若以最短杆为机架，该机构成为双曲柄机构；若以最短杆的邻边为机架该机构为曲柄摇杆机构；若以最短杆的对边为机架，该机构为双摇杆机构；当不满足有曲柄条件的尺寸约束要求时，无论以哪个构件作为机架，该机构都是双摇杆机构。

【解题过程】

（1）对于双曲柄机构。

d 应为最短杆，$d\leqslant a=50$mm，且应满足 $d+b\leqslant c+a$，$d+120\text{mm}\leqslant 90\text{mm}+50\text{mm}$，即 $d\leqslant 140-120=20$mm。

双曲柄机构结论：$0<d\leqslant 20$mm。

（2）对于曲柄摇杆机构。

分两种情况：

① a 为最短杆，b 为最长杆，则有 $d\leqslant b=120$mm，且应 $a+b\leqslant c+d$，则 $d\geqslant a+b-c=50+120-90=80$mm，即：$80\text{mm}\leqslant d\leqslant 120$mm。

② a 为最短杆，d 为最长杆，则有 $d\geqslant b=120$mm，且应 $a+d\leqslant b+c$，则 $d\leqslant b+c-a=120+90-50=160$mm，即 $120\text{mm}\leqslant d\leqslant 160$mm。

曲柄摇杆机构结论：$80\text{mm}\leqslant d\leqslant 160$mm。

（3）对于双摇杆机构。

分三种情况：

① a 为最短杆，b 为最长杆，$a\leqslant d\leqslant b$，且应 $a+b>c+d$ 则 $d<a+b-c=50+120-90=80$mm，即 $50\text{mm}\leqslant d<80$mm。

② a 为最短杆，d 为最长杆，最长杆也要小于或等于其他三杆之和，有 $d\leqslant a+b+c=50+120+90=260$mm，且 $a+d>b+c$，$d>b+c-a=120+90-50=160$mm，即 $160\text{mm}<d\leqslant 260$mm。

③ d 为最短杆，$d\leqslant a$，且应满足 $d+b>c+a$，$d+120\text{mm}>90\text{mm}+50\text{mm}$，$d>$

20mm，即 $20mm<d\leqslant 50mm$。

双摇杆机构结论：$20mm<d\leqslant 50mm$ 或 $160mm<d\leqslant 260mm$。

7. 已知一对标准安装的外啮合渐开线正常齿制标准直齿圆柱齿轮，其传动比 $i_{12}=2.4$，模数 $m=5mm$，中心距 $a=170mm$，试求该对齿轮的齿数 z_1、z_2，分度圆直径 d_1、d_2，齿顶圆直径 d_{a1}、d_{a2}，基圆直径 d_{b1}、d_{b2}。

【解析】

本题是直齿圆柱齿轮的基本尺寸计算问题，需要记住公式。

【解题过程】

由于该对齿轮是标准齿轮，标准安装，则其中心距和传动比为

$$a=\frac{1}{2}m(z_1+z_2)$$

$$i_{12}=\frac{z_2}{z_1}$$

联立上面两式，可以求出 z_1、z_2，即

$$z_1=20$$
$$z_2=48$$

求齿轮的分度圆直径

$$d_1=mz_1=5\times 20=100mm$$
$$d_2=mz_2=5\times 48=240mm$$

求齿轮的齿顶圆直径

$$d_{a1}=mz_1+2h_a^*m=5\times 20+2\times 1\times 5=110mm$$
$$d_{a2}=mz_2+2h_a^*m=5\times 48+2\times 1\times 5=250mm$$

求基圆直径

$$d_{b1}=d_1\cos\alpha=100\times\cos 20°=93.969mm$$
$$d_{b2}=d_2\cos\alpha=240\times\cos 20°=225.526mm$$

二、习题

（一）选择题

1. 构件是机械中独立的（　　）单元。

A. 运动　　B. 设计　　C. 制造　　D. 分析

2. 两构件通过（　　）接触组成的运动副称为低副。

A. 面　　B. 线　　C. 点　　D. 点或线

3. 下列可动连接中，（　　）是高副。

①内燃机的曲轴与连杆的连接；

②缝纫机的针杆与机头的连接；

③车床拖板与车床面的连接；

④火车车轮与铁轨的接触。

A. ①　　B. ②　　C. ③　　D. ④

4. 机构的运动简图与（　　）无关。

A. 构件数目　　B. 运动副的数目、类型

C. 运动副的相对位置　　　　　　D. 构件和运动副的结构

5. 下面属于专用零件的是（　　）。

A. 齿轮　　　B. 活塞　　　C. 轴承　　　D. 螺钉

6. 组成机器的运动单元体是（　　）。

A. 机构　　　B. 构件　　　C. 部件　　　D. 零件

7. 计算机构自由度时，若计入虚约束，则计算所得结果与机构的实际自由度数相比（　　）。

A. 增多了　　　B. 减少了　　　C. 相等　　　D. 可能增多也可能减少

8. 曲柄连杆机构中，只有当（　　）为主动件时，摇杆在运动中才会出现死点位置。

A. 连杆　　　B. 机架　　　C. 曲柄　　　D. 摇杆

9. 飞机起落架应用的是（　　）。

A. 曲柄摇杆机构　　　B. 双曲柄机构　　　C. 双摇杆机构

10. 凸轮机构中，主动件通常做（　　）。

A. 等速转动或移动　　　B. 变速转动　　　C. 变速移动

11. 连杆机构中，压力角与传动角的和为（　　）。

A. 180°　　　B. 120°　　　C. 90°　　　D. 任意角度

12. 凸轮机构中耐磨损又可承受较大载荷的是（　　）从动件。

A. 尖端　　　B. 滚子　　　C. 平底

13. 齿轮上（　　）是具有标准模数和标准压力角的圆。

A. 齿顶圆　　　B. 分度圆　　　C. 基圆

14. 齿轮端面上，相邻两轮齿同侧齿廓之间在分度圆上的弧长称为（　　）。

A. 齿距　　　B. 齿厚　　　C. 齿槽宽

15. 一对渐开线圆柱齿轮传动要正确啮合，一定相等的是（　　）。

A. 直径　　　B. 齿数　　　C. 模数

（二）填空题

1. 机械是____________和____________的总称。

2. 按照接触特性，通常把运动副分为____________和____________。

3. 渐开线标准直齿圆柱齿轮正确啮合的条件是________________。

4. 直齿圆柱齿轮连续传动的条件是________________。

5. 两构件通过____________接触所构成的运动副称为低副，通过____________接触所构成的运动副称为高副。

6. 用规定符号和简单线条，按一定比例绘制的表示机构中各构件之间的相对运动及运动特征的图形称为机构____________。

7. 做平面运动的自由构件有____________个自由度。

8. 平面低副引入____________个约束，平面高副引入____________个约束。

9. 铰链四杆机构有三种基本形式，即________机构、________机构和________机构。

10. 家用缝纫机的踏板机构是曲柄摇杆机构，踏板为主动件，机构存在死点位置，实际使用时是利用运动的________来渡过死点位置的。

11. 在铰链四杆机构中，若最短杆与最长杆的长度之和________其余两杆的长度之和，无论取哪个杆为机架，只能得到双摇杆机构。

12. 凸轮机构主要由________、________和机架三个基本构件组成，一般以________为主动件。

13. 模数 m 的单位为________，是齿轮的重要参数。模数________，轮齿越大。

14. 我国规定渐开线齿轮分度圆上的压力角 α 为标准值，其值为________。

15. 形成齿轮渐开线的圆称为________________。

（三）计算题

1. 计算图 5-70 所示各机构的自由度，并判断其运动情况。如果存在复合铰链、局部自由度及虚约束，请在图中指出。

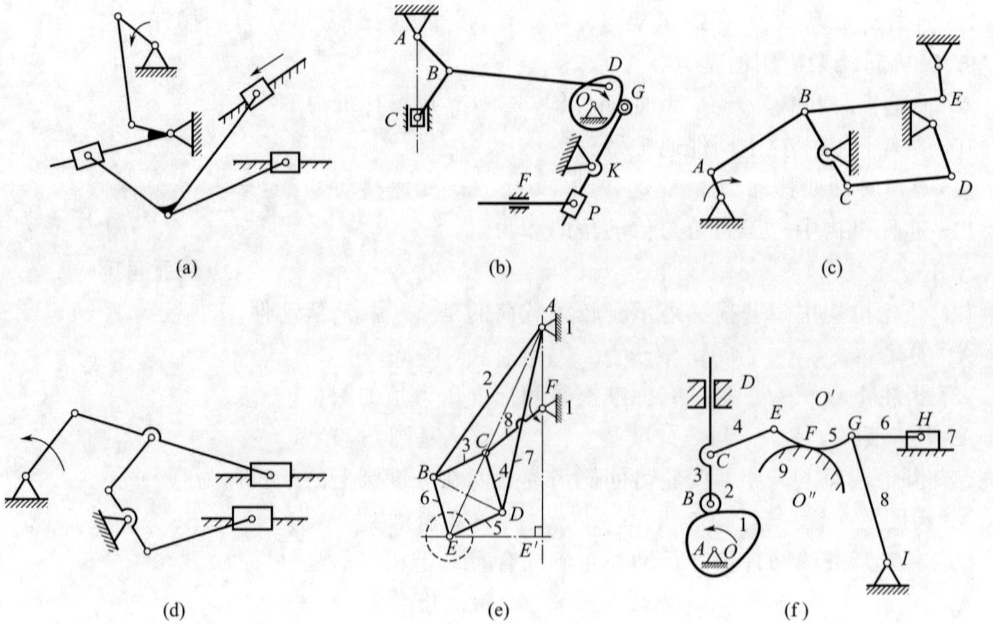

图 5-70　各机构图

2. 根据图 5-71 所示各杆所注的尺寸，判断铰链四杆机构的类型，并写明判断依据。

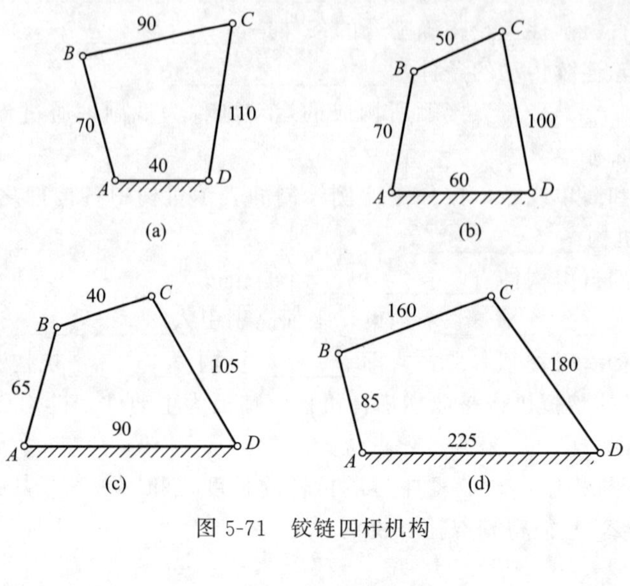

图 5-71　铰链四杆机构

3. 图 5-72 所示的铰链四杆机构中，杆 AD 为机架，且有 $l_{BC}=60\text{mm}$，$l_{CD}=40\text{mm}$，$l_{AD}=35\text{mm}$。

(1) 若此机构为曲柄摇杆机构，且 AB 为曲柄，求 l_{AB} 的最大值。

(2) 若此机构为双曲柄机构，求 l_{AB} 的取值范围。

(3) 若此机构为双摇杆机构，求 l_{AB} 的取值范围。

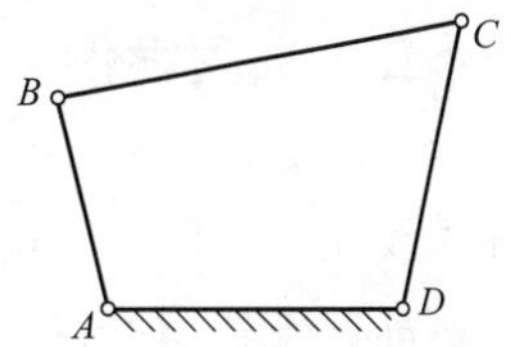

图 5-72　铰链四杆机构

4. 已知一对外啮合正常齿标准直齿圆柱齿轮（$h_a^*=1$，$c^*=0.25$），中心距 $a=160\text{mm}$，齿数 $z_1=20$，$z_2=60$，求模数 m、传动比 i、小齿轮分度圆直径 d_1、齿顶圆直径 d_{a1}、齿根圆直径 d_{f1}。

5. 已知一正常齿制标准直齿圆柱齿轮，齿数 $z_1=25$，齿顶圆直径 $d_{a1}=135\text{mm}$，试计算该齿轮的模数 m 及分度圆直径 d、齿根圆直径 d_f。

6. 已知一对渐开线外啮合直齿圆柱标准齿轮（正常齿制）的模数 $m=5\text{mm}$，中心距 $a=350\text{mm}$，传动比 $i_{12}=9/5$。试求两齿轮的齿数 Z_1、Z_2，分度圆直径 d_1、d_2，齿顶圆直径 d_{a1}、d_{a2}，齿根圆直径 d_{f1}、d_{f2}。

拓展知识

一、精益精神——大国工匠周建民

案例背景：齿轮传动中存在表示圆柱齿轮精度的齿面粗糙度 Ra，根据精度等级的不同，Ra 数值分别为 0.8、1.6、3.2、6.3，单位为微米（千分之一毫米）。一般的游标卡尺无法测量，千分尺准确测量精度是 10 微米，可以估读到 1 微米（1 微米相当于 1 根头发丝粗细的 1/60）。但全国劳模、党的十九大代表、大国工匠周建民可以用手工方法将量具磨去 10 微米，并且将误差控制在 1 微米。

（一）周建民简介

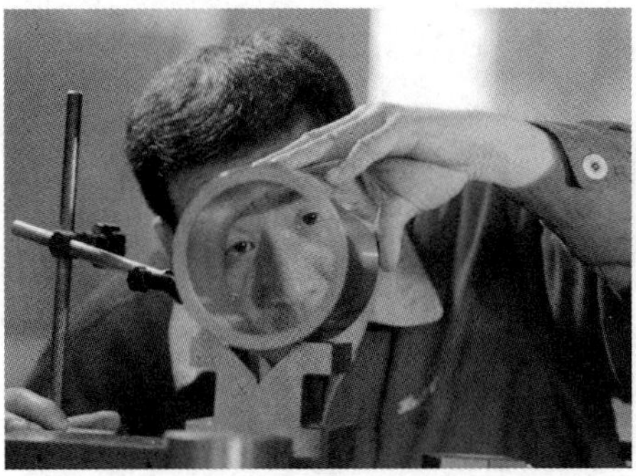
图 5-73　周建民

周建民，男，中国兵器工业集团淮海工业集团工人，全国劳模，中华技能大师，中国兵器工业集团首席技师，山西省十佳金牌工人，党的十八大、十九大代表，如图 5-73 所示。周建民技能大师工作室是国家人力资源和社会保障部授予的首批 50 个的国家级技能大师工作室之一。

进口高精密数控机床干不了的精细活，他能纯手工做出来，他加工出的测量导弹零件的量具精度在微米级，角度的公差也在秒级，精度可以达到头发丝的 1/60。他完成的创新成果达 1100 余项，解决国家重点高新项目量具“卡脖子”难题技术 50 多项，先后承担参与完成的量具加工任务达到了 12600 多项，以他名字命名的操作法填补了山西省国防工业系统量具生产上的空白。被华北机电学校聘请为兼职教师，在学校建有“周建民技能大师工作室华北机电学校指导站”，经常到学校指导教师和学生。

（二）典型案例

在国际新军事斗争的对抗中，精确制导让各种产品长了“眼睛”，而周建民制作完成的波导天线就是“眼睛上的视网膜”。

该部件主要用于雷达信号的接收和发射，最厚的地方 4 毫米，最薄的地方仅为 0.5 毫米（相当于一毛钱硬币厚度的三分之一），由 5 个圆盘组成，每一片薄厚不匀，这一项世界前沿的技术，只有英国、德国等几个少数的国家拥有，而在国内很少有厂家能做到。

公司接到这项任务后，首先想到了周建民。周建民经过仔细分析测试，发现问题的关键是找平面度，5 片圆盘之间不能有缝隙。

在技术困难面前，他不断给自己加码，不断完善工艺，在关键疑难工序上寻找基准面，采用纯手工研磨，终于攻克了这项难题。一个价格比黄金还要贵重的部件，在技能大师周建民的手中诞生。

二、中国骄傲——港珠澳大桥

港珠澳大桥集桥、岛、隧道于一体，大桥的建设主要有大桥桥面的吊装、人工岛的建设和沉管隧道的建设等几部分。

在整个大桥项目中，岛隧工程是最具控制性的部分，其中连接大桥东、西人工岛的沉管部分是国内首条于外海建设的超大型沉管隧道，海底隧道由 33 个巨型沉管组成。每节管道长 180 米，宽 37.95 米，高 11.4 米，单节重约 8 万吨。

沉管隧道由钢筋混凝土浇筑而成，最厚的地方达到 1.8 米，每节沉管要用 7200 吨的钢筋，相当于搭建整个埃菲尔铁塔所使用的钢材；每节沉管的排水量约 75000 吨，比辽宁号航母的排水量还要大。

如图 5-74 所示，2017 年 5 月 2 日 5 时 50 分，沉管接头开始安装，如沿用欧洲百年不变的方式，完成这项安装用时要超过 4 个月，在新方法的指导下，22 时 33 分，重达 6000 多吨的港珠澳大桥沉管隧道最后接头在经过 16 个多小时的吊装沉放后，最终安装成功。在水下 30 米，对接的最大误差是 2.6 毫米，最小的误差只有 0.8 毫米，这是全世界最小的误差，史无前例。港珠澳大桥沉管需要埋到海床下 40 多米，第一次做到了海底隧道“滴水不漏”。

图 5-74　沉管拼装

第六章
轮系

【学习目标】

1. 能够列举轮系的类型、组成和功用；
2. 能够判断定轴轮系传动比的转向，计算定轴轮系传动比的大小。

【学习重难点】

1. 轮系的类型、功用；
2. 定轴轮系转向判断及传动比。

第一节　轮系的类型

在机械中往往要通过一系列的齿轮相互啮合来实现较大的传动比或多种转速，这种由一系列相互啮合的齿轮组成的传动系统称为轮系，轮系的分类如图 6-1 所示。

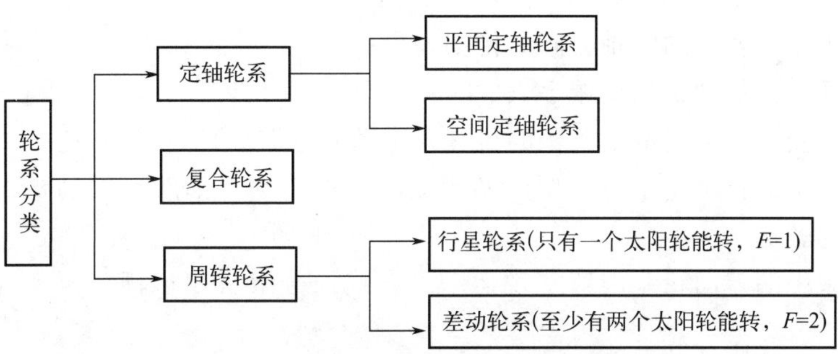

图 6-1　轮系的分类

根据轮系运动时各齿轮几何轴线的相对位置关系，可将轮系分为定轴轮系和周转轮系。判断轮系类型时，观察所有齿轮的几何轴线是否相对机架运动。所有齿轮几何轴线都相对于机架固定的为定轴轮系，如图 6-2 所示。定轴轮系是最基本的轮系，又分为平面定轴轮系和空间定轴轮系。

至少有一个齿轮几何轴线相对机架运动的为周转轮系，如图 6-3 所示。在图 6-3 中，周转轮系由行星轮、太阳轮、行星架（或系杆）组成，按照其自由度又可以分为行星轮系（自由度为 1，即只有一个太阳轮能转）和差动轮系（自由度为 2，即至少有两个太阳轮能转）。

在轮系的具体应用中，除了广泛使用单一的定轴轮系或单一的周转轮系外，还经常采用由几个基本周转轮系或几个定轴轮系和周转轮系组合而成的复合轮系，如图 6-4 所示。注意，复合轮系不属于轮系的基本类型，其传动比的计算较复杂，需要先划分轮系，然后针对定轴轮系和周转轮系应用不同的传动比计算公式，才能得出正确的传动比，该部分内容不在本书讨论之列。

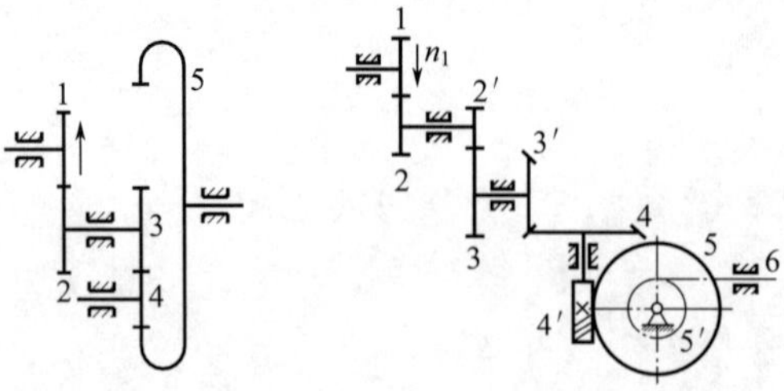

(a) 平面定轴轮系　(b) 空间定轴轮系

图 6-2　定轴轮系

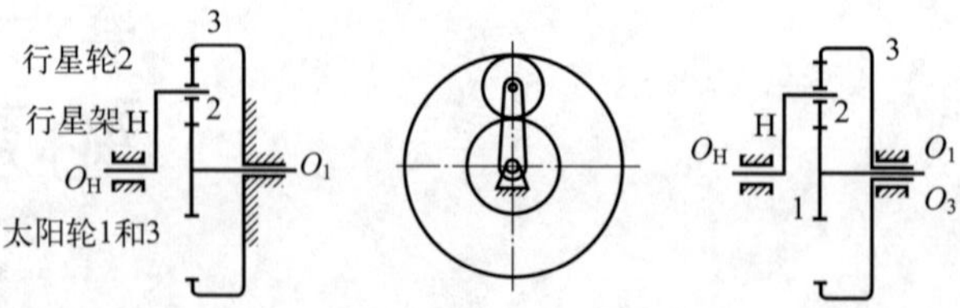

(a) 行星轮系　(b) 差动轮系

图 6-3　周转轮系

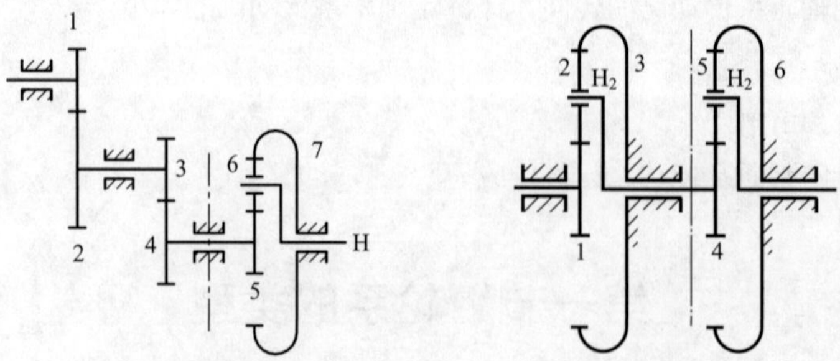

(a) 定轴+周转　(b) 周转+周转

图 6-4　复合轮系

轮系被广泛应用在各种机械中，主要功用有：

① 能够实现相距较远的两轴之间的传动；

② 能够实现分流传动（如机械手表的时针、分针、秒针等）；

③ 能够实现变速和换向（如车辆的机械式手动变速器等）；

④ 周转轮系中的行星轮系主要用于实现大功率的传动（如航空发动机的主减速器、车辆的轮边减速器等）；

⑤ 周转轮系中的差动轮系能够实现运动的合成与分解（如车辆后桥中的差速器、机械式计算器等）。

第二节　定轴轮系传动比

一、传动比的概念

传动比是指在轮系中，输入轴与输出轴的角速度（或转速）之比。传动比用 i_{ab} 表示，下标 a、b 为输入轴和输出轴的代号，即

$$i_{ab}=\frac{\omega_a}{\omega_b}=\frac{n_a}{n_b} \quad 或 \quad i_{1N}=\frac{\omega_1}{\omega_N}=\frac{n_1}{n_N}$$

二、一对圆柱齿轮啮合的传动比

外啮合：$i_{12}=\frac{n_1}{n_2}=\frac{\omega_1}{\omega_2}=\frac{v/r_1}{v/r_2}=\frac{r_2}{r_1}=\frac{mz_2/2}{mz_1/2}=\frac{z_2}{z_1}$，常表示为 $i_{12}=-\frac{z_2}{z_1}$

内啮合：$i_{12}=\frac{n_1}{n_2}=\frac{\omega_1}{\omega_2}=\frac{v/r_1}{v/r_2}=\frac{r_2}{r_1}=\frac{mz_2/2}{mz_1/2}=\frac{z_2}{z_1}$

说明："－"表示从动轮与主动轮的转向相反，"＋"表示从动轮与主动轮的转向相同。也可以在图中以相反或相同方向的箭头表示，箭头的方向表示齿轮可见一侧的圆周速度方向。

三、平面定轴轮系的传动比

图 6-5 所示的定轴轮系中，输入轴与输出轴的转速比也是首、末两轮的转速比。

设 z_1、z_2、$z_{2'}$、z_3、$z_{3'}$、z_4 及 z_5 为各齿轮的齿数，n_1、n_2、$n_{2'}$（等于 n_2）、n_3、$n_{3'}$（等于 n_3）、n_4 及 n_5 为各轮的转速，则该轮系的传动比 i_{15} 可由各对齿轮的传动比来求出。即

$$i_{12}=\frac{n_1}{n_2}=-\frac{z_2}{z_1}\qquad i_{2'3}=\frac{n_{2'}}{n_3}=\frac{n_2}{n_3}=+\frac{z_3}{z_{2'}}$$

$$i_{3'4}=\frac{n_{3'}}{n_4}=-\frac{z_4}{z_{3'}}\qquad i_{45}=\frac{n_4}{n_5}=-\frac{z_5}{z_4}$$

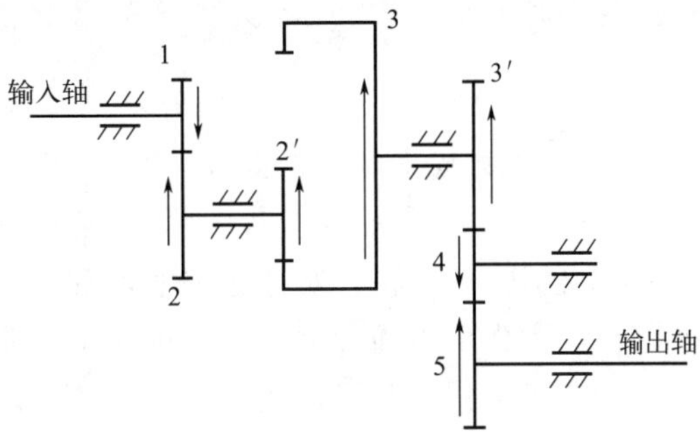

图 6-5　定轴轮系的传动比

则输入轴与输出轴的传动比为

$$i_{15}=\frac{n_1}{n_5}=\frac{n_1}{n_2}\times\frac{n_2}{n_3}\times\frac{n_3}{n_4}\times\frac{n_4}{n_5}=i_{12}i_{2'3}i_{3'4}i_{45}$$

$$=(-\frac{z_2}{z_1})(+\frac{z_3}{z_{2'}})(-\frac{z_4}{z_{3'}})(-\frac{z_5}{z_4})=(-1)^3\ \frac{z_2z_3z_4z_5}{z_1z_{2'}z_{3'}z_4}$$

说明：

① 结果为负值，表明输入轮（主动轮）与输出轮（从动轮）的转动方向相反，也可以在图中用箭头表示。

② 惰轮：图中的齿轮 4 和两个齿轮同时啮合，它既是前一级的从动轮，又是后一级的主动轮，它的齿数不影响传动比的大小，但它却使外啮合次数改变，从而改变传动比的符号。这种只改变传动方向、不改变传动比大小的齿轮，称为惰轮或过桥齿轮。

四、传动比计算一般公式

将上述计算推广到一般公式，设轮 1 为起始主动轮，轮 K 为最末从动轮，则定轴轮系始末两轮传动比数值计算的一般公式为

$$i_{1K}=\frac{n_1}{n_K}=\frac{\text{轮 1 到轮 }K\text{ 间所有从动轮齿数的乘积}}{\text{轮 1 到轮 }K\text{ 间所有主动轮齿数的乘积}}=[\text{方向}]\frac{z_2z_3z_4\cdots z_K}{z_{1'}z_{2'}z_{3'}\cdots z_{(K-1)'}}\qquad(6\text{-}1)$$

上式表明，定轴轮系传动比的数值等于组成该轮系的各对啮合齿轮传动比的连乘积，其

大小等于各对啮合齿轮中所有的从动轮齿数的连乘积与所有的主动轮齿数的连乘积之比。当其绝对值大于1时，表明轮系为减速传动；相反，当其绝对值小于1时，表明轮系为增速传动。

轮系传动比，除了大小之外，还有一个最容易忽略的问题——方向。所谓方向，指的是轮系中首轮与末轮的转向关系。下面就方向的判断讨论如下：

① 当轮系中所有齿轮的轴线都平行时，即只含有直齿轮和斜齿轮时，传动比的计算公式可写成

$$i_{1K}=\frac{n_1}{n_K}=(-1)^m\frac{z_2z_3z_4\cdots z_K}{z_1z_{2'}z_{3'}\cdots z_{(K-1)'}} \tag{6-2}$$

式中，m 为轮系中外啮合的次数。

② 当首、末齿轮轴线平行时，两轮转向的同异可以用传动比的正负表达。因此，平行二轴间的定轴轮系传动比的计算公式为

$$i_{1K}=\frac{n_1}{n_K}=(\pm)\frac{z_2z_3z_4\cdots z_K}{z_1z_{2'}z_{3'}\cdots z_{(K-1)'}} \tag{6-3}$$

公式中存在“±”，若传动比为“+”，则两轮转向相同，即 n_1 和 n_K 同号；若传动比为“−”，则两轮转向相反，即 n_1 和 n_K 异号。

③ 当首、末齿轮轴线不平行时，只能用画箭头的方法确定齿轮转向，传动比的正负号此时无意义。一般来说，对任何定轴轮系，传动比方向均可用画箭头的方法来判定和表示。

箭头的方向可以通过逐对对齿轮标注箭头来确定，即从已知（或假定已知）齿轮的转向开始，循着运动传递路线，逐对对齿轮进行转向判断，用箭头标出各齿轮的转向，直至确定出所要求齿轮的转向为止。

五、几种典型齿轮传动的箭头方向判断

1. 圆柱齿轮

外啮合时，转向箭头方向相反，即转向相反；内啮合时，转向箭头方向相同，即转向相同，如图6-6所示。

2. 圆锥齿轮

一对相互啮合的圆锥齿轮的转向箭头同时指向节点或同时背向节点，如图6-7所示。

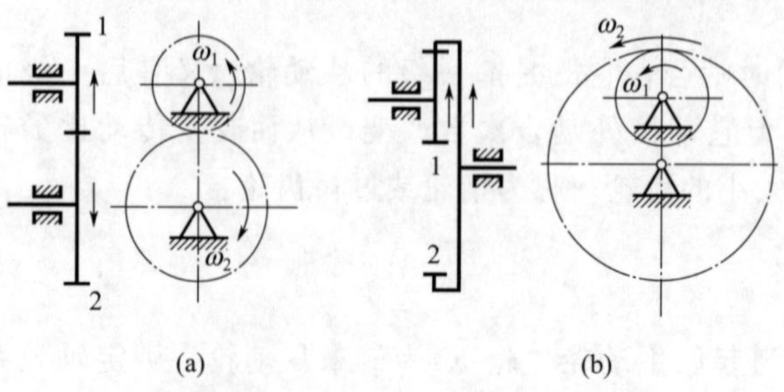

图6-6 一对圆柱齿轮的转动方向

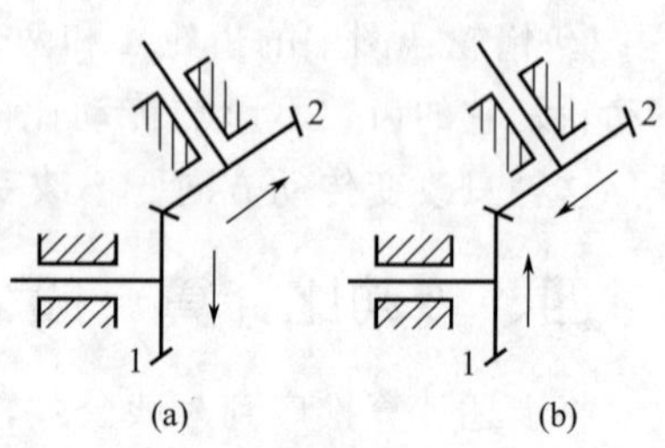

图6-7 一对圆锥齿轮机构的转向

3. 蜗杆传动

采用螺旋法则判断，口诀为：左旋用左手，右旋用右手，不进则退。以图6-8中的蜗杆

传动为例，蜗杆为右旋蜗杆，故用右手判断：拇指伸直，其余四指握拳，令四指弯曲方向与蜗杆转向方向一致，则拇指所指方向（向左）即为蜗杆受到的轴向力方向，其反作用力方向（向右）是蜗杆对蜗轮的圆周力方向，从而确定蜗轮为逆时针方向转动。

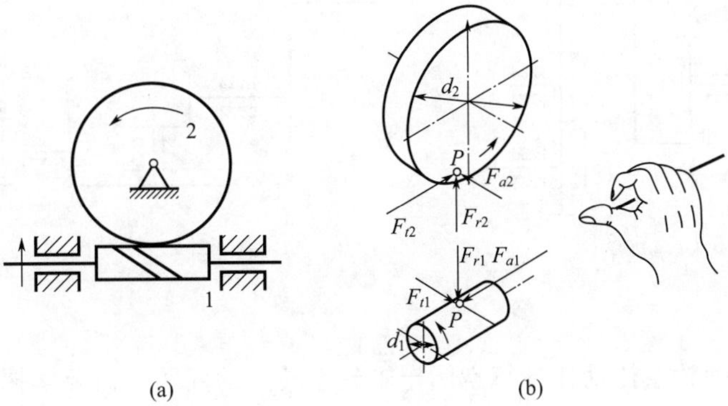

图 6-8　蜗杆机构的转向

典型例题解析及习题

一、典型例题解析

1. 图 6-9 所示的轮系中，已知 $z_1=25$，$z_2=50$，$z_{2'}=25$，$z_3=100$，$z_{3'}=25$，$z_4=15$，$z_5=20$，若 $n_1=200\text{r/min}$，求 n_5 的大小和方向。

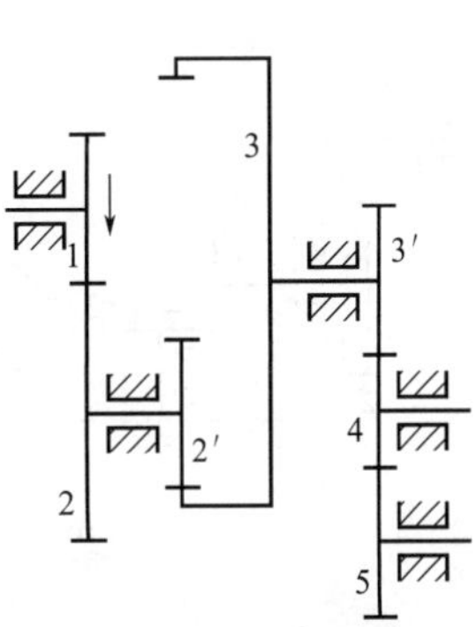

图 6-9　轮系图 1

【解析】

本题是利用定轴轮系传动比计算圆柱齿轮转速的问题，需要掌握定轴轮系传动比计算公式及圆柱齿轮转动方向判断方法。

【解题过程】

（1）齿轮 5 转动方向的判断。

首、末齿轮轴线平行，轮系传动比可以用 $(-1)^m$ 表示。齿轮 1 和 2、齿轮 3′和 4，齿轮 4 和 5，共 3 次外啮合，故为“－”号。也可以用画箭头的方法确定运动方向，如图 6-10 所示。

（2）利用传动比计算 n_5 大小。

$$i_{15}=\frac{n_1}{n_5}=(-1)^3\ \frac{50\times100\times15\times20}{25\times25\times25\times15}=-\frac{32}{5}$$

$$n_5=\frac{n_1}{i_{15}}=-200\times\frac{5}{32}=-31.25\text{r/min}$$

n_5 方向与 n_1 方向相反，竖直向上，如图 6-10 所示。

2. 在图 6-11 所示的轮系中，已知 $z_1=20$，$z_2=30$，$z_{2'}=15$，$z_3=20$，$z_{3'}=50$，$z_4=25$，$z_{4'}=15$，$z_5=90$，若 $n_1=600\text{r/min}$，求 n_5 的大小和方向。

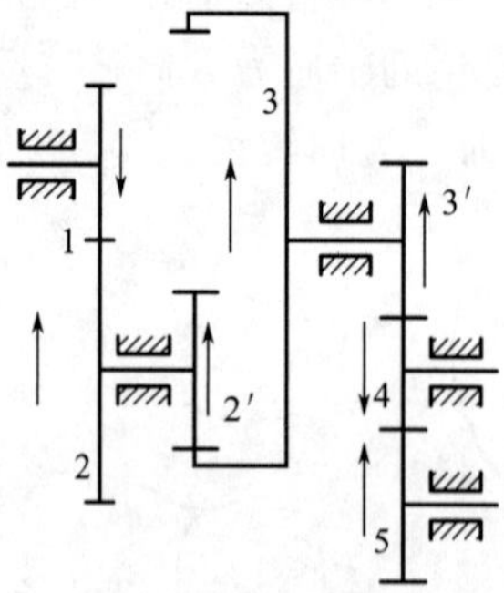

图 6-10　轮系图 2

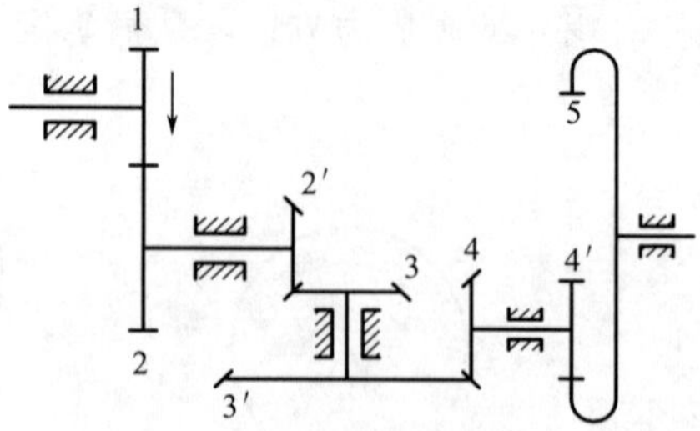

图 6-11　轮系图 3

【解析】

本题是利用定轴轮系传动比计算空间定轴轮系转速的问题，需要掌握定轴轮系传动比计算公式及圆柱、圆锥齿轮转动方向判断方法。

【解题过程】

（1）齿轮 5 转动方向的判断。

首齿轮 1 和末端齿轮 5 的轴线平行，虽然中间含有空间锥齿轮，但此时轮系传动比仍然可以用“±”表示，但不可直接应用 $(-1)^m$，需要通过外啮合的次数来判断，且必须通过画箭头的方式判断首、末齿轮转动方向的关系。

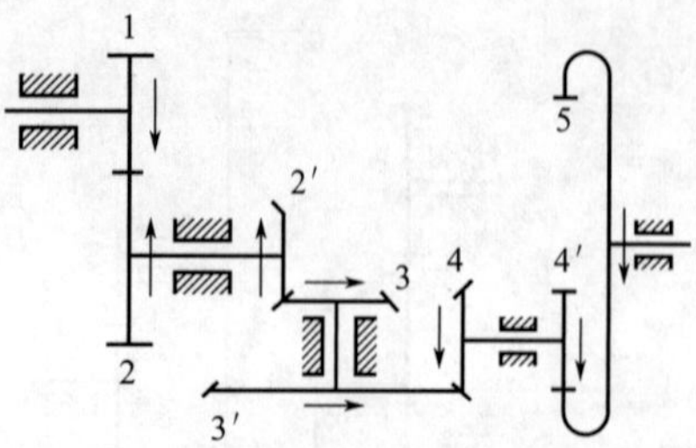

图 6-12　轮系图 4

具体判断过程，如图 6-12 所示。首末齿轮转动方向相同，故为“+”号。

（2）利用 i_{15} 计算 n_5 的大小。

$$i_{15}=\frac{n_1}{n_5}=\frac{30\times20\times25\times90}{20\times15\times50\times15}=6$$

$$n_5=\frac{n_1}{i_{15}}=\frac{600}{6}=100\text{r/min}$$

n_5 方向与 n_1 方向相同，竖直向下，如图 6-12 所示。

3. 在图 6-13 所示的轮系中，已知 $z_1=15$，$z_2=25$，$z_{2'}=15$，$z_3=30$，$z_{3'}=15$，$z_4=30$，$z_{4'}=2$（右旋），$z_5=60$，$z_{5'}=20$（$m=4$mm），若 $n_1=500$r/min，求齿条 6 线速度 v 的大小和方向。

【解析】

本题是利用定轴轮系传动比计算齿条速度的问题，需要掌握定轴轮系传动比计算公式及齿轮、蜗轮转动方向的判断方法。

【解题过程】

（1）齿条运动方向判断。

① 首齿轮 1 为转动，末端齿条 6 为移动，轮系传动比不存在“±”问题。

② 用画箭头的方法确定齿条 6 的运动方向，如图 6-14 所示。

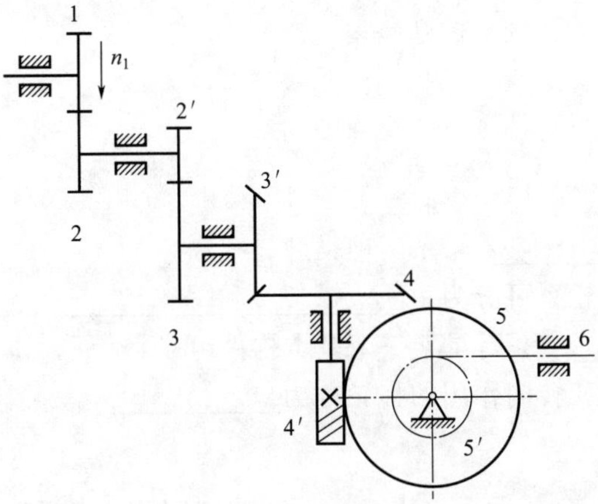

图 6-13　轮系图 5

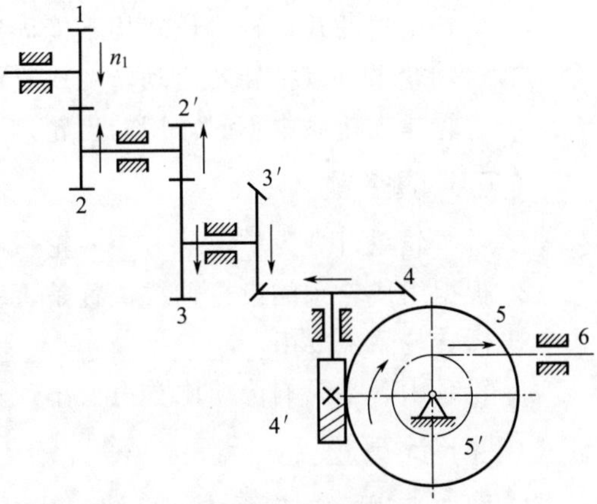

图 6-14　轮系图 6

（2）传动比、齿条 6 的速度计算。

$$i_{15}=\frac{n_1}{n_5}=\frac{25\times30\times30\times60}{15\times15\times15\times2}=200$$

$$n_5=\frac{n_1}{200}=2.5\text{r/min}$$

$$v_6=\omega_5 r_{5'}=\frac{2.5\times2\pi}{60}\times\frac{20\times4}{2}=10.5\text{mm/s}$$

齿条 6 方向为水平向右。

二、习题

（一）选择题

1. 在行星轮系中，凡具有固定几何轴线的齿轮被称为（　　）。

A. 行星轮　　B. 太阳轮　　C. 惰轮　　D. 系杆

2. 至少有一个齿轮的几何轴线绕另一齿轮的几何轴线转动的轮系，称为（　　）。

A. 周转轮系　　B. 定轴轮系　　C. 复合轮系　　D. 都不是

3. 下列四项功能中，（　　）可以通过轮系的运用得以实现。

①两轴的较远距离传动；②变速传动；③获得大的传动比；④实现合成和分解运动。

A. ①②　　B. ①②③　　C. ②③④　　D. ①②③④

4. 轮系的下列功用中，（　　）功能必须依靠差动轮系实现。

A. 变速运动　　B. 大的传动比　　C. 分路运动　　D. 运动的合成与分解

5. 在轮系中，只改变齿轮转向而不影响轮系传动比的齿轮，通常称为（　　）。

A. 行星轮　　B. 太阳轮　　C. 惰轮　　D. 中心轮

（二）判断题

1. 轮系传动比的计算，不但要确定其数值，还要确定输入、输出轴之间的运动关系，表示出它们的转向关系。

2. 对空间定轴轮系，其始、末两齿轮转向关系可用传动比计算方式中的 $(-1)^m$ 的符号来判定。

3. 定轴轮系和周转轮系的区别在于轴线是否固定。

4. 旋转齿轮的几何轴线位置均不能固定的轮系，称为周转轮系。

5. 定轴轮系可以把旋转运动转变成直线运动。

6. 惰轮是在轮系中不起作用的齿轮。

（三）填空题

1. 基本轮系可分为＿＿＿＿＿＿轮系和＿＿＿＿＿＿轮系两种类型。

2. 根据组成轮系的齿轮轴线位置是否变化，轮系可分为＿＿＿＿＿＿和＿＿＿＿＿＿。

3. 周转轮系主要由＿＿＿＿＿＿、＿＿＿＿＿＿、行星架三个基本构件组成。

4. 轮系中，不影响传动比数值大小，只起改变转向作用的齿轮称为＿＿＿＿＿＿。

（四）计算题

1. 图 6-15 所示的轮系中，已知运动由齿轮 1 输入，$n_1=58$r/min（方向向上），由齿轮 5 输出，$z_1=18$，$z_2=87$，$z_3=28$，$z_4=20$，$z_5=84$。求 n_5 的大小和方向。

2. 图 6-16 所示的轮系中，已知各轮齿数 $z_1=18$，$z_2=36$，$z_3=80$，$z_{3'}=20$，$z_4=18$，$z_{4'}=15$，$z_5=30$，$n_1=1440$r/min（方向向上），求传动比 i_{15} 和齿轮 5 的转速和转向。

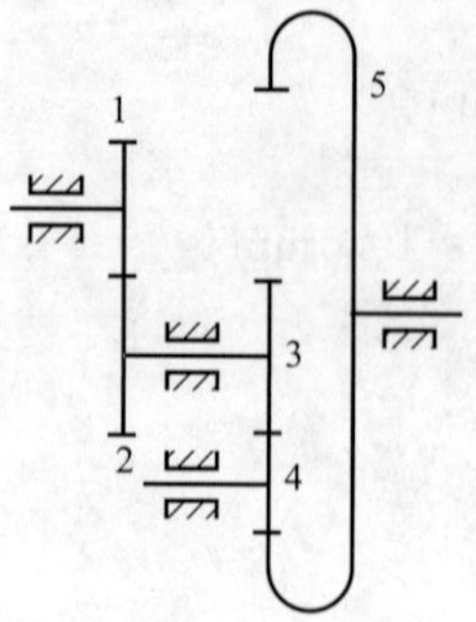

图 6-15　计算题图 1

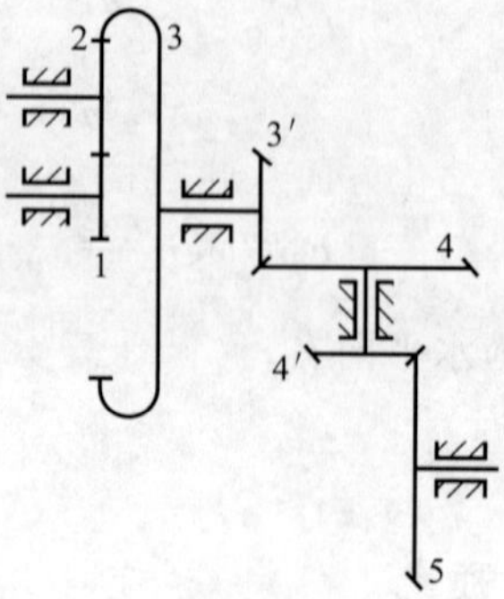

图 6-16　计算题图 2

3. 图 6-17 所示的轮系中，已知各轮齿数 $z_1=18$，$z_2=36$，$z_{2'}=20$，$z_3=80$，$z_{3'}=20$，$z_4=18$，$z_5=30$，$z_{5'}=15$，$z_6=30$，$z_{6'}=2$，$z_7=60$，$m=4$mm，$n_1=2160$r/min，其转向如图 6-17 所示，求传动比 i_{17} 及蜗轮的转速和转向。

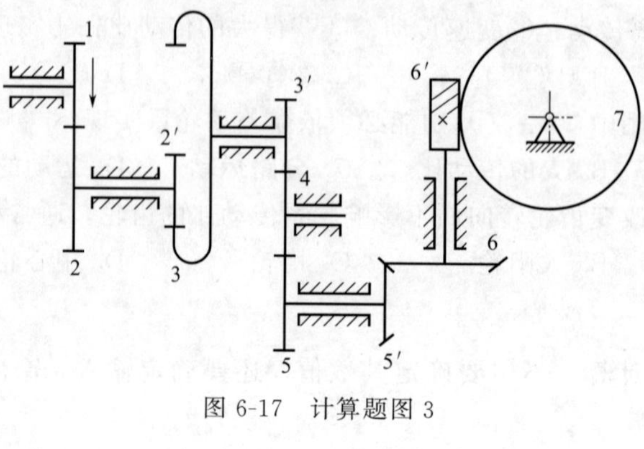

图 6-17　计算题图 3

拓展知识

轮系虽不如电机、电池直观，却是连接电能与机械动能的关键纽带。随着电动车向高速化、智能化发展，轮系将从“机械传动部件”升级为“机电耦合智能单元”，实现“功能提升”与“生态负荷降低”的双向平衡。

能源问题和环境污染问题是现在社会日益突出的问题，深受国家的重视。因此寻找减少汽车废气排放的方法，让能源可以更好地应用在汽车电子设计行业是当务之急。因此新能源汽车得到充分的肯定和发展。

军事领域无法拒绝电驱动技术，电驱动噪声小，受温度影响小，不产生热能、不扬起烟尘，这些都是军用车辆梦寐以求的。电驱动车辆可以通过调节温控完美避开红外侦测，实现“隐身”，并且再次启动时可以开启增程器以重新获得电能，实现 80～100km/h 的速度。

拥有这种功能的车辆一般是电动军车，可以是增程电动轮式突击车、坦克车或无人越野电车，这样的电驱动车辆在军事领域里应用前景广阔。人们对电驱动车辆的研究已超过半个世纪，只是受限于动力电池的技术尚未突破而无法开展大规模普及应用。

最早采用电混增程技术的军用车型是坦克和歼击车。在 20 世纪上半叶的德国，鼠式坦克和斐迪南坦克歼击车就是增程系统，不过在这种技术没有达到成熟之前，德国就战败了，所以德国在汽车电动化方面从此断档。随后的苏联一直在进行电动军用车型的研究，如轮式突击车、轻型牵引车、重型圆木运输车、空降突击车等，这些增程或纯电动军车最高达到“8×8”的驱动形式标准，而且具备随时量产并投入战场的能力，但之后被搁置了。

中国有没有电动或增程军用车呢？有——“龙马 2 号”无人越野车，如图 6-18 所示。该车采用轮边电机驱动，配合摇臂悬架，具备 37°的最大爬坡角，同时该车可翻越 1 米高的垂直墙壁或断崖、1.8 米宽的壕沟，并具有超强的涉水驾驶能力。这台车可以作为无人战斗车，也可以作为物资运输车或者遥控侦察车。电动汽车的优势在这台小车上体现得淋漓尽致。

图 6-18 “龙马 2 号”无人越野车

无论是电驱动还是燃油驱动的车辆，其传动系统的应用都必不可少。传动系统是车辆发动机与驱动轮之间的动力传递装置，具有减速增扭、变速、倒退、中断动力传递、使两侧驱动轮差速旋转等作用。它的组成和布置形式是随发动机的类型、安装位置，以及车辆用途的不同而变化的，一般有 4×2、4×4、6×6、8×8 驱动形式。经典的机械式传动系统结构简单，工作可靠，在第二代中型载重军用车辆东风 EQ1118GA 中的应用，如图 6-19 所示，驱动形式是 4×2。其基本组成情况和工作原理如下：发动机的动力经离合器 1、变速器 2、万向节 3、传动轴 8、主减速器 7、差速器 6、半轴 5 传给后面的驱动轮。全轮驱动的形式需要在变速箱后装分动器，将动力传递到全部车轮上。

混合式电动汽车采用传统的内燃机和电动机作为动力能源，通过混合使用热能和电能两套系统开动汽车。在低速小功率运行时可以关闭发动机，采用电动机驱动；而高速行驶时用内燃机驱动。通过发动机和电动机的协同工作模式，将车辆在制动时产生的能量转化为电能，并积蓄起来成为新的驱动力量，从而在不同工况下都能达到高效率驱动，其传动原理如图 6-20 所示。

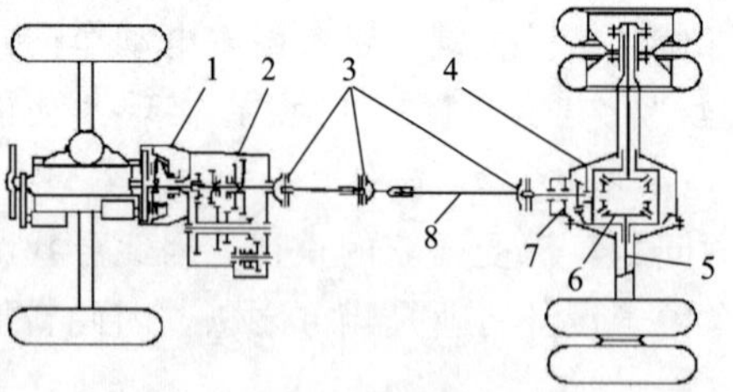

图 6-19 机械式传动系一般组成及布置示意图

1—离合器；2—变速器；3—万向节；4—驱动桥；5—半轴；6—差速器；7—主减速器；8—传动轴

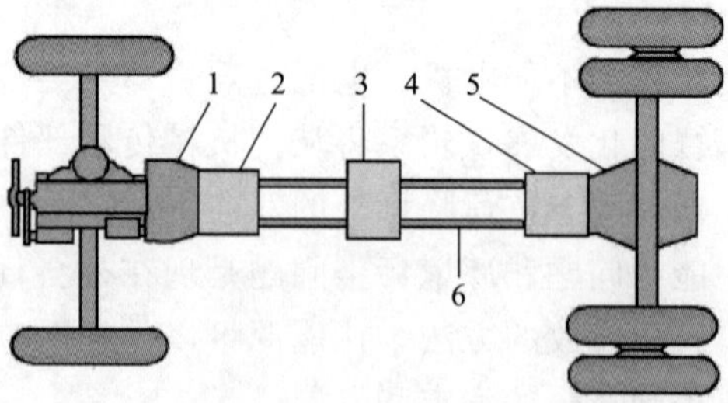

图 6-20 混合式电动汽车传动系统原理

1—离合器；2—发电机；3—控制器；4—电动机；5—驱动桥；6—导线

电动汽车传动系统原理是直接将电动机的驱动转矩传给汽车的驱动轴，可以实现带负载启动，所以无需离合器；方向和转速的控制，是通过调节驱动电机的电流大小和方向实现的，所以不需要倒挡和差速器。若采用无级调速，就可以实现自动控制，无需变速器。

具体设计时，需要综合电动机的位置、电源的位置、驱动负载的能力、行驶速度要求、稳定性等因素来考虑，以达到适当配置资源、改善性能的目的。

第七章
机械传动

【学习目标】

1. 能够说出齿轮传动、蜗杆传动、带传动的主要失效形式及其产生原因；
2. 能够阐述齿轮传动、蜗杆传动、带传动的组成、原理、特点、类型和应用；
3. 能够进行直齿圆柱齿轮、斜齿轮、锥齿轮的受力分析；
4. 能够列出蜗轮蜗杆正确啮合条件；
5. 能够分析带传动的应力分布，列出最大应力的求解公式，并指出其发生的位置；
6. 能够辨析带传动的弹性滑动和打滑。

【学习重难点】

1. 齿轮机构失效形式及设计准则；
2. 直齿圆柱齿轮受力分析；
3. 蜗杆传动的特点、类型、正确啮合条件；
4. 带传动的原理、带传动的受力和应力分析；
5. 带传动的弹性滑动和打滑。

第一节　齿轮传动

一、齿轮的失效形式

1. 齿轮传动的失效

齿轮的失效主要发生在轮齿部分，工程中轮齿的失效形式主要有五类：轮齿折断（包括整体折断和局部折断）、齿面点蚀、齿面胶合、齿面磨损和塑性变形。各种齿轮传动失效的原因及解决方法，见表 7-1。

2. 设计准则

不同工况下工作的齿轮失效形式各不相同，因而相应的设计准则也有所不同。

对于在一般工况下工作的齿轮，弯曲疲劳折断和齿面点蚀是主要的失效形式，因此，要对齿轮进行齿根弯曲疲劳强度计算和齿面接触疲劳强度计算。对于闭式软齿面齿轮，齿面点蚀是主要失效形式，通常按齿面接触疲劳强度进行设计计算，按齿根弯曲疲劳强度进行校核计算；对于闭式硬齿面齿轮，因其抗点蚀能力较强，弯曲疲劳折断是主要失效形式，通常按齿根弯曲疲劳强度进行设计计算，按齿面接触疲劳强度进行校核计算；对于开式齿轮传动，按齿根弯曲疲劳强度进行设计计算，并将模数加大 10%～15%后取标准值。

对于重载工况下工作的齿轮，由于还可能产生齿面胶合失效，因此还需要进行抗胶合能力计算。

表 7-1 齿轮传动失效形式及解决方法

失效形式	原因	解决方法
轮齿折断	过载折断由瞬间载荷或冲击载荷过大而引起；弯曲疲劳折断由循环变化的弯曲应力及循环次数超过一定值引起	①适当加大齿根过渡圆角半径； ②消除加工刀痕； ③对齿根进行强化处理
齿面点蚀	接触应力及循环次数超过一定值，齿面表层会产生微裂纹，并进一步扩展、剥落而形成许多不规则散布的微小凹坑	①提高齿面硬度； ②适当采用黏度高的润滑油
齿面磨损	外界杂质进入啮合面之间，且润滑不良，造成齿面材料的快速磨损，过度磨损会造成齿廓显著变形	①改善密封和润滑条件； ②提高齿面硬度； ③保持油的清洁
齿面胶合	承受大压力的齿面由于高速运转，摩擦发热严重，引起润滑油黏度下降、承载能力下降，使齿面金属直接接触而粘连，齿面的相对运动又使得较软的轮齿表面撕脱，形成相应沟痕	①提高齿面硬度； ②减小表面粗糙度； ③用含抗胶合添加剂的润滑油
塑性变形（齿面塑性变形、齿体塑性变形）	重载工况下，齿面相对滑动摩擦力造成的应力超过材料的屈服强度，使齿面表层材料沿摩擦力方向流动，形成凹槽或突脊，即齿面变形。齿轮受到较大短期过载或冲击载荷时，软材料齿轮发生轮齿整体歪斜变形，即齿体变形	①提高齿面硬度； ②采用黏度高的润滑油

二、圆柱齿轮传动的受力分析

1. 直齿圆柱齿轮传动的受力分析

正确进行轮齿的受力分析是齿轮传动强度计算的前提。

一对外啮合标准直齿圆柱齿轮传动，如图 7-1 所示。在工作中一般齿轮传动采用润滑油（或脂）进行润滑，故两啮合轮齿间的摩擦力通常很小，可以忽略不计。由力学可知，此时主动轮齿作用在从动轮齿上的力为一法向力 F_{n2}，其反作用力 F_{n1} 也是法向力，沿着啮合线 n_1-n_2 方向。为了便于分析，通常将 F_{n1} 分解为两个相互垂直的分力，即圆周力 F_{t1} 和径向力 F_{r1}，如图 7-1 所示。

根据作用力与反作用力的关系，作用在主动轮和从动轮上的同名力大小相等、方向相反，即

$$F_{r1}=-F_{r2},F_{t1}=-F_{t2}$$

对于各分力的方向，可做如下判定：

① 圆周力 F_t：在主动轮上与回转方向相反，在从动轮上与回转方向相同。

② 径向力 F_r：分别指向各自的轮心。

2. 斜齿圆柱齿轮的受力分析

标准斜齿圆柱齿轮传动，其受力分析与标准直齿圆柱齿轮传动基本相同，如图 7-2 所示，若不计摩擦，作用在齿面间的法向力 F_n 可以分解为三个分力，即圆周力 F_t、径向力 F_r 和轴向力 F_a。

β 角为螺旋角，β 角越大，则重合度越大，传动更加平稳，但轴向力也增加，因而增加轴承的负载。一般取 $\beta=8°\sim20°$。α_n 为法面压力角，α_t 为端面压力角，对于标准斜齿轮，规定 $\alpha_n=20°$，其他符号的含义、单位及其确定方法与直齿圆柱齿轮传动相同。

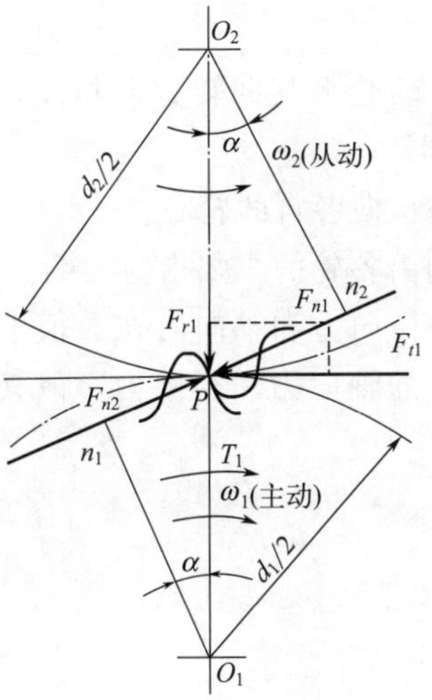

图 7-1 轮齿的受力分析

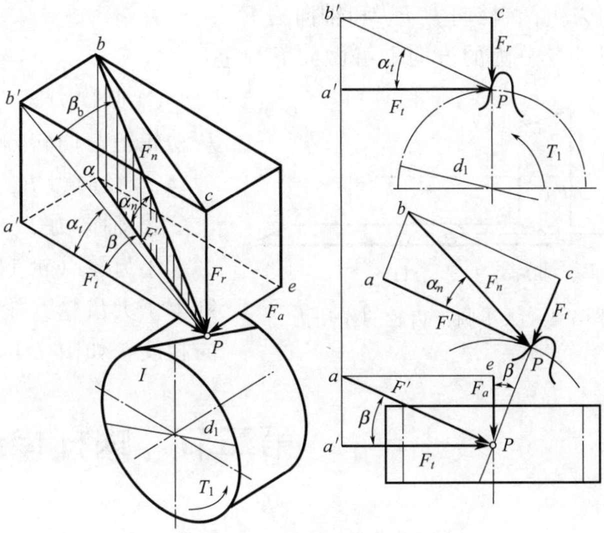

图 7-2 斜齿轮的轮齿受力分析

对于各分力的方向，可作如下判定：

① 圆周力 F_t：在主动轮上与回转方向相反，在从动轮上与回转方向相同。

② 径向力 F_r：分别指向各自的轮心。

③ 轴向力 F_a：根据主动轮的左、右手法则判断，左螺旋用左手、右螺旋用右手，四指沿着主动轮的转向握住轴线，大拇指所指方向即为主动轮所受 F_{a1} 的方向，F_{a2} 与 F_{a1} 方向相反。

各分力作用力与反作用力的关系为：$F_{r1}=-F_{r2}$，$F_{t1}=-F_{t2}$，$F_{a1}=-F_{a2}$。

3. 直齿圆锥齿轮传动的受力分析

如图 7-3 所示为锥齿轮的轮齿受力情况。直齿圆锥齿轮的受力分析与直齿圆柱齿轮基本相同，若不计摩擦，工作时作用在直齿圆锥齿轮齿面上的力为一法向力 F_n。为了便于分析和计算，假设该法向力 F_n 集中作用在齿宽中点的分度圆处，法向力 F_n 可分解为三个分力，

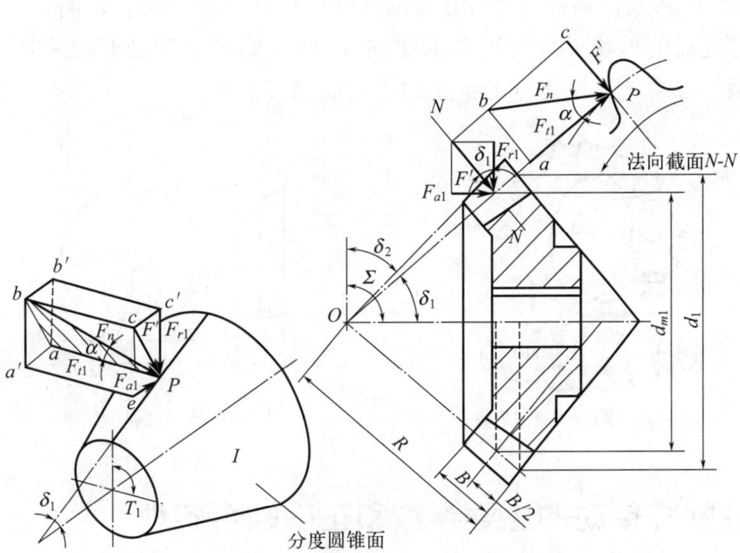

图 7-3 直齿圆锥齿轮的轮齿受力分析

即圆周力 F_t、径向力 F_r 和轴向力 F_a。

对于各分力的方向，可做如下判定：

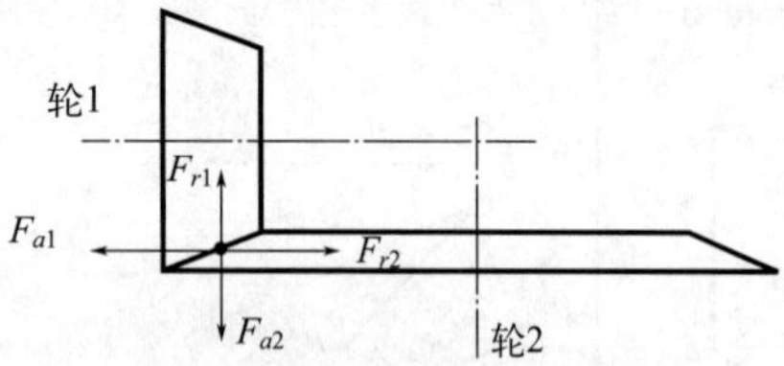

图 7-4　大小圆锥齿轮的作用力

① 圆周力 F_t：在主动轮上与回转方向相反，在从动轮上与回转方向相同。

② 径向力 F_r：分别指向各自的轮心。

③ 轴向力 F_a：分别由各轮的小端指向大端。

小齿轮（轮 1）上的径向力和轴向力在数值上分别等于大齿轮（轮 2）上的轴向力和径向力，但其方向相反，如图 7-4 所示。

第二节　蜗杆传动

一、蜗杆传动的特点和类型

蜗杆传动由蜗杆和蜗轮组成，常用于在交错角为 90°的两轴间传递运动和动力。蜗杆传动的特点及产生原因，见表 7-2。

表 7-2　蜗杆传动特点及产生原因

特点	产生原因
承载能力大	线接触，且同时进入啮合的齿数较多
传动比大且准确	z_1 较小，由 $i_{12}=z_2/z_1$ 可知，在 z_2 较小情况下可获得大传动比，且结构紧凑
传动平稳，无噪声	啮合过程为逐渐进入或逐渐退出，且同时进入啮合的齿数较多
自锁	蜗杆导程角(γ)小于材料的当量摩擦角(ρ')
效率低	摩擦磨损大，功率受限制。工作时需润滑和冷却
蜗轮材料贵	减少摩擦，提高效率和使用寿命，采用青铜等减摩材料

根据蜗杆形状的不同，蜗杆传动可分为圆柱蜗杆传动（图 7-5）、环面蜗杆传动（图 7-6）。圆柱蜗杆按其螺旋面的形状又分为阿基米德蜗杆（ZA 蜗杆）和渐开线蜗杆（ZI 蜗杆）等。和螺纹一样，蜗杆有左、右旋之分，常用的是右旋蜗杆。

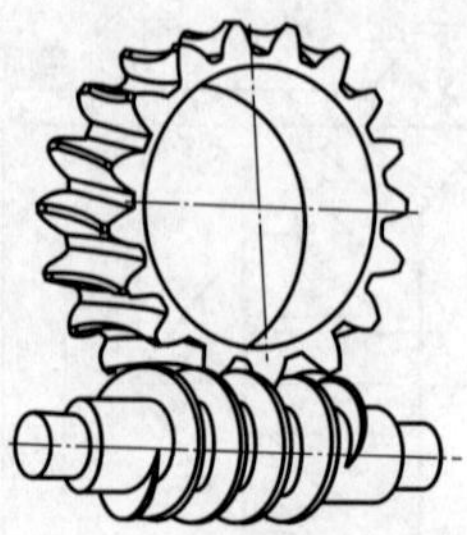

图 7-5　圆柱蜗杆传动

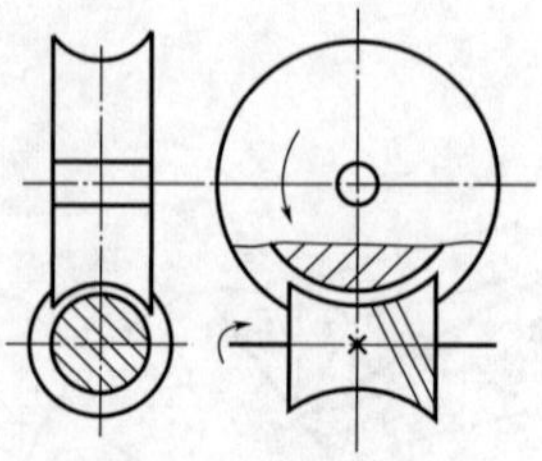

图 7-6　环面蜗杆传动

二、圆柱蜗杆传动的主要参数和正确啮合条件

圆柱蜗杆传动的主要参数有模数、压力角、蜗杆头数、蜗轮齿数及蜗杆的直径等。

1. 模数 m 和压力角 α

蜗杆和蜗轮啮合时，在中间平面内，相当于一齿条与齿轮的啮合传动。它们正确啮合的条件是：蜗杆的轴向模数、压力角应与蜗轮的端面模数、压力角分别相等，即

$$m_{a1}=m_{t2}=m$$

$$\alpha_{a1}=\alpha_{t2} \tag{7-1}$$

在两轴交错角为90°的蜗杆传动中（最常见情况），蜗杆分度圆柱上的导程运动角 γ 应等于蜗轮分度圆柱上的螺旋角 β，即

$$\gamma=\beta$$

2. 传动比 i、蜗杆头数 z_1 和蜗轮齿数 z_2

蜗杆传动的传动比计算公式为

$$i=\frac{n_1}{n_2}=\frac{z_2}{z_1} \tag{7-2}$$

3. 蜗杆直径系数 q 和导程角 γ

为限制加工蜗轮的蜗轮滚刀数量，人为规定蜗杆直径系数为

$$q=\frac{d_1}{m} \tag{7-3}$$

式中，d_1 为蜗杆分度圆直径。需要注意的是 $d_1=mq\neq mz_1$，d_1 与 q 已经标准化。

蜗杆的导程角定义为

$$\tan\gamma=\frac{z_1 p_{a1}}{\pi d_1}=\frac{z_1\pi m}{\pi d_1}=\frac{z_1 m}{d_1}=\frac{z_1}{q} \tag{7-4}$$

自锁条件为

$$\gamma\leqslant\rho'\text{（当量摩擦角）} \tag{7-5}$$

从式(7-4) 中可以看出，蜗杆头数 z_1 越多，导程角 γ 越大，蜗杆传动越不容易自锁；蜗杆头数 z_1 越少，导程角 γ 越小，蜗杆传动越容易自锁。

4. 传动效率 η

$$\eta=\frac{\tan\gamma}{\tan(\gamma+\rho')} \tag{7-6}$$

蜗杆头数 z_1 越多，导程角 γ 越大，蜗杆传动的效率越高；相反，蜗杆头数 z_1 越少，导程角 γ 越小，蜗杆传动的效率越低，越容易自锁。

5. 蜗杆传动的标准中心距 a

当蜗杆节圆和分度节圆重合时称为标准传动，蜗杆传动的标准中心距为

$$a=0.5(d_1+d_2)=0.5m(q+z_2) \tag{7-7}$$

三、蜗杆传动的失效形式及常用材料

1. 蜗杆传动的失效形式及材料选择

（1）蜗杆传动的失效形式

蜗杆传动常见的失效形式有齿面胶合、点蚀和磨损，很少发生齿轮弯曲折断。由于材料和结构的原因，蜗杆螺旋部分的强度总是高于蜗轮轮齿的强度，所以失效常发生在蜗轮轮齿上，因此一般只对蜗轮轮齿进行强度计算。

（2）蜗杆和蜗轮常用的材料

对蜗杆和蜗轮材料的要求为：足够的强度，良好的减摩、耐磨性，良好的抗胶合性。在选取材料时可以根据相对滑动速度进行，见表 7-3。

表 7-3　蜗杆机构材料选取

高速重载	低速重载	低速轻载
蜗杆用合金钢，淬火、磨削；蜗轮用锡青铜	蜗杆用 45 钢，调质；蜗轮用铝青铜	蜗杆用碳钢，不热处理；蜗轮用铸铁

2. 蜗杆和蜗轮的结构

（1）蜗杆

绝大多数和轴制成一体，成为蜗杆轴。

（2）蜗轮

可以做成整体的，但对于大尺寸的蜗轮，为了节约贵重的有色金属，常用组合式，即齿圈用贵重金属，轮芯用钢或灰铸铁制成，两者为过盈连接或铰制孔螺栓连接。

四、蜗杆传动的受力分析

蜗杆与蜗轮的传动与斜齿轮传动相似，力的作用方向如图 7-7 所示。

对于各分力的方向，可作如下判定：

① 圆周力 F_t：F_{t1} 与蜗杆（主动轮）的转动方向相反，F_{t2} 与蜗轮（从动轮）的转动方向相同。

② 径向力 F_r：指向蜗杆、蜗轮的轴心。

③ 轴向力 F_a：根据主动轮蜗杆的左、右手法则判断，左旋蜗杆用左手、右旋蜗杆用右手，四指沿着蜗杆的转向握住轴线，大拇指所指方向即为蜗杆所受 F_{a1} 的方向。

注意对应作用力与反作用力的关系为：$F_{r1}=-F_{r2}$，$F_{t1}=-F_{a2}$，$F_{a1}=-F_{t2}$。

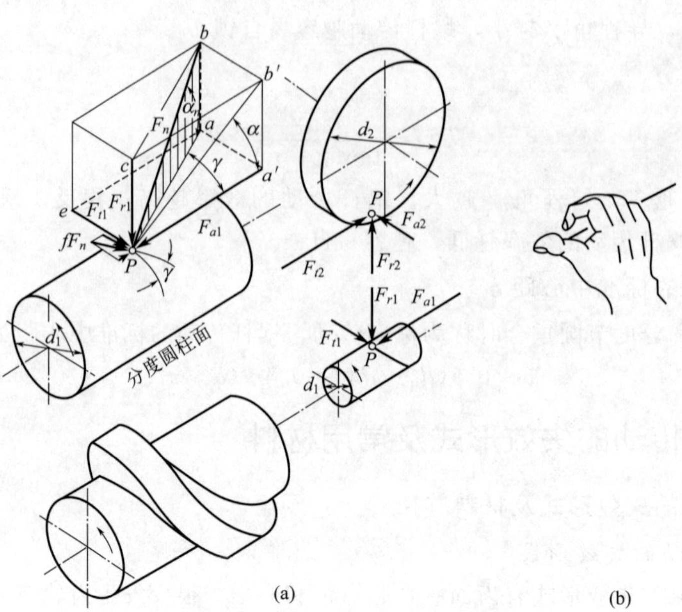

图 7-7　蜗杆传动的受力分析

第三节　带传动

一、带传动的组成

带传动由主动带轮、从动带轮和紧套在带轮上的环形传动带组成，如图 7-8 所示。两带轮同向转动，一般为减速传动。

二、传动原理

摩擦型带传动利用两轮与传动带接触产生的摩擦力来传递运动和动力，啮合型带传动利用带轮轮齿与齿形带的啮合传递运动和动力。

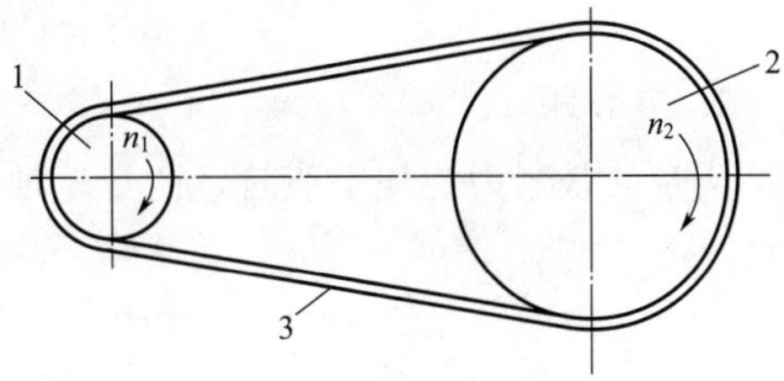

图 7-8　带传动简图

1—主动轮；2—从动轮；3—环形传动带

三、带传动的特点

1. 优点

结构简单，维修方便，成本低；传动噪声小，平稳，减振；过载时会有打滑现象，可防止薄弱环节零件损坏，起到安全保护作用，适用于中心距较大的场合。

2. 缺点

摩擦型带传动不能保持准确的传动比，寿命短，需要安装张紧装置，传动效率较低。

四、带传动的分类及应用

1. 分类

根据工作原理不同，带传动可分为摩擦型带传动和啮合型带传动。其中摩擦型带传动按照带的截面形状又可分为平带、V 带、多楔带、圆带，如图 7-9 所示。

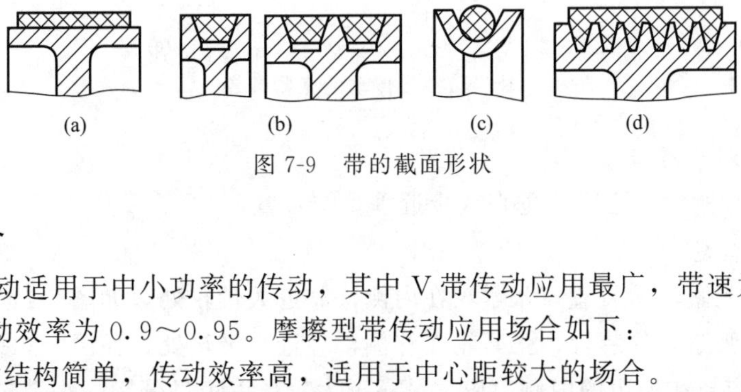

图 7-9　带的截面形状

2. 应用场合

摩擦型带传动适用于中小功率的传动，其中 V 带传动应用最广，带速为 5～30m/s，传动比小于 7，传动效率为 0.9～0.95。摩擦型带传动应用场合如下：

① 平带传动结构简单，传动效率高，适用于中心距较大的场合。

② V 带传动的传动能力较大，主要用于传递动力比较大，要求结构紧凑的场合。

③ 多楔带传动兼顾平带和 V 带的优点，常用于传递动力比较大，要求结构紧凑的场合。

④ 圆带传动的牵引力小，常用于仪器和家用机械中。

啮合型带传动中齿形带应用较广，其传动比恒定，结构紧凑，带速可达 40m/s，传动比可达 10，传递功率可达 200kW，效率较高约为 0.98，但带和带轮价格较高，对制造、安装要求高。

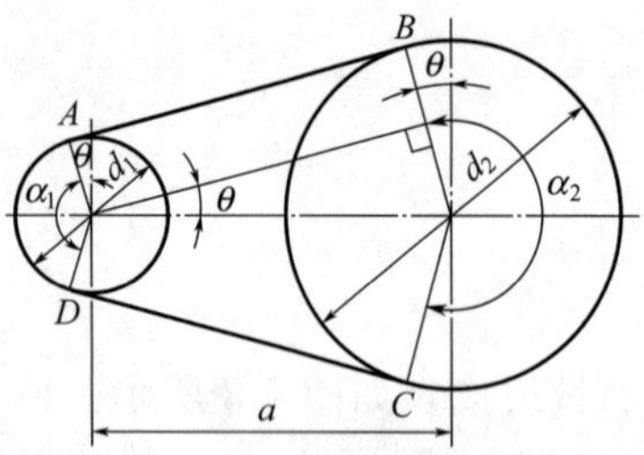

图 7-10　开口传动的包角及几何关系

五、带传动的主要参数

1. 包角 α

在开口传动中，带被张紧时，带与带轮接触弧所对的中心角称为包角，用 α 表示。$\alpha=\pi\pm2\theta$，如图 7-10 所示；小带轮包角 $\alpha_1=\pi-2\theta$，大带轮包角 $\alpha_2=\pi+2\theta$。打滑首先发生在小带轮，设计中一般要求主动带轮上的包角 $\alpha_1\geqslant120°$。

2. 中心距 a

当带的张紧力为规定值时，两带轮轴线间的距离 a 称为中心距。

$$a\approx\frac{1}{8}\left\{2L-\pi(d_1+d_2)+\sqrt{[2L-\pi(d_1+d_2)]^2-8(d_2-d_1)^2}\right\}$$

3. 带长 L

$$L\approx2a+\frac{\pi}{2}(d_1+d_2)+\frac{(d_2-d_1)^2}{4a}$$

带长时间使用会松弛，带传动常用的张紧方法是调节中心距或设置张紧轮。

(1) 调节螺钉

如图 7-11(a) 所示，适用于水平或倾斜角不大的布置。

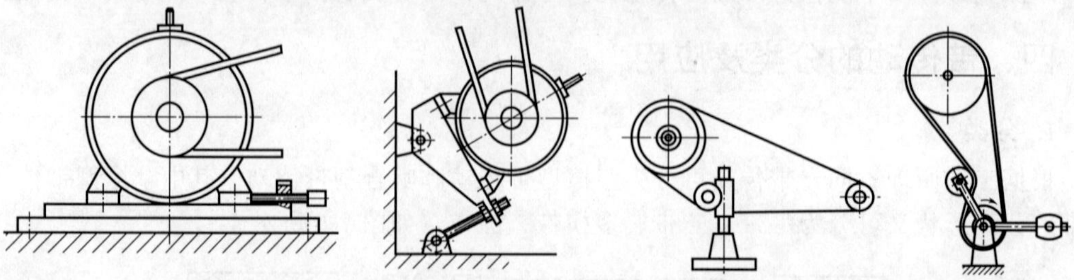

(a)　(b)　(c)　(d)

图 7-11　带传动的张紧装置

(2) 螺杆及调节螺母

如图 7-11(b) 所示，适用于垂直或接近垂直的布置。

(3) 设置张紧轮

① 采用具有张紧轮的装置，张紧轮在内侧，靠近大带轮处，如图 7-11(c) 所示。

② 采用具有张紧轮的装置，张紧轮在外侧，靠近小带轮处，如图 7-11(d) 所示。

张紧轮一般应放在松边的内侧，应尽量靠近大轮，以免过分影响小带轮上的包角。中心距过小时，张紧轮安装位置在松边外侧，靠近小带轮。

六、带传动的受力分析及影响最大有效拉力的因素

1. 带传动的受力分析

带传动安装时，带张紧地套在两带轮上，使带受到拉力的作用，这种拉力称为初拉力，

也叫预紧力，用 F_0 表示。若带传动处于静止，带上下两边所受的拉力相等，均等于 F_0，如图 7-12 所示。

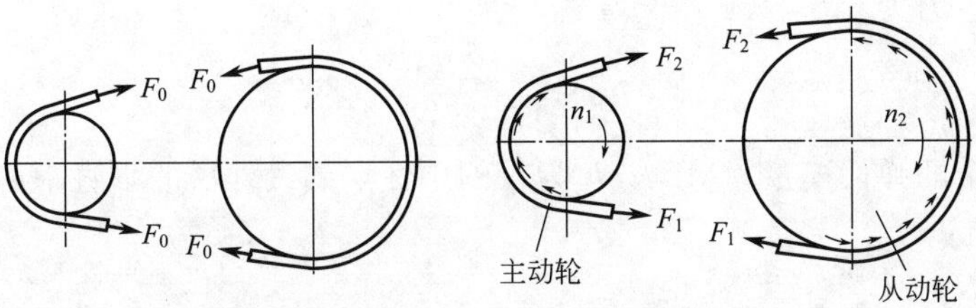

图 7-12　带传动的受力分析

主动轮转动，带与带轮产生摩擦力，使带绕入主动轮的一边被拉紧，称为紧边，其拉力由 F_0 增大到 F_1。带绕入从动轮的一边被放松，称为松边，其拉力由 F_0 减小到 F_2。

紧边与松边拉力之差称为带传动的有效拉力，即圆周力 $F=F_1-F_2$。带传动的最大有效拉力为

$$F=F_1-F_2=F_1\left(1-\frac{1}{e^{f\alpha}}\right)=2F_0\,\frac{e^{f\alpha}-1}{e^{f\alpha}+1}$$

式中，f 为带与轮面间的当量摩擦系数；e 为自然对数的底。

2. 影响最大有效拉力的因素

带传动的最大有效拉力 F 与预紧力 F_0 成正比，F_0 过大，将使带的磨损加剧，以致过快松弛，缩短带的使用寿命；若 F_0 过小，带能传递的功率减小，运转时容易发生打滑现象。

带传动的最大有效拉力 F 与主动轮包角成正比，设计中一般要求主动带轮上的包角 $\alpha_1 \geqslant 120°$。带传动的最大有效拉力 F 随着当量摩擦系数 f 增大而增大，即当量摩擦系数 f 越大，摩擦力就越大，传动能力就越强。

七、带的应力分析

带在工作过程中，其横截面上将存在拉应力、离心拉应力和弯曲应力三种应力。

1. 拉应力

紧边拉应力为

$$\sigma_1=\frac{F_1}{A}$$

式中，A 为带的横截面面积，mm^2。

松边拉应力为

$$\sigma_2=\frac{F_2}{A}$$

2. 离心拉应力

横截面上产生的离心拉应力为

$$\sigma_c=\frac{qv^2}{A}$$

式中，q 为带的单位长度质量，kg/m；v 为带速，m/s。

3. 弯曲应力

小带轮弯曲应力为

$$\sigma_{b1}=\frac{2Eh}{d_1}$$

式中，E 为带的弹性模量，MPa；h 为带的中性层到最外层的垂直距离，mm；d_1 为小带轮的直径，mm。

大带轮弯曲应力为

$$\sigma_{b2}=\frac{2Eh}{d_2}$$

式中，d_2 为大带轮的直径，mm。

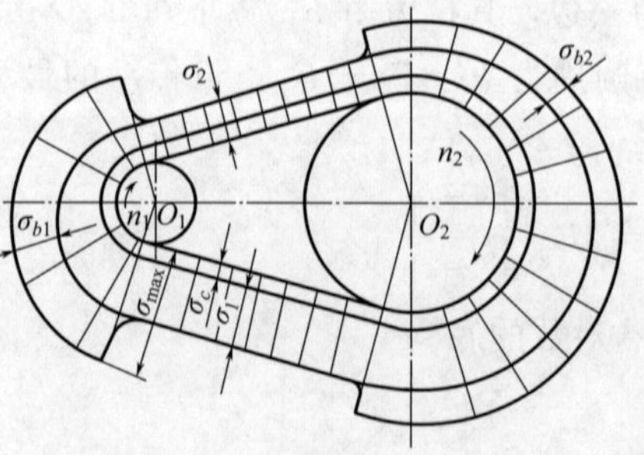

图 7-13　带传动的应力分析

图 7-13 所示为带的应力分布。

带工作时，带的紧边绕入小带轮处横截面上的应力最大为

$$\sigma_{\max}\approx\sigma_1+\sigma_{b1}+\sigma_c$$

八、打滑和弹性滑动

若带所需传递的圆周力超过带与带轮轮面间的极限摩擦力总和时，带与带轮将发生显著的相对滑动，这种现象称为打滑。也就是带在即将打滑时，带与带轮接触面间摩擦力达到最大，即带传动的有效拉力达到最大值。经常出现打滑，将使带的磨损加剧、传动效率降低，以致传动失效。

工作时，由于 $F_1>F_2$，因此紧边产生的弹性伸长量大于松边弹性伸长量，当 F_1 逐渐降到 F_2，带的弹性伸长量也逐渐减少，从而使带沿带轮表面逐渐向后收缩而产生相对滑动，这种由于拉力差和带的弹性变形而引起的相对滑动称为弹性滑动。

弹性滑动和打滑是两个截然不同的概念。打滑是指由过载引起的全面滑动，应当避免，弹性滑动是带传动的固有属性，不可避免。

弹性滑动的存在，使得带传动比不恒定。

设 d_1、d_2 分别为小轮、大轮的直径，带传动的实际传动比为

$$i=\frac{n_1}{n_2}=\frac{d_2}{d_1(1-\varepsilon)}$$

式中，ε 为带的滑动率。在一般传动中，滑动率 ε 很小，值为 1%～2%，可忽略不计，因此取传动比为

$$i=\frac{n_1}{n_2}\approx\frac{d_2}{d_1}$$

九、带传动的失效形式

根据带的受力分析和应力分析可知，带传动的主要失效形式有如下几种：

① 带工作时，若所需的有效拉力 F 超过了带与带轮接触面间摩擦力的极限值，带将在主动带轮上打滑，使带不能传递动力而发生失效。

② 带工作时，其横截面上的应力是交变应力，当这种交变应力的循环次数超过一定数值后，会发生疲劳破坏，导致带传动失效。

③ 带工作时，存在弹性滑动和打滑的现象，会使带产生磨损，一旦磨损过度，将导致带传动失效。

十、V带与带轮的材料与结构

1. V带的材料与结构

V带由抗拉体、顶胶、底胶和包布组成，外壳用橡胶帆布包围成形，抗拉体由帘布或线绳组成，绳芯结构柔软易弯有利于提高寿命。抗拉体的材料可采用化学纤维或棉织物，前者的承载能力较高。

2. 带轮的材料与结构

带轮常用材料为灰铸铁、钢、铝合金或工程塑料。$v<20\mathrm{m/s}$ 时，材料一般选用HT150；$20\mathrm{m/s}<v<30\mathrm{m/s}$ 时，一般选用HT200；$v>35\mathrm{m/s}$，直径较大、功率较大时用35钢和40钢，高速小功率用工程塑料。批量大时，可用压铸铝合金或其他合金。

带轮直径较小时可采用实心式，如图7-14(a)所示；中等直径的带轮可采用腹板式，如图7-14(b)所示；直径大于350mm时可采用孔板式或轮辐式，如图7-14(c)和图7-14(d)所示。

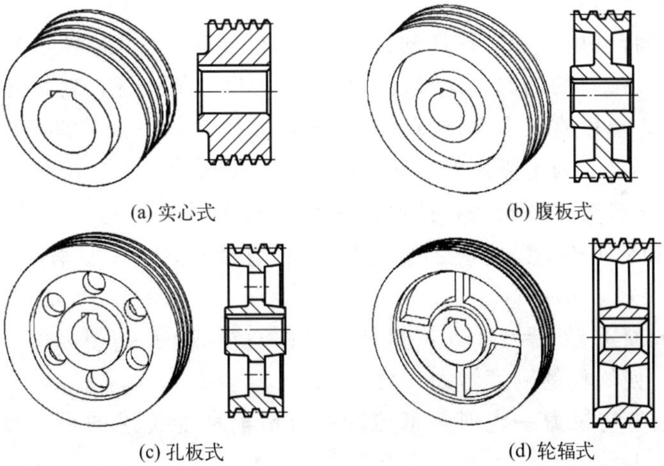

(a) 实心式　(b) 腹板式　(c) 孔板式　(d) 轮辐式

图7-14　带的结构

典型例题解析及习题

一、典型例题解析

（一）选择题

1. 标准蜗杆传动中，蜗杆头数 z_1 一定，增大蜗杆直径系数 q，将使传动效率（　　）。

A. 提高　　　　B. 减小　　　　C. 不变　　　　D. 可能增大，也可能减小

【解析】由于 $\tan\gamma=\dfrac{z_1m}{d_1}=\dfrac{z_1}{q}$，蜗杆头数 z_1 一定，增大蜗杆直径系数 q 时，蜗杆导程角 γ 变小，传动效率会减小，故选 B。

2. 起吊重物用的手动蜗杆传动，宜采用（　　）的蜗杆。

A. 单头、小导程角　B. 单头、大导程角　C. 多头、小导程角　D. 多头、大导程角

【解析】起吊重物用的手动蜗杆传动，需要利用蜗杆的反向自锁性，防止重物自行下坠，蜗杆头数越少，导程角越小，展开之后的斜面越平坦，重物越不容易下落，越容易实现自锁，如图 7-15 所示，故选 A。

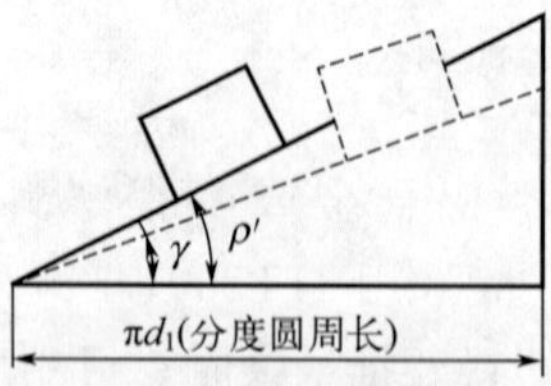

图 7-15　导程角 γ 与当量摩擦角 ρ' 的关系

3. 蜗杆直径系数 q 的标准化，是为了（　　）。

A. 保证蜗杆有足够的刚度　　　　B. 减少加工时蜗轮滚刀的数目

C. 提高蜗杆传动的效率　　　　D. 减小蜗杆的直径

【解析】在蜗杆传动中，为了保证蜗杆与蜗轮的正确啮合，常用与蜗杆具有同样尺寸的蜗轮滚刀来加工与其配对的蜗轮。这样，只要有一种尺寸的蜗杆，就得有一种对应的蜗轮滚刀。对于同一模数，可以有很多不同直径的蜗杆，因而对每一模数都要配备很多蜗轮滚刀。显然，这样经济性不高。为了限制蜗轮滚刀的数目及便于滚刀的标准化，就对每一标准模数规定了一定数量的蜗杆分度圆直径，把比值 $q=d_1/m$ 称为蜗杆直径系数，故选 B。

4. 在标准蜗杆传动中，模数不变，若提高蜗杆直径系数，将使蜗杆的刚度（　　）。

A. 降低　　　　B. 提高　　　　C. 不变　　　　D. 可能提高，也可能减小

【解析】蜗杆直径系数 $q=d_1/m$，蜗杆分度圆直径 $d_1=mq\neq mz_1$，当模数不变，q 增大时，d_1 将增大，使蜗杆的刚度增大，故选 B。

5. 当摩擦系数与初拉力一定时，带传动在打滑前所能传递的最大有效拉力随（　　）的增大而增大。

A. 小带轮上的包角　　B. 大带轮上的包角　　C. 带的线速度

【解析】紧边与松边拉力之差称为带传动的有效拉力，即圆周力 $F=F_1-F_2$，带传动的最大有效拉力为 $F=F_1-F_2=F_1\left(1-\dfrac{1}{e^{f\alpha}}\right)$，带传动的最大有效拉力 F 与主动轮包角成正比，设计中一般要求主动带轮上的包角 $\alpha_1\geqslant120°$，故选 A。

（二）填空题

1. 齿轮轮齿的失效形式主要有________、________、________、________、________等五种。

【解析】齿轮的失效主要发生在轮齿部分，工程中轮齿的失效形式主要有五类：轮齿折断（包括整体折断和局部折断）、齿面点蚀、齿面胶合、齿面磨损和塑性变形。

2. 对于闭式软齿面齿轮传动，主要失效形式为________，一般是按________强度进行设计，按________强度进行校核。

【解析】对于闭式软齿面齿轮，齿面点蚀是主要失效形式，通常按齿面接触疲劳强度进行设计计算，按齿根弯曲疲劳强度进行校核计算。

3. 对于开式齿轮传动，主要失效形式为________，一般是按________强度进行设计。

【解析】对于开式齿轮传动，主要的失效形式是齿面磨损，通常按齿根弯曲疲劳强度进行设计计算，并将模数加大10%～15%后取标准值，由于开式传动的轮齿齿面磨损速度大于齿面点蚀速度，故不用计算齿面接触疲劳强度。

4. 在齿轮传动中，齿面疲劳点蚀是由于________的反复作用而产生的。

【解析】齿面点蚀是指齿面材料在变化着的接触应力作用下，由于疲劳而产生的麻点状损伤现象，故齿面疲劳点蚀是由于接触应力的反复作用而产生的。

5. 软齿面齿轮传动中，为了使大小齿轮的使用寿命接近，应使小齿轮的齿面硬度较大齿轮________ 30～50HBW。

【解析】在一对软齿面齿轮传动中，与大齿轮相比，小齿轮的齿根弯曲疲劳强度较低，且轮齿工作次数多，容易疲劳和磨损。为了使大小齿轮的使用寿命接近，应使小齿轮的齿面硬度较大齿轮高30～50HBW。

6. 在蜗杆传动中，产生自锁的条件是____________________。

【解析】在蜗杆传动中，产生自锁的条件是蜗杆导程角（γ）小于材料的当量摩擦角（ρ'）。

7. 蜗杆直径系数 q 定义为____________________。蜗杆的直径系数越小，其导程角越________，传动效率越________，强度和刚度越________。

【解析】蜗杆直径系数定义为 $q=d_1/m$，d_1 为蜗杆分度圆直径，且与模数相匹配，蜗杆的导程角 $\tan\gamma=\dfrac{z_1 m}{d_1}=\dfrac{z_1}{q}$，导程角 γ 越大，蜗杆传动的效率越高。故蜗杆的直径系数越小，其导程角越大，传动效率越高，强度和刚度越低。

8. 带传动依靠带轮与张紧其上的带之间的____________进行工作，能缓和____________，吸收____________，适用于中心距较____________的场合。

【解析】此题考查的是带工作原理和传动特点，带是依靠带与带轮之间的摩擦力进行工作的，能缓和冲击，吸收振动，适用于中心距较大的场合。

9. V带传动中，带的____________是工作面，摩擦力比平带传动________。

【解析】此题考查的是V带工作原理，以及与平带的比较。V带的两侧面是工作面，摩擦力比平带传动大。

10. 带传动工作时产生弹性滑动的主要原因是____________和____________。

【解析】此题考查的是弹性滑动的原因，工作时，由于 $F_1>F_2$，因此紧边产生的弹性伸长量大于松边弹性伸长量，当 F_1 逐渐降到 F_2，带的弹性伸长量也逐渐减少，从而使带沿带轮表面逐渐向后收缩而产生相对滑动，这种由于拉力差和带的弹性变形而引起的相对滑动称为弹性滑动。

（三）计算题

1. 图7-16所示为双级斜齿轮圆柱齿轮减速器，要求中间轴上两齿轮产生的轴向力互相抵消，试画出图7-16所示的减速器中各齿轮上所受各力（F_t、F_r、F_a）的方向。

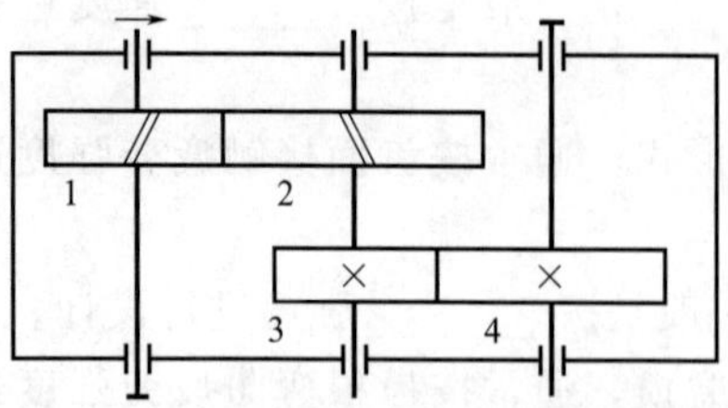

图 7-16　双级斜齿轮圆柱齿轮减速器

【解析】

本题主要考查斜齿轮轴向力的方向，需熟练掌握右手定则。

【解题过程】

如图 7-16 所示，齿轮 1 运动方向箭头水平向右，则齿轮 2 与齿轮 3 的运动方向箭头水平向左，齿轮 4 的运动方向箭头水平向右。

从图 7-16 中可以看出，齿轮 1 为右旋，根据右手定则，齿轮 1 的轴向力 F_{a1} 竖直向上，齿轮 2 的轴向力 F_{a2} 竖直向下，径向力指向各自的回转中心。齿轮 1 为主动轮，切向力 F_{t1} 与运动方向相反、垂直纸面向外，齿轮 2 的切向力 F_{t2} 垂直纸面向里。

由于齿轮 2 和 3 的轴向力能相互抵消，所以齿轮 3 的轴向力 F_{a3} 竖直向上，齿轮 4 的轴向力竖直向下。齿轮 3 的轴向力和转向关系，符合左手定则，因此齿轮 3 为左旋。齿轮 3 与齿轮 4 啮合，齿轮 3 为主动轮，由此可以判定齿轮 3 的切向力 F_{t3} 垂直纸面向里，齿轮 4 的切向力 F_{t4} 垂直纸面向外，两齿轮的径向力指向各自的回转中心。

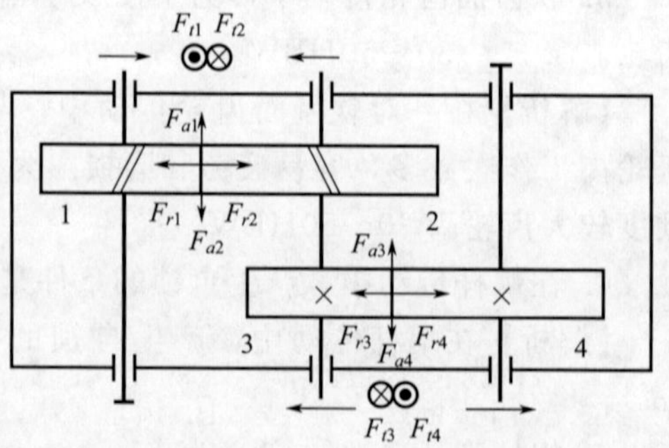

图 7-17　双级斜齿轮圆柱齿轮减速器受力结果

减速器中各齿轮上所受各力结果，如图 7-17 所示。

2. 图 7-18 所示为一个二级蜗杆传动装置。已知蜗杆 3 的螺旋线方向为右旋，蜗轮 4 的转向如图所示，轴Ⅰ为输入轴。试求：

（1）轴Ⅰ、轴Ⅱ的转向；

（2）蜗杆、蜗轮的螺旋线方向（所有的）；

（3）蜗轮 2 和蜗杆 3 所受各力的方向（蜗轮 2 和蜗杆 3 的轴向力方向相反）。

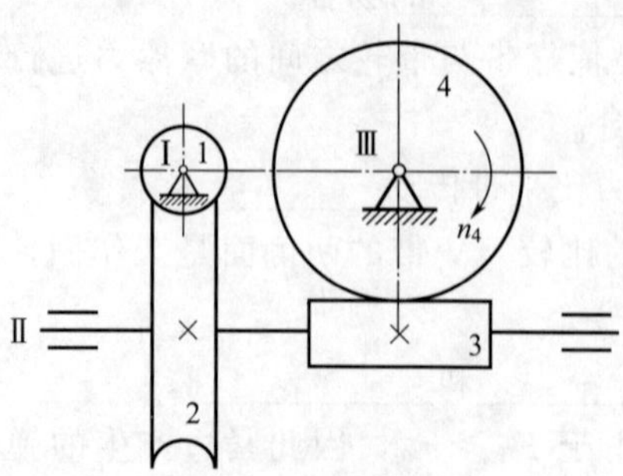

图 7-18　蜗杆减速器

【解析】

本题是考查蜗杆传动受力方向的判断。根据蜗轮 4 的转动方向可以判断出蜗轮 3 的轴向力方向，进而确定出轴Ⅱ的转向。根据蜗轮 2 和蜗杆 3 的轴向力方向相反，可以判断出轴Ⅰ的转动方向。

蜗杆 1 的旋向判断采用假设法，如果各项受力与预设方向一致，则旋向判断正确。如果不一致，则旋向与假设旋向相反。

【解题过程】

蜗轮 4 顺时针转动为从动件，在与蜗杆 3 啮合点处，F_{t4} 与运动方向相同，水平向左。根据作用力与反作用力，F_{a3} 水平向右。利用右手螺旋定则，当轴Ⅲ水平面内向下转动时，满足 F_{a3} 水平向右的条件。

根据蜗轮 2 和蜗杆 3 的轴向力方向相反，可以判断蜗轮 2 的轴向力水平向左。根据作用力和反作用，可以判断 F_{t1} 水平往右。由于蜗杆 1 为主动件，其切向力和运动方向相反，进而可以判断出蜗杆 1 的运动方向为顺时针转动。

根据蜗轮 2 的转动方向，可以判断出结合处蜗轮的切向力 F_{t2} 垂直于纸面向外，由此可以判断出轴向力 F_{a1} 垂直纸面向里。假设蜗杆 1 为右旋，顺时针转动，则轴向力方向为垂直纸面向里，与初始假设一致。由此可以判断出蜗杆 1 为右旋。

综上所述，可以得出：轴Ⅰ顺时针转动，轴Ⅱ的运动方向为平面内向下转动。各个蜗杆和蜗轮都为右旋。蜗轮 2 和蜗杆 3 的受力方向，如图 7-19 所示。

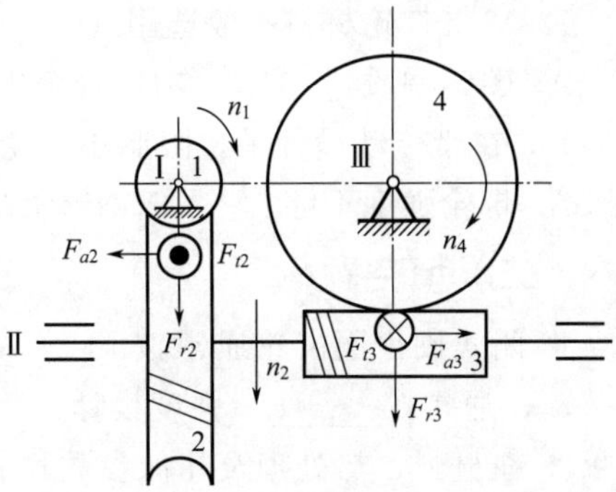

图 7-19　蜗杆减速器受力方向

二、习题

（一）选择题

1. 对于软齿面的闭式齿轮传动，其主要失效形式为（　　）。

A. 轮齿折断　B. 齿面磨损　C. 齿面点蚀　D. 齿面胶合

2. 一般开式齿轮传动的主要失效形式是（　　）。

A. 轮齿折断　B. 齿面磨损　C. 齿面点蚀　D. 齿面胶合

3. 高速重载齿轮传动，当润滑不良时，最可能出现的失效形式为（　　）。

A. 轮齿折断　B. 齿面磨损　C. 齿面点蚀　D. 齿面胶合

4. 对于开式齿轮传动，在工程设计中，一般（　　）。

A. 先按接触疲劳强度设计，再校核弯曲疲劳强度

B. 只需按接触疲劳强度设计

C. 先按弯曲疲劳强度设计，再校核接触疲劳强度

D. 只需按弯曲疲劳强度设计

5. 与齿轮传动相比，（　　）不能作为蜗杆传动的优点。

A. 传动平稳、噪声小　B. 传动比可以较大　C. 可产生自锁　D. 传动效率高

6. 蜗杆传动常用于两（　　）轴之间传递运动和动力。

A. 平行　B. 相交　C. 交错　D. 垂直交错

7. 闭式蜗杆传动的主要失效形式是（　　）。

A. 蜗杆断裂　B. 蜗轮轮齿折断

C. 磨粒磨损　D. 胶合、疲劳点蚀

8. 对蜗轮材料的要求是（　　）。

A. 强度高　B. 硬度大

C. 强度和硬度均较低　D. 抗胶合能力和耐磨性好

9. 蜗杆传动中，如果蜗杆的螺旋线方向为右旋，则蜗轮的螺旋线方向应为（　　）。

A. 左旋　B. 右旋　C. 左旋右旋都可以

10. 两带轮直径一定的开口带传动，增大中心距，则小带轮包角（　　）。

A. 减小　B. 不变　C. 增大

11. 中心距一定的开口带传动，传动比增大，则小带轮包角（　　）。

A. 增大　B. 减小　C. 不变

12. V 带带轮材料一般选用（　　）。

A. 碳钢调质　　　　B. 合金钢　　　　C. 铸铁

13. 在带传动设计中，限制小带轮的最小直径是为了避免（　　）。

A. 带轮强度不够　　　　B. 传动结构尺寸太大　C. 带轮的弯曲应力过大

（二）填空题

1. 闭式硬齿面齿轮通常按________强度设计计算，按________强度校核；对于开式齿轮传动，通常按________强度设计计算。

2. 在材料、热处理及几何参数均相同的直齿圆柱、斜齿圆柱两种齿轮传动中，承载能力较强的是________传动。

3. 蜗杆传动中，一般________为主动件，________为从动件。

4. 普通圆柱蜗杆传动的标准模数 m 和标准压力角 α 在________面上，该平面是指________________的平面，在该平面内，蜗杆传动相当于________________啮合传动。

5. 两轴交错角为 90°的蜗杆传动中，其正确啮合的条件是________________。

6. 对蜗轮材料的要求是________________，蜗轮轮齿的失效形式有________、________、________。

7. 带传动工作时，带中产生________、________、________三种应力。

8. 带传动不能保证精确的传动比，其原因是________________。

9. 若带所需传递的圆周力超过带与带轮的________时，带与带轮将发生显著的相对滑动，这种现象称为________________。

10. 带传动工作时产生弹性滑动的主要原因是________和________。

（三）计算题

图 7-20 所示为一对直齿圆锥齿轮传动，已知 $m=3\text{mm}$，$z_1=24$，$z_2=48$，$b=25\text{mm}$，小齿轮传递的功率 $P_1=2\text{kW}$，$n_1=160\text{r/min}$。试求齿轮啮合点作用力的方向。

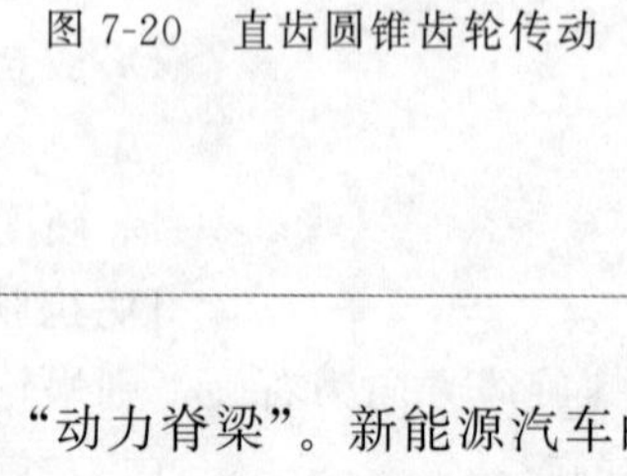

图 7-20　直齿圆锥齿轮传动

拓展知识

机械传动也是新能源汽车的“动力脊梁”。新能源汽车的“独立自强”，离不开机械传动技术的“硬支撑”，机械传动自主，方能“动力自强”。

中国近二十年的科技发展令人刮目相看，从当初粗放型的中国制造到如今集约型的中国智造，涌现出一大批享誉世界的中国品牌，比如说腾讯、阿里云、京东、华为、海尔、比亚迪等品牌，既有互联网科技、电商平台，又有智能通信、家电设备和汽车领域，这当然都离不开自身科研技术的发展创新。

国产的新能源汽车发展迅速，多个品牌诞生在神州大地上，国内传统燃油汽车技术落后国外很多年，要赶上并超越还需时日，但是如今处在新能源汽车同一起跑线上，我国正在努力实现弯道超车，从这几年新能源汽车的发展来看，我国也正在逐步实现这个目标。

比如极氪 X 外观上采用整体更加饱满且具有线条感的设计，同时还具有极简风格。不管前脸设计还是贯穿式尾灯，甚至中央位置能够发光的“ZEEKR”车标、无边框无把手车门、无边框车窗、无边框后视镜、全景天窗、悬浮式车顶，无一不彰显了和而不同，具有非常明显的辨识度，可谓个性十足，年轻时尚，不拘一格，看上去很有力量感，处处洋溢着运动气息。

在动力方面，极氪 X 采用了同 smart 精灵＃1 相同的平台，一样的底盘系统，100km/h 加速能力跻身“3 秒俱乐部”，还提供了单电机后驱和双电机四驱两种版本，以满足于不同消费者的需求，预计续航里程可达到 500～600km，这对于日常上下班通勤或是节假日自驾旅行都是非常适用的。

极氪 X 只是国内众多新发布的新能源汽车之中的一员，从它外观、空间、性能均出色的表现，窥一斑而知全豹。比亚迪新能源汽车 2022 年全球销量第一，可见中国新能源汽车的技术日渐成熟，在某些方面领先于世界，中国新能源汽车正在慢慢崛起，并实现弯道超车。

第八章
连接

【学习目标】

1. 能够列举螺纹的主要参数和类型；
2. 能够说出螺纹自锁条件；
3. 能够说出控制预紧力的原理及控制预紧力的方法和措施；
4. 能够列举并辨析常见螺纹防松的措施和类型。

【学习重难点】

1. 螺纹自锁条件；
2. 螺纹连接的预紧和防松。

图 8-1 所示为知识结构图。

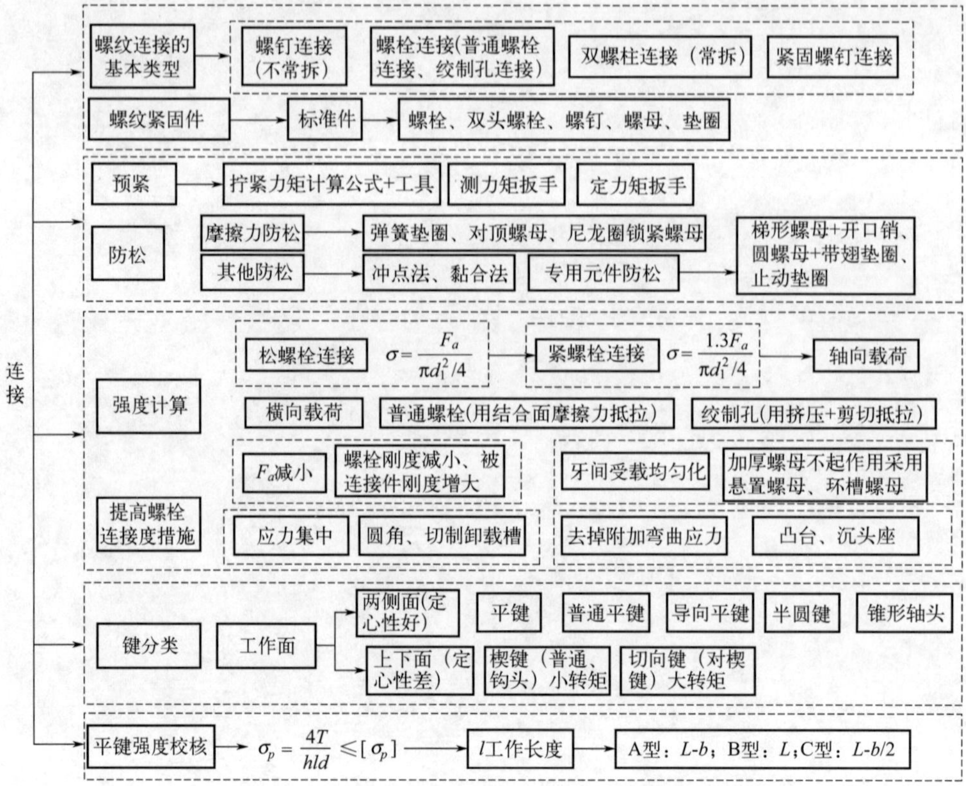

图 8-1　知识结构图

第一节　螺纹的常用类型和主要参数

一、螺纹的形成

将一倾斜角为 ϕ 的直线绕在圆柱体上便形成一条螺旋线。

取一平面图形，如三角形、梯形、矩形或锯齿形等，使它沿着螺旋线运动，运动时保持此图形通过圆柱体的轴线，就得到了螺纹。

二、螺纹的类型

按照不同的分类方式，螺纹的类型有很多。

① 按螺纹形成的表面不同，可分为内螺纹和外螺纹。二者共同组成螺旋副，用于连接或传动。

② 按母体的形状，可分为圆柱螺纹和圆锥螺纹。

③ 按螺纹螺旋线方向，可分为左旋螺纹和右旋螺纹。

将螺旋体的轴线垂直放置，螺旋线的可见部分是自左向右上升的，为右旋，反之为左旋。机械制造中一般采用右旋螺纹，有特殊要求时，才采用左旋螺纹。

④ 按螺纹线数，可分为单线螺纹、等距排列的多线螺纹。

为了制造方便，螺纹的线数一般不超过 4 线。单线螺纹用于连接，其他用于传动。

⑤ 按螺纹轴向剖面的形状即螺纹的牙型分，可分为三角形螺纹、锯齿形螺纹、梯形螺纹、矩形螺纹等。

三、主要几何参数

以圆柱螺纹为例，如图 8-2 所示，说明螺纹的主要几何参数。

d——螺纹大径，与外螺纹牙顶（或内螺纹牙底）相重合的假想圆柱体的直径。

d_1——螺纹小径，与外螺纹牙底（或内螺纹牙顶）相重合的假想圆柱体的直径。

d_2——螺纹中径，也是一个假想圆柱的直径，该圆柱的母线上牙型沟槽和凸起宽度相等。

P——螺距，相邻两牙在中径线上对应两点间的轴向距离。

P_h——导程，同一条螺旋线上的相邻两牙在中径线上对应两点间的轴向距离。设螺旋线数为 n，则 $P_h=nP$。

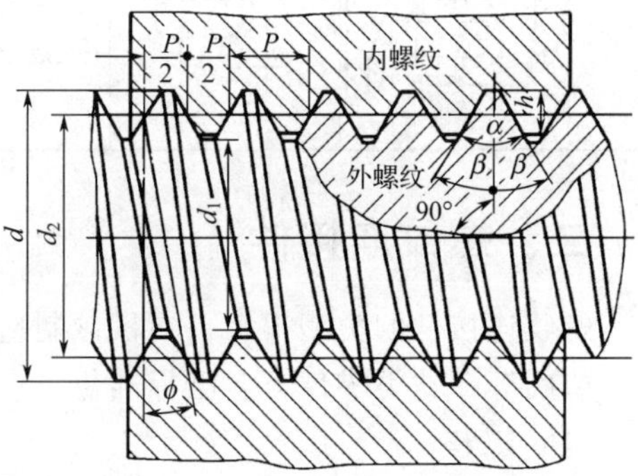

图 8-2　螺纹的主要几何参数

ϕ——螺纹升角，在中径圆柱上，螺旋线的切线与垂直于螺纹轴线的平面的夹角，且有

$$\tan\phi=\frac{nP}{\pi d_2} \tag{8-1}$$

α——牙型角，轴向截面内螺纹牙型相邻两侧边的夹角称为牙型角。

β——牙侧角，牙型侧边与螺纹轴线的垂线间的夹角称为牙侧角。对于对称牙型 $\beta=\frac{\alpha}{2}$。

第二节　螺纹连接及螺纹连接件

一、螺纹连接的基本类型

螺纹连接的基本类型，见表 8-1。

表 8-1　螺纹连接基本类型

类型	螺栓连接		螺钉连接	双头螺柱连接	紧定螺钉连接
概述	将螺栓穿过被连接件的通孔，拧紧螺母后将连接件固连成一体的一种连接方式，可分为普通螺栓连接和铰制孔用螺栓连接		螺钉直接旋入被连接件的螺纹孔中，省去了螺母	将双头螺柱一头拧入被连接件之一的螺孔，另一头穿过被连接件通孔，然后套上垫圈，拧紧螺母	利用紧定螺钉拧入一被连接件上的螺纹孔，并以螺钉末端直接顶住另一被连接件的表面或相应的孔穴，以固定两被连接件的相对位置
特点	螺栓与孔之间有间隙，结构简单，装拆方便	螺栓杆与螺栓孔是相互配合的，常采用基孔制过渡配合	结构比较简单，若经常装拆，则易损坏螺纹	允许多次装拆而不损坏被连接零件	优异的承载能力，方便快捷地安装，易于维护和更换
应用场合	应用广泛	适用于承受垂直于螺栓轴线的横向载荷	适用于被连接件之一太厚，且不必经常装拆的场合	多用于较厚的被连接件或为了结构紧凑而采用盲孔的连接	多用于传力不大的力或力矩，多用于轴和轴上零件的连接
示意图	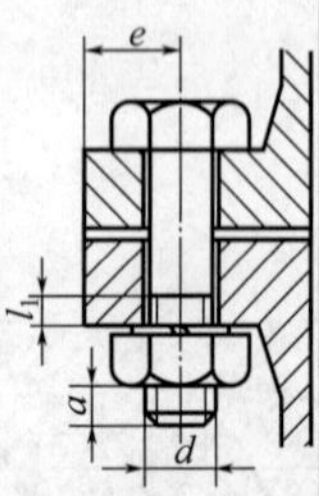	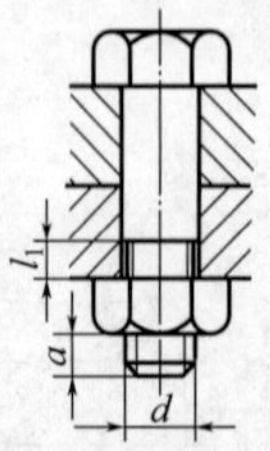	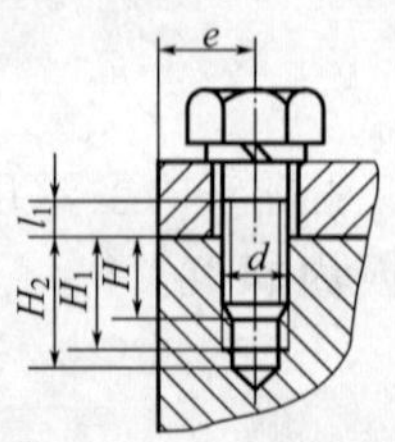	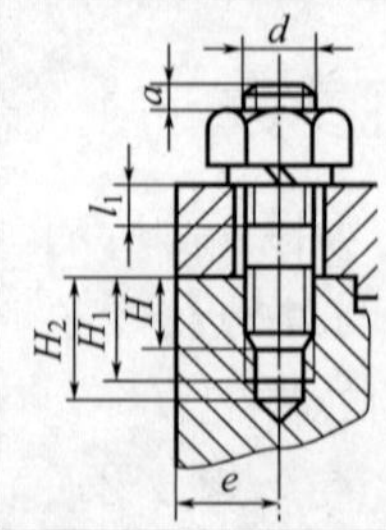	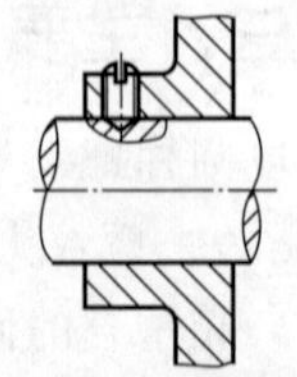

二、螺纹连接件

螺纹连接件的类型很多，在机械制造中常见的螺纹连接件有螺栓、双头螺柱、螺钉、螺母和垫圈等。这类零件大多已标准化，设计时可根据有关标准选用。

（1）螺栓

螺栓如图 8-3 所示。它种类很多，应用很广，最常用的有大六角头和小六角头两种。其精度分为 A、B、C 级，通用机械制造中多用 C 级。螺栓杆可制出一段螺纹或全螺纹，螺纹可用粗牙或细牙（A、B 级）。

（2）双头螺柱

双头螺柱如图 8-4 所示。双头螺柱两端都有螺纹，螺柱两端螺纹可相同，也可不相同。螺柱可带退刀槽或制成腰杆，也可制成全螺纹的螺柱。螺柱的一端常用于旋入铸铁或有色金属的螺纹孔中，旋入后一般不拆卸，另一端则用于安装螺母以固定其他零件。

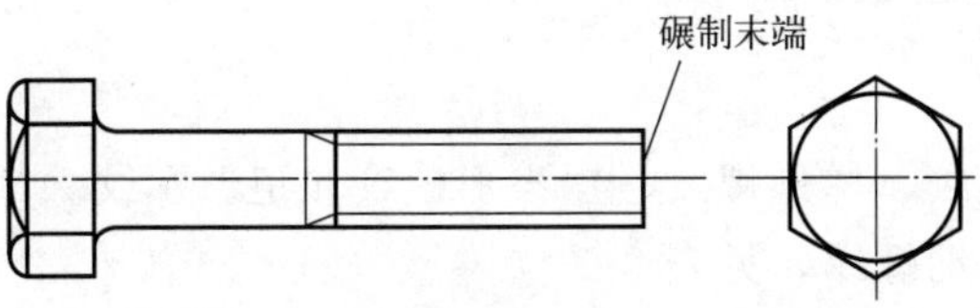

图 8-3 螺栓图

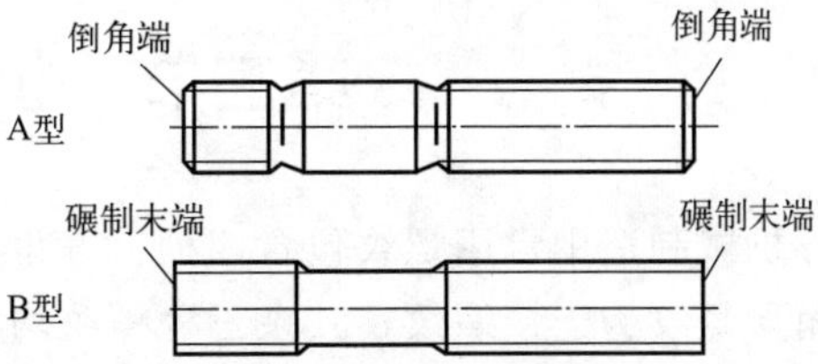

图 8-4 双头螺柱

（3）螺钉

螺钉如图 8-5 所示。螺钉头部形状有圆头、扁圆头、六角头和沉头等。头部的槽有一字槽、十字槽和六角孔等形式。十字槽螺钉头部强度高、对中性好，便于自动装配。内六角圆柱头螺钉能承受扳手的力矩，连接强度高，可代替六角头螺栓，用于要求结构紧凑的场合。

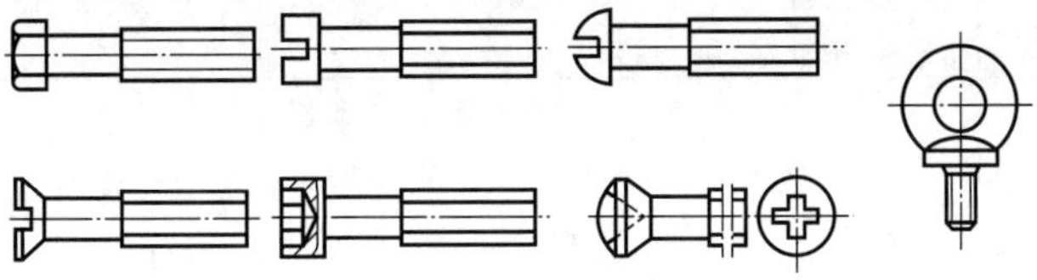

图 8-5 螺钉

（4）紧定螺钉

紧定螺钉如图 8-6 所示，螺钉的末端主要起紧定作用，常见的尾部形状有平端、锥端、圆柱端等各种形状。锥端适用于被紧定零件的表面硬度较低或不经常拆卸的场合，平端常用于紧定硬度较大的平面或经常拆卸的场合，圆柱端适用于紧定空心轴上的零件位置。

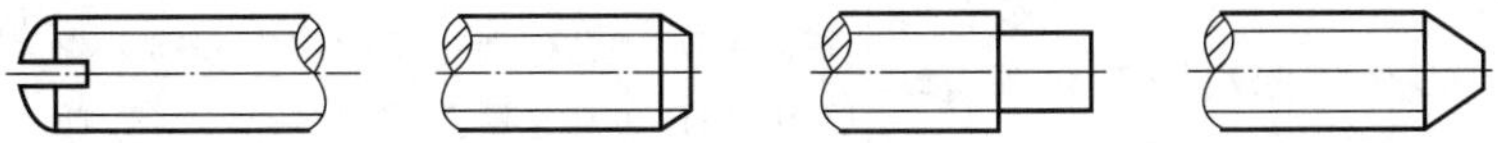

图 8-6 紧定螺钉

（5）六角螺母

六角螺母如图 8-7 所示，根据螺母厚度不同，分为标准螺母和薄螺母两种。薄螺母常用于受剪切的螺栓或空间尺寸受限制的场合，厚螺母用于经常装拆易于磨损之处。

螺母的制造精度和螺栓相同，分为 A、B、C 三级，分别与相同级别的螺栓配合使用。

（6）垫圈

垫圈的作用是增加被连接件的支承面积和避免拧紧螺母时擦伤被连接件的表面。常用的平垫圈如图 8-8 所示。

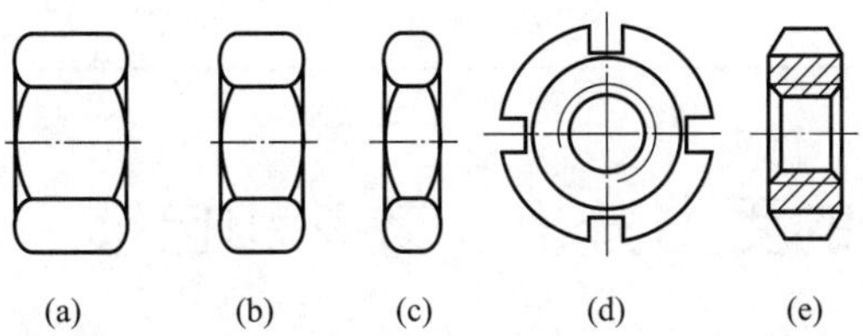

图 8-7 螺母

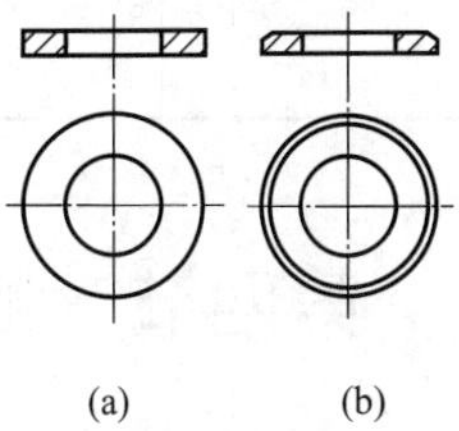

图 8-8 垫圈

第三节　机械制造常用螺纹

机械制造中常用螺纹包含四种：三角形螺纹、梯形螺纹、锯齿形螺纹和矩形螺纹。其中三角形螺纹为连接螺纹，其余三种螺纹均为传动螺纹，见表 8-2。

表 8-2　机械制造常用螺纹

类型	连接螺纹		传动螺纹		
分类	三角形螺纹		梯形螺纹	锯齿形螺纹	矩形螺纹
	普通螺纹	管螺纹			
牙型	三角形米制	特殊细牙三角形	等腰梯形	不等腰梯形	正方形
牙型角	$\alpha=60°$	$\alpha=55°$非密封 $\alpha=55°$密封 $\alpha=60°$圆锥	$\alpha=30°$	工作面 $\alpha=3°$ 非工作面 $\alpha=30°$	$\alpha=0°$
概述	以大径 d 为公称直径。同一公称直径可以有多种螺距的螺纹，其中螺距最大的称为粗牙螺纹，其余都称为细牙螺纹	专用于管件连接的特殊细牙三角形螺纹	是工程机械和机械设备中常用的一种传动元件，具有高精度、高承载能力和长寿命等特点，常用于转动和直线运动之间的转换	是一种类似锯齿状的螺纹，其特点在于螺距小、多肋、阻力大、耐磨性能强等，被广泛应用于重型机械行业	螺纹牙型为正方形，螺纹牙厚等于螺距的 1/2。传动效率高，但对中精度低、牙根强度弱
特点	细牙螺纹的螺距、螺纹深度及螺纹升角均较小，自锁性能好，强度大，但不耐磨、易滑扣，常用于薄壁零件或受动载荷或要求紧密性的连接。粗牙螺距及螺纹深度较大，在连接中应用更广泛些	内外螺纹旋合后没有间隙，连接密封性好	传动效率略低于矩形螺纹，工艺性和对中性好，可补偿磨损后的间隙	兼有矩形螺纹传动效率高和梯形螺纹牙型强度高的特点	传动效率较其他螺纹高，但牙根强度弱，螺旋副磨损后，间隙难以修复和补偿，传动精度较低。为了便于铣削和磨削加工，牙型角可制成 10°
应用场合	多用于紧固连接	用于各种管道的紧密连接	最常用的传动螺纹	常用于单向受力的传动或连接	已逐渐被梯形螺纹代替
示意图	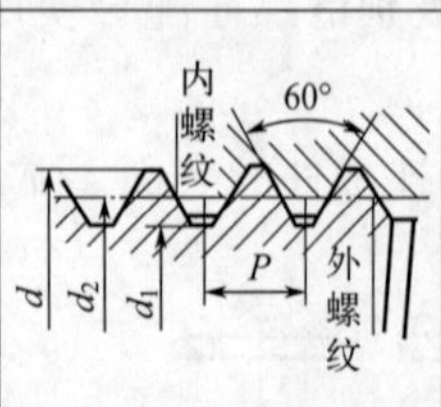	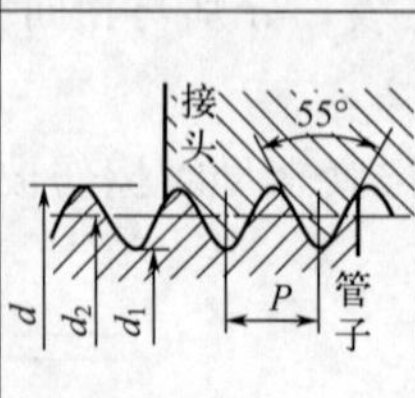	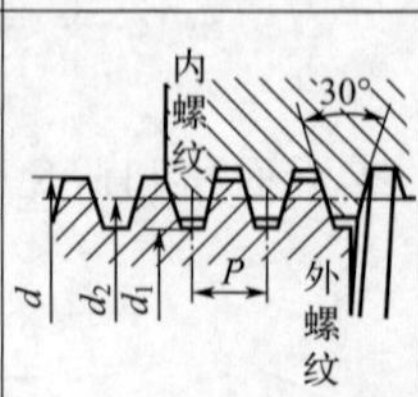	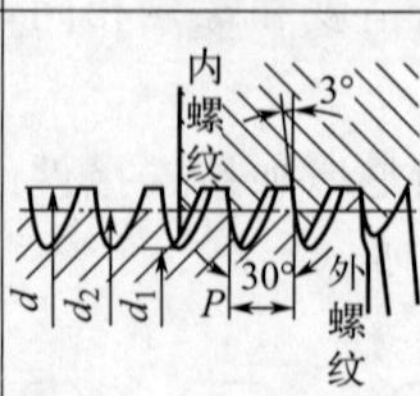	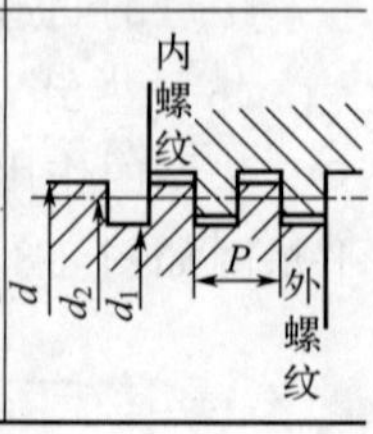

第四节　螺旋副的受力分析、效率和自锁

一、矩形螺纹

在力矩和轴向载荷作用下，螺旋副的相对运动可视为物体沿斜面的滑动，如图 8-9(a)

所示。

自锁条件：当 $\phi<\rho$ 时，物体不能自动下滑，处于自锁状态。也可以说，在自锁条件下，必须施加反向驱动力 F 才能使物体等速下滑。

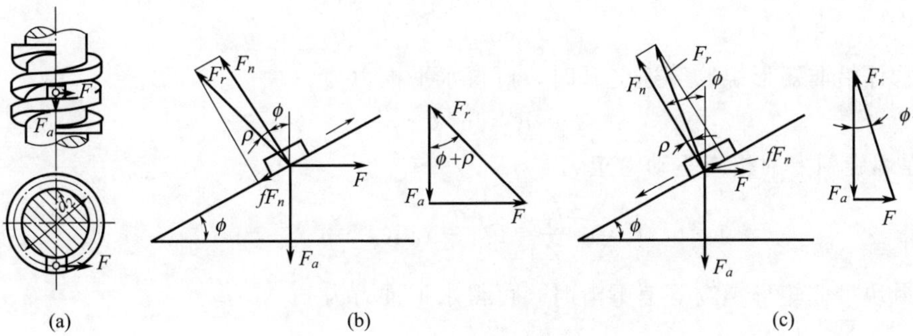

图 8-9　矩形螺纹的受力分析

① 向上匀速运动时，如图 8-9(b) 所示，图中 ρ 为摩擦角，f 为摩擦系数，驱动力为

$$F=F_a\tan(\phi+\rho) \tag{8-2}$$

作用在螺旋副上的驱动力矩为

$$T=F\frac{d_2}{2}=F_a\frac{d_2}{2}\tan(\phi+\rho) \tag{8-3}$$

② 等速下滑时，如图 8-9(c) 所示，驱动力为

$$F=F_a\tan(\phi-\rho) \tag{8-4}$$

作用在螺旋副上的驱动力矩为

$$T=F\frac{d_2}{2}=F_a\frac{d_2}{2}\tan(\phi-\rho) \tag{8-5}$$

二、非矩形螺纹

非矩形螺纹是指牙侧角 $\beta\neq0°$的三角形螺纹、梯形螺纹和锯齿形螺纹。图 8-10 所示为矩形螺纹和非矩形螺纹的法向压力。

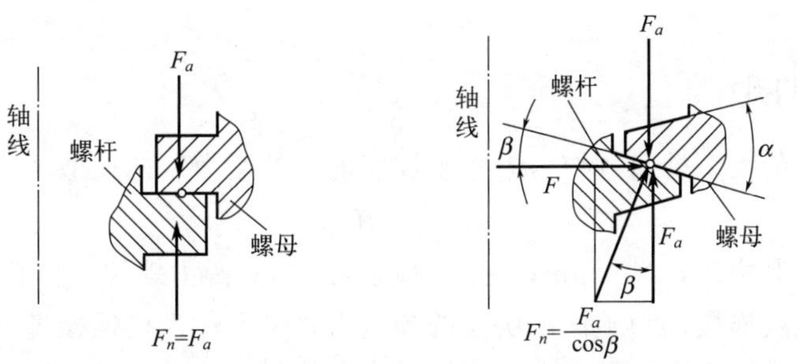

图 8-10　矩形螺纹和非矩形螺纹的法向压力

对比图 8-10(a) 和 (b) 可知，若略去螺纹升角 ϕ 的影响，在轴向载荷 F_a 作用下，非矩形螺纹的法向压力比矩形螺纹的大。若把法向压力的增加看作摩擦系数的增加，则非矩形螺纹的摩擦阻力可写为

$$\frac{F_a}{\cos\beta}f=\frac{f}{\cos\beta}F_a=f'F_a \tag{8-6}$$

式中，f 为摩擦系数；f'为当量摩擦系数，即

$$f'=\frac{f}{\cos\beta}=\tan\rho' \tag{8-7}$$

① 当物体沿非矩形螺纹等速上升时，可得水平推力为

$$F=F_a\tan(\phi+\rho') \tag{8-8}$$

作用在螺旋副上的相应驱动力矩为

$$T=F\frac{d_2}{2}=F_a\frac{d_2}{2}\tan(\phi+\rho') \tag{8-9}$$

② 当滑块沿非矩形螺纹等速下滑时，可得水平推力为

$$F=F_a\tan(\phi-\rho') \tag{8-10}$$

作用在螺旋副上的相应驱动力矩为

$$T=F\frac{d_2}{2}=F_a\frac{d_2}{2}\tan(\phi-\rho') \tag{8-11}$$

自锁条件为

$$\phi\leqslant\rho' \tag{8-12}$$

为了防止螺母在轴向力作用下自动松开，用于连接的紧固螺纹必须满足自锁条件。

第五节　螺纹连接的预紧与防松

一、预紧的目的

① 防止连接在工作中松动；

② 确保连接在受到工作载荷后，仍能使被连接件的接合面具有足够的紧密性，如汽缸、管路凸缘的连接等；

③ 在被连接件的接合面间产生正压力，以便被连接件受到横向载荷时，被连接件间不产生相对滑动。

二、拧紧力矩

装配时预紧力的大小是通过拧紧力矩来控制的。拧紧力矩的近似计算为

$$T\approx0.2F_a d \tag{8-13}$$

式中，T 为拧紧力矩，N·mm；F_0 为预紧力，N；d 为螺纹公称直径，mm。

对于重要的螺纹连接，为了保证所需的预紧力，又不使连接螺栓过载，在装配时应控制预紧力。通常是利用测力矩扳手或定力矩扳手来获得所要求的拧紧力矩，如图 8-11 所示。

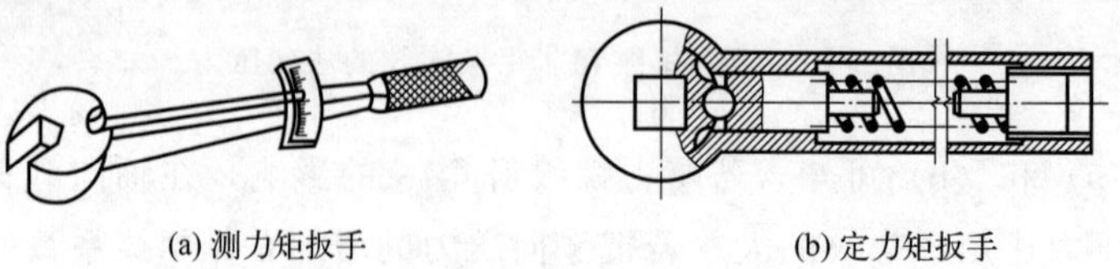

(a) 测力矩扳手　　(b) 定力矩扳手

图 8-11　测力矩扳手和定力矩扳手

三、螺纹连接的防松

防松的必要性：在静载荷恒温的条件下，单线普通螺纹的螺纹升角小于其当量摩擦角，自锁性好，螺纹连接不会松脱，但在冲击、振动或变载荷作用下，或在温度变化较大时，预紧力可能瞬间消失，螺纹连接有可能松脱。因此，设计时必须采取有效的防松措施。

防松的原理：防止螺纹副的相对转动，也就是螺栓与螺母间的相对转动（内螺纹与外螺纹之间）。

防松的方法：摩擦防松、机械防松、破坏螺纹副的防松，见表 8-3。

表 8-3　螺纹连接的防松

分类	摩擦防松			机械防松				破坏螺纹副的防松
原理	利用摩擦力防松			利用机械零件防松				永久防松
应用场合	多用于冲击和振动较小的场合			这种防松方法相当可靠，应用广泛				这种防松方法相当可靠，但拆卸后连接件不能重复使用
方法	弹簧垫圈	对顶螺母	尼龙圈锁紧螺母	开槽螺母与开口销	圆螺母与带翅垫圈	止动垫圈	串联钢丝	冲点、点焊和黏合
示意图	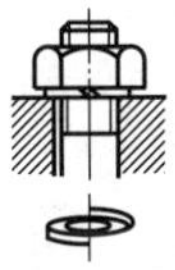	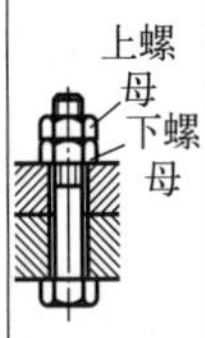	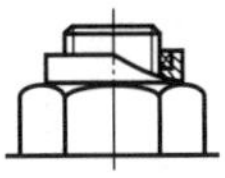	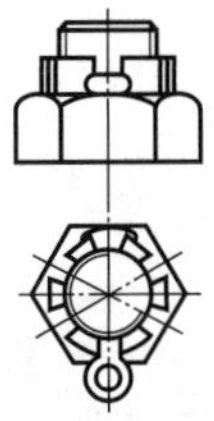	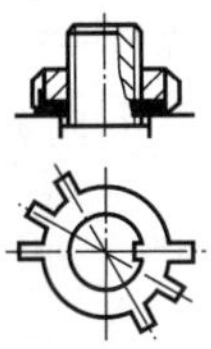	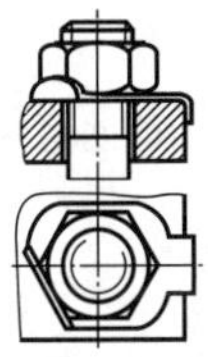	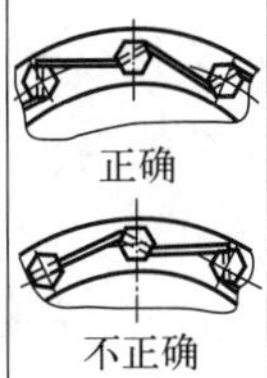	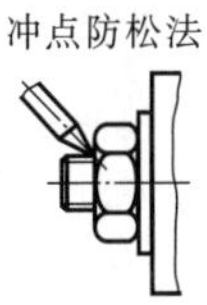

第六节　提高螺栓连接强度的措施

螺栓连接的强度主要取决于螺栓的强度，因此，必须考虑影响螺栓强度的因素，以确定提高螺栓强度的措施。

1. 降低螺栓总拉伸载荷的变化范围

减小螺栓刚度或增大被连接件的刚度都可以减小轴向载荷 F_a 的变化幅度，从而提高变载荷螺栓连接的疲劳强度。

2. 改善螺纹牙间的载荷分布

采用圈数多的厚螺母并不能提高连接强度。若采用悬置（受拉）螺母，则螺母锥形悬置段与螺栓杆均为拉伸变形，有助于减少螺母与螺栓杆的螺距变化差，保证载荷分布比较均匀。

3. 减小应力集中

为了减少应力集中，可以加大过渡处的圆角和卸载结构，或将螺纹收尾改为退刀槽等。

4. 避免附加弯曲应力

为了避免螺纹连接产生附加弯曲应力，应从结构和工艺上采取措施。对螺栓表面进行渗氮、碳氮共渗等表面硬化处理工艺，提高螺栓的疲劳强度。

第七节　键连接的功能、分类及应用

一、功能

键是一种标准零件，通常用来实现轴与轮毂之间的周向固定以传递转矩，有的还能实现轴上零件的轴向固定或轴向滑动的导向。

二、分类

键连接的主要类型有平键连接、半圆键连接、楔键连接和切向键连接，见表 8-4。

三、应用

键连接结构简单、工作可靠、装拆方便，因此应用很广。

四、平键连接的设计计算

（1）平键的材料及尺寸确定

平键的材料采用抗拉强度不小于 500～800MPa 的碳素钢。平键的截面尺寸 $b\times h$（b 为键的宽度，h 为键的高度）按轴径 d 查 GB/T 1095—2003 所得，键的长度 L 参照轮毂长度查 GB/T 1096—2003 得。

（2）平键连接的强度计算

设载荷为均匀分布，普通平键连接的强度条件为

$$\sigma_P=\frac{4T}{dhl}\leqslant[\sigma_P] \tag{8-14}$$

式中，σ_P 为普通平键的挤压强度；$[\sigma_P]$ 为普通平键的许用挤压强度。

导向平键连接和滑键连接的压强条件为

$$P=\frac{4T}{dhl}\leqslant[P] \tag{8-15}$$

式中，P 为导向平键连接的压强，MPa；$[P]$ 为导向平键连接的许用压强，MPa。

表 8-4　键连接的类型

分类	概述	特点	示意图
半圆键连接	工作面为侧面。键在槽中能绕其几何中心摆动以适应轮毂中键槽的斜度	工艺性较好，装配方便，但轴上键槽较深，只用于轻载静连接	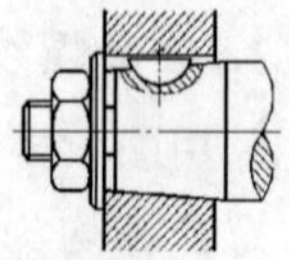
楔键连接	键的上、下两面为工作面。靠上下表面的摩擦力传递转矩，同时可承受单向的轴向力，起单向轴向固定作用	主要用于毂类零件中定心精度要求不高和低转速的场合	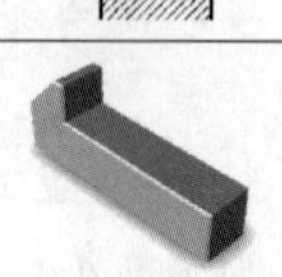
切向键连接	一对楔键沿斜面拼合后，相互平行的两个窄面为工作面。靠工作面的挤压力和轴与轮毂的摩擦力传递转矩	常用于直径大于 100mm 的轴上	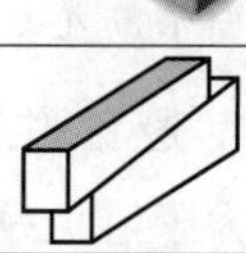

续表

分类			概述	特点		示意图
平键连接	普通平键	圆头（A型）	键的两侧是工作面，工作时，靠键槽侧面的挤压来传递转矩	键在槽中固定好，但轴上键槽应力集中较大	静连接	
		平头（B型）		轴的应力集中小		B型 
		单圆头（C型）		用于轴端与毂类零件的连接		C型 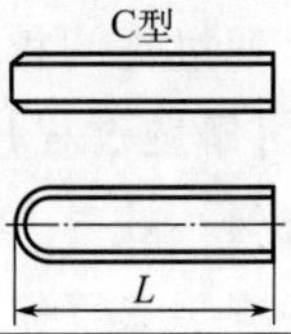
	导向平键		较长的平键，需用螺钉固定在轴槽中。为便于装拆，在键上制出起键螺纹孔。可实现轴上零件的轴向移动	动连接		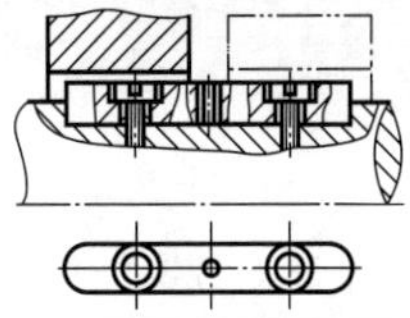
	滑键		固定在轮毂上，轮毂带动滑键在轴上的键槽中做轴向滑移			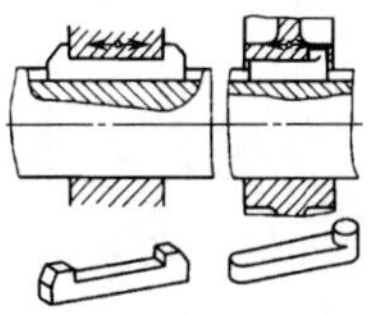

典型例题解析及习题

一、典型例题解析

1. 螺栓危险截面的强度计算条件 $\sigma_e=\dfrac{1.3F_a}{\pi d_1^2/4}\leqslant[\sigma]$ 中的 1.3 的由来。

【解析】

本题是紧螺栓连接强度计算公式的应用问题。对于紧螺栓连接，除受拉应力外，还需承受拧紧力矩产生的切应力，两者方向不同，在合成当量应力过程中产生系数 1.3。

【解题过程】

螺栓危险截面的拉应力为

$$\sigma=\frac{F_a}{\pi d_1^2/4}$$

螺栓危险截面的扭转切应力为

$$\tau=\frac{T}{\pi d_1^3/16}$$

对于 M10～M68 的普通螺纹，$\tau \approx 0.5\sigma$。根据第四强度理论，可知在 σ 和 τ 双向应力作用下的计算应力为

$$\sigma_e = \sqrt{\sigma^2 + 3\tau^2} = \sqrt{\sigma^2 + 3 \times (0.5\sigma)^2} \approx 1.3\sigma$$

2. 试计算 M20、M20×1.5 螺纹的螺纹升角，并指出哪种螺纹的自锁性好。

【解析】

本题是螺纹具有自锁性条件的应用问题。首先需要记住螺纹具有自锁性的条件，即 $\phi \leqslant \rho'$。其次，需要记住计算螺纹升角 ϕ 与当量摩擦系数 ρ' 的计算公式，通过计算数据进行比较。此外，M20、M20×1.5 均为普通螺纹，是标准件，需要掌握查阅相关技术手册的能力，通过查阅相关技术手册获得计算 ϕ 和 ρ' 相关数据。

【解题过程】

（1）计算 M20 螺纹的螺纹升角。

螺距 $p = 2.5$mm，中径 $d_2 = 18.376$mm，故

$$\phi_1 = \arctan \frac{p}{\pi d_2} = \arctan \frac{2.5}{\pi \times 18.376} = 2.48°$$

（2）计算 M20×1.5 的螺纹升角。

查 GB/T 192—2003 得螺距 $p = 1.5$mm，中径 $d_2 = d - 1 + 0.026 = 19.026$mm，故

$$\phi_2 = \arctan \frac{p}{\pi d_2} = \arctan \frac{1.5}{\pi \times 19.026} = 1.44°$$

由于在相同的公称直径下，$\phi_2 < \phi_1$，因此，M20×1.5 的螺纹自锁性较好。

3. 已知载荷 $F_a = 25$kN，吊钩材料为 35 钢，许用拉应力 $[\sigma] = 60$MPa，试求吊钩尾部的螺纹直径。

【解析】

本题是松螺栓连接强度条件计算问题，需要记住相关公式。

【解题过程】

当承受载荷 F_a 时，螺栓杆受拉，其强度条件为

$$\sigma = \frac{4F_a}{\pi d_1^2} \leqslant [\sigma] \text{或} d_1 \geqslant \sqrt{\frac{4F_a}{\pi[\sigma]}}$$

因需计算螺纹直径，故选用

$$d_1 \geqslant \sqrt{\frac{4F_a}{\pi[\sigma]}} = \sqrt{\frac{4 \times 25 \times 10^3}{60\pi}} = 23.033\text{mm}$$

查 GB/T 192—2003 得 $d = 27$mm 时，$d_1 = 23.752$mm，略大于计算值，适用。故吊钩尾部采用螺纹为 M27。

4. 试述螺栓连接、双头螺柱连接、螺钉连接的适用条件和特点。

【解析】

本题主要就螺栓、双头螺柱、螺钉连接时两连接件是否需要是通孔、受力大小、是否需要拆卸等三方面进行对比分析。

【解题过程】螺栓连接适用于连接两薄件，被连接件制成通孔，且可受力很大、经常拆卸的场合。

双头螺柱连接适用于连接一厚一薄件，薄件制成通孔，厚件制成不通的螺纹孔，且可以经常拆卸的场合。

螺钉连接适合于连接一厚一薄件，薄件制成通孔，厚件制成不通的螺纹孔，且受力不大、无须经常拆卸的场合。

5. 图 8-12 所示的普通螺纹连接中采用两个 M10 的螺栓，已知螺栓小径 $d_1=8.376$mm，螺栓的许用应力 $[\sigma]=160$MPa，被连接件接合面间摩擦系数 $f=0.2$，取可靠性系数 $C=1.2$，试计算该连接允许传递的最大横向载荷 F_R。

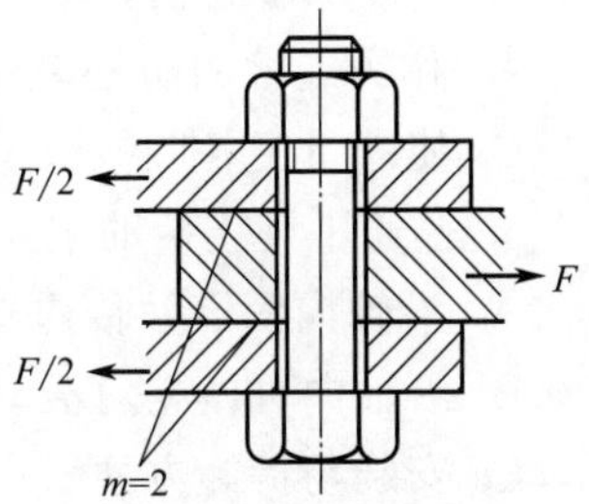

图 8-12　普通螺纹连接

【解析】

本题是螺纹连接强度计算的变形，首先根据极限条件求得所受轴向力。横向载荷是两个接合面间的摩擦力来承受，摩擦力又由轴向载荷和摩擦系数决定。因此可根据接合面数目、摩擦系数、轴向力确定所能承受的最大横向载荷。

【解题过程】

(1) 求满足螺栓螺纹部分强度条件的轴向压紧力 F_0，且有 $F_a=F_0$。

根据强度条件

$$\frac{1.3F_a}{\pi d_1^2/4}\leqslant[\sigma]$$

得

$$F_0\leqslant\frac{\pi d_1^2[\sigma]}{1.3\times4}=\frac{\pi\times8.376^2\times160}{1.3\times4}\approx6781\text{N}$$

(2) 计算允许承受的最大横向外载荷 F_R。

根据螺栓的强度条件和承受横向外载荷不产生滑移条件，可得

$$\frac{F_R}{2}\leqslant\frac{fF_0m}{C}$$

$$F_R\leqslant\frac{2fF_0m}{C}=\frac{2\times0.2\times6781\times2}{1.2}=4521\text{N}$$

二、习题

（一）选择题

1. 用于连接的螺纹牙型为三角形，这是因为三角形螺纹（　　）。

A. 牙根强度高，自锁性能好　　B. 传动效率高

C. 防振性能好　　D. 自锁性能差

2. 用于薄壁零件连接的螺纹，应采用（　　）。

A. 三角形细牙螺纹　　B. 梯形螺纹

C. 锯齿形螺纹　　D. 多线的三角形粗牙螺纹

3. 当铰制孔用螺栓组承受横向载荷或旋转力矩时，该螺栓组中的螺栓（　　）。

A. 必受剪切力作用　　B. 必受拉力作用

C. 同时受到剪切与拉伸　　D. 既可能受剪切，也可能受挤压作用

4. 螺旋副在摩擦系数一定时，螺纹的牙型角越大，则（　　）。

A. 当量摩擦系数越小，自锁性能越好

B. 当量摩擦系数越小，自锁性能越差

C. 当量摩擦系数越大，自锁性能越差

D. 当量摩擦系数越大，自锁性能越好

5. 悬置螺母的主要作用是（　　）。

A. 作为连接的防松装置　　B. 减少螺栓系统的刚度

C. 使螺母中各圈螺纹受力均匀　　D. 防止螺栓受弯曲载荷

6. 普通平键连接的主要用途是使轴与轮毂之间（　　）。

A. 沿轴向固定并传递轴向力

B. 沿轴向可做相对滑动并具有导向作用

C. 安装与拆卸方便

D. 沿周向固定并传递转矩

7. 将油缸端盖的螺栓组连接的短螺栓，改成长螺栓的主要目的是（　　）。

A. 提高抗疲劳强度　　B. 节省螺栓数量

C. 安装方便　　D. 便于拆卸

8. 按（　　）的大小，螺纹可分为细牙螺纹和粗牙螺纹。

A. 公称直径　　B. 螺距　　C. 中径　　D. 小径

（二）填空题

1. 三角形螺纹的牙型角 $\alpha=$________，适用于________，而梯形螺纹的牙型角 $\alpha=$________，适用于________。

2. 螺旋副的自锁条件是________________。

3. 螺纹连接防松的实质是________________。

4. 螺纹的公称直径是指螺纹的________径，螺纹的升角是指螺纹________径处的升角，强度计算中螺杆危险截面的计算直径是________。

5. 双头螺柱的两被连接件之一是________孔，另一个是________孔。

6. 在平键连接中，静连接应校核________强度。

7. 平键连接工作时，是靠________和________侧面的挤压传递转矩的。

8. 平键连接中，________面是工作面；楔形键连接中，________面是工作面。

9. 一螺纹副（螺栓-螺母）相对转动一周时，沿轴线方向的相对位移是________，导程 s 与螺距 p 之间的关系公式为________。

10. 螺纹连接中弹簧垫圈属于利用________防松；止动垫圈属于________防松。

（三）简答题

1. 螺纹连接预紧的目的是什么？

2. 螺纹连接有哪些基本类型？各有何特点？各适用于什么场合？

3. 为什么对重要的螺栓连接不宜使用直径小于 M12 的螺栓？

4. 连接螺纹都具有良好的自锁性，为什么还需要防松装置？按防松原理，螺纹连接的防松方法可分为哪几类？试举例说明。

5. 提高螺栓连接强度的措施有哪些？

（四）综合题

1. 一带轮与轴的连接采用普通平键，已知轴颈 $d=40\text{mm}$，传递功率 $P=10\text{kW}$，转速 $n=970\text{r/min}$，选用 A 型平键，键的尺寸 $b=12\text{mm}$，$h=8\text{mm}$，键长度取标准长度 $L=$

63mm，键连接的许用挤压强度 $\sigma_p=50\sim60\text{MPa}$，试校核该键强度是否满足要求。

2. 如图 8-13 所示，用两个 M10（小径 $d_1=8.376\text{mm}$，中径 $d_2=9.062\text{mm}$）的螺钉固定一牵曳钩。若螺钉材料为 Q235 钢，屈服极限 $\sigma_s=240\text{MPa}$，装配时控制预紧力（安全系数取 $[S]=1.3$），考虑结合面摩擦传力的可靠性系数 $C=1.2$，接合面摩擦系数 $f=0.15$，求其允许的牵引力 F。

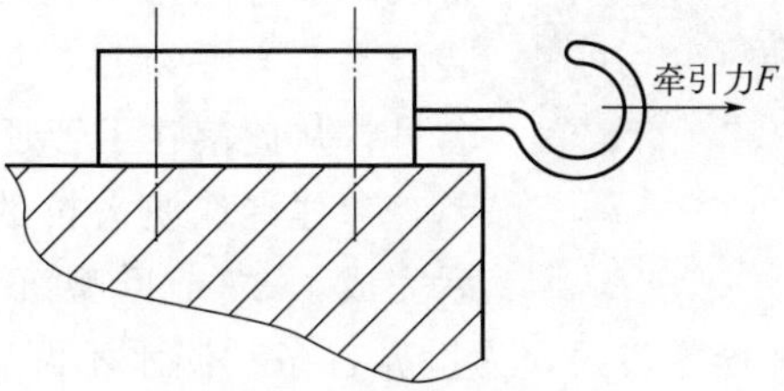

图 8-13　螺钉固定牵曳钩

拓展知识

在工业制造与机械系统中，标准件的安全性是保障设备可靠运行、预防事故的核心基础。标准件背后的“大国精度”于细微处彰显卓越的质量信仰。

一、本质安全，源于细节，系于责任，重在落实

千里之堤，溃于蚁穴，别看螺钉或螺栓个头小（相对所在设备而言），真“发起火”来“脾气”可不小，轻则导致意外停机，降低生产效率，重则酿成大祸，造成巨大损失。

螺纹连接用的螺纹紧固件，看起来很不起眼，但是作用不能小觑，一个螺栓失效就有可能导致重大事故的发生。因此，在螺栓的使用中，要注意螺纹连接的预紧和防松，科学计算螺纹的拧紧力矩，并采取措施防止螺栓在使用过程中发生松脱。

为了充分发挥螺栓的工作能力，保证预紧可靠性，螺栓的预紧应力一般可达材料屈服极限的 50％～70％。通过预紧应力可以计算得到预紧力及拧紧力矩的大小。重要的螺纹连接应按计算值控制拧紧力矩，工具可采用测力矩扳手或定力矩扳手。其中测力矩扳手仪表中示数会随着不断拧紧而增加，定力矩扳手在拧紧力矩达到预先设定值时自动放松。对于一些更为重要或大型的螺栓连接，可用控制螺栓拧紧前后发生的伸长变形量来达到更精确的预紧力控制。但螺栓的伸长量很难精确测量，此时可以采用螺栓拉伸器。

对于重要的、有强度要求的螺栓连接，如无控制拧紧力矩的措施，或由于空间限制等无法采用力矩扳手的情况，一方面可以采用较大的螺栓，另一方面可以靠经验丰富的工人人工拧紧，达到恰好的效果。有中国“深海钳工”第一人之称的大国工匠管延安，如图 8-14 所示，拧螺栓就非常有手感。

2013 年，管延安带领钳工团队参与建设港珠澳大桥岛隧工程。长达 5.6 公里的外海沉管隧道，要在 40 米海底实现厘米级精准对接，在业内人士看来，难度系数丝毫不亚于神舟九号与天宫一号对接。

管延安的其中一项工作是负责安装沉管阀门螺栓。在陆地作业，只需要拧紧螺栓，但要在深海中完成两节沉管精准对接，确保沉管不渗水、不漏水，沉管接缝处间隙就必须小

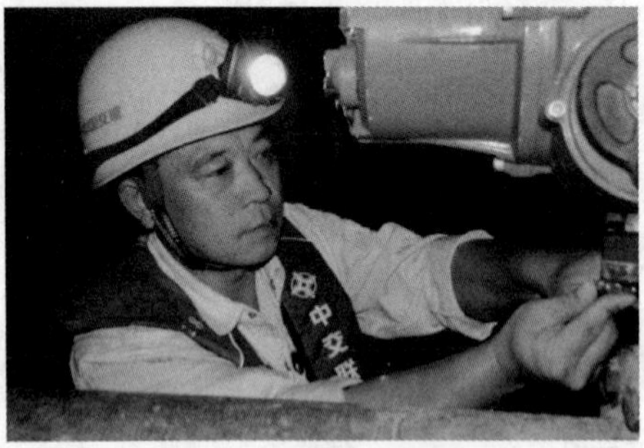

图 8-14 深海钳工管延安

于 1 毫米。

1 毫米的间隙，根本无法用肉眼判断。管延安硬是通过一次次地拆卸，凭着手感，创下了零缝隙的奇迹，并且练就了一项绝技：左右手拧螺栓均能实现误差不超过 1 毫米。他甚至练就了听感特长，通过敲击螺栓发出的金属碰撞声音，判断装配是否合乎标准。中国“深海钳工”第一人的名号，从此落在了管延安的头上。

参建港珠澳大桥的 5 年里，管延安和工友先后完成了 33 节巨型沉管和 8000 吨最终接头的舾装任务，做到了 80 多万颗螺栓零失误，为世界首条“滴水不漏”的外海沉管隧道建设，创造了中国工匠独有的技艺技法。

在工作中，他较真、执着，在每一件设备、每一颗螺栓安装后，都要反复检查。以蝶阀安装为例，安装前检查蝶阀和各个零部件 3 遍。安装后，再检查 3 遍，最后还要调试检验。他常挂在嘴边的话是“再检查一遍”，强调最多的是“反复检查”。

在工作中，管延安养成了一个习惯：对每台修过的机器、每个修过的零件进行记录，详细记录在施工日志本上，不但有文字，还有自创的图解。在港珠澳大桥建设期间，他同样制作了图解档案，其中几本被收录进港珠澳大桥沉管预制博物馆。

钳工虽不起眼，但不可替代。其实不管从事什么样的工作，只要热爱它，脚踏实地做好每一件事情，在做到精益求精的同时不断挑战自我，一定能够实现自我价值，成就梦想。

二、“工业之米”助力新能源汽车发展

在汽车轻量化的发展趋势下，铝合金已成为仅次于钢材的第二大车身材料。例如，为了拥有更好的续航里程，使用铝制造全车身，可以减轻车身重量；三电（电池、电机、电控）中壳体类零件等也大量应用铝合金材料，就连小小的紧固件也离不开铝材料。

紧固件是作紧固连接且应用极为广泛的一类机械零件，它的特点是品种规格繁多，性能用途各异，而且标准化、系列化、通用化的程度也极高，因此也有人把已有国家标准的一类紧固件称为标准紧固件，简称为标准件。汽车紧固件关系到车辆安全，车厂对其品质、稳定性等要求严苛。

一般来说，汽车中包含各种标准和非标准的紧固元件，螺栓、螺钉等借助螺纹紧固连接的是主体。以零件数量计算，紧固件件数占整车零件总数的比例远超过其他任何一种零件，达 40%～55%。整车总装过程，主要是应用紧固件连接各种零部件的过程。

从行业上来看，汽车紧固件的需求约占整个紧固件行业总销量的 23%，行业占比最高。随着新能源汽车的普及，紧固件用量也越来越大，尤其是在动力电池能量密度和性能不断提升的过程中，紧固件螺纹连接的安全性也成为备受关注与争议的话题。

按材质种类，紧固件可分为钢制和铝制标准件两种。按与车身的连接形式，铝合金车身常用的紧固件可分为机械连接类和焊接类两种。

（一）机械连接类

1. 自穿式

自穿式螺栓或螺母又称自冲铆螺栓或螺母，其中自穿式标准件是通过端部翻边结构穿透

板材并与之形成可靠互锁结构的冷成形工艺。自穿式标准件的工艺过程包括四个阶段：夹紧、刺穿、成形、放开。自穿式标准件有可承受标准力矩、板材无须开孔、螺栓密封良好等优点，但标准件成本较高，仅适用于厚度低于2.0mm的薄壁铝板件。自穿式标准件可广泛应用于铝合金车身铝冲压零部件。

2. 铆接

铆接又称压铆，又叫自扣紧，是一种板材通过法向结构或者径向结构互锁的标准件连接形式，主要有齿状互锁压铆和折边互锁压铆两种，可广泛应用于铝合金车身的冲压件、挤出件和铸造件等各类零部件。

（1）齿状互锁压铆标准件

主要是通过标准件根部的齿状结构与开孔板材圆柱面挤压（过盈配合），形成互锁结构，完成标准件与板材的连接。工艺过程包括三个阶段：上件配合、施作用力、合模成形。此类压铆标准件，结构简单，成本较低，下模只需要一个平面即可。但是推出力较小，推荐用于开口截面、精度要求较低的安装点，对于重要硬点，建议谨慎使用。

（2）折边类互锁压铆标准件

标准件底部的翻边结构与开孔板材面在压头的作用下（固有模具挤压翻边结构，使其折弯成形互相嵌套），形成互锁结构，完成标准件与板材的连接。工艺过程包括三个阶段：上件配合、施作用力、合模成形。此类压铆标准件推出力较强、连接可靠，但结构复杂，成本较高，需要特定的下模配合成形。一般用于重要硬点或者重要安装点。压铆类标准件可广泛应用于各类铝合金车身部件上。

3. 拉铆

拉铆是通过标准件头部拉压变形膨胀，使端部法兰面上下夹住板材开孔，形成的一种稳定可靠的标准件连接形式。用于各类金属板材、管材等制造工业的紧固领域，在铝合金车身上应用广泛。

拉铆标准件工艺过程包括四个阶段：自动上料、插入安装孔、拉铆、反转旋出。拉铆具有结构简单、连接可靠、装拆方便、单向操作等优点；其缺点是大部分拉铆标准件端部法兰面会凸出板材，不利于安装件与车身板材的直接贴合。拉铆螺栓螺母主要应用于铝合金车身型材类、铸件类、薄壁件；为管路、线束、饰件、附件等重要安装点提供安装结构。

（二）焊接类

铝螺柱焊是将铝合金螺柱端部与铝板件表面接触，通电引弧，待接触面熔化后，给螺柱一定压力完成焊接的方法。

铝螺柱焊工艺过程主要包括上件、预紧、熔合和退出四个阶段。铝螺柱焊具有低成本、快捷灵活的优点；其缺点是连接强度弱。同类型、同规格铝螺柱焊连接强度比钢螺柱焊弱，一般用于冲压铝板上固定线束、管路等卡接结构。

（三）其他类

1. 螺纹套

螺纹套是通过外螺纹与铝合金铸件啮合，并通过自身的内螺纹为外部连接件提供可啮合螺纹的一种标准件形式。螺纹套实现了低强度金属材料进行高强度连接这一目标，40多年的使用实践已经验证了它的可行性。螺纹套由优质的不锈钢材料制成，安装嵌入车身铸铝部件后形成可靠内螺纹，在切口处（预设断开点）可断开安装尾柄。

螺纹套有普通型和自锁型。普通型的螺纹套是由具有精确成形的菱形截面的线圈卷绕而成，有一个标准的内螺纹，两边可用。自锁型具有和普通型螺纹套相同的技术优点。此外，其内部设计有一个螺纹锁定区域，可通过一匝或多匝多边形线圈固定住安装螺栓的螺纹，来实现螺栓的锁定。

螺纹套广泛应用于铸铝件，为副车架等底盘硬点、动力电池、车身本体等重要零部件提供安装点。

2. 铝合金套筒螺母

铝合金套筒螺母一般采用 7 系特制铝，内制螺纹，具有较高连接强度，基于两倍螺纹长度，保载可满足 PC10 级的受力要求。套筒采用冷连接的方式连接型材两个端面，使型材两个端面共同承担负载。

铝合金套筒螺母有着连接可靠、受高力矩要求、装配简单的优点。缺点是成本较高，且与型材梁截面尺寸需配合应用。铝合金套筒螺母主要应用于铝型材车身部件上的重要安装点，如副车架、悬架、电机总成、动力电池等重要硬点，安全带安装点。

总之，得益于汽车行业的飞速发展，被誉为“工业之米”的紧固件行业也迎来了飞速发展，据了解，我国生产汽车紧固件的规模企业有 130 多家，企业类型大致可分为两种：一是大型且具有相当规模的外资、合资和国内紧固件企业，设专责部门负责汽车紧固件生产制造；二是以汽车非标准紧固件产品为主的专业汽车紧固件企业。虽然与国外企业相比生产规模且品质方面尚有一定差距，对新能源汽车高端紧固件供应不足，但未来随着市场的快速发展，对高端紧固件的市场需求不断增加，国内紧固件的发展也会大步提升。

第九章
轴系零部件

【学习目标】

1. 说出轴类零件结构设计中的制造安装要求和轴上零件的定位、固定要求；
2. 能够对典型轴类零件结构合理性作出判断并正确安装；
3. 说出滚动轴承的组成及特点；
4. 能够解释滚动轴承的类型代号含义。

【学习重难点】

1. 轴的功用和类型；
2. 轴的结构设计；
3. 滚动轴承的组成、特点、类型代号；
4. 典型轴系零部件结构合理性分析及判断。

知识结构如图 9-1 所示。

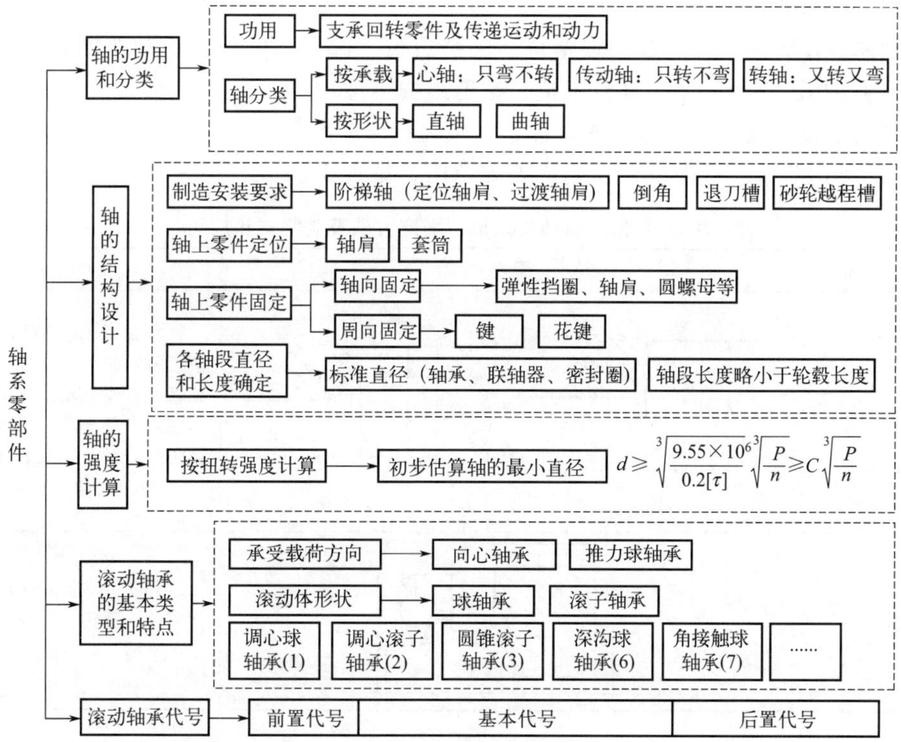

图 9-1 知识结构

第一节　轴的功能与分类

一、轴的功能

轴是用来支持旋转和传递转矩的机械零件。

二、轴的分类

① 轴按承载情况分为转轴、心轴和传动轴三类。转轴既承受弯矩又承受转矩，心轴只承受弯矩不承受转矩，传动轴主要承受转矩，不承受弯矩或承受很小的弯矩。

② 轴按轴线形状分为直轴和曲轴。

第二节　轴的结构设计

轴的结构外形主要取决于轴在箱体上的安装位置及形式、轴上零件的布置和固定方式、受力情况和加工工艺等。

1. 轴在结构设计时应满足的要求

① 轴上零件要有可靠的定位和固定方法；

② 轴上零件要便于安装和拆卸；

③ 轴的工艺性要好，便于加工、尽量减小应力集中等。

2. 轴上零件的定位和固定

① 轴向定位方法。轴肩或轴环定位、轴套定位、圆螺母定位、止动垫圈定位、轴端挡圈定位、弹性挡圈定位、紧定螺钉定位、锥形结构定位；

② 周向定位方法。键连接、销钉连接、过盈配合。

常用的轴向定位、固定方法及其特点和应用，见表 9-1。

表 9-1　常用的轴向定位、固定方法及其特点和应用

定位与固定方法	简图	特点和应用
轴肩、轴环	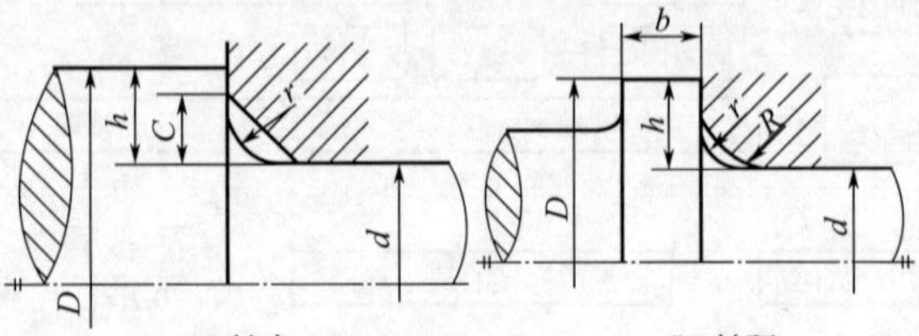(a) 轴肩　(b) 轴环	结构简单、定位可靠，可承受较大的轴向力，应用广泛。为保证轴上零件紧靠轴肩定位面，轴肩圆角半径 r、轴上零件孔端部倒角 C 或圆角半径 R、轴肩高度 h 应满足 $r<C(R)<h$
套筒	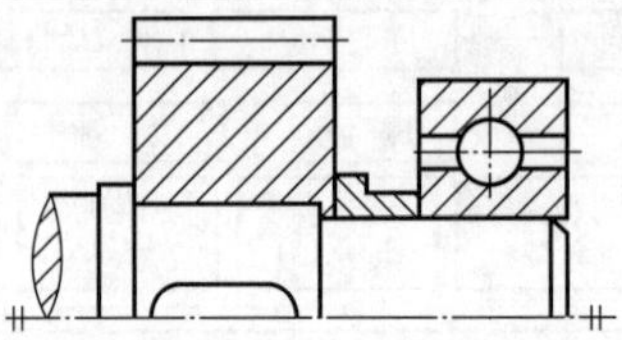	结构简单，定位可靠，一般用于零件间距较小的场合，不宜用于高速场合

续表

定位与固定方法	简图	特点和应用
圆螺母	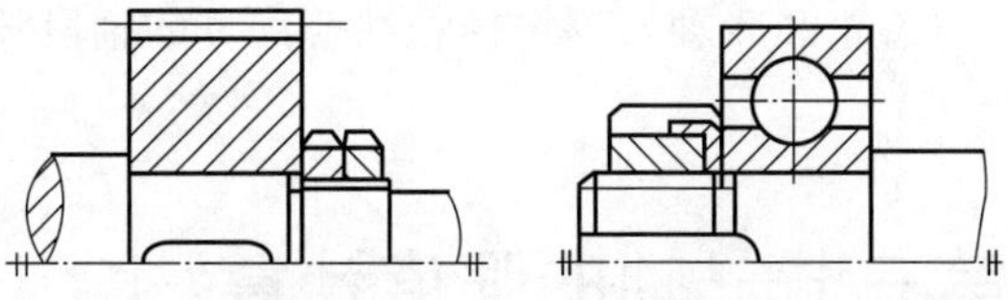 (a) 双圆螺母　(b) 圆螺母与止动垫圈	固定可靠，能承受较大的轴向力。常用于轴上两零件间距较大处，也可用于轴端。为了防松，需加止动垫圈或使用双圆螺母
轴端挡圈	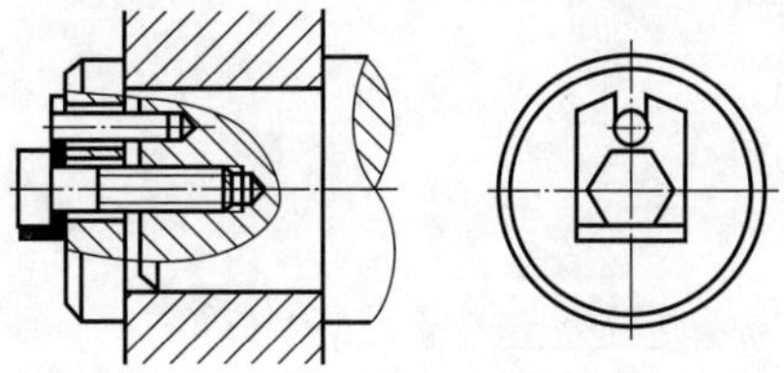	工作可靠，能承受较大的轴向力。适用于固定在轴端的零件。为了防止轴端挡圈转动造成螺钉松脱，可采用止动垫圈防松
弹性挡圈	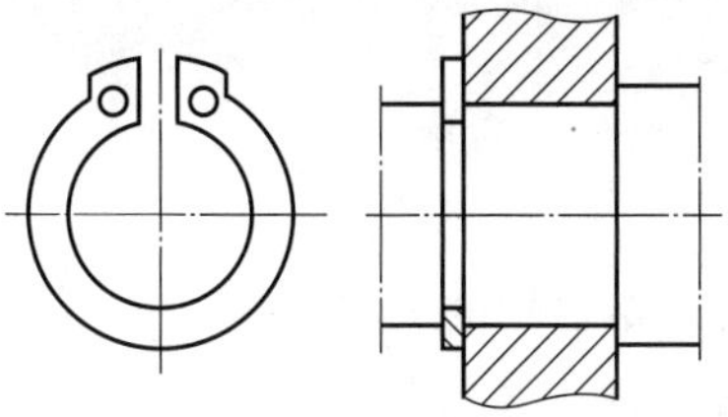	结构简单、紧凑，承载能力较小，弹性挡圈不宜用在高速场合。常用于光轴上零件的固定与定位
紧定螺钉	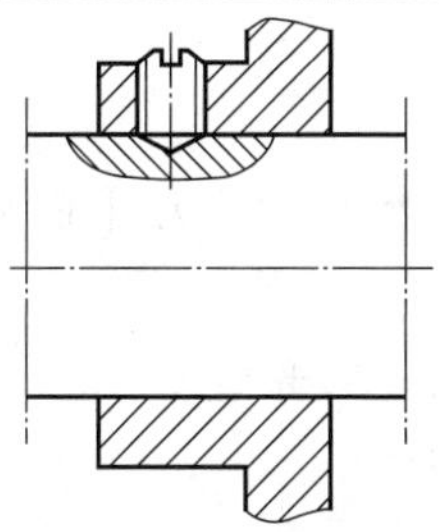	结构简单，受力较小，不宜用在高速场合。常用于光轴上零件的固定与定位

3. 轴的工艺结构

（1）过渡圆角

处于轴径变化处，目的是减小应力集中。轴上的过渡圆角半径应小于轮毂圆角半径或倒角边长。

（2）螺纹退刀槽和砂轮越程槽

轴上需车制螺纹的轴段应有退刀槽，需磨削的轴段应有砂轮越程槽。

（3）键槽和倒角

轴上各段的键槽应分布在同一母线上，键槽宽度尽量一致。为方便拆装，阶梯轴一般设计为一端粗一端细，或中间粗两端细，轴端加工倒角，且倒角尺寸应尽量统一。

（4）轴肩

固定滚动轴承的轴肩高度应小于轴承内圈厚度，以便拆卸。

4. 各轴段直径和长度的确定

按轴所受的转矩初步估算轴所需的直径，作为承受转矩的轴段的最小直径 d_{min}，然后再按轴上零件的装配方案和定位要求，从 d_{min} 处起逐一确定各段轴的直径。有配合要求的轴段，应尽量采用标准直径。

确定各轴段长度时，应尽可能使结构紧凑，同时还要保证零件所需的装配或调整空间。轴的各段长度主要是根据各零件与轴配合部分的轴向尺寸和相邻零件间必要的间隙来确定的。为了保证轴向定位可靠，与齿轮和联轴器等零件相配合部分的轴段长度一般应比轮毂长度短 2～3mm。

第三节 轴的强度计算

一、轴的强度计算公式

估算基本轴径

$$d \geqslant \sqrt[3]{\frac{9.55\times 10^6 P}{0.2[\tau]n}} = C\sqrt[3]{\frac{P}{n}} \tag{9-1}$$

式中 d——轴的估算基本直径，mm；

P——轴传递的功率，kW；

n——轴的转速，r/min；

$[\tau]$——许用扭切应力（已考虑弯矩对轴的影响）；

C——计算常数，取决于轴的材料及受载情况。

二、轴的强度校核

① 画出轴的空间力系图。将轴上作用力分解为水平面分力和垂直面分力，并求出水平面和垂直面的支点反力。

② 分别作出水平面的弯矩图和垂直面上的弯矩图。

③ 计算出合成弯矩，绘出合成弯矩图。

④ 作出转矩（T）图。

⑤ 计算当量弯矩，绘出当量弯矩图。

⑥ 校核危险截面的强度。

第四节 滚动轴承

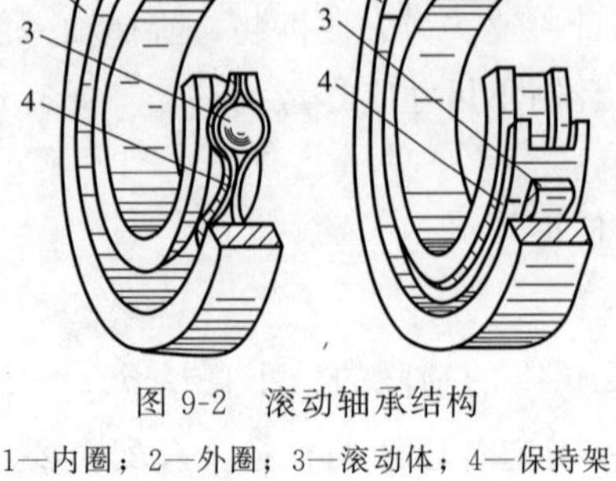

图 9-2 滚动轴承结构

1—内圈；2—外圈；3—滚动体；4—保持架

一、滚动轴承的基本类型和特点

滚动轴承一般是由内圈 1、外圈 2、滚动体 3 和保持架 4 组成，如图 9-2 所示。内圈装在轴上，外圈装在机座或零件的轴承孔内。内外圈上有滚道，当内外圈相对旋转时，滚动体将沿着滚道滚动。保持架的作用是把滚动体均匀地隔开。

滚动轴承按其承受载荷的作用方向，可分为向心滚动轴承和推力滚动轴承。其具体类型和特点，见表 9-2。

表 9-2　常用滚动轴承的类型和特点

轴承类型		结构简图、承载方向	类型代号	特点
向心滚动轴承	调心球轴承	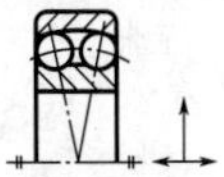	1	因外圈滚道表面是以轴承中点为中心的球面，故能自动调心，允许内圈(轴)相对外圈(外壳)轴线偏斜量≤2°～3°。一般不宜承受纯轴向力
	调心滚子轴承	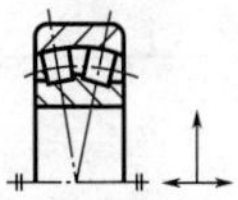	2	性能、特点与调心球轴承相同，但具有较大的径向承载能力，允许内、外圈轴线偏斜量≤1.5°～2.5°
	圆锥滚子轴承	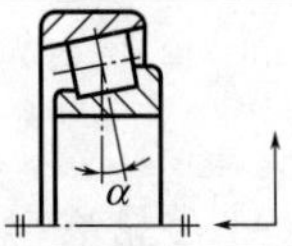	3	可以同时承受径向载荷及轴向载荷(30000 型以径向载荷为主，30000B 型以轴向载荷为主)。外圈可分离，安装时可调整轴承游隙。一般成对使用
	深沟球轴承	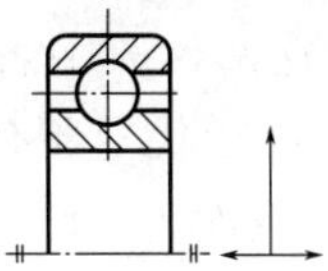	6	主要承受径向载荷，也可同时承受小的轴向载荷。当量摩擦系数最小。在高转速时，可用来承受纯轴向载荷。工作中允许内、外圈轴线偏斜量≤8′～16′，可大量生产，价格最低
	角接触球轴承	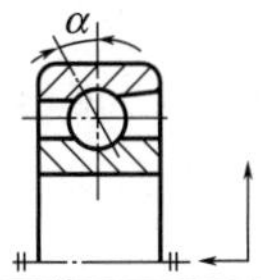	7	可以同时承受径向载荷及轴向载荷，也可以单独承受轴向载荷。能在较高转速下正常工作。由于一个轴承只能承受单向的轴向力，因此，一般成对使用。承受轴向载荷的能力与接触角有关。接触角大的，承受轴向载荷的能力也高
推力滚动轴承	推力球轴承 单向	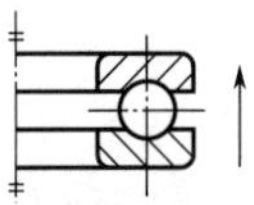	5	只能承受轴向载荷。高速时离心力大，钢球与保持架磨损，发热严重，寿命降低，故极限转速很低。为了防止钢球与滚道之间的滑动，工作时必须加有一定的轴向载荷。轴线必须与轴承座底面垂直，载荷必须与轴线重合，以保证钢球载荷的均匀分配
	推力球轴承 双向	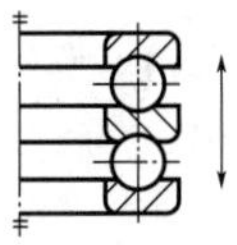		
	圆柱滚子轴承 外圈无挡边	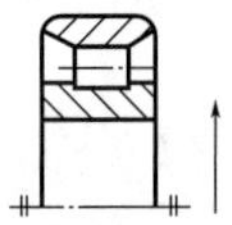	N	有较大的径向承载能力。外圈(或内圈)可以分离，故不能承受轴向载荷，滚子由内圈(或外圈)的挡边进行轴向定位，工作时允许内、外圈有少量的轴向错动。内、外圈轴线的允许偏斜量很小(2′～4′)。此类轴承还可以不带外圈或内圈
	圆柱滚子轴承 内圈无挡边	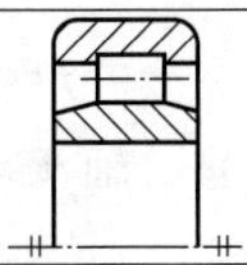	NU	
	滚针轴承	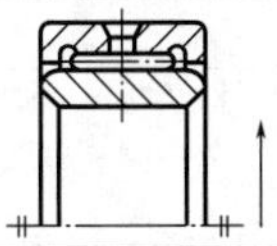	NA	在同样内径条件下，与其他类型轴承相比，其外径最小，内圈与外圈可以分离，工作时允许内、外圈有少量的轴向错动。有较大的径向承载能力，一般不带保持架，摩擦系数较大

二、滚动轴承的代号

在常用的各类滚动轴承中，每一种类型又可做成几种不同的结构、尺寸和公差等级，以便适应不同的技术要求。为了统一各类轴承的特点，便于组织生产和选用，规定了滚动轴承的代号。我国滚动轴承的代号由基本代号、前置代号和后置代号构成，其排列顺序见表 9-3。

表 9-3　滚动轴承代号的构成

<table>
<tr><th>前置代号</th><th colspan="5">基本代号</th><th colspan="8">后置代号</th></tr>
<tr><td rowspan="3">轴承分部件代号</td><td>一</td><td>二</td><td>三</td><td>四</td><td>五</td><td rowspan="3">内部结构代号</td><td rowspan="3">密封与防尘结构代号</td><td rowspan="3">保持架及其材料代号</td><td rowspan="3">特殊轴承材料代号</td><td rowspan="3">公差等级代号</td><td rowspan="3">游隙代号</td><td rowspan="3">多轴承配置代号</td><td rowspan="3">其他代号</td></tr>
<tr><td rowspan="2">类型代号</td><td colspan="2">尺寸系列代号</td><td colspan="2" rowspan="2">内径代号</td></tr>
<tr><td>宽度系列代号</td><td>直径系列代号</td></tr>
</table>

注：基本代号下面的一至五表示代号自左向右的位置序数。

1. 基本代号

基本代号用来表明轴承的内径、直径系列、宽度系列和类型。

（1）轴承内径代号

轴承内径代号即轴承内圈的内径，常用 d 表示，基本为代号右起第一、二位数字表示。对常用内径 $d=20\sim480$mm 的轴承，内径一般为 5 的倍数。这两位数字表示轴承内径尺寸被 5 除得的商。如 04 表示 $d=20$mm、12 表示 $d=60$mm 等。内径代号还有一些例外的，如对于内径为 10mm、12mm、15mm、17mm 的轴承，内径代号依次为 00、01、02 和 03。

（2）轴承的直径系列

轴承的直径系列即结构、内径相同的轴承在外径和宽度方面的变化系列。用基本代号右起第三位数字表示。直径系列代号有 7、8、9、0、1、2、3、4 和 5，对应于相同内径轴承的外径尺寸依次递增。

（3）轴承的宽度系列

轴承的宽度系列即结构、内径和直径系列都相同的轴承在宽度方面的变化系列，对于推力轴承，是指高度系列。用基本代号右起第四位数字表示。宽度系列代号有 8、0、1、2、3、4、5 和 6，对应同一直径系列的轴承，其宽度依次递增。多数轴承在代号中不标出代号 0，但对于调心滚子轴承和圆锥滚子轴承，宽度系列代号 0 应标出。直径系列代号和宽度系列代号统称为尺寸系列代号。

（4）轴承类型代号

用基本代号右起第五位数字（或字母）表示轴承类型代号，其表示方法见表 9-1。

2. 后置代号

轴承的后置代号是用字母和数字等表示的轴承的结构、公差及材料的特殊要求等。后置代号的内容很多，包含有内部结构代号、轴承的公差等级代号、轴承径向游隙系列代号等。

3. 前置代号

轴承的前置代号用于表示轴承的分部件，用字母表示。如用 L 表示可分离套圈，K 表示轴承的滚动体与保持架组件等。

实际应用中，标准滚动轴承类型很多，其中有些轴承的代号比较复杂。以上介绍的代号是轴承代号中最基本、最常用的部分，熟悉了这部分代号，就可以识别和查选常用的轴承。

三、滚动轴承的润滑和密封

润滑和密封对滚动轴承的使用寿命有很大影响。润滑的主要目的是减小摩擦与磨损。当滚动接触部位形成油膜时，还有吸收振动、降低工作温度等作用。

密封的作用是防止灰尘、水分等进入轴承，并阻止润滑剂的流失。

滚动轴承密封方法的选择与润滑剂的种类、工作环境、温度、密封表面的圆周速度有关。密封方法可分为两大类：接触式密封和非接触式密封。接触式密封有毛毡圈密封和密封圈密封。非接触式密封有间隙密封、迷宫式密封和毛毡加迷宫密封。

典型例题解析及习题

一、典型例题解析

1. 图 9-3 中，Ⅰ、Ⅱ、Ⅲ、Ⅳ轴是心轴、转轴还是传动轴？心轴是固定的还是转动的？

【解析】

首先弄清楚三种轴是怎样定义的。然后掌握轴是否传递转矩和是否承受弯矩的判断方法。

（1）如何判断轴是否传递转矩。

从原动机向工作机画传动路线，若传动路线沿该轴轴线走过一段距离，则该轴传递转矩。

（2）如何判断轴是否承受弯矩。

该轴上除联轴器外是否还有其他传动零件，若有则该轴承受弯矩，否则不承受弯矩。

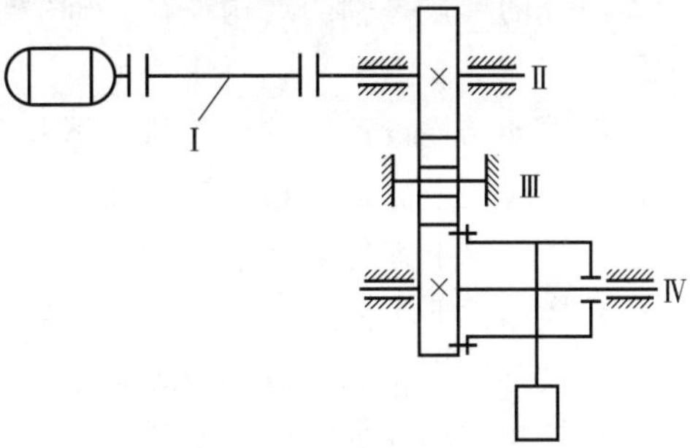

图 9-3　轴系图

【解题过程】

Ⅰ轴上除了联轴器没有其他零件，且传动路线沿该轴轴线走过一段距离，所以只传递转矩而不承受弯矩，故Ⅰ轴为传动轴；

Ⅱ、Ⅳ轴上均挂有零件，且传动路线沿两轴轴线走过一段距离，所以既传递转矩又承受弯矩，故Ⅱ轴、Ⅳ轴为转轴；

Ⅲ轴上挂有零件，传动路线没有沿轴线运动，所以该轴只承受弯矩，故Ⅲ轴为心轴。

由图中可知，心轴（Ⅲ轴）是固定的。

2. 已知某传动轴传递的功率为 37kW，转速 $n=900\text{r/min}$，轴上有一个键槽，如果轴上的扭切应力不超过 40MPa，试求该轴的直径。

【解析】

求轴的直径需要根据轴的承载情况对轴的强度进行计算，常见的轴的强度计算方法有两种，一种是按照扭转强度计算，另一种是按弯扭合成强度计算。第一种方法适用于只承受弯矩的传动轴的精确计算，也可用于既承受弯矩又承受转矩的转轴的近似计算。第二种方法则适用于既承受弯矩又承受转矩的转轴的精确计算。该题目中的已知轴是传动轴，故可以按扭转强度公式来计算轴颈。

【解题过程】

按扭转强度计算公式，可得

$$d\geqslant\sqrt[3]{\frac{9.55\times10^6}{0.2[\tau]}}\sqrt[3]{\frac{P}{n}}=\sqrt[3]{\frac{9.55\times10^6}{0.2\times40}}\sqrt[3]{\frac{37}{900}}=36.6\text{mm}$$

因为轴上有一键槽，故应将计算的结果增大5%左右，得

$$d \geqslant 36.6 \times (1+5\%) = 38.4\text{mm}$$

故该轴的最小直径不能低于38.4mm，可取$d=40$mm。

3. 试分析图9-4所示轴系结构，指出其中不合理的地方，简要说明原因。

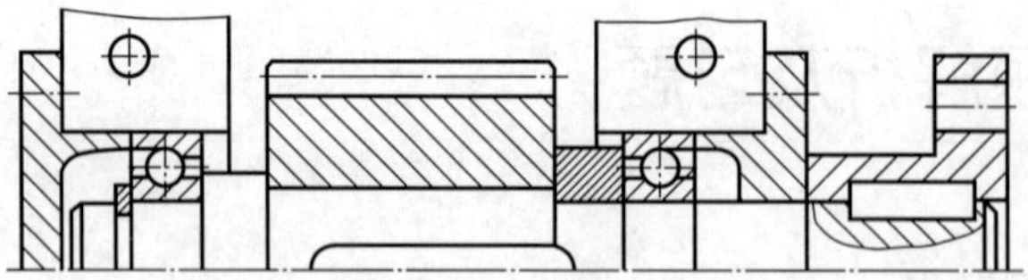

图9-4　轴系结构

【解析】

本部分的考点是轴的结构设计。轴的结构设计总要求是：能装上去、可拆下来、定位准确、固定牢靠。

围绕轴的结构设计要求，要从以下几个方面对轴的设计合理性进行分析：

（1）轴应便于制造，轴上零件要易于装拆；

（2）轴和轴上零件要有准确的工作位置；

（3）各零件要牢固且可靠地相对固定；

（4）改善应力状况，减小应力集中；

（5）轴类零部件的润滑和密封。

【解题过程】

该轴的结构中共有10处不合理，如图9-5所示。

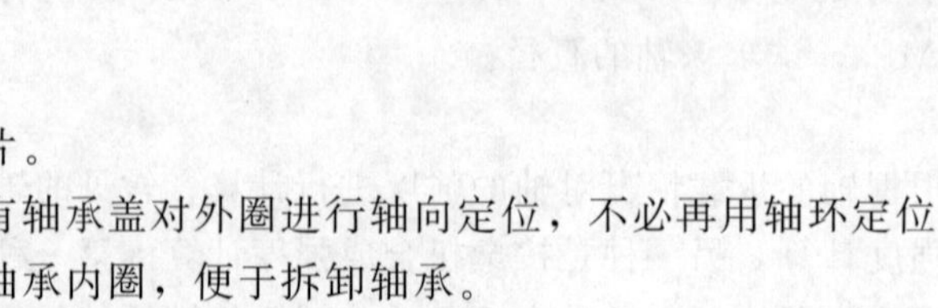

图9-5　轴系结构不合理之处

其原因如下。

1处应有调整垫片。

2处轴承左侧已有轴承盖对外圈进行轴向定位，不必再用轴环定位。

3处轴肩应低于轴承内圈，便于拆卸轴承。

4处键过长，对轴的强度破坏严重。

5处与轮毂配合的轴段长度应比轮毂长度短2～3mm，便于可靠固定轮毂。

6处套筒过厚，厚度应低于轴承内圈，便于轴承拆卸。

7处轴承透盖应装有密封圈，且不能和轴接触。

8处该键不能与轴承盖接触，且应有轴肩定位。

9处齿轮轴段与联轴器轴段上的键应尽量装在同一母线上。

10处该段轴过长，导致轴承装配路径过长，应设计出阶梯。

4. 说明滚动轴承6308、7211C、7312AC/P6、N408/P5的含义。

【解析】

本部分的考点是轴承的基本代号。轴承的基本代号主要包括五位：从左到右第一位为轴承的类型；第二和第三位是轴承的宽度系列代号，其中宽度为窄系列时代号为 0，不标出；第四和第五位是轴承的内径代号。对于通用的轴承符号要掌握其规律，对于特殊的代号一定要牢记。

【解题过程】

6308：内径为 40mm 的深沟球轴承，尺寸系列 03，0 级公差，0 组游隙。

7211C：内径为 55mm 的角接触球轴承，尺寸系列 02，公称接触角 15°，0 级公差，0 组游隙。

7312AC/P6：内径为 60mm 的角接触球轴承，尺寸系列 03，公称接触角 25°，0 级公差，0 组游隙，公差等级为 6 级。

N408/P5：内径为 40mm 的外圈无挡边圆柱滚子轴承，尺寸系列 04，5 级公差，0 组游隙。

二、习题

（一）填空题

1. 按轴所受载荷分类，轴可以分为________、________、________。

2. 根据承载情况分析自行车的前轮轴是________轴，汽车底盘用万向联轴器连接汽车变速器与后桥齿轮箱之间的轴是________轴，支承火车车厢的轮轴是________轴。

3. 轴一般应是阶梯形，一定要使中间轴段________，两边轴段________。

4. 轴常制成阶梯形，主要是为了轴上零件的轴向________，便于轴上零件________，有时也是为了提高轴的制造________。

5. 为了减小轴的应力集中，轴的直径突然变化处应进行________加工，为了保证轴上零件靠紧轴肩定位端面，轴肩的圆弧半径应该________零件轮毂孔的倒角或圆角半径。

6. 轴按承受载荷的不同，分为转轴、心轴和传动轴，其中心轴只承受________，而不传递________。

7. 代号为 6214 的滚动轴承，类型是________，内径是________ mm。

8. 国家标准规定的轴承代号由________、________和后置代号三部分构成。

9. 代号为 3107、3207、3307 的滚动轴承，其中“3”代表的是________轴承，它们的________是相同的。

10. 只能承受轴向载荷的滚动轴承称为________轴承，主要承受径向载荷的轴承称为________轴承。

（二）选择题

1. 工作时只承受弯矩，不承受转矩的轴称为（　　）。

A. 心轴　　B. 传动轴　　C. 转轴

2. 工作时只承受转矩，不承受弯矩或弯矩很小的轴称为（　　）。

A. 心轴　　B. 传动轴　　C. 转轴

3. 工作时既承受弯矩，又承受转矩的轴称为（　　）。

A. 心轴　　B. 传动轴　　C. 转轴

4. 轴上零件轮毂的宽度应（　　）与之配合的轴段长度。

A. 等于　　　　B. 小于　　　　C. 大于

5. 为便于拆卸滚动轴承，与其定位的轴肩高度应（　　）滚动轴承内圈厚度。

A. 大于　　　　B. 等于　　　　C. 小于

6. 与滚动轴承配合的轴段直径，必须符合滚动轴承的（　　）标准系列。

A. 内径　　　　B. 外径　　　　C. 宽度

7. 从经济性考虑，同时满足使用要求时，应优先选用（　　）。

A. 深沟球轴承　　　　B. 圆柱滚子轴承　　　　C. 圆锥滚子轴承

8. 通常滚动轴承的内圈随轴颈旋转，而（　　）固定在机体上。

A. 滚动体　　　　B. 保持架　　　　C. 外圈

（三）分析题

1. 图 9-6 所示轴的结构存在错误或不合理之处，用序号标出，并依次说明错误或不合理的原因。

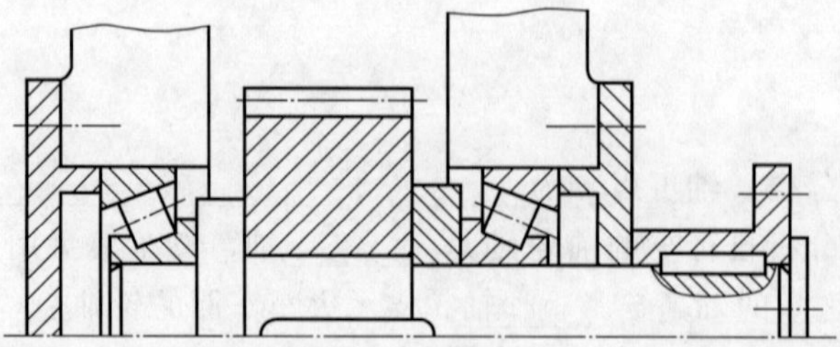

图 9-6　轴结构

2. 图 9-7 所示轴系结构存在错误或不合理之处，用序号标出，并依次说明错误或不合理的原因。

3. 图 9-8 所示轴系结构存在错误或不合理之处，用序号标出，并依次说明错误或不合理的原因。

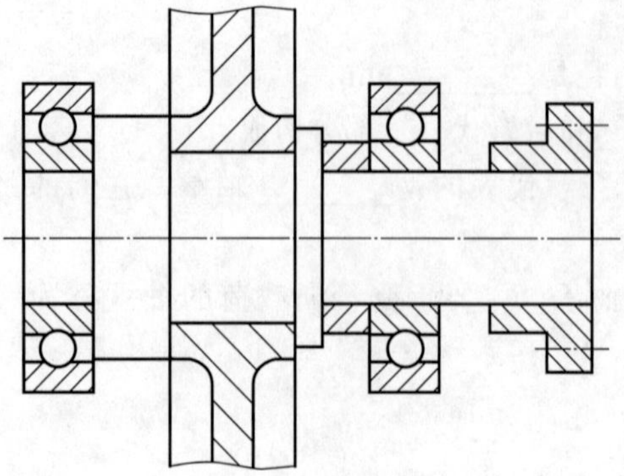

图 9-7　轴系

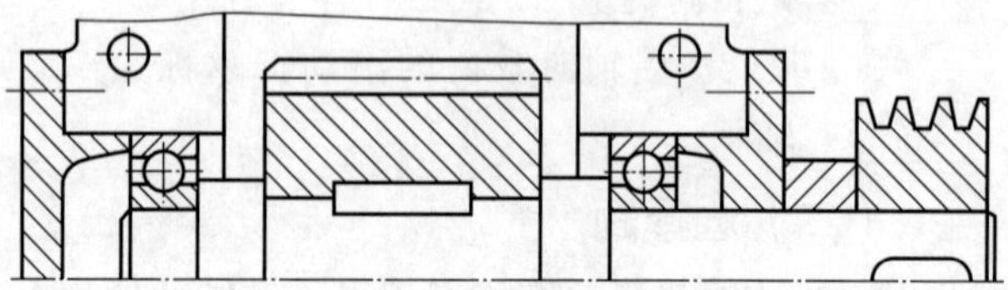

图 9-8　轴系结构

（四）计算题

已知某传动轴直径 $d=35\text{mm}$，转速 $n=1450\text{r/min}$，如果轴上的剪切应力不许超过 55MPa，问该轴能传递多少功率？

拓展知识

机械设计中的轴系零部件、汽车半轴与轴承构成了从基础理论到具体应用的层级关系。我国在汽车半轴和高端轴承国产化方面的努力和成就，体现了科技发展对国家工业实力提升的重要性。

一、汽车半轴的构造及作用

如图 9-9 所示，汽车半轴也称驱动轴，装在差速器或末端减速器齿轮与车轮之间。它是由两套或一套等速万向节、中间轴（芯轴）及其他零件所组成，是差速器与驱动桥之间传递较大转矩的实心轴。

如图 9-10 所示，汽车半轴内端一般采用花键的方式与差速器的半轴齿轮连接，而外端则通过凸缘盘或花键等方式与驱动轮的轮毂相连。其主要作用是将差速器传来的动力传递给左右驱动轮。

由于空心轴传动更容易控制不平衡问题，现在，很多汽车上都采用空心轴，半轴内外端各有一个万向节，分别通过万向节上的花键与减速器齿轮及轮毂轴承内圈连接。

图 9-9 汽车半轴

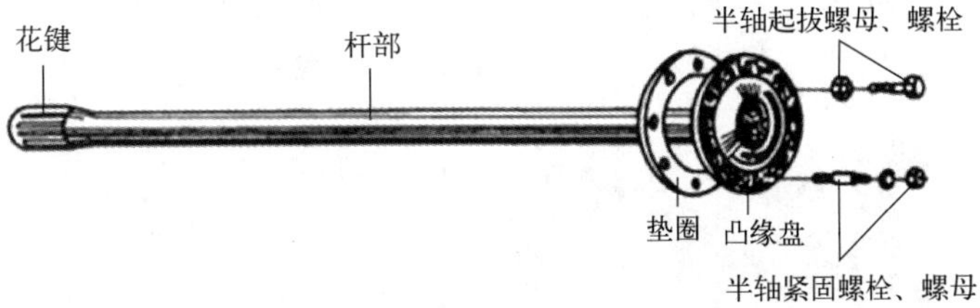

图 9-10 汽车半轴结构

现代汽车常用的半轴，根据其支承形式不同，有全浮式和半浮式两种。我们常说的全浮式车桥和半浮式车桥实际上就是指半轴的形式。这里的“浮”是指卸除半轴后的弯曲载荷，亦分为全浮式、3/4 浮式、半浮式三种，如图 9-11 所示。

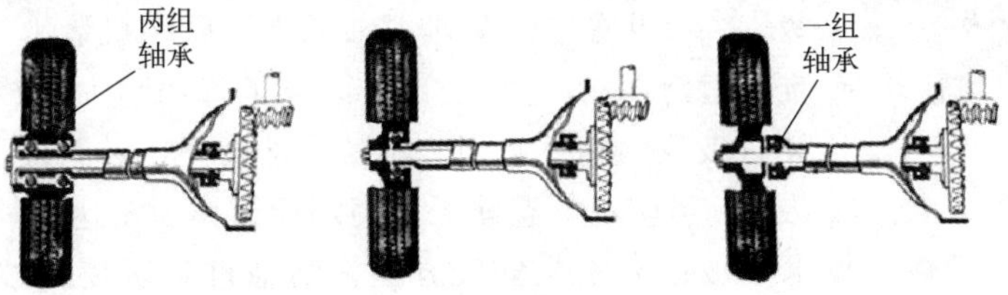

(a) 全浮式半轴 (b) 3/4浮式半轴 (c) 半浮式半轴

图 9-11 汽车半轴分类

1. 全浮式半轴

工作时仅承受转矩，两端不承受任何力和弯矩的半轴称全浮式半轴。半轴的外端凸缘用螺栓紧固到轮毂上，轮毂又通过两个相距较远的轴承装在半轴套管上。

结构上全浮式半轴的内端做有花键，外端做有凸缘，凸缘上有若干孔。因工作可靠，广泛应用在各种类型的载重汽车上。

2. 3/4 浮式半轴

除承受全部转矩外，还要承受一部分弯矩。3/4 浮式半轴最突出的结构特点是半轴外端仅有一个轴承，轴承支承着车轮轮毂。

由于一个轴承的支承刚度较差，因此这种半轴除承受转矩外，还要承受因车轮的垂直力、驱动力和侧向力所引发的弯矩作用。3/4 浮式半轴在汽车上应用很少。

3. 半浮式半轴

半浮式半轴以靠近外端的轴颈直接支承在位于桥壳外端内孔中的轴承上，半轴端部以具有锥面的轴颈及键与轮毂固定连接，或用凸缘直接与车轮轮盘及制动毂相连接。因此，除传递转矩外，还要承受车轮传来的垂直力、驱动力和侧向力引起的弯矩。

半浮式半轴因结构简单、质量小、造价低，应用于乘用车和部分商用车上。

二、中国的高端轴承

“挺起民族轴承工业的脊梁”，这是洛阳轴承集团股份有限公司（以下简称洛轴）的“座右铭”，更是河南制造在助力大国重器领域的践行。

2022 年 9 月 1 日 18 时 26 分，航天员陈冬成功开启问天实验舱气闸舱出舱门；19 时 09 分，航天员陈冬、刘洋成功出舱。这一消息牵动国人心，振奋国人心。

问天实验舱的动态，时刻牵动着洛轴技术研发人员的心，洛轴研发制造的相关轴承产品，如图 9-12 所示，就应用在问天实验舱中。

图 9-12　洛轴转盘轴承

不过，助力问天实验舱，并非洛轴的唯一工作。近年来，洛轴研制的各种高质量产品已成功应用于神舟系列、天问一号、嫦娥五号及嫦娥系列、天舟四号及天舟系列、天宫空间站、天和核心舱、梦天实验舱等国家航天工程。

在世界科技前沿方面，洛轴研究的超细贝氏体钢及纳米贝氏体热处理技术，为国内首创，2017 年获得国家技术发明二等奖，为国内外轴承行业长寿命、大冲击轴承的制造提供了新的热处理方法。

面向经济主战场，洛轴助推“穿山”，研发了 3 米级、6 米级、9 米级盾构机系列主轴承，为盾构机装上了中国“芯”；助推“过海”，在整体及剖分海洋工程用超大型转盘轴承领域，连续打破我国整体和剖分转盘轴承最大直径纪录。

此外，在国家重大需求方面，洛轴在航空航天、高端望远镜、雷达测控、航母等领域的尖端轴承取得了关键核心技术突破；在生命健康方面，洛轴自主研发高端医疗器械 CT 轴承，打破国际垄断，解决了 CT 机配套轴承急缺问题。

虽然取得了巨大成就，但我国不少领域的高端轴承主要技术性能指标与国际先进水平相比还可进一步提升。航空发动机轴承、直升机传动系统轴承、高端医疗器械 CT 机轴承、盾构机主轴承等领域的轴承，在设计、制造、试验等层面有不少关键核心技术亟须突破。这就需要汇聚、整合、集成政府、企业、高校、科研院所等的技术创新资源。

第三篇　工程材料及机械制造基础

第十章
材料的种类和性能

【学习目标】

1. 能够说出强度、塑性、硬度等力学性能的概念及衡量指标；
2. 能够描述金属晶格常见的三种类型；
3. 能够说出金属同素异构转变的概念，并能正确书写纯铁的同素异构转变式；
4. 知晓合金的基本结构；
5. 能够说出铁碳合金的基本相及组织；
6. 能够根据铁碳合金相图分析简单现实问题。

【学习重难点】

1. 常见力学性能及衡量指标；
2. 金属晶格的常见类型；
3. 合金的结构；
4. 铁碳合金相图。

第一节　工程材料分类

工程材料按其化学成分可分为金属材料、非金属材料（有机、无机）和复合材料三大类。

金属材料包括纯金属和以金属元素为主构成的合金，其主要特征是具有金属光泽、良好的塑性、导电性、导热性、较高的刚度和正的电阻温度系数。这是工程领域中用量最大的一类材料。依据其成分又分为钢铁材料和非铁金属（即有色金属）材料两大类。

非金属材料又分为有机高分子材料和无机非金属材料两大类。其中，有机高分子材料包括塑料、合成橡胶、合成纤维等，其具备金属材料不具备的某些特性，发展很快，应用日益广泛。无机非金属材料包括硅酸盐、金属与非金属元素的化合物等，如陶瓷、水泥、玻璃、耐火材料等，其主要特征是耐高温、耐腐蚀、高硬度、高脆性、无塑性。

复合材料是两种或两种以上不同化学性质或不同组织结构的物质，通过人工制成的一种多相固体材料。复合材料保持所组成材料的各自优点，还有着单一材料不具备的优良性能，其力学性能和功能可以根据使用需要进行设计制造。

第二节 金属材料的力学性能

金属材料的性能包括使用性能和工艺性能两大类。使用性能是指金属材料在使用过程中表现出来的力学、物理和化学性能。其中，力学性能表示金属材料抵抗外力的能力，常见的力学性能有强度、塑性、硬度、冲击韧性和疲劳强度等。工艺性能是指金属材料在加工制造过程中所表现出来的性能，如铸造性、焊接性、切削加工性等。金属的工艺性能与力学性能密切相关。

一、强度

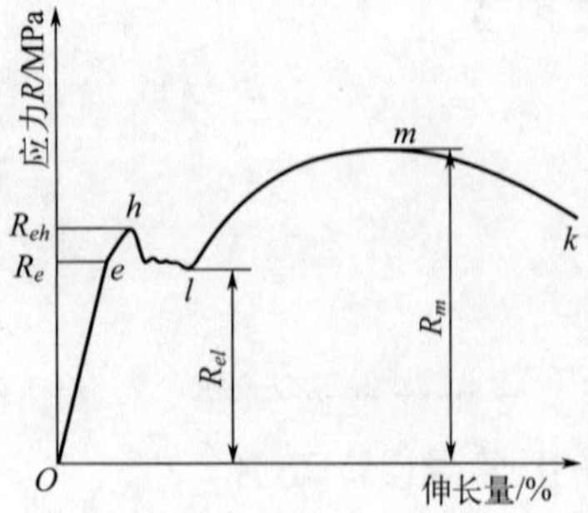

图 10-1 退火低碳钢拉伸曲线

在外力作用下材料抵抗变形与断裂的能力称为强度。强度是衡量零件本身承载能力（即抵抗失效能力）的重要指标，是机械零部件首先应满足的基本要求。通过拉伸实验测得。以退火低碳钢为试样所得的拉伸曲线最为典型，如图 10-1 所示。从曲线中可以看出，低碳钢的变形过程共包含弹性变形、微塑性应变、屈服、塑性应变硬化及颈缩变形等五个阶段。

强度的衡量指标主要有弹性强度 R_e、上屈服强度 R_{eh}、下屈服强度 R_{el} 和抗拉强度 R_m 四种。

① 弹性强度 R_e：（e 点）金属材料在外力作用下产生弹性变形时所能承受的最大应力。

② 上屈服强度 R_{eh}：（h 点）试样发生屈服，力首次下降前的最高应力。

③ 下屈服强度 R_{el}：（l 点）试样在屈服期间的最低应力。

④ 抗拉强度 R_m：（m 点）材料抵抗拉伸时在最大力点所对应的应力。

注意：最大力是指屈服阶段之后的最大力。当材料无明显屈服时，对应试验期间的最大力。

许多脆性材料在拉伸过程中不出现明显屈服现象，只有弹性变形、应变硬化（对淬火钢，到 m 点断裂，对中强钢有缩颈）等阶段。

二、塑性

塑性是指在外力作用下，材料能稳定地发生永久变形而不断裂的能力。通常用断后伸长率 A 和断面收缩率 Z 代表材料塑性指标，塑性指标也是通过拉伸实验测得。

三、硬度

硬度是衡量材料软硬程度的指标，表示材料抵抗局部塑性变形的能力。一般情况下，硬度越高，材料的耐磨性也越好。金属材料的硬度以压入法测定最多，常用的压入硬度指标有布氏硬度和洛氏硬度等。

1. 布氏硬度

利用布氏硬度计以淬火钢球为压头，将一个直径为 D 的硬质合金球，在一定压力 F 下压入试样表面，并保持压力至规定时间后卸载，在带有刻度的显微镜下测得压痕直径 d。计算出压痕表面积，进而得到试样表面所承受的平均应力值，即为布氏硬度值 HBW。

布氏硬度的表示方法：硬度值写在符号 HBW 之前，符号之后按球体直径 D（mm）、试验力 F（千克力❶）、力保持时间 T(s) 的顺序分别用数值表示。如 500HBW5/750/10 表示：用直径为 5mm 的硬质合金球，在 750kgf 载荷作用下保持 10s 测得的布氏硬度值为 500。

布氏硬度法测试数值较为稳定，准确度较洛氏硬度法高，缺点是测量费时，且压痕较大，不适用于成品检测。

2. 洛氏硬度

洛氏硬度是将初载 P_0 和主载 P_1 组合成总载荷 P，把金刚石压头或钢球压头压入金属表层，卸去主载 P_1，在初载条件下测得主载 P_1 的压入深度，计算硬度值。实际测量时，洛氏硬度值可直接在硬度计刻度盘上读出。按载荷不同，选择的压头不同，相应的洛氏硬度有 HRC、HRB、HRA 等多种类型，此值为一无名数。

洛氏硬度法测试简便、迅速，压痕小，不损失零件，可用于成品检验。其缺点是测得的硬度值重复性差，一般需要在不同部位测量三次，取平均值。

四、冲击韧性

材料在冲击载荷作用下抵抗断裂的能力称为冲击韧性。常用标准试样的冲击吸收功 $A_{kV(U)}$ 表示。$A_{kV(U)}$ 由夏比摆锤冲击试验测得。

衡量指标为冲击韧度 $a_{kV(U)}$，单位为 $J \cdot cm^{-2}$，如下式：

$$a_{kV(U)}=\frac{A_{kV(U)}}{F} \tag{10-1}$$

$a_{kV(U)}$ 值越大，材料的冲击韧性越好，材料越可靠。材料的冲击值与温度等因素有关。

五、疲劳强度

在多次重复或交变应力作用下，金属材料在远低于金属的屈服强度时发生断裂的现象，称为疲劳。

金属材料在无数次交变载荷作用下不引起断裂的最大应力，称为疲劳强度。当交变应力是对称循环应力时，疲劳极限用符号 σ_{-1} 表示。

第三节　金属的结构与结晶

一、金属的晶体结构

1. 晶体与非晶体

根据原子在物质内部聚集状态的不同，可将物质分为晶体与非晶体两大类。晶体与非晶

❶ 千克力为一种力的单位，符号为 kgf，1kgf 约为 9.8N。

体相比，其根本区别在于它们的原子排列方式不同，因此，它们的性能也有明显的差异。

2. 晶体结构的基本概念

晶体内部的原子是按一定的几何规律排列的。晶格是表示晶体中原子排列规律的空间格架。能够完整地反映晶格特征的最小几何单元称为晶胞。晶胞的棱边长度称为晶格常数。

3. 金属晶格的常见类型

在已知的金属元素中，除少数具有复杂的晶体结构外，大多数金属具有三种简单的晶体结构。

（1）体心立方晶格

如图 10-2(a) 所示。属于这类晶格的金属有铁（α-Fe）、铬（Cr）、钒（V），钨（W），钼（Mo）等。这类金属通常塑性较好。

（2）面心立方晶格

如图 10-2(b) 所示，属于这类晶格的金属有铝（Al）、铜（Cu）、铅（Pb）、镍（Ni）、铁（γ-Fe）等。这类金属的塑性优于体心立方晶格的金属。

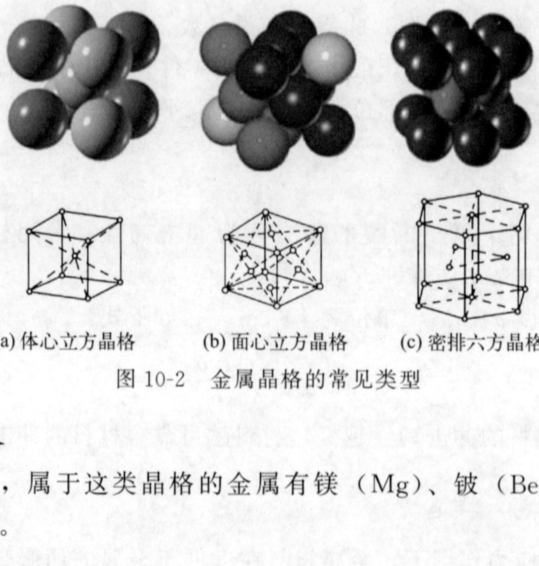

(a) 体心立方晶格　(b) 面心立方晶格　(c) 密排六方晶格

图 10-2　金属晶格的常见类型

（3）密排六方晶格

如图 10-2(c) 所示，属于这类晶格的金属有镁（Mg）、铍（Be）、镉（Cd）、锌（Zn）等。这类金属通常较脆。

二、金属的结晶

金属由液态转变为固态时的凝固过程，即晶体结构形成的过程称为结晶。金属的实际结晶温度（T_1）较理论结晶温度（T_0）低，这一现象称为过冷现象。理论结晶温度与实际结晶温度之差 $\Delta T(T_0-T_1)$ 叫作过冷度。冷却速度越大，过冷度也越大，因为金属的结晶过程存在滞后现象。

金属的结晶是一个晶核不断产生和不断长大的过程。实验表明，晶粒大小对力学性能有很大影响，晶粒越细，金属的力学性能越好，反之则力学性能越差。用细化晶粒强化金属的方法称为细晶强化，它是强化金属材料的基本途径之一。

三、金属的同素异构转变

金属在固态下随温度的改变，由一种晶格转变为另一种晶格的现象，称为同素异构转变。

纯铁的同素异构转变表示为

$$\underset{(\text{体心立方晶格})}{\delta\text{-Fe}} \overset{1394^\circ\text{C}}{\Longleftrightarrow} \underset{(\text{面心立方晶格})}{\gamma\text{-Fe}} \overset{912^\circ\text{C}}{\Longleftrightarrow} \underset{(\text{体心立方晶格})}{\alpha\text{-Fe}}$$

铁的同素异构转变是铁的一种极重要特性。正是由于铁能发生同素异构转变，才能使钢和铸铁能够进行各种热处理，从而改变其组织和性能。

四、实际金属的晶体结构

在晶体内部，如果晶格位向是完全一致的，则这种晶体称为单晶体。由于单晶体在不同的晶面和晶向上原子排列的疏密程度不同，因此在不同的方向上性能有差异，这种现象称为各向异性或有向性。实际金属都是由许多晶粒组成的多晶体，由于各个晶粒的位向不同，它们的有向性彼此抵消，呈现无向性，称为伪无向性。

实际金属晶体其原子排列总是会有不规则的区域，通常把这种区域称为晶体缺陷。晶体缺陷对金属的性能有重要影响。

五、合金结构与合金相图

除特殊需要外，工业上应用最广泛的金属材料是合金。合金是由两种或两种以上的金属元素或金属元素与非金属元素所组成的金属材料。

1. 相关术语

（1）组元

组成合金最基本的、能够独立存在的物质称为组元。组元一般是元素，也可以是稳定化合物。

（2）相

晶体中化学成分一致，物理状态相同，与其他部分有明显界面的部分称为相。

（3）组织

是指由单相或多相组成的具有一定形态的聚合物，一般指组成金属的相，以及相与相的配置状态。纯金属的组织是由一个相组成，合金的组织可以是由一个相，也可以是由两个或两个以上的相组成。用显微镜观察到的金属材料的特征和形貌称为显微组织，显微组织对金属的性能起重要作用。

2. 合金的基本结构

合金在熔化状态时，若各组元能相互溶解成为均匀溶液，说明就只有一个相。在冷却结晶过程中，由于各组元间相互作用不同，可以得到固溶体、金属化合物及机械混合物三种类型的结构。

（1）固溶体

一种组元均匀地溶解在另一组元中而形成的晶体相称为固溶体。固溶体是单相，它的晶格类型与溶剂组元相同。根据溶质原子在溶剂晶格中的分布情况不同，固溶体可分为置换固溶体及间隙固溶体两种类型。因为形成固溶体而引起合金强度、硬度升高的现象称为固溶强化，固溶强化是改善金属材料性能的重要途径之一。

（2）金属化合物

合金中各组元原子按一定整数比结合而成的晶体相，称为金属化合物。金属化合物也是单相，而且也可以看成是一个组元。

（3）机械混合物

纯金属、固溶体、金属化合物都是组成合金的基本相，机械混合物就是两种以上的相紧密混合而成的独立整体。

3. 铁碳合金相图

工业上应用最为广泛的合金是钢和铸铁，二者均属于铁碳合金。

（1）铁碳合金的基本相及组织

铁素体。碳溶解在 α-Fe 中形成的间隙固溶体称为铁素体，用符号“F”表示。它保持 α-Fe 的体心立方晶格。铁素体溶解碳量很小，所以性能几乎与纯铁相同，强度、硬度较低（80HBW），但塑性、韧性较好。

奥氏体。碳溶解于 γ-Fe 中形成的间隙固溶体称为奥氏体，用符号“A”表示。它保持 γ-Fe 的面心立方晶格。奥氏体具有良好的塑性和较低的变形抗力，是多数钢种在高温下进行压力加工时要求的组织。

渗碳体。渗碳体是铁与碳形成的金属化合物，用 Fe_3C 表示。渗碳体含碳量为 6.69%，具有复杂的晶格，硬度很高（800HBW），脆性很大，而塑性和韧性几乎等于零。在钢中，渗碳体的大小、形状及分布对钢的性能影响很大。

珠光体。铁素体和渗碳体组成的机械混合物称为珠光体，用符号“P”表示。珠光体的平均含碳量为 0.77%，其力学性能介于铁素体和渗碳体之间，强度较高，硬度适中，具有一定的塑性。

莱氏体。含碳量为 4.3%的铁碳合金，在 1148℃时，从液体中同时结晶出奥氏体和渗碳体的机械混合物，称为莱氏体，用符号“Ld”表示。莱氏体硬度很高（700HBW），塑性很差。

铁碳合金的基本相及组织中，铁素体、奥氏体、渗碳体是基本相，珠光体和莱氏体则是由基本相组成的多相组织。

（2）铁碳合金相图分析

铁碳合金相图是表示在极缓慢冷却（或极缓慢加热）的情况下，不同成分的铁碳合金的状态或组织随温度变化的一种图形，是研究钢、铁的基本工具。图 10-3 为简化的 $Fe\text{-}Fe_3C$ 相图。

① $Fe\text{-}Fe_3C$ 相图中主要特征点。相图中主要特性点有：*A*、*C*、*D*、*E*、*G*、*P*、*S* 等，其各点的物理意义见表 10-1。

② $Fe\text{-}Fe_3C$ 相图中的主要特征线。*ACD* 线是液相线，在此线以上的合金处于液体状态，冷却时含碳量小于 4.3%的合金在 *AC* 线开始结晶出奥氏体。含碳量大于 4.3%的铁碳合金在 *CD* 线开始结晶出 Fe_3C，称一次渗碳体，并用 Fe_3C_{I} 表示。*AE* 线是钢的固相线，钢液冷却到此温度线时，全部结晶为奥氏体。*GS* 线（A_3 线）是含碳量小于 0.77%的奥氏体开始析出铁素体的温度线。*ES* 线（A_{cm} 线）是碳在奥氏体中的溶解度曲线，在 1148℃时，奥氏体的溶碳能力最大为 2.11%，随温度的降低，溶解度沿此线降低，到 727℃时，奥氏体的溶碳量为 0.77%，大于碳含量 0.77%的合金，当冷却到此线时，析出渗碳体，称为二次渗碳体，并用 Fe_3C_{II} 表示。*ECF* 线是生铁的固相线，又叫共晶线。合金冷却到此线时发生共晶反应。*PSK* 线（A_1 线）又称共析线，在此线发生共析反应。

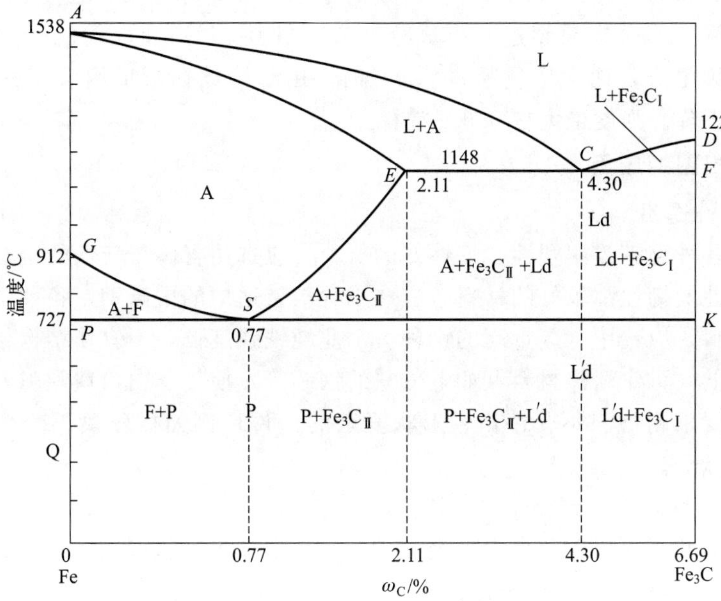

图 10-3　简化后的 $Fe-Fe_3C$ 相图

表 10-1　$Fe-Fe_3C$ 相图中的主要特性点

特性点	温度/℃	含碳量/%	含义
A	1538	0	纯铁的熔点
C	1148	4.3	共晶点，有共晶反应 $L_{4.3}\Leftrightarrow A_{2.11}+Fe_3C$
D	1227	6.69	Fe_3C 的熔点
E	1148	2.11	碳在 γ-Fe(A)中最大溶解度，钢与铁的分界点
G	912	0	纯铁的同素异构转变点 α-Fe⇔γ-Fe
P	727	0.0218	碳在 α-Fe 中最大溶解度点
S	727	0.77	共析点，有共析反应 $A_{0.77}\Leftrightarrow F_{0.0218}+Fe_3C$

（3）铁碳合金成分、组织、性能之间的关系

由 $Fe-Fe_3C$ 相图中的 *E* 点（含碳量 2.11%）将铁碳合金分为钢、白口铁两大部分，又由 *S* 点（含碳量 0.77%）及 *C* 点（含碳量 4.3%）再把钢和白口铁分别又分为三类。铁碳合金的含碳量与组织关系见表 10-2。

表 10-2　铁碳合金含碳量与组织关系

名称	含碳量/%	室温组织
亚共析钢	<0.77	F+P
共析钢	0.77	P
过共析钢	0.77～2.11	$P+Fe_3C_{Ⅱ}$
亚共晶白口铁	2.11～4.3	$P+Fe_3C_{Ⅱ}+L'd$
共晶白口铁	4.3	L′d
过共晶白口铁	4.3～6.69	$L'd+Fe_3C_{Ⅰ}$

图 10-4 所示为钢的含碳量对力学性能的影响。含碳量越少，铁素体越多，钢的强度、

硬度越低，而塑性和韧性值越高。随着含碳量的增加，珠光体增加，强度、硬度不断提高，而塑性、韧性下降。当含碳量超过共析成分（含碳量 0.77%）时，钢中出现二次渗碳体，其强度、硬度继续上升，而含碳量超过 0.9%时，由于渗碳体形成网状，虽然硬度不断增加，但强度开始下降。强度最大在 0.9%左右。

4. Fe-Fe$_3$C 相图的应用

（1）钢铁材料选用

建筑结构和各种型钢需用塑性、韧性好的材料，应选用含碳量较低的钢材。各种机器零件需要强度、塑性及韧性都较好的材料，应选用含碳量适中的中碳钢。各种工具要用硬度高及耐磨性好的材料，应选用含碳量高的钢种。工业纯铁强度低，不宜作结构材料，但由于磁导率高，矫顽力低，可作软磁材料（如电磁铁的铁芯等）使用。白口铁硬脆，耐磨性和铸造性能好，适用于要求耐磨、不受冲击、形状复杂的铸件，例如拔丝模、冷轧辊、车轮、犁铧、球磨机的铁球等。

（2）铸造工艺方面

根据 Fe-Fe$_3$C 相图可以确定合金的浇铸温度，浇铸温度一般在液相线以上 50～100℃，如图 10-5 所示。从相图可知，纯铁和共晶白口铁的铸造性能最好。因为它们的凝固温度区间最小（为零），流动性好，分散缩孔少，可获得致密铸件，所以铸铁的成分在生产上总是选在共晶成分附近。在铸钢生产中，含碳量规定在 0.15%～0.6%，因为这一范围内钢的结晶区间较小，铸造性能好。

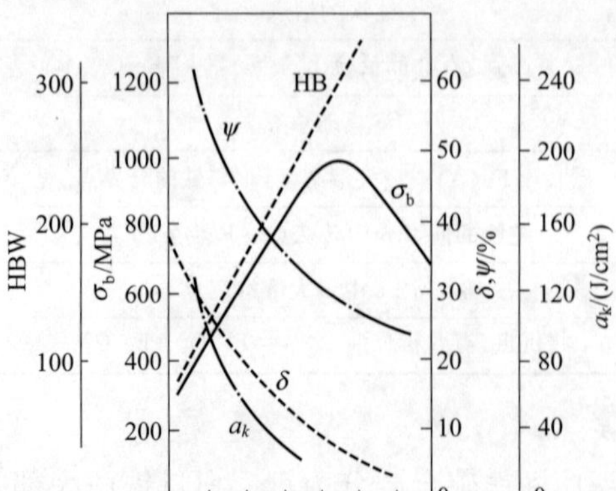

图 10-4　钢的含碳量对力学性能的影响

σ_b—抗拉强度；δ—断后伸长率；ψ—断面收缩率；a_k—冲击韧性；ω_C—含碳量

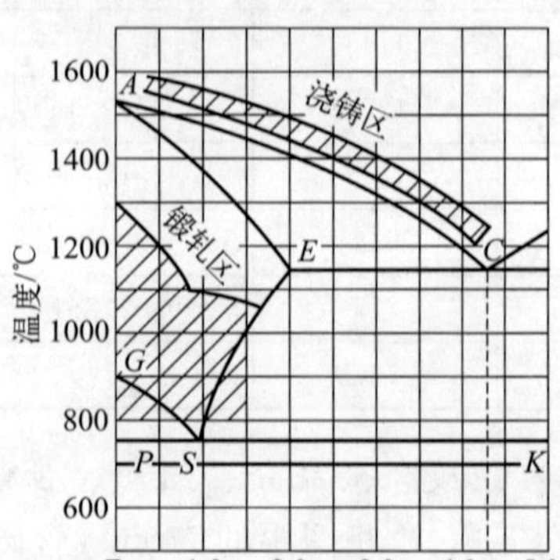

图 10-5　Fe-Fe$_3$C 相图与铸锻工艺的关系

（3）热锻、热轧工艺

钢处于奥氏体状态时强度较低，塑性较好，因此钢的锻造或轧制温度必须选在单相奥氏体区。一般始锻及始轧温度控制在固相线以下 100～200℃范围内，如图 10-5 所示。但始锻及始轧温度不能过高，以免钢材严重氧化或发生过烧（晶界熔化）。终锻及终轧温度不能过低，以免因钢材塑性差而导致锻裂、轧裂。

（4）热处理工艺

根据相图还可以确定热处理工艺，如退火、淬火等的加热温度。具体见第十二章。

典型例题解析及习题

一、典型例题解析

（一）判断题

1. 钢的硬度高，其强度也高。

【解析】 根据钢的含碳量与性能之间的关系，含碳量愈少，铁素体愈多，钢的强度、硬度愈低，而塑性和韧性值愈高。随着含碳量的增加，珠光体增加，强度、硬度不断提高，而塑性、韧性下降。当含碳量超过共析成分（含碳量 0.77%）时，钢中出现了二次渗碳体，其强度、硬度继续上升，而含碳量超过 0.9%时，由于渗碳体形成网状，虽然硬度不断增加，但强度开始下降。强度最大在 0.9%左右。所以钢的硬度高，强度不一定高。

此题错误。

2. 所有金属材料在拉伸实验时都会出现颈缩现象。

【解析】 钢的强度通过拉伸实验测得。其中，以塑性好的退火低碳钢为试样所得的拉伸曲线最为典型，分为弹性变形、微塑性应变、屈服、塑性应变硬化及颈缩变形等六个阶段。而脆性材料在拉伸过程中，只有弹性变形、滞弹变形、应变硬化阶段，不出现明显的屈服现象，没有颈缩阶段，也不会出现颈缩现象。

此题错误。

（二）简答题

根据图 10-6 所示的铁碳合金相图，回答下列问题。

1. 写出铁碳合金相图中的特征点 G、P 及特征线 AE 的含义。

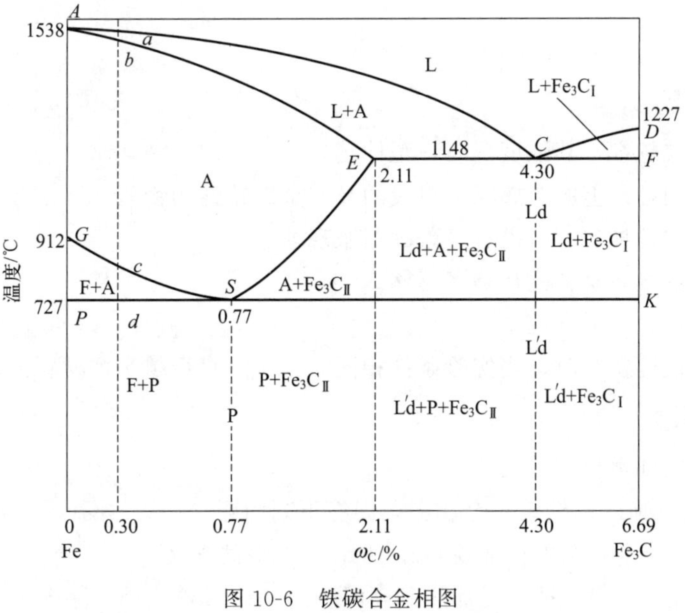

图 10-6　铁碳合金相图

2. 分析 30 钢的结晶过程。

3. 说明为什么 65 钢比 T12 钢的硬度低。

【解析】

1. 特征点。

G 为纯铁的同素异构转变点，α-Fe⇔γ-Fe。

特征点 P 为碳在铁素体（F 或 α-Fe）中的最大溶解度点。

特征线 AE 为钢的固相线。

2. 结晶过程。

在相图上画出 30 钢的成分线，与相图分别交于 *a*、*b*、*c* 和 *d* 点，如图 10-6 所示。

其结晶过程为：

a 点以上：L。

a 点：L→A。

a—*b*：L+A。

b 点：A。

b—*c* 点：A。

c 点：A→F。

c—*d* 点：A+F。

d 点：A→P。

d 点以下：F+P。

整体结晶过程如下：

$$L \xrightarrow{a} L+A \xrightarrow{b} A \xrightarrow{c} F+A \xrightarrow{d} F+P$$

3. 钢的硬度取决于渗碳体的含量，渗碳体含量越高，硬度越高。而渗碳体的含量随着含碳量的增加而增加。65 钢的含碳量为 0.65%，T12 钢的含碳量为 1.2%，所以 65 钢比 T12 钢硬度低。

二、习题

（一）判断题

1. 金属的晶粒越细，其强度越高，塑性越好。

2. 合金是指两种以上的金属元素组成的具有金属特性的物质。

3. 铸铁材料在拉伸实验时没有显著的屈服现象。

4. 实际使用的金属材料往往是多晶体。

5. 钢的硬度高，其强度也高。

6. 进行布氏硬度实验时，当实验条件相同时，压痕直径越小，材料的硬度越低。

（二）简答题

1. 写出纯铁的同素异构转变式。

2. 根据图 10-6 所示的铁碳合金相图，回答下列问题：

（1）写出铁碳合金相图中特征线 *GS*、*ES*、*PSK* 的含义。

（2）说明为什么一般要把钢材加热到高温（1000～1250℃）进行热轧或锻造。

拓展知识

材料性能是机械、航空、建筑等领域的核心基础，直接决定产品的功能、寿命和安全性。泰坦尼克号的沉没对航运业和材料科学的发展产生了深远的影响。

泰坦尼克号，即铁达尼号，是英国白星航运公司下辖的一艘奥林匹克级游轮，于 1909 年 3 月 31 日在哈兰德与沃尔夫造船厂动工建造，1912 年 4 月完工试航。号称“永不沉没”的巨轮。1912 年 4 月 14 日夜，首航的泰坦尼克号就遭遇了一场旷世海难，轮船在航行时，和冰山发生了死亡之吻——船体右舷被海平面下的冰山体撕开一条口子，船的前部吃水线下的铆钉断裂，货舱开始迅速渗入海水。4 月 15 日凌晨，泰坦尼克号船体断裂成两截后沉入大西洋底。断裂示意图如图 10-7 所示。在这次沉船事故中，2224 名船员及乘客中，1517 人丧生，成了人类历史上最严重的海难之一。

图 10-7　泰坦尼克号断裂示意图

为什么“永不沉没”的巨轮在撞上冰山 3 小时后就沉没了？

1995 年 2 月，R. Gannon 在美国《科学大众》（*popular science*）杂志发表文章，回答了这个困扰世人 80 多年的未解之谜——早年的泰坦尼克号采用了含硫高的钢板，韧性很差，特别是在低温环境下会呈现脆性。这就是导致“皇家邮轮”迅速沉没的症结。

由于当时造船厂的生产技术还比较落后，在钢板制造过程中，造船工程师只考虑到要增加钢的强度，而没考虑增加其韧性，所以在制造船体的时候留下了很大的隐患。另外，泰坦尼克号沉没的海域是大西洋，当时的水温在－40～0℃。据后来的失效分析专家称；把残骸的金属碎片与如今的造船钢材做对比试验可以发现，在泰坦尼克号沉没地点的水温中，如今的造船钢材在受到撞击时可弯成 V 形，而残骸上的钢材则因韧性不够而很快断裂。由此说明泰坦尼克号所使用钢材存在冷脆性，即在低温下，钢材的力学行为由韧性变成脆性，从而导致灾难性的脆性断裂。而用现代技术冶炼的钢只有在－70～－60℃的温度下才会变脆。所以环境因素加上船体材料的致命缺陷，导致了泰坦尼克号海难的发生。

第十一章
常用金属材料

【学习目标】

1. 能够区分碳素钢、合金钢、铸铁等常用金属材料并了解其分类及应用；
2. 能够说出给定牌号的含义。

【学习重难点】

1. 常用金属材料牌号的表示方法；
2. 常用金属材料牌号中各元素的含量表示方法；
3. 含碳量与力学性能的关系。

材料是人类生产和社会发展的重要物质基础，其中的金属材料发挥着非常重要的作用。金属材料主要包括钢、铸铁和有色金属三大类。

钢是一种非常重要的工程材料，其种类繁多。按照化学成分，钢可分为碳素钢和合金钢两大类。按照用途，钢可分为结构钢、工具钢和特殊性能钢三类。按照冶金质量，钢可分为普通钢、优质钢、高级优质钢和特级优质钢四类。

第一节　碳素钢

碳素钢又称为碳钢。在钢的分类中已经用非合金钢取代了碳钢，但由于许多技术标准是在现行钢分类标准实施之前制定的，因此，为了便于衔接和过渡，在此仍按碳钢原常规分类进行介绍。

碳钢是指含碳量小于2.11%的铁碳合金。碳钢价格低廉、工艺性能好，力学性能能满足一般工程和机械制造的使用要求，是工业生产中用量最大的工程材料。

一、常存杂质对碳钢性能的影响

实际使用的碳钢并不是单纯的铁碳合金，由于冶炼时所用原料及冶炼工艺方法等影响，钢中不免有少量其他元素存在，如硫、磷、锰、硅、铜、铬、镍等，这些并非有意加入或保留的元素一般作为杂质看待。它们的存在对钢的性能有一定的影响。

1. 硫

硫（S）是由生铁带来的而在炼钢时又未能除尽的有害元素。硫不溶于铁（Fe），而以FeS的形式存在。FeS与Fe形成熔点为985℃的共晶体（FeS-Fe），并分布于奥氏体的晶界上。当钢材在1000～1200℃进行压力加工时，晶界处的FeS-Fe共晶体会熔化，使晶粒脱开，钢材将沿晶界处开裂。含硫量过大的钢材进行热加工时，会出现钢材强度降低、韧性下降的现象，这种现象称为热脆。为了避免热脆，必须严格控制钢的含硫量。

提高钢中的含锰量，可消除硫的有害作用，锰（Mn）能与硫形成熔点为1620℃的MnS，而且MnS在高温时具有塑性，这样可以避免热脆现象。

2. 磷

磷（P）也是由生铁带来的而在炼钢时又未能除尽的有害元素。磷在钢中全部溶于铁素体中，虽可使铁素体的强度、硬度有所提高，但却使室温下钢的塑性、韧性急剧降低，在低温时表现尤其突出。含磷量过大的钢材在室温下的塑性、韧性急剧下降，这种现象称为冷脆。磷的存在还会使钢的焊接性能变差，因此应严格控制钢的含磷量。

3. 锰

钢中的锰来自炼钢原料生铁及脱氧剂锰铁。一般认为锰对于钢是一种有益的元素。锰大部分溶于铁素体中，形成置换固溶体，并使铁素体强化；小部分溶于渗碳体中，形成合金渗碳体，提高钢的硬度。锰还能与硫化合成MnS，能减轻硫的有害作用。当锰含量不多，在碳钢中仅作为少量杂质存在时，它对钢的性能影响并不明显。

4. 硅

硅（Si）来自炼钢原料生铁及脱氧剂硅铁。硅和锰一样能溶于铁素体中，使铁素体强化，从而使钢的强度、硬度、弹性提高，而塑性、韧性降低。因此，硅也是碳钢中的有益元素。

二、碳钢的分类

1. 按钢的含碳量分

① 低碳钢：$\omega_C \leqslant 0.25\%$。

② 中碳钢：$0.25\% < \omega_C \leqslant 0.6\%$。

③ 高碳钢：$\omega_C > 0.6\%$。

2. 按钢的质量分类

主要是根据钢中含有害杂质S、P的多少来分。

① 普通碳素钢：$\omega_S \leqslant 0.045\%$，$\omega_P \leqslant 0.045\%$。

② 优质碳素钢：$\omega_S \leqslant 0.035\%$，$\omega_P \leqslant 0.035\%$。

③ 高级优质碳素钢：$\omega_S \leqslant 0.030\%$，$\omega_P \leqslant 0.035\%$。

④ 特级优质碳素钢：$\omega_S \leqslant 0.020\%$，$\omega_P \leqslant 0.025\%$。

3. 按用途分类

（1）碳素结构钢

这类钢主要用于制造各种工程构件（如桥梁、船舶、建筑等）和机器零件（如齿轮、轴、螺钉、螺母、连杆等），一般属于低碳钢和中碳钢。

（2）碳素工具钢

这类钢主要用于制造各种刀具、量具、模具，含碳量较高，属于高碳钢。

4. 按组织分类

根据含碳量和室温组织不同，可将碳钢分为共析钢、亚共析钢和过共析钢。

① 共析钢：$\omega_C = 0.77\%$。

② 亚共析钢：0.0218%≤ω_C<0.77%。

③ 过共析钢：0.77%<ω_C≤2.11%。

5. 按脱氧程度分类

根据钢中的含氧量和钢液凝固时放出一氧化碳的程度，可将碳钢分为沸腾钢、半镇静钢、镇静钢和特殊镇静钢四类。

三、碳钢的牌号和用途

1. 碳素结构钢

碳素结构钢含碳量低，具有较高的强度和良好的塑性与韧性，同时工艺性能（焊接性和冷成形性）优良，冶炼成本低。因此，碳素结构钢广泛应用在一般建筑、工程结构及普通机械零件中。

碳素结构钢通常热轧成扁平成品（钢板、钢带等）或型材（圆钢、方钢、工字钢、钢筋等）供应，使用中一般不再进行热处理，在热轧状态下直接使用。

碳素结构钢的牌号是以钢材厚度（或直径）不大于 16mm 钢的屈服点（R_{eH}、R_{eL}）数值划分的，并且还有质量等级和脱氧方法的细划分。

碳素结构钢的牌号由 Q＋数字＋质量等级符号＋脱氧方法组成。

① Q——屈服强度，“屈”字汉语拼音的第一个大写正体字母。

② 数字——最低屈服强度值，单位 MPa。

③ 质量等级符号——用 A、B、C、D 来表示。按字母顺序，“A”级 S、P 含量最高，质量等级最低；“D”级 S、P 含量最低，质量等级最高。

④ 脱氧方法——用 F、Z、b、TZ 来表示。其中，“F”是“沸”字汉语拼音的第一个大写正体字母，表示沸腾钢；“Z”是“镇”字汉语拼音的第一个大写正体字母，表示镇静钢；“b”是“半”字汉语拼音的第一个小写正体字母，表示半镇静钢；“TZ”是“特镇”二字汉语拼音的第一个大写正体字母，表示特殊镇静钢。

在牌号组成中，脱氧方法“Z”与“TZ”符号予以省略。

例如：Q215BF 表示最低屈服强度值为 215MPa 的 B 级碳素结构钢，属于沸腾钢。

2. 优质碳素结构钢

优质碳素结构钢的牌号一般用两位数字表示。这两位数字表示平均含碳量的万分数。

例如：20 表示平均含碳量为 0.2%的优质碳素结构钢。

若钢中含锰量较高，则在牌号后面加上锰的化学符号，其淬透性和强度比相应普通含锰量的钢稍高，可用于制造截面稍大或强度要求稍高的弹性零件，如 40Mn、65Mn 等。

对于沸腾钢和半镇静钢，在钢号后分别加字母 F 和 b，如 08F；镇静钢一般不标记。

高级优质碳素结构钢，在牌号尾部加字母 A；特级优质碳素结构钢在牌号尾部加字母 E。

优质碳素结构钢中的有害杂质及非金属夹杂物含量较少，化学成分控制较严格，塑性和韧性较高，一般都要经过热处理之后使用，主要用于制造重要的机械零件。随着优质碳素结构钢含碳量的增加，其强度、硬度提高，而塑性、韧性降低。

3. 碳素工具钢

碳素工具钢的牌号一般以 T（或碳）＋数字来表示。其中，“T”表示“碳”字汉语拼音首字母，数字表示钢中平均含碳量的千分数。

例如：T7（或碳 7）表示平均含碳量为 0.7%的碳素工具钢。

碳素工具钢质量等级都是优质的。若为高级优质碳素工具钢，则在钢号后面加一个“高”字或“A”，例如 T12A（或碳 12 高）。

碳素工具钢一般以退火状态供应，使用时须进行适当的热处理，各种碳素工具钢淬火后的硬度相近。但随含碳量的增加，钢中未溶渗碳体增多，钢的耐磨性增加，而韧性降低。碳素工具钢生产成本较低，加工性能良好，可用于制造低速、手动刀具及常温下使用的工具、模具、量具等，在使用前要进行热处理（淬火＋低温回火）。

4. 碳素铸钢

在生产中，一些形状复杂的零件，从工艺上难用锻压方法生产，从性能上用力学性能较低的铸铁又不能满足要求，此时常采用铸钢件。铸造碳钢的铸造性能比铸铁差，但力学性能大大优于铸铁，工程上广泛用于制造重型机械、矿山机械、冶金机械、机车车辆上的零件和构件。

铸造碳钢的牌号有两种表示方法，以强度表示的铸造碳钢牌号较为常用，由铸钢汉语拼音首字母 ZG 与表示力学性能的两组数字组成。其中，第一组数字代表最低屈服强度值，第二组数字代表最低抗拉强度值。

例如：ZG200-400 表示最低屈服强度为 200MPa、最低抗拉强度为 400MPa 的碳素铸钢。

第二节 合金钢

尽管碳钢由于价格低廉、生产和加工方便，通过改变碳的含量和采取相应的热处理，可以满足许多工业上所要求的性能等优点，至今仍是工业上应用最广泛的钢铁材料，占钢材总量的 80%。但碳钢存在淬透性低、力学性能相对较低、不能满足特殊性能的要求等不足，使其使用受到限制，合金钢应运而生。

合金钢是指除铁和碳外，为了某一目的而在钢中特意加入一些合金元素的钢。合金钢中常用的合金元素有锰（Mn）、硅（Si）、铬（Cr）、钼（Mo）、钨（W）、钒（V）、钛（Ti）、铌（Nb）、锆（Zr）、镍（Ni）、钴（Co）等元素。一般合金钢比碳钢具有更高的强度、耐磨性、淬透性，并可以具有较高的耐热性、红硬性、耐蚀性等特殊性能。

合金元素能改善钢的力学性能，并赋予钢某些特殊性能，其根本原因在于它可以改变钢的内部组织结构，并改变钢在加热和冷却过程中的组织转变规律。一是某些合金元素能溶入渗碳体，形成合金渗碳体，从而有利于钢的耐回火性和耐磨性；二是形成特殊碳化物，并呈细小颗粒均匀分布在钢的基体中，起弥散强化作用，显著提高钢的强度、硬度和耐磨性。如 Mn、Si、Ni、Cr 等元素不仅可以显著提高铁素体的硬度，而且在适当含量范围内还可以提高钢的韧性，与钢中的碳形成碳化物，产生强化作用。

合金钢的用量虽然较少，但却非常重要。合金钢综合力学性能较好，但由于生产和加工工艺较复杂，价格也较贵。因此，在碳钢能满足使用要求时，尽量不要使用合金钢。

一、合金钢的分类

合金钢的种类繁多，分类方法也较多，常用分类方法有以下两种。

1. 按合金元素的含量分

① 低合金钢：合金元素总的质量分数小于 5%。

② 中合金钢：合金元素总的质量分数在 5%～10%之间。

③ 高合金钢：合金元素总的质量分数大于 10%。

2. 按用途分

① 合金结构钢。

② 合金工具钢。

③ 特殊性能钢。

二、合金钢的牌号

1. 合金结构钢

低合金高强度结构钢的牌号表示方法与碳素结构钢相同，其他合金结构钢的牌号通常由四部分组成。

① 第一部分：两位阿拉伯数字，表示平均含碳量，以万分数计。

② 第二部分：化学元素符号及阿拉伯数字，化学元素符号后面的数字表示前面合金元素的平均含量，以百分数计。

具体表示方法为：当平均含量小于 1.50%时，牌号中仅标明元素符号，一般不标明含量；当平均含量为 1.50%～2.49%、2.50%～3.49%、3.50%～4.49%、4.50%～5.49%……时，在合金元素后相应写上 2、3、4、5……

③ 第三部分：表示钢材冶金质量。优质钢不用字母表示，高级优质钢、特级优质钢分别以 A、E 表示。

④ 第四部分（必要时）：产品用途、特性或工艺方法的表示符号。

例如：20CrMnTi，表示平均含碳量为 0.2%，平均含铬量、平均含锰量和平均含钛量均小于 1.5%的合金结构钢。

2. 合金工具钢

合金工具钢的牌号通常由两部分组成。

① 第一部分：一位数字，表示平均含碳量，以千分数计。平均含碳量大于 1.00%时，不标明含碳量。但高速钢例外，平均含碳量小于 1.00%时，也不标明含碳量。

② 第二部分：化学元素符号及阿拉伯数字，化学元素符号后面的数字表示前面合金元素的平均含量，以百分数计。表示方法与合金结构钢第二部分完全相同。

例如：9SiCr，表示平均含碳量为 0.9%，平均含硅量、平均含铬量均小于 1.5%的合金工具钢。

3. 特殊性能钢

不锈钢和耐热钢的牌号采用合金元素符号和表示各元素含量的阿拉伯数字表示。各元素含量的阿拉伯数字表示应符合如下规定。

(1) 含碳量

用两位或三位阿拉伯数字表示含碳量的最佳控制值，以万分数或十万分数计。

① 只规定含碳量上限者。当含碳量上限不大于 0.10%时，以其上限的 3/4 表示含碳量的最佳控制值，用两位阿拉伯数字表示，以万分数计；当含碳量上限大于 0.10%时，以其

上限的4/5表示含碳量，用两位阿拉伯数字表示，以万分数计；当含碳量不大于0.030%的超低碳不锈钢，以其上限的4/5表示含碳量的最佳控制值，用三位阿拉伯数字表示，以十万分数计。例如：含碳量上限分别为0.08%、0.20%和0.15%时，其牌号中的含碳量分别以06、16和12表示；含碳量上限为0.030%、0.020%时，其牌号中的含碳量分别以022和015表示。

② 规定含碳量上、下限者。以平均含碳量的100倍表示，用两位阿拉伯数字表示，以万分数计。例如：含碳量为0.16%～0.25%时，其平均含碳量为0.2%，其牌号中的含碳量以20表示。

（2）合金元素含量

以化学元素符号及阿拉伯数字表示，化学元素符号后面的数字表示前面合金元素的平均含量，以百分数计。

表示方法与合金结构钢的第二部分相同。钢中有意加入铌、钛、锆、氮等合金元素，虽然含量很低，但也应在牌号中标出。

例如：06Cr19Ni10表示含碳量上限为0.08%，平均含铬量为19%，平均含镍量为10%的不锈钢；022Cr18Ti表示含碳量上限为0.030%，平均含铬量为18%，平均含钛量小于1.5%的不锈钢。

三、合金结构钢

合金结构钢主要用于制造重要工程结构和机器零件，它是工业上应用最广、用量最多的合金钢种。合金结构钢按用途及热处理方法，可分为合金渗碳钢、合金调质钢、合金弹簧钢等。

1. 低合金结构钢

低合金结构钢又称低合金高强度结构钢，是指含有少量锰、钒、铌、钛等合金元素，用于工程和一般结构的钢种。低合金高强度结构钢的强度比碳素结构钢高30%～150%，并在保持低碳（≤0.20%）的条件下，获得不同的强度等级。用低合金高强度结构钢代替碳素结构钢使用，可以减轻结构自重，节约金属材料消耗，提高结构承载能力并延长其使用寿命。

低合金结构钢广泛用于制造焊接结构件，如桥梁、车辆、船舶、输油输气管道、压力容器等。

2. 合金渗碳钢

合金渗碳钢是指经过渗碳热处理后使用的低碳合金钢，主要用于制造在摩擦力、交变接触应力和冲击条件下工作的零件，如汽车、拖拉机、重型机床中的齿轮，内燃机的凸轮轴等。

3. 合金调质钢

合金调质钢是指经过调质处理后使用的中碳合金结构钢，主要用于制造受力复杂、要求有良好综合力学性能的重要零件，如精密机床的主轴、汽车的后桥半轴、发动机的曲轴、连杆螺栓、锻锤的锤杆等。

4. 合金弹簧钢

合金弹簧钢是用于制造弹簧或类似零件的钢种，主要用于制造弹簧等弹性元件，如汽车、拖拉机、坦克、机车的减振板簧和螺旋弹簧，钟表发条等。

5. 滚动轴承钢

滚动轴承钢是用来制造滚动轴承中的滚柱、滚珠、滚针和内外圈的钢材。滚动轴承钢要求有高而均匀的硬度和耐磨性，高的弹性极限、疲劳强度和抗压强度，还要有足够的韧性和淬透性，同时具有一定的耐腐蚀能力。

四、合金工具钢

合金工具钢是用于制造刃具、模具、量具的钢种，其材料必须具有高硬度、高耐磨性、足够的韧性以及小的变形量等特征。

1. 低合金刃具钢

刃具是用来进行切削加工的工具，主要指车刀、铰刀、刨刀、钻头等。刃具钢要求有高硬度（大于 60HRC）、高耐磨性、高热硬性以及足够的强度、韧性。

低合金刃具钢是在碳素工具钢的基础之上添加总量不超过 5%的合金元素，如 Cr、Mn、W、V 等，以提高淬透性、红硬性及耐磨性。这类钢主要用于制造低速切削刃具（如车刀、铣刀、钻头等）、冷成形模具以及量具等。

2. 高速钢

高速钢又称白钢、锋钢，是一种高碳高合金工具钢。经热处理后，高速钢在 600℃左右仍然保持高的硬度，可达 62HRC 以上，从而保证其切削性能和耐磨性。高速钢刀具的切削速度比碳素工具钢和低合金工具钢刀具提高 1～3 倍，耐用性提高 7～14 倍，高速钢即因此得名。高速钢还有很高的淬透性，甚至在空气中冷却也能形成马氏体组织，故又有“风钢”之称。高速钢广泛用于制造各种用途和形状复杂的高速切削工具，如车刀、刨刀、拉刀、铣刀、钻头等。

3. 硬质合金

硬质合金是将高熔点、高硬度的金属碳化物粉末和黏结剂混合，压制成形，再经烧结而成的一种粉末冶金材料。硬质合金主要用作切削工具，其硬度高（87～93HRA）、热硬性高（可达 1000℃左右）、耐磨性好，与高速钢相比，切削速度提高 4～7 倍、寿命提高 5～8 倍，可切削淬火钢，奥氏体钢等。但由于它的硬度高、脆性大，不能直接切削加工，通常制成不同形状、尺寸的刀片，采用机械夹固或钎焊方法固定在刀体上。其牌号表示方法详见 GB/T 18376.1—2008。

4. 合金模具钢

模具是用于进行压力加工的工具。根据工作条件，可将模具分为冷作模具和热作模具两大类，与之相对应的合金模具钢分别为冷作模具钢和热作模具钢。

（1）冷作模具钢

冷作模具钢用于制作使金属冷塑性变形的模具，如冷冲模、冷挤压模等。冷作模具工作时承受大的弯曲应力、压力、冲击及摩擦，因此要求模具钢具有高硬度、高耐磨性及足够的强度和韧性。

（2）热作模具钢

热作模具钢用于制作高温金属成形的模具，如热锻模、热挤压模等。热作模具工作时承受很大的压力和冲击，并反复受热和冷却，因此要求模具钢在高温下具有足够的强度、硬度、耐磨性和韧性，以及良好的耐热疲劳性。即在反复的受热、冷却循环中，表面不易热疲劳（龟裂），另外还应具有良好的导热性和高淬透性。

五、特殊性能钢

特殊性能钢是指具有特殊使用性能的钢。特殊性能钢包括不锈钢、耐热钢、耐磨钢和磁钢等。

1. 不锈钢

不锈钢是能抵抗大气腐蚀或能抵抗酸、碱化学介质腐蚀的钢。

使不锈钢获得耐腐蚀性能的最基本元素是铬。铬在氧化性介质中能形成一层氧化膜（Cr_2O_3）以防止钢的表面被外界介质进一步氧化和腐蚀。另外含铬量达到12%时，钢的电极电位跃增，有效地提高了钢的耐电化学腐蚀性。所以，不锈钢中含铬量不少于12%。铬含量越多，钢的耐腐蚀性越好。

碳在钢中会形成铬的碳化物，降低基本金属中的含铬量。因此，碳是不锈钢中降低耐腐蚀性的元素。这些碳化物会破坏氧化膜的耐腐蚀性。因此，从提高钢的耐腐蚀性能来看，含碳量越低越好。但含碳量关系到钢的力学性能，还应根据不同情况，保留一定的含碳量。

按金相组织不同，常用的不锈钢有以下三类。

（1）铁素体型不锈钢

这类钢含碳量较低（≤0.12%），以铬为主要合金元素，一般用于工作应力不大的化工设备、容器及管道。

（2）马氏型不锈钢

这类钢含碳量稍高（平均含碳量0.1%～0.45%），具有较高强度、硬度和耐磨性，是不锈钢中力学性能最好的钢，主要用于制造力学性能要求较高、耐腐蚀性要求较低的零件。

（3）奥氏体型不锈钢

这是一类典型的铬镍不锈钢，含碳量较低（≤0.15%）。当钢中含铬达18%左右，含镍达8%～10%时，在常温下，便可获得单一的奥氏体组织。铬镍不锈钢的18-8型，无磁性，且塑性、韧性及冷变形、焊接工艺性良好，是不锈钢中耐腐蚀性最好的钢。这类钢主要用于制作耐腐蚀性要求较高及需要冷变形和焊接的低负荷零件。也可用于仪表、电力等工业制作无磁性零件。

2. 耐热钢

耐热钢是指在高温条件下仍能保持足够强度并能抵抗氧化而不起皮的钢。

耐热钢的耐热性包含高温抗氧化性和高温强度两个方面。为此，耐热钢中加入多种合金元素，其特点是少量多元。它们可以提高抗氧化性，实现固溶强化，提高基体中原子的高温结合力。

耐热钢主要用于制造在高温下工作的零件，如锅炉、蒸汽涡轮、燃气涡轮、发动机、炼油设备等耐热零件和装置。

3. 耐磨钢

耐磨钢主要具有很高的耐磨性，而且借助于使用过程中的加工硬化和相变，越磨越硬。耐磨钢主要用于制造运转过程中经受严重摩擦和强烈冲击的零件，如坦克的履带、车辆履带板、粉碎机的颚板、铁轨道岔、地质钻探的钻头和挖掘机铲斗等。

第三节　铸铁

铸铁是指含碳量大于2.11%的铁碳合金，是一种成本低廉并具有良好性能的金属材料。

铸铁来源广、价格低廉，并且生产设备及工艺简单，在工业上得到广泛应用。与钢相比，虽然铸铁的抗拉强度、塑性、韧性等力学性能较低，但却具有优良的铸造性能、可切削加工性、减振性、耐磨性等，是机械制造业中最重要的材料之一。

一、铸铁的分类

根据铸铁结晶时石墨化程度的不同或铸铁试样断口的色泽，可将铸铁分为灰口铸铁、白口铸铁和麻口铸铁三类。

1. 灰口铸铁

第一阶段石墨化过程充分进行而得到的铸铁，其试样断口呈灰暗色，灰口铸铁（简称灰口铁）由此得名，是工业上应用最多、最广的铸铁。

2. 白口铸铁

第一阶段石墨化过程全部被抑制而得到的铸铁，其试样断口呈银白色，白口铸铁（简称白口铁）由此得名。其试样性能硬而脆、不易加工，除用作少数不受冲击的耐磨零件外，主要用作炼钢原料。

3. 麻口铸铁

第一阶段石墨化过程部分进行，第二阶段石墨化过程未能进行而得到的铸铁，其试样断口呈灰白相间的麻点，麻口铸铁（简称麻口铁）由此得名。其具有较大的硬脆性，工业上很少应用。

二、常用铸铁

按铸铁中石墨的形态，灰口铸铁可分为灰铸铁、可锻铸铁、球墨铸铁和蠕墨铸铁四类，它们都是常用的铸铁。

1. 灰铸铁

在显微组织中，灰铸铁的石墨呈片状。此类铸铁生产工艺简单、价格低廉，工业应用最广，在各类铸铁的总产量中，灰铸铁占80%以上。

灰铸铁的牌号为HT+数字。其中，“HT”为“灰铁”二字汉语拼音的第一个大写正体字母；后面的数字表示最低抗拉强度，单位MPa。

例如：HT300表示最低抗拉强度为300MPa的灰铸铁。

此类铸铁具有高的抗压强度、优良的耐磨性和消振性、低的缺口敏感性。由于石墨的强度与塑性几乎为零，因而灰铸铁的抗拉强度与塑韧性远比钢低，且石墨的量越大，石墨片的尺寸越大、越尖，分布越不均匀，铸铁的抗拉强度与塑韧性则越低。灰铸铁主要用于制造汽车、拖拉机中的气缸体、气缸套，机床的床身等承受压力及振动的零件。

2. 可锻铸铁

在显微组织中，可锻铸铁中的石墨呈团絮状。此类铸铁生产工艺时间很长，成本较高，故应用不如灰铸铁广。

可锻铸铁的牌号为 KTH 或 KTB 或 KTZ＋数字＋数字。其中，“KT”为“可铁”二字汉语拼音的第一个大写正体字母；“KTH”表示黑心可锻铸铁，“KTB”表示白心可锻铸铁，“KTZ”表示珠光体心可锻铸铁；后面的两组数字分别表示最低抗拉强度（单位 MPa）和最低断后伸长率。

例如：KTH300-06 表示最低抗拉强度为 300MPa，最低断后伸长率为 6%的黑心可锻铸铁。

由于可锻铸铁中的石墨呈团絮状，对基体的割裂作用小，故其强度、塑性及韧性均比灰铸铁高，尤其是珠光体可锻铸铁可与铸钢媲美，通常可用于铸造形状复杂、要求承受冲击载荷的薄壁零件，如汽车、拖拉机的前后轮壳、差速器壳、转向节壳等。但由于其生产周期长、工艺复杂、成本高，不少可锻铸铁零件已逐渐被球墨铸铁所代替。

可锻铸铁虽有一定的断后伸长率和冲击韧性，但实际上是不能锻造成形的。

3. 球墨铸铁

在显微组织中，球墨铸铁的石墨呈球状。此类铸铁生产工艺比可锻铸铁简单，且力学性能较好，工业应用较多。

球墨铸铁的牌号为 QT＋数字＋数字。牌号中的“QT”为“球铁”二字汉语拼音的第一个大写正体字母，后面的两组数字分别代表最低抗拉强度（单位 MPa）和最低断后伸长率。

例如：QT350-22 表示最低抗拉强度为 350MPa，最低断后伸长率为 22%的球墨铸铁。

此类铸铁中的石墨呈球状，对基体的割裂作用小，应力集中也小，使基体的强度得到了充分的发挥。研究表明，球墨铸铁的基体强度利用率可达 70%～90%，而灰铸铁的基体强度利用率仅为 30%～50%。因此，球墨铸铁既具有灰铸铁的优点，又具有与中碳钢相媲美的抗拉强度、弯曲疲劳强度及良好的塑性与韧性。此外，还可以通过合金化及热处理来改善与提高其性能。所以，球墨铸铁在机械制造中得到广泛应用，可代替铸钢、中碳钢及中碳合金钢（如 45 钢、42CrMo 钢等）、有色金属和可锻铸铁等制造受力复杂、性能要求高的重要零件，如柴油发动机的曲轴、连杆、凸轮轴，拖拉机的减速齿轮，大型中压阀门，轧钢机的轧辊等。

4. 蠕墨铸铁

在显微组织中，蠕墨铸铁的石墨呈蠕虫状。蠕虫状石墨是介于片状石墨与球状石墨之间的一种结晶形态，此类铸铁是在 20 世纪 60 年代发展起来的一种新型铸铁。

蠕墨铸铁的牌号为 RuT＋数字。其中，RuT 为“蠕”字汉语拼音和“铁”字汉语拼音的第一个大写正体字母；数字表示最低抗拉强度，单位 MPa。

例如：RuT380 表示最低抗拉强度为 380MPa 的蠕墨铸铁。

与片状石墨相比，蠕虫状石墨的长宽比值明显减小，尖端变圆变钝，对基体的切割作用减小，应力集中减小，故蠕墨铸铁的抗拉强度、塑性、疲劳强度等均优于灰铸铁，接近铁素体基体的球墨铸铁。此外，这类铸铁的导热性、铸造性、可切削加工性均优于球墨铸铁，与灰铸铁相近，可用于制造在热循环载荷条件下工作的零件（如钢锭模、玻璃模具，柴油机气缸、气缸盖、排气刹车等），以及结构复杂、要求高强度的铸件（如液压阀阀体、耐压泵的泵体等）。

典型例题解析及习题

一、典型例题解析

（一）判断题

1. 硬质合金与高速钢相比，更适合制造成形刀具。

【解析】 硬质合金是将高熔点、高硬度的金属碳化物粉末和黏结剂混合，压制成形，再经烧结而成的一种粉末冶金材料。其硬度高、热硬性高、耐磨性好。但由于其硬度高，脆性大，不能切削加工。通常制成不同形状、尺寸的刀片，采用机械夹固或钎焊方法固定在刀体上。故此题中的说法：错误。

2. 可锻铸铁零件可以用锻压的方法生产。

【解析】 可锻铸铁中的石墨呈团絮状，对基体的割裂作用小，虽然其强度、塑性及韧性均比灰铸铁高，尤其是珠光体可锻铸铁可与铸钢媲美，但是不能锻造。故此题中的说法：错误。

（二）简答题

说明下列牌号代表的含义。

1. 38CrMoAlA。

【解析】 从合金元素的种类来看，共有 3 种合金元素，因此该牌号属于合金钢；从含碳量看，含碳量用两位数字表示，属于合金结构钢。

合金结构钢的牌号通常由四部分组成。

① 第一部分：两位阿拉伯数字，表示平均含碳量，以万分数计。

② 第二部分：化学元素符号及阿拉伯数字，化学元素符号后面的数字表示前面合金元素的平均含量，以百分数计。

具体表示方法为：当平均含量小于 1.50%时，牌号中仅标明元素符号，一般不标明含量；当平均含量为 1.50%～2.49%、2.50%～3.49%、3.50%～4.49%、4.50%～5.49%……时，在合金元素后相应写上 2、3、4、5……

③ 第三部分：表示钢材冶金质量。优质钢不用字母表示，高级优质钢、特级优质钢分别以 A、E 表示。

④ 第四部分（必要时）：产品用途、特性或工艺方法的表示符号。

因此，38CrMoAlA 表示平均含碳量为 0.38%，平均含 Cr 量、平均含 Mo 量和平均含 Al 量均小于 1.5%的高级优质合金结构钢。

2. HT100。

【解析】 牌号以“HT”开头，因此该牌号属于灰铸铁；其后的数字“100”表示最低抗拉强度。因此，该牌号表示最低抗拉强度为 100MPa 的灰铸铁。

二、习题

（一）判断题

1. 碳素钢中的磷含量过多时，可导致钢具有冷脆性。

2. 使碳钢产生热脆性的杂质元素是磷。

3. 碳素钢按钢的用途不同可分为碳素工具钢和碳素结构钢两大类。

4. Q235A 钢中的 A 和 T8A 钢中的 A 含义相同。

5. Q235 钢的质量等级分 A、B、C、D 四等，A 级最好，D 级最差。

6. 45 钢的含碳量为 4.5%左右。

7. 碳素工具钢材料适合制作形状复杂的高速刀具。

8. 钢铆钉一般用低碳钢制成。

9. 合金钢按用途可分为合金结构钢和合金工具钢两类。

10. 高速钢常用于制造钻头、铣刀等形状复杂的刀具。

11. 灰铸铁的减振性能比碳素钢好。

12. 热处理能够很好地改善灰铸铁的力学性能。

13. 可锻铸铁的石墨形态是团絮状。

14. 球墨铸铁可以通过热处理工艺提高其力学性能。

15. 灰口铸铁、可锻铸铁和球墨铸铁在力学性能上有较大的差别，主要是因为它们的石墨形态不同。

16. 能够以铁代钢的是灰铸铁。

17. HT200 中石墨的形态是球状。

18. 蠕墨铸铁的力学性能与中碳钢相近。

19. 蠕墨铸铁的力学性能介于灰铸铁和球墨铸铁之间。

20. 除了钢以外，铸铁也可以进行热处理。

21. 铁丝在室温下反复弯折，会越变越硬，直至断裂。

（二）简答题

1. 可锻铸铁、球墨铸铁、灰铸铁以及蠕墨铸铁对应的石墨形态分别是什么？其中，力学性能最好的是哪类铸铁？

2. 说明下列牌号代表的含义。

（1）20CrMnTi。

（2）45 钢。

拓展知识

新材料通常是指对现代科学技术进步和国民经济发展以及综合国力提高有重大推动作用的最新发展或正在发展的材料。这些材料和传统材料相比，具有优异的性能和特定的功能，应用广泛。毫不夸张地说，新材料是技术革命与创新的基石，是社会现代化的先导，是社会经济发展的基础，更是国防现代化的保证。正是由于新材料科技在社会发展和人类文明进程中的巨大作用，新材料已经同信息技术、生物技术一起成为 21 世纪最重要和最具发展潜力的领域，是世界各国竞相发展的首选方向。

一、复合材料

复合材料是指由两种或两种以上不同性质的材料，通过不同的工艺方法，人工合成的、各组分间有明显界面且性能优于各组成材料的多相材料。

复合材料越来越引起人们的重视，“复合”已成为改善材料性能的一种手段，新型复合材料的研制和应用也愈来愈广泛。复合材料的应用范围已经遍及航空与航天工业、陆上交通、水上运输、建筑工业、化学工业、通信工程、电器工业、娱乐休闲和其他方面，如轻型飞机、汽车外壳、海上石油平台、自行车、钓鱼竿等。

1. 军用飞机

复合材料在该领域主要被用来制作飞机水平尾翼、阻力板、减速板、整流片、前后缘条，机翼蒙皮、肋，前机身舱段和水平安定面、前掠翼等，可获得减重20%～30%的显著效果，使战斗机动力性能得到充分发挥。

2. 弹箭武器

复合材料在该领域主要用于制造导弹的头锥、各级壳体、容器、级间段和连接器舱等，还可用于制造单兵火箭、红外地对空导弹、步兵轻型反坦克武器的发射筒，可减轻携带重量。

3. 坦克装甲车辆

坦克装甲车辆应用复合材料始于20世纪70年代，为了防护和轻量化需求而用树脂基复合材料制造坦克复合装甲。其后，轻质化材料的应用研究逐步由非承力功能构件扩展到次承力和主承力构件上，如车体、炮塔、负重轮、扭力轴等。

4. 火炮

复合材料在该领域主要用于制造火炮身管、大架、摇架、热护套等部件，可以进一步降低火炮质量，提高火炮的机动性能。

5. 轻武器

采用复合材料制造轻武器的枪托、护木、弹匣和复合枪管等部件。

6. 船艇

复合材料在该领域主要用于船体、声呐壳体、甲板、桅杆、各类隔板及门、窗框等的制造。

二、纳米材料

纳米材料是指固体颗粒小到纳米尺度（10^{-9} m）的超微粒子和晶粒尺寸小到纳米量级的固体及薄膜。从广义上讲，纳米材料是在三维空间中至少有一维处于纳米尺度范围或由它们作为基本单元构成的材料。

纳米材料有许多不同于传统固体材料的特殊基本效应，在热学性能、磁学性能、光学性能和力学性能等方面显示出许多奇异的特性，因而在军事上有重要的应用。

1. 固体推进剂

固体推进剂是火箭和导弹发动机的动力源，其性能直接影响导弹武器的作战效能和生存能力。纳米金属粉应用于固体推进剂具有如下的突出效应：燃烧速率是微米级的数倍；燃烧过程只需几分之一毫秒，且燃烧完全、燃烧效率高；在燃烧过程中无团聚和集块现象；提高推进剂的效率；降低压强指数、提高比冲。

纳米材料在固体推进剂中的应用研究重点集中在以下两个方面：一是纳米金属粉作为高

能添加剂的应用研究，二是纳米金属氧化物作为燃烧催化剂在固体推进剂中的应用研究。

目前，纳米铝颗粒已经在端羟基聚丁二烯推进剂（HTPB）、碳氢液体燃料推进剂中得到了成功应用。

2. 金属炸药

金属炸药是军用混合炸药的一个重要系列，广泛用于对空武器弹药、水下武器弹药、对舰武器弹药以及空对地武器弹药等，不但会使弹头的初速、射程得以提高，还会使弹药的重量减轻，便于携带和运输。

研究发现，目前应用于炸药中的金属粉（以铝粉为例），其粒度是影响炸药性能及做功能力的重要因素之一。金属铝粉颗粒越细，在爆轰区参与反应的程度越高，能量释放越迅速，爆轰越接近理想爆轰。在以 RDX（黑索金）为主体的黏结炸药中，加入 20%粒径为 50nm 的超细铝粉得到的新型复合炸药，其爆轰性能及做功能力明显高于含 20%粒径为 5μm 和 50μm 的复合炸药。因此，纳米金属粉尤其适用于爆轰能量及威力指标要求高及小尺寸、弱约束条件下使用的武器弹药。

3. 常规武器装备

在军事领域中，纳米材料的发展与纳米技术的应用必将促使常规武器装备的性能得到很大的提高。如纳米陶瓷克服了传统陶瓷韧性差、不耐冲击的弱点，用于制造军用涡轮发动机的高温部件，可以提高发动机的效率、工作寿命和可靠性；同时纳米陶瓷具有高断裂韧性和耐冲击的性能，可有效提高主战坦克复合装甲的抗弹能力，增强速射武器陶瓷衬管的抗烧蚀性和抗冲击性。纳米粉体改性树脂基复合材料可代替钢材做兵器部件，大大减轻重量，提高可靠性、耐候性，特别适用于在炎热潮湿、盐雾大、腐蚀重的环境下使用。纳米 AIN（氮化铝）的硬度特性能使金属表面提高耐磨性和耐腐蚀性，在枪管和炮管中使用可有效防烧蚀而延长武器使用寿命并提高弹丸初速。用金属纳米粉体制成的金属基复合材料，强度远高于一般的金属，又富有弹性。如果用这种材料制造轻武器的机件，会使它们的质量减小到原来的 1/10。纳米材料制成的钨合金弹芯能大大提高弹药的穿甲能力，等等。

4. 隐身武器装备

纳米粒子尺寸远小于红外和雷达波长，比表面比常规粒子大 3～4 个数量级，磁损耗大，对红外线、雷达波等的透过率比常规材料大得多，使得红外探测器和雷达接收到的反射信号变得很弱，很难被探测器发现，有可能实现质轻、厚度薄、宽频带、高吸收、红外-微波兼容等要求，是一类非常有发展前途的高性能、多功能新型军用吸波材料，可用于隐身飞机及隐形军舰等。

5. 防护材料

与传统涂层相比，纳米结构涂层能使强度、韧性、耐腐蚀、耐磨、热障、抗剥蚀、抗氧化和抗热疲劳等性能得到显著改善，且一种涂层可同时具有上述多种性能。某些纳米微粒还有杀菌、阻燃、导电、绝缘等作用，可用这些纳米粒子制成防生物涂料、阻燃涂料、导电涂料和绝缘涂料。这些技术可有效解决舰艇动力推进装置螺旋桨的穴蚀问题以及潜艇、舰艇船体涂料的防污问题，等等。

此外，纳米材料对人体防护具有良好的应用潜能，可用来开发出先进的防弹材料、研制特殊的作战服，由“铰合分子”制造出比人体肌肉强壮 10 倍的“肌肉”，打造出“刀枪不入”的士兵。

6. 信息存储与获取

碳纳米管可以充当电子快速通过的隧道，用于武器装备的信息系统，能使电子信息快速准确地传输到战场的每个角落。纳米磁性功能材料的磁记录密度性能比现有磁记录材料提高了20倍，可使现有军用计算机磁盘存储能力提高近10倍，能大大改善战场复杂环境下电、磁、声、光、热等各种信息的获取、传输、处理、存储和显示能力，为武器平台的电子系统、综合电子系统提供更强的信息保障能力，此外纳米磁性功能材料还可用于抗电磁干扰器，使军事通信网、卫星接收保持良好工作状态。而且，纳米技术可以把现代作战飞机上的全部电子系统集成在一块芯片上，也能使目前需车载机载的电子战系统缩小至可由单兵携带，从而大大提高电子战的覆盖面。

7. 军服领域

研究人员发现，利用特殊的纳米技术对传统的材料进行处理，可以形成相互交错混杂的、具有相反特性的二维纳米相区，使原来无法兼容的特性，通过它们的相互协同作用表现出来，从而生产出功能强大的新型军服面料。它有抗紫外线老化和热老化以及保暖隔热的作用，大幅度地提高材料的弹性、强度、耐磨性和稳定性，使军服不但防油、防水、抗菌、抗污，清洁起来极其简便，而且穿着柔软舒适，在雨天、泅渡、穿越火场等情况下更具优越性，更满足野战要求。

8. 电子对抗

纳米粉体的体积小、重力小、下沉慢，且布朗运动引起微粒的位移变大，使其能在空气中迅速地扩散开。因此，采用纳米粉体作为遮蔽剂可显著增加留空时间，满足遮蔽弹的战术要求。其次，纳米粉体在很宽的波段内具有强吸波性，并且可以通过控制其粒径的大小来调节其吸收波段范围。因此，纳米粉体在电子对抗中有着广阔的应用前景。

三、隐身材料

隐身技术是通过控制装备或人体信号特征，使其难以被发现、识别和跟踪打击的技术，与激光、巡航导弹技术统称为现代战争和现代军事的高新支柱技术，是现代战争取胜的决定因素之一。隐身技术的关键是隐身材料，在装备外形不能改变的前提下，隐身材料是实现隐身技术的物质基础。武器系统采用隐身材料可以降低被探测率，提高自身的生存率，增加攻击性，获得最直接的军事效益。因此隐身材料的发展及其在飞机、主战坦克、舰船、箭弹上的应用，将成为国防高技术的重要组成部分。

1. 飞行器

隐身飞机上可能较多地采用混杂纤维增强复合材料，以增加吸波效果、拓宽吸波频带；结构陶瓷及陶瓷基复合材料将有望在高推比发动机上试用，美国将用陶瓷基复合材料制成的吸波材料和吸波结构，加到F-117隐身飞机的尾喷管后，可以使其承受1093℃的高温。而法国Alcole公司采用由玻璃纤维、碳纤维和芳酰胺纤维组成的陶瓷复合纤维制造出无人驾驶隐身飞机。特殊碳纤维增强的碳-热塑性树脂基复合材料具有极好的吸波性能，能使频率为0.1MHz～50GHz的脉冲大幅度衰减，现在已用于先进战斗机（ATF）的机身和机翼。另外，APC-2是CelionG40-700碳纤维与PEEK（聚醚醚酮）复丝混杂纱单向增强的品级，特别适宜制造直升机旋翼和导弹壳体，美国隐身直升机LHX已经采用此种复合材料。

2. 导弹

目前，导弹等武器除了在总体设计上减少雷达等目标的电磁信号特征、红外辐射特征和几何形状信号特征外，主要选择隐身材料来实现隐身，减少导弹的强散射部件（导弹系统中的雷达、通信、进气道、尾喷管、弹翼和导航等系统以及各种传感器都是强散射源）。美国、俄罗斯、欧洲、日本等在新一代导弹的研制中都把导弹的隐身性能作为导弹先进性的一个重要方面。新一代导弹几乎都具有隐身能力，而红外隐身涂层、各种先进复合材料和吸波材料也在导弹上得到了广泛的应用。

3. 坦克装甲车辆

自20世纪70年代开始，各国对地面武器装备（重点在坦克装甲车辆）的隐身材料和应用技术开展了大量研究工作。其中，装甲车辆用隐身材料已经日趋成熟。目前，在各国的先进主战坦克上广泛采用了可对付可见光、近红外、远红外（热像）和毫米波的多功能隐身涂料或隐身器材，四波段以上的隐身材料及激光隐身材料已有应用，有效降低了目标特征信号。典型车辆有美国“M1A2”、法国“勒克莱尔”、德国“豹-2”、英国“挑战者”、俄罗斯“T-80”和“黑鹰”等主战坦克。

4. 船艇

舰船用的隐身材料分为吸波涂料和吸波结构材料两类。吸波涂料主要是涂覆于舰艇或设备外表。使用吸波涂料一般可达到10～30dB的吸波率。吸波结构材料则用来制造舰艇或设备外表的壳体和构件。一般是以非金属为基体，填充吸波材料形成既能减弱电磁波的散射又能承受一定载荷的结构复合材料。吸波结构材料在国外已得到成功应用，如瑞典海军在“斯米格”号上就使用了一种“克夫拉”玻璃钢复合板吸波结构材料。

在未来的战争中，潜艇是支配和控制海上作战的主要武器，而潜艇能实施突然袭击作战能力的关键取决于潜艇本身的隐蔽性。除声隐身和雷达波隐身外，可见光的隐身不可忽视。对潜艇设计水线以上船体采用可见光伪装涂料是一种相对简单可行，又可与原先船体的防腐蚀涂层体系相结合的实用方案，现已发展成多品种的系列产品。潜艇光学隐身涂层的发展方向是研制一种能随着天气变化而变化，在雨天、阴天、晴天、夜晚均有低反射率的变色龙涂料。

5. 水雷

针对猎雷探测技术而言，水雷隐身主要包括声隐身、红外隐身、电磁隐身以及视频隐身等。其中，以降低声特征信号为目的的声隐身是隐身技术的重要组成部分。在目标表面涂覆或安装能吸收声波的材料，即利用声呐吸波材料（RAM）可有效降低目标的RCS（雷达截面积）。在水雷电磁隐身方面，主要是采用玻璃钢雷体。玻璃钢雷体的制造技术已经成熟，适航水深达到400～500m，其磁辐射已很难被探测到。此外，新型材料的应用对水雷电磁隐身技术也有相当大的促进。

四、超导材料

某些导电材料冷却到一定温度以下时会出现零电阻，同时其内部失去磁通成为完全抗磁性的物质，这种现象称为超导现象或超导电性。具有超导电性的材料称为超导材料或超导体。

科学家认为21世纪的超导技术如同20世纪的半导体技术，将对人类生活产生积极而深远的影响。超导材料基于约瑟夫森效应、零电阻特性、完全抗磁性和非理想第二类超导体所特有的高临界电流密度和高临界磁场，广泛应用于磁体、电力科技、工业技术、军事技术中，显示出其他材料无法比拟的优越性。

（一）弱电方面

利用超导材料制成的仪器设备，具有灵敏度高、噪声低、响应速度快和能耗小等特点，在军事侦察、通信、电子对抗和指挥等方面，都大有用武之地。目前主要用在现代信息战武器装备中，如预警机、雷达、电子战设备、导弹制导部件等。

1. 超导探测器

利用超导器件对磁场和电磁辐射进行测量，灵敏度非常高，使微弱的电磁信号都能被采集、处理和传递，实现高精度的测量和对比。例如根据量子干涉效应发展而来的超导量子干涉仪（SQUID）已有相当广泛的市场，这是目前人类所掌握的能测量弱磁场的手段中最灵敏的磁测量传感器，灵敏度比现有其他任何方法都要好 2～3 个数量级。此外，利用超导器件还可以制成超导红外-毫米波探测器，其探测范围几乎覆盖整个电磁波频谱，填补了电磁波谱中远红外至毫米波段的空白，它不但灵敏度高、频带宽，还具有高集成密度、低功率、高成品率、低价格等优点，而且具备一般可见光和红外探测系统所不具备的全天候以及穿透烟云的探测能力，并具有对低特征目标探测的能力，是军事遥感侦察的理想设备，可广泛应用于军事光学、反潜武器和水雷探测等领域。特别是高温超导 SQUID 抛弃了液态氮带来的诸多不便，操作上更加灵活，有利于实现军队装备的实战配备。

2. 超导滤波器

高温超导滤波器在移动通信系统中有重要的作用，它所带来的好处是：提高了基站接收机的抗干扰能力；可充分利用频率资源，扩大基站能量；减少了输入信号的损耗，提高了基站系统的灵敏度，从而扩大了基站的覆盖面积；改善通话质量，提高了数据传输速度。

由于超导微波滤波器能滤出极其微弱或特殊的信号，在军事上有两大基本应用：一是用于信号强度受地形、气候、后勤限制，以及敌对行动或战场环境诸多方面的影响而降低的情况；二是用于接收机可能需要从极端复杂的射频环境中，特别是从正在进行收发作业的多用途平台和车辆当中检测出信号的情况。其他重要的应用领域包括软件编程无线电和潜艇通信。

3. 超导计算机

现代军事指挥和武器控制需要高速地处理大量信息。采用具有零电阻特性的超导材料制作计算机，由于功耗减小，电路产生的热量可以忽略不计，运算速度大大提高，而且体积和重量可大幅减小，必将大大提高军事指挥效率，同时也可提高武器制导系统的性能。

（二）强电方面

目前，强电方面，超导材料在军事上的应用主要表现在两个方面。一是与电力驱动技术相关方面，包括高温超导（HTS）电动机和发电机（20～40MW）、HTS 变压器、故障电流限制器（FCL）和电缆、电力电子学和扫雷艇用直接制冷 LTS/HTS（低温超导/高温超导）磁体、传感器电磁测量（如 SQUID 磁强计）、HTS 空间实验站、船用防弹系统用无电子激光器、舰船集成动力系统、导弹用高精度超导陀螺仪、超导电磁炮等。二是其他方面，包括电磁武器、飞机着陆用超导磁性储能系统（SMES）等。

总之，新材料已成为综合国力竞争的重要领域和国防力量的重要物质基础，是提高军队机械化水平的物质支撑和提高信息化程度的基础条件。因此，许多国家都将开发新材料置于优先发展的重点项目，特别是对军用新材料技术的发展给予了高度重视。

第十二章
金属材料的改性与成形

【学习目标】

1. 能够阐述钢的热处理、退火、正火的概念；
2. 能够说出常见的退火工艺；
3. 能够分辨退火、正火的异同；
4. 能够阐述淬火、回火的概念；
5. 能够辨析各种钢淬火时的加热温度；
6. 能够说出常用的淬火方法；
7. 能够阐述铸造、塑性加工、焊接的概念及特点；
8. 能够区分各种铸造方法、塑性加工方法和焊接方法的适用场合。

【学习重难点】

1. 退火、正火工艺的选择；
2. 淬火、回火工艺的选择；
3. 常见成形方法的适用场合。

所谓金属材料的改性与成形，是指利用物理、化学或冶金原理来制造机械零件及结构，或改变其化学成分、微观组织和性能的工艺方法。按材料的物理状态，金属材料的成形工艺主要包括铸造、塑性成形、焊接等形式，而改性主要指各种热处理工艺。

第一节　钢的热处理

钢的热处理是将钢在固态下通过加热、保温、冷却以改变其组织，从而获得所需性能的一种工艺方法。与其他加工工艺（如铸造、锻压、焊接）不同，热处理只改变金属材料的组织和性能，而不改变其形状和尺寸。

热处理是提高钢的使用性能和改善工艺性能的重要加工工艺方法，可以充分发挥材料的性能潜力，保证内在质量，延长使用寿命，在机械制造工业中占有十分重要的地位。在现代机床工业中，60%～70%的零件要经过热处理；汽车制造业中，70%～80%的零件要经过热处理；而各种工模具、轴承等零件，则100%都要进行热处理。

根据热处理工艺方法的不同，钢的热处理分类如图12-1所示。

根据热处理在零件生产过程中的位置和作用不同，可分为预先热处理和最终热处理两类。预先热处理是零件加工过程中的一道中间工序，其目的是改善铸、锻、焊等毛坯件的组织，消除应力，为后续的机加工或进一步的热处理做准备。最终热处理是零件加工的最终工序，其目的是赋予工件所需要的使用性能。

热处理方法虽然很多，但任何一种热处理工艺都是由加热、保温和冷却三个阶段组成的。因此，热处理工艺过程可用“温度-时间”为坐标的曲线图形表示，如图 12-2 所示，此曲线称为热处理工艺曲线。

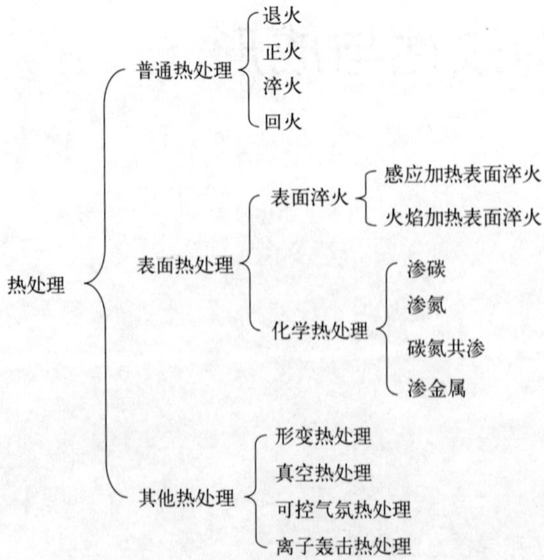

图 12-1　钢的热处理分类

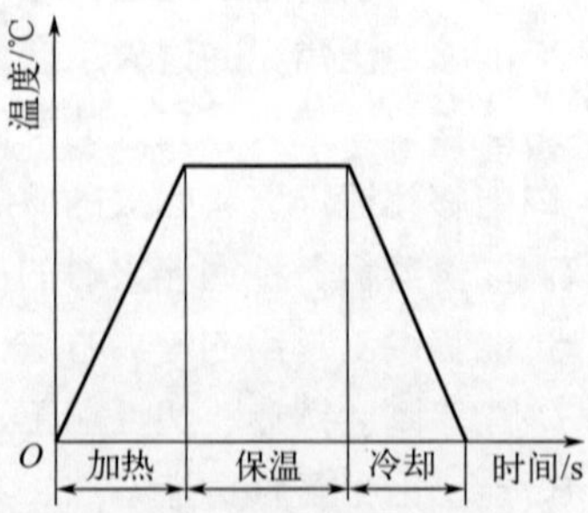

图 12-2　热处理工艺曲线

热处理之所以能使钢的性能发生变化，其根本原因是铁有同素异构转变特性，从而使钢在加热和冷却过程中，其内部发生了组织与结构变化。

一、钢的普通热处理

普通热处理，亦称整体热处理，是对金属材料或工件进行穿透加热的热处理工艺。在机械制造过程中，退火和正火通常用于钢的预先热处理。对性能要求不高、不太重要的零件及一些普通铸件、焊件，退火或正火可作为最终热处理。其他情况下，淬火和回火通常作为最终热处理工艺。

1. 退火

退火是将钢件加热到适当温度，保温一定时间，随后缓慢冷却以获得接近平衡状态组织的热处理工艺。退火的主要目的是：降低钢的硬度，使之易于切削加工；提高钢的塑性和韧性，以便冷变形加工；消除钢中的组织缺陷，如晶粒粗大、成分不均匀等，为热锻、热轧或热处理做好组织准备；消除前一工序（铸造、锻造或焊接等）中所产生的内应力，以防变形或开裂。

钢的退火种类很多，按具体目的不同，常用的退火方法有完全退火、球化退火、扩散退火、去应力退火和再结晶退火，如图 12-3(a) 所示。按照物理冶金过程的特点，可将退火工艺分为第一类退火工艺和第二类退火工艺两类。

第一类退火工艺包括扩散退火、再结晶退火、去应力退火、去氢退火等。其工艺特点是通过控制加热温度和保温时间，使钢件内在冶金及冷热加工过程中产生的不平衡状态（如成分偏析、形变强化、内应力等）过渡到平衡状态。其主要目的是使组织与成分均匀化、消除

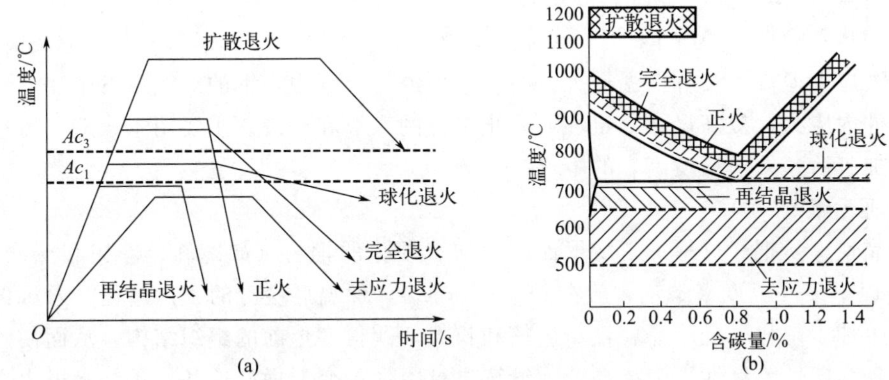

图 12-3　退火和正火工艺示意图

形变强化、消除内应力或消除钢中的氢。

第二类退火工艺包括完全退火、不完全退火、等温退火、球化退火等。其主要目的是改变钢件的组织和性能。这类工艺的特点是通过控制加热温度、保温时间以及冷却速度等工艺参数，来改变钢中的珠光体、铁素体和碳化物等的组织形态及分布，从而改变钢件的性能，如降低硬度、提高塑性、细化晶粒、改善机械加工性能等。

（1）完全退火

将钢加热到 Ac_3 以上 30～50℃，保温一定时间，然后随炉缓慢冷却，这种退火方法称为完全退火。

完全退火在加热过程中，使钢的组织全部转变为奥氏体，在退火冷却过程中，奥氏体转变为细小而均匀的平衡组织，从而降低钢的硬度，细化晶粒，充分消除内应力。

在机械制造中，完全退火主要用于中碳结构钢及低、中碳合金结构钢的锻件、铸件等。过共析钢不宜采用完全退火，因为过共析钢完全退火需加热到 Ac_{cm}❶ 以上，在缓慢冷却过程中，钢中将析出网状渗碳体，使钢的力学性能变坏。

（2）球化退火

将钢加热到 Ac_1 以上 20～30℃，保温一定时间，随炉缓慢冷却，这种退火方法称为球化退火，又称为不完全退火。其目的是使钢中渗碳体球化，获得球状珠光体组织，以便于降低硬度，改善切削加工性能，同时为后续淬火做好组织准备。

球化退火适用于共析钢及过共析钢（碳素工具钢、合金刃具钢、轴承钢等）的锻、轧件。在球化退火前，若钢的原始组织中有明显网状渗碳体时，应先进行正火处理。

（3）扩散退火

扩散退火是把钢加热至远高于 Ac_3 或 Ac_{cm} 的温度（通常为 1050～1150℃），长时间保温（10h 以上），然后缓冷的工艺。目的是利用长时间高温使原子充分扩散，以消除钢中的成分偏析等缺陷，故扩散退火又称为均匀化退火。但长时间高温必然引起奥氏体晶粒的严重粗大，所以，必须再进行正火来细化晶粒。

扩散退火工艺周期长，氧化和脱碳严重，能量消耗大，一般只用于合金钢铸锭和大型铸钢件。

❶ Ac_{cm}：加热时二次渗碳体全部溶入奥氏体的最终温度。

(4) 去应力退火

将钢加热到略低于 Ac_1 的一定温度（通常为 500～650℃），保温后缓慢冷却的退火方法，称为去应力退火，又称低温退火。在去应力退火过程中，钢的组织不发生变化。其目的是消除工件内应力，提高尺寸稳定性，防止工件的变形和开裂。主要用于锻造、铸造、焊接以及切削加工后（要求精度高）的零件。

(5) 再结晶退火

再结晶退火是把经过冷加工变形而产生加工硬化的钢材（如冷轧、冷拔和冷冲压），加热到 Ac_1 以下某一温度（碳钢一般在 650～700℃），保温后缓冷的工艺过程。通过再结晶退火，使产生加工硬化的变形晶粒重新生核和长大，获得变形前的组织结构，从而使硬度、强度显著下降，塑性、韧性大大提高，为继续进行冷加工变形做好准备。再结晶退火主要用于冷轧、冷拉、冷冲压等冷加工硬化件的两次冷加工变形之间。

2. 正火

正火是将钢件加热到某一温度以上，保温适当时间后，在空气中冷却的热处理工艺，如图 12-3(b) 所示。

正火与退火作用相似，但正火的冷却速度比退火稍快。因此，正火后的强度、硬度比退火高，而且正火具有操作简便、工艺周期短、成本较低等优点。

正火的主要应用如下：

① 作为过共析钢球化退火前的预先热处理。通过正火可以减少或消除网状的渗碳体，细化片状的珠光体组织，有利于在球化退火中获得细小均匀的球状渗碳体，以改善钢的组织和性能。

② 作为预先热处理，用于低碳钢和低碳合金钢，可提高硬度，改善切削加工性能。

③ 作为最终热处理，主要用于力学性能要求不是很高或因形状复杂在淬火时产生严重变形甚至开裂的零件。

3. 退火与正火的选择

退火与正火的目的大致相同，在实际选用时，可以从以下三个方面考虑。

(1) 从切削加工性考虑

一般来说，钢材硬度在 170～230HBW 范围内，切削加工性能比较好。因为硬度过高，刀具容易磨损，难以加工；硬度过低，切削时易产生粘刀，加工后零件表面粗糙。所以，低碳钢宜用正火提高硬度，而高碳钢宜用退火降低硬度。

(2) 从使用性能考虑

如对零件性能要求不高，可将正火作为最终热处理。例如，用 35 钢制作的机油泵齿轮，就采用正火作为最终热处理。但当零件形状复杂、厚薄不均时，正火的冷却速度较快，有使零件变形开裂的危险，则采用退火。对于中、低碳钢来说，正火处理比退火有较好的力学性能。

(3) 从经济性考虑

正火比退火生产周期短，生产效率高，成本低，操作简便，故在可能的条件下，应优先采用正火。

4. 淬火

淬火是将钢件加热到某一温度以上，保温一段时间，然后以大于临界的冷却速度冷却，获得马氏体组织的热处理工艺。

淬火是强化钢材最重要的热处理工艺。其主要目的是获得马氏体，并与回火相配合，使钢件具有不同的力学性能。它是强化钢材最重要的热处理方法，广泛应用于工业生产中。

马氏体是碳在 α-Fe 中的过饱和固溶体组织，用符号“M”表示。高硬度是马氏体性能的主要特点，而且其硬度随含碳量增加而升高。其原因在于过饱和碳引起晶格畸变，固溶强化作用增强。

钢在淬火时获得马氏体（而不形成其他组织）的能力称为钢的淬透性。淬透性的大小可用一定条件下淬硬层的深度表示。而淬硬层深度是指从钢件表面到形成 50%马氏体处的深度。影响钢件淬透性的主要因素是钢的临界冷却速度。它是指钢在连续冷却转变时获得全部马氏体组织的最小冷却速度。临界冷却速度越小，钢的淬透性越大。而影响临界冷却速度的关键因素是钢的含碳量与合金元素的种类和含量。淬透性是钢材选择的重要依据之一，合理选择材料的淬透性，可以充分发挥材料的性能潜力，防止产生热处理缺陷，提高材料使用寿命。

淬火工艺的选择对钢件淬火质量有重要的影响，需要从以下三点着手。

（1）淬火加热温度

淬火加热温度主要根据钢的化学成分来确定。亚共析钢淬火加热温度一般选择在 Ac_3 以上 30～50℃，这样淬火后可以获得细小的马氏体组织。若淬火温度过高，则获得粗大马氏体，同时引起较严重的淬火变形。淬火温度过低，淬火组织中会出现铁素体，造成工件硬度不足和不均匀。

共析钢和过共析钢的淬火加热温度一般选择在 Ac_1 以上 30～50℃。这样在淬火后可以获得均匀细小的马氏体和粒状渗碳体的混合组织。这不仅有利于耐磨性的改善，还可以防止奥氏体晶粒长大和残余奥氏体量增多。加热温度过高会导致马氏体内部的碳过饱和度增大，造成淬火时内应力大，变形和开裂的倾向增大；如果淬火温度过低，可能得到非马氏体组织，使钢的硬度达不到要求。

（2）淬火冷却介质

使钢件获得某种冷却速度的介质称为淬火冷却介质，最常用的是水、油、盐或碱的水溶液三类。其中，盐（碱）水的冷却能力最强，水次之，而油的冷却能力较低。

水是最经济、最实惠且冷却能力比较强的淬火冷却介质，因此应用最广泛。但水在 650～550℃温度区间冷却速度不够大，而在 300～200℃温度区间冷却能力又太强，钢件容易产生变形及开裂。此外，水温对水的冷却特性影响较大，随着水温的升高，高温区的冷却速度显著下降，而低温区的冷却速度仍然很高。因此，淬火时水温不应超过 30℃。所以，水适合作为尺寸不大、形状简单的碳钢工件的淬火冷却介质。

为了提高水的冷却性能，通常采用的方法是在水中加入质量分数为 10%～15%的 NaCl 或 NaOH 形成盐水或碱水。盐水在 650～550℃温度区间内，冷却速度急剧增加；但在 300～200℃温度区间内，冷却能力依旧很强，使工件变形与开裂的倾向增大。因此，盐水常作为尺寸较大、外形简单、硬度要求较高、对淬火变形要求不高的碳钢零件的淬火冷却介质。

工业上用作淬火介质的油主要是各种矿物油，如锭子油、机油、柴油、变压器油等。油在 300～200℃温度区间冷却速度远小于水，有利于减少工件的淬火变形和开裂；但在 650～550℃温度区间冷却能力又很小，这样会产生碳钢淬硬不足的缺陷。在生产实际中，油一般作为形状复杂的中小型合金钢零件的淬火冷却介质。

(3) 常用淬火方法

淬火操作时，应根据工件的情况，结合淬火介质的特点，选择保证淬火质量的合理方法，以有效防止工件产生变形和裂纹。常用淬火方法有单液淬火、双液淬火、分级淬火、等温淬火、局部淬火等。

① 单液淬火。这种方法是将钢加热后放入一种淬火介质中直至冷却至室温。一般用于形状不太复杂的碳钢和合金钢件。它操作简单，易实现机械化，应用较广。不足是某些钢件水淬变形开裂倾向大，油淬不易淬硬。

② 双液淬火。双液淬火是将工件加热到淬火温度后，先在冷却能力较强的介质中冷却，在组织即将发生马氏体转变时再把工件迅速转移到冷却能力较弱的介质中继续冷却至室温的处理。如先水后油、先水后空气等，关键是控制好工件的水冷时间。此方法可以减少淬火内应力，但操作比较困难，往往要求操作者具有较熟练的操作技术。它主要用于形状复杂的高碳钢和尺寸较大的合金钢件，如丝锥、板牙等。

③ 分级淬火。分级淬火是钢件经奥氏体化后，先投入到温度为150～260℃的盐浴或碱浴中，稍加停留（约2～5min），然后取出空冷，以获得马氏体组织的处理方法。分级淬火通过在M_s（马氏体转变开始温度）点附近保温，使工件内外的温度差减小，可以减轻淬火应力，防止工件变形和开裂。但由于盐浴的冷却能力差，碳钢零件淬火后会出现珠光体组织。所以，此法主要应用于形状复杂、尺寸较小、要求变形小的精密工件，如刀具、量具、模具等。

④ 等温淬火。等温淬火是将经奥氏体化的钢件投入温度稍高于M_s的盐浴中，保温足够时间，使其发生下贝氏体转变后取出空冷的方法。等温淬火产生的内应力很小，所得到的下贝氏体组织具有较高的硬度和韧性，故常用于处理形状复杂、尺寸较小、精度要求高的工具和重要机器零件，如模具、刀具、齿轮等。

5. 回火

回火是将已经淬火的钢件重新加热到某一温度，适当保温后，冷却至室温的热处理工艺。淬火和回火是不可分割的热处理工艺，是发挥材料内在潜力的重要方法。

淬火后的零件必须立即进行回火，这是由其组织、应力状况及零件使用要求所决定的。其目的是：降低脆性，提高塑性、韧性；减少和消除内应力，防止零件变形和开裂；稳定组织，稳定形状和尺寸，保证钢件使用精度和性能；通过不同的回火处理，获得不同的性能，满足零件不同要求。

淬火所形成的马氏体是在快速冷却条件下形成的不稳定组织，有转变为稳定组织的趋势。回火加热时，原子活动能力加强，随着温度的升高，马氏体中过饱和的碳将以碳化物的形式析出。回火温度越高，析出的碳化物越多，钢的强度和硬度趋于下降，而塑性和韧性升高。

按回火温度范围可将回火分为低温回火、中温回火和高温回火三类。

(1) 低温回火（150～250℃）

低温回火得到的组织为回火马氏体。回火马氏体是低饱和的马氏体和极细碳化物的混合组织。低温回火的目的是降低淬火钢的应力和脆性，但基本保持钢在淬火后的高硬度（58～64HRC）和高耐磨性。低温回火主要应用于要求表面硬度较高的零件和工具，如各种高碳钢的工具、量具、模具、滚动轴承，渗碳、表面淬火、氰化后的零件（如活塞销、万向节十字轴、齿轮）。

（2）中温回火（350～500℃）

中温回火得到的组织为回火屈氏体。回火屈氏体是极细的粒状渗碳体和铁素体的机械混合物。中温回火的目的是使钢获得高弹性，同时保持较高硬度（35～50HRC）和一定的屈服强度，并有一定的塑性和韧性。中温回火主要用于具有高弹性、高强度，同时又要求保持足够韧性的零件，如各种弹簧、发条、锻模等。

（3）高温回火（500～650℃）

高温回火得到的组织为回火索氏体。回火索氏体是细小的粒状渗碳体和铁素体的机械混合物。高温回火的目的是使钢保持较高强度的同时，又具有较好的塑性和韧性，同时还有一定的硬度（一般在20～35HRC），即具有较好的综合力学性能。高温回火主要应用于碳素钢和合金钢制造的各类连接和传动的结构零件，如轴、连杆、螺栓、齿轮等；也可作为要求较高的精密零件、量具等的预先热处理。

在工业生产中，通常将淬火加高温回火的热处理工艺称为调质处理，简称调质。这种热处理广泛应用于各种重要的机械零件，特别是那些在交变负荷下工作的连杆、连杆螺栓、齿轮、机床主轴、曲轴和汽车的半轴等。

二、钢的表面热处理

对于承受弯曲、扭转、摩擦或冲击的零件，其表面应具有高的强度、硬度、耐磨性和疲劳强度，而心部应具有足够的韧性和塑性。此时，就需要采用表面热处理来满足要求。表面热处理是指仅对钢件表层进行热处理，以改变其组织和性能的方法。

目前常用的表面热处理工艺包括表面淬火和化学热处理。其中，表面淬火只改变表层的组织，而不改变表层的化学成分；化学热处理在改变表层组织的同时，也会改变表层的化学成分。

1. 表面淬火

钢的表面淬火是通过快速加热，使钢件表层奥氏体化，在心部组织尚未发生改变时，立即淬火冷却，使表层获得高硬度、高耐磨性的马氏体组织，而心部仍保持原来的组织状态的工艺方法。

根据加热方法的不同，表面淬火可分为感应加热表面淬火、火焰加热表面淬火、激光加热表面淬火、接触电加热表面淬火等。其中，应用较多的是感应加热表面淬火和火焰加热表面淬火。

2. 化学热处理

化学热处理是指将钢件置于特定的介质中加热和保温，使介质中的活性原子渗入钢件表层，从而通过改变表层的化学成分和组织来改变其性能的一种热处理工艺。根据渗入元素的不同，化学热处理可分为渗碳、渗氮、碳氮共渗、渗硼、渗铬、渗金属（如铝、铬、钛等）等。

各种化学热处理都是依靠介质元素的原子向钢件内部扩散进行的，其基本过程包括：

① 介质分解出渗入元素的活性原子；

② 钢件表面吸收活性原子；

③ 在一定温度下由表面向内部扩散，形成一定厚度的扩散层。

第二节　铸造

铸造是材料液态成形的一种重要工艺方法，它是将液态金属或合金浇注、压射或吸入到与零件形状相适应的铸型内，冷却凝固后而获得具有一定形状和性能的铸件的成形方法。

一、铸造的特点及应用

铸造是生产毛坯的主要方法之一，在机械制造中占有重要的地位。例如，按重量估算，一般机械设备中铸件占 40%～90%，金属切削机床中铸件占 70%～80%。铸造之所以得到广泛的应用，是因为它具有如下特点。

1. 成形能力强

铸造可生产形状复杂，特别是具有复杂内腔的毛坯或零件，如气缸体、气缸盖、箱体、机架、床身等。对于硬度过高、切削加工困难的材料，采用精密铸造进行生产是一条较为理想的途径。

2. 适应性广

工业中常用的金属材料，如碳素钢、合金钢、铸铁、青铜、黄铜、铝合金等，都可用于铸造，其中应用极广的铸铁，只能用铸造方法来制造毛坯。铸件可轻至几克，重至数百吨，壁厚可薄至 0.3mm，厚至 1000mm 左右。铸造的批量不限，从单件、成批，直至大量生产。

3. 成本低

铸造所用的原材料来源广泛，价格低廉，并可直接利用报废的机件、废钢和切屑等。一般情况下，铸造设备需要的投资较少。同时，采用精密铸造方法，可实现少、无切削加工，节省材料和工时，从而降低制造成本。

但铸造也具有如下缺点：铸造易产生各种缺陷；铸件的力学性能较差；铸件的废品率较高；铸造的工作条件较差，工人劳动强度较大。

近年来，随着科学技术的不断发展，铸造技术也获得了很大进步。铸件性能和质量正在进一步提高，劳动条件正逐步改善，现代铸造生产正朝着专业化、集约化和智能化的方向发展。

二、铸造工艺方法

根据铸型的种类不同，铸造工艺方法分为砂型铸造和特种铸造两类。

1. 砂型铸造

砂型铸造是指将金属或合金液浇注到砂型内，冷却凝固后获得铸件的铸造方法。其适应性很强，几乎不受铸件材质、尺寸、重量及生产批量的限制，是目前最基本、应用最广泛的铸造方法。图 12-4 所示为套筒铸件的砂型铸造工艺流程。

2. 特种铸造

砂型铸造因其适应性广、成本低，在生产中得到了广泛的应用。但也存在着铸件尺寸精度低、表面粗糙、铸造缺陷多等缺点。为弥补砂型铸造的不足，生产中也广泛地应用了特种铸造方法。除砂型铸造之外的所有其他铸造方法，统称为特种铸造。常用的特种铸造有金属

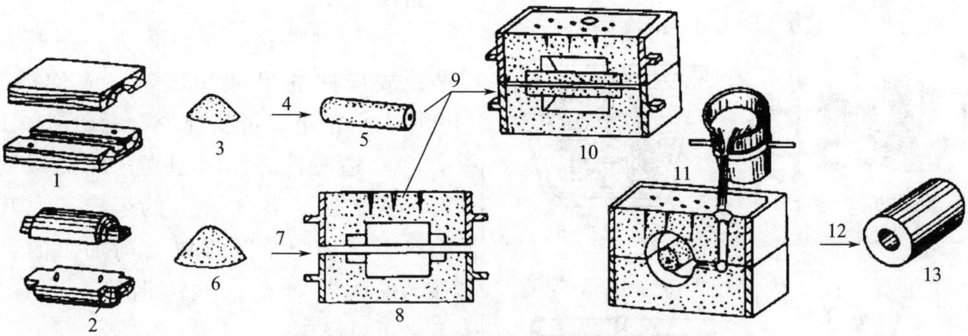

图 12-4　套筒铸件的砂型铸造工艺流程

1—芯盒；2—模样；3—芯砂；4—造型；5—芯砂；6—型砂；7—造型；8—砂型；9—合型；10—铸型；11—浇注；12—落砂清理；13—铸件

型铸造、熔模铸造、压力铸造、低压铸造和离心铸造等。这些特种铸造方法在提高铸件精度和表面质量、改善铸件力学性能、提高生产效率、改善劳动条件以及降低铸件生产成本等方面各有特点。

（1）金属型铸造

金属型铸造是将液态合金浇入金属材料制成的铸型中，而获得铸件的方法。图 12-5 为铸造铝活塞的金属型典型结构图。浇铸后，先取出件 4，再取出件 3 和件 5。由于金属型一般可浇铸几百次到几万次，故亦称为“永久型”。与砂型相比，金属铸型没有透气性和退让性，散热快，对铸件有激冷作用。为此需在金属型上开设排气槽，浇铸前应将金属型预热、喷刷涂料保护等，以防止铸件产生气孔、裂纹、白口和浇铸不到等缺陷。

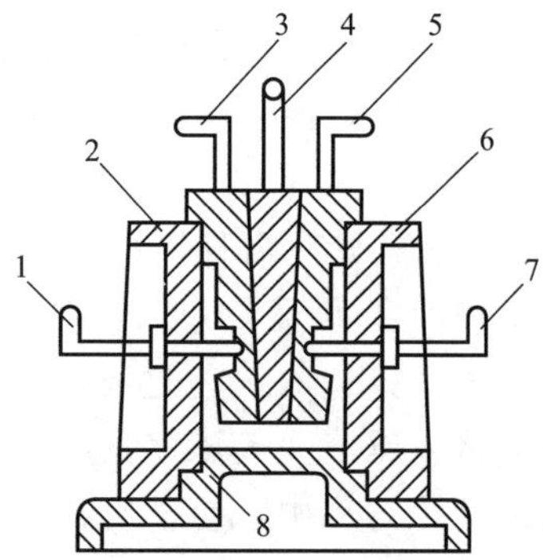

图 12-5　铸造铝活塞简图

1,7—销孔金属型芯；2,6—左右半型；3,4,5—分块金属型芯；8—底型

与砂型铸造相比，金属型铸造的特点是：

① 实现了“一型多铸”，生产率高、成本低，便于实现生产的机械化和自动化。

② 铸造精度较高，表面质量较好。

③ 金属型传热快，铸件冷速快，晶粒细，经济性能提高。

④ 金属铸型制造成本高、周期长，不适合单件小批量生产。

⑤ 铸件形状和尺寸受到一定限制。

⑥ 易产生白口。

金属型铸造在有色合金铸件的大批量生产中应用较广泛，如铝活塞、汽缸体、缸盖、油泵壳体、轴瓦、衬套等，有时也可浇铸小型铸铁件和铸钢件。

（2）熔模铸造

熔模铸造是指用易熔材料（如蜡料）制成模样，在模样上包覆若干层耐火涂料，然后制成型壳，熔去模样后经高温焙烧即可浇铸。由于模样广泛采用蜡质材料制造，铸型无分型面，铸件精度高，所以又称为“失蜡铸造”。熔模铸造的工艺流程，如图 12-6 所示。

熔模铸造的特点有：

① 可生产形状复杂的薄壁铸件（可铸出直径达 0.5mm 的小孔、厚度达 0.3mm 的薄壁）。铸型是在预热后进行浇注，合金充型能力强。形状复杂的整体蜡模可由若干形状简单

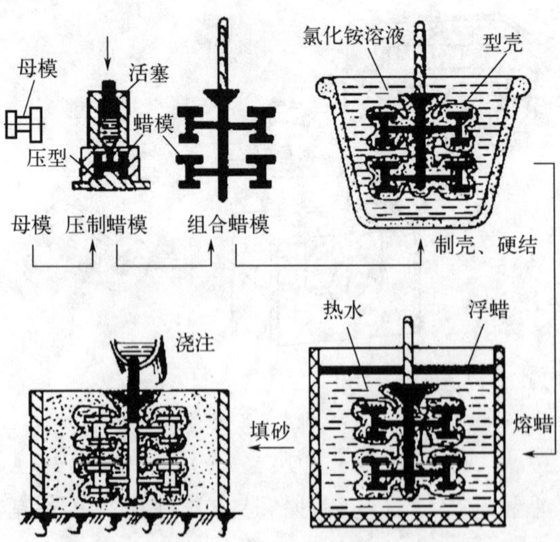

图 12-6　熔模铸造工艺流程

的蜡模组成。

② 铸型精密而无分型面，型腔表面光洁，故铸件的尺寸精度高、表面质量好。机加工余量小，可实现少、无切削加工。

③ 适应性好。因型壳采用高级耐火材料制成，适合各类合金的生产，尤其适合生产高熔点合金及难以切削加工的合金铸件，如耐热合金、不锈钢等。另一方面，不受批量限制。

④ 工艺过程较复杂，生产周期长，铸型的制造费用高，铸件不宜太大，一般为几十克到几千克重，最大不超过45kg。

熔模铸造主要用于形状复杂、精度要求较高或难以切削加工的小型零件、高熔点合金及有特殊要求的精密铸件的成批、大量生产。目前，在航空、船舶、汽车、机床、仪表、刀具和兵器等行业，如汽轮机叶片、切削刀具等，熔模铸造都得到广泛的应用。

(3) 压力铸造

压力铸造（简称压铸）是在高压下（5～150MPa），高速地（定形时间为0.01～0.2s）将熔融的金属压入金属铸型中，并在压力下结晶，而获得铸件的铸造方法。

压力铸造的工艺过程，如图 12-7 所示。首先将金属液注入压室，用活塞将合金液压入闭合的铸型中，使金属在压力下凝固，然后退回活塞，分开压型，推杆顶出压铸件。压力铸造使用设备为压铸机，使用铸型为压型。

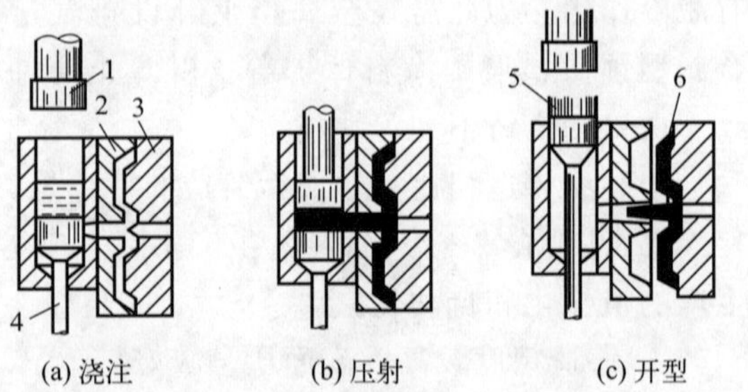

图 12-7　压力铸造工艺过程示意图

1—压铸活塞；2，3—压型；4—下活塞；5—余料；6—铸件

压力铸造的特点有：

① 铸件的精度和表面质量较高。可铸出形状复杂的薄壁件和镶嵌件，并可直接铸出小孔、螺纹等。

② 力学性能较高。由于压力铸造是在压力下结晶，晶粒细密，其抗拉强度比砂型铸造高25%～40%。

③ 生产效率高。压铸机每小时可压铸几百个零件，易实现自动化。

④ 设备投资大，制造铸型费用高。

压力铸造主要用于低熔点有色金属（如铝合金、镁合金等）薄壁小铸件的大批量生产，在汽车、拖拉机、仪器、仪表、医疗器械、兵器等领域得到了广泛的应用，如气缸体、化油器、喇叭外壳等零件的生产。

(4) 低压铸造

用较低的压力（0.02～0.06MPa）使金属液自下而上充填型腔，并在压力下结晶以获得铸件的方法称为低压铸造。

低压铸造的工艺过程，如图12-8所示。把熔炼好的金属液倒入保温坩埚，装上密封盖，升液导管使金属液与铸型相通，锁紧铸型。将干燥的压缩空气通入坩埚内，金属液便经升液导管自下而上平稳地压入铸型并在压力下结晶，直至全部凝固。撤除液面压力，升液导管内金属液流回坩埚，开启铸型，取出铸件。

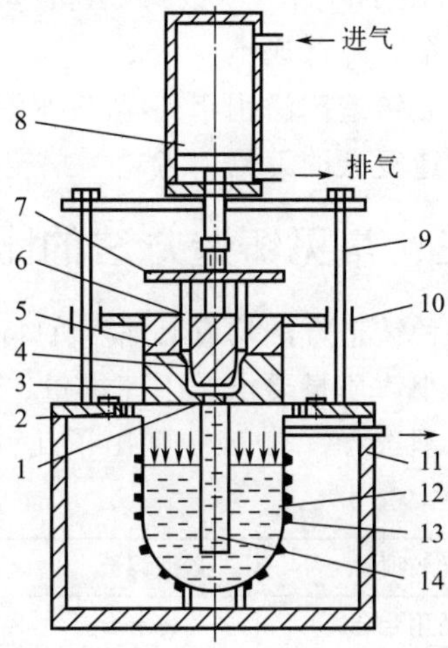

图12-8　低压铸造工艺过程示意图

1—浇注系统；2—密封盖；3—下型；4—型腔；5—上型；6—顶杆；7—顶板；8—气缸；9—导柱；10—滑套；11—保温炉；12—液态金属；13—坩埚；14—升液导管

低压铸造的特点有：

① 充型平稳，无冲击、飞溅现象，不易产生夹渣、砂眼、气孔等缺陷。

② 借助压力充型和凝固，铸件轮廓清晰，组织致密，对于薄壁、耐压、防渗漏、气密性好的铸件尤为有利。

③ 浇注系统简单，浇口兼冒口，金属利用率高，通常可达90%以上。

④ 充型压力和速度便于调节，可适用于金属型、砂型、石膏型、陶瓷型及熔模型壳等，容易实现机械化、自动化生产。

低压铸造主要用于生产质量要求高的铝、镁合金铸件，如气缸体、缸盖、活塞、曲轴箱等，并成功地铸造了重达200kg的铝活塞、30t的铜螺旋桨及大型球墨铸铁曲轴。

(5) 离心铸造

离心铸造是将液态金属浇入高速旋转（250～1500r/min）的铸型，使金属液在离心力的作用下凝固而获得铸件的铸造方法。离心铸造工艺过程示意图，如图12-9所示。其中，铸型绕垂直轴旋转的铸造称为立式离心铸造，适合浇铸各种盘、环类铸件，如图12-9(a) 所示；铸型绕水平轴旋转的称为卧式离心铸造，适合浇铸长径比较大的各种管件，如图12-9(b) 所示。

(a) 绕垂直轴旋转　　(b) 绕水平轴旋转

图12-9　离心铸造工艺过程示意图

离心铸造特点的有：

① 金属液在离心力作用下冷凝结晶，组织致密，因此铸件质量好，力学性能高。

② 铸造套、管等中空铸件，可自然形成，不用型芯和浇注系统，简化了工艺，降低了铸件成本。

③ 便于铸造“双金属”铸件，节省贵重金属。如在钢套内镶黄铜或者青铜轴套，可节约铜合金，降低成本。

离心铸造广泛用于铸造各种管件（如水管、气管、油管等）、气缸套、双金属铸件等，也可铸造复杂的刀具、齿轮、蜗轮、叶片等成形零件。

三、常见铸造方法的比较

各种铸造方法均有其本身的特点及适用范围，在选择铸造方法时，必须依据铸件的形状、大小、质量要求、生产批量、合金的种类及现有的设备条件等具体情况进行全面分析比较，合理选择。表 12-1 列出了几种常用铸造方法的综合比较。

表 12-1　常用铸造方法比较

比较项目	砂型铸造	金属型铸造	熔模铸造	压力铸造	离心铸造
适用合金	各种铸造合金	以非铁合金为主	以碳钢、合金钢为主	非铁合金	铸钢、铸铁、铜合金
适用铸件大小	不受限制	中、小铸件	几十克到几千克的复杂铸件	几十克到几十千克的中小件	零点几千克至十几吨的铸件
铸件最小壁厚/mm	铸铁>3～4	铸铝>3 铸铁>5	0.5～0.7 孔 ϕ0.5～2.0	铝合金 0.5 锌合金 0.3 铜合金 2	优于同类铸型的常压铸件
铸件加工余量	最大	较大	较小	最小	内孔大
表面粗糙度 $Ra/\mu m$	50～12.5	12.5～6.3	12.5～1.6	3.2～0.8	取决于铸型材料
铸件尺寸公差	CT11～CT7	CT9～CT6	CT7～CT4	CT8～CT4	取决于铸型材料
金属收缩率/%	30～50	40～50	60	60	85～95
毛坯利用率/%	70	70	90	95	70～90
投产最小批量/件	单件	700～1000	1000	1000	100～1000
生产率（一般机械化程度）	低中	中高	低中	最高	中高
设备费用	较高（机械造型）	较低	较高	较高	中等
应用举例	床身、箱体、支座、曲轴、缸体、缸盖等	铝活塞、水暖器材、水轮机叶片、一般非铁合金铸件等	刀具、叶片、机床零件、汽车及拖拉机零件等	汽车化油器、缸体、仪表、照相机壳体和支架等	各种铸管、套筒、环、叶轮、滑动轴承等

第三节　锻压加工

利用金属的塑性，即产生塑性变形的能力，使金属在外力作用下成形的一种加工方法称为锻压加工。由于外力通常为压力，故又称为压力加工。常用的锻压加工方法有自由锻、模锻、板料冲压、轧制、挤压、拉拔等。锻压加工不仅广泛应用于各种机械零件、日用产品的生产，也普遍用于各种原材料的制造。锻压加工是金属压力加工（塑性成形）的主要方式，也是机械制造中毛坯生产的主要方法之一。

一、锻压加工的特点及应用

与铸造相比，锻压加工具有以下特点：

① 改善金属内部组织，提高力学性能。

通过锻压加工能消除锭料的气孔、缩松等铸造组织缺陷，压合微裂纹，获得致密的结晶组织，均匀材料成分，因而使金属的力学性能得到改善。

② 锻压加工生产率高，尺寸精确并节省材料，容易实现自动化。

③ 对材料塑性要求高。

锻压加工所用的金属材料应具有良好的塑性，以便在外力的作用下，能产生塑性变形而不破裂。常用的金属材料中，铸铁因塑性差，不能用于锻压；钢和非铁金属中的铜及其合金等塑性好，可用于锻压。

④ 不能直接获得形状很复杂的锻压件。

锻压加工在固态下成形，对制造形状复杂的零件，特别是具有复杂内腔的零件较困难。

金属材料经锻压后，力学性能得到提高，可用于加工承受载荷大、转速高的重要零件，如机器主轴、曲轴、连杆，重要的齿轮、凸轮、叶轮，以及炮筒、枪管、起重吊钩、容器法兰等。冲压则具有强度高、刚度大、重量轻等优点，广泛用于汽车、电器、仪表等各类薄板结构零件的加工。

二、锻造

锻造是利用冲击力或压力使金属在上下砧板间或锻模中产生塑性变形而得到所需制件的一种成形加工方法。锻造是金属的重要成形方法之一，它能保证金属零件具有较好的力学性能，以满足使用要求。

按锻造加工方式的不同，锻造分为自由锻造、模型锻造和胎模锻造等。

1. 自由锻造

自由锻造简称自由锻，是利用自由锻设备的上下砧板或一些简单的通用工具，直接使坯料变形而获得所需的几何形状及内部质量的锻件的工艺方法。自由锻所用工具简单，通用性强，灵活性大，应用广泛，但自由锻生产率低，尺寸精度不高，表面粗糙度差，对工人的操作水平要求高，自动化程度低。因此，自由锻适用于形状简单零件的单件、小批量生产，也是重型机械中生产大型和特大型锻件的唯一方法，可锻造重量达几百吨的锻件。

自由锻工序可分为基本工序、辅助工序、精整工序三大类。自由锻的基本工序是使金属产生一定程度的塑性变形，以达到所需形状及尺寸的工艺过程，有镦粗、拔长、冲孔、弯曲、切割、扭转、错移及锻接等。其中，以镦粗、拔长、冲孔最为常用。辅助工序是为基本工序操作方便而进行的预先变形工序，如压钳口、压钢锭棱边、切肩等。精整工序是用以减少锻件表面缺陷的工序，如清除锻件表面凹凸不平、校正、滚圆及整形等。

2. 模型锻造

模型锻造简称模锻，是在模锻设备上利用模具使坯料变形而获得比自由锻质量更高的锻件的锻造方法。

与自由锻相比较，模锻具有生产率高、锻件成本低，锻件尺寸精确、表面质量好，可生产形状较复杂的锻件，劳动强度较低等一系列优点。但却存在设备投资大，模具费用高，工艺不够灵活，生产准备周期长等不足。所以，模锻适用于产品定型后，中、小锻件的大批量生产。

3. 胎模锻造

胎模锻造简称胎模锻，介于自由锻与模锻之间，是在自由锻设备上使用胎模进行锻造的方法。胎模锻一般采用自由锻方法制坯，然后在胎模中最后成形。

胎模一般不固定在锤头或砧板上，操作简单灵活，锻模结构也较简单。所以，胎模锻造适合于中小批量生产，多用在没有模锻设备的中小型工厂中。

三、板料冲压

板料冲压是指利用安装在压力机上的冲模对板料加压，使其产生分离或变形，以获得零件的一种工艺方法。板料冲压通常是在常温下进行的，故又称冷冲压。当板料厚度超过10mm时，才采用热冲压。

冲压基本工序按其性质可分为分离工序和变形工序两大类。

1. 分离工序

分离工序是使板料分离的工序，如切断、冲裁等工序。

（1）切断

切断是将板料沿不封闭的轮廓分离的冲压工序。它是在剪板机上将大板料或带料切断成需要的小板料或条料。

（2）冲裁

冲裁是将板料沿封闭轮廓曲线分离的冲压工序，包括冲孔和落料，如图12-10所示。其中，冲孔是将废料冲落，得到带孔的板料制件；而落料则是将所需制件或坯料冲裁下来，封闭轮廓内的为工件。

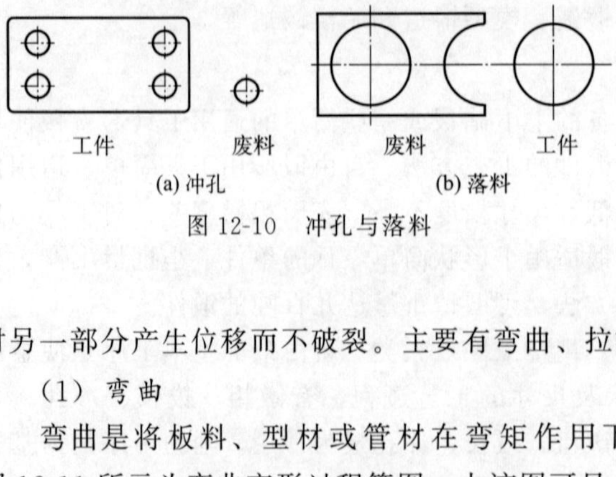

图12-10　冲孔与落料

（3）整修

整修是利用整修模在落料件的外缘或冲孔件内缘刮去一层薄的金属层，以提高冲件尺寸精度，降低表面粗糙度的工序。

2. 变形工序

变形工序则是使板料产生塑性变形以达到所需形状的工序，使坯料的一部分相对另一部分产生位移而不破裂。主要有弯曲、拉深、翻边、缩口等工序。

（1）弯曲

弯曲是将板料、型材或管材在弯矩作用下弯成具有一定圆弧和角度的变形工序。图12-11所示为弯曲变形过程简图，由该图可见，板料放在凹模上，随着凸模的下行，材料发生弯曲，而且弯曲半径会越来越小，直到凸模、凹模、板料三者吻合，弯曲过程结束。弯曲变形只发生在弯曲圆角部分，且其内侧受压应力，外侧受拉应力。内外侧大部分属于塑性变形（含少量的弹性变形）区域，而中心部分为弹性变形区域。

（2）拉深

拉深是将平板坯料变成空心零件的变形工序，也称拉延。如图12-12所示，平直板料在凸模（冲头）的作用下被拉深成为直径为d、高度为h的筒形件。对于要求拉深变形量较大的零件，必须采用多次拉深。

（3）翻边

翻边是用扩孔的方法在带孔件的孔口周围冲出凸缘的一种变形工序。在带孔的平坯料上用扩孔的方法获得凸缘的工序称为内孔翻边，如图12-13所示。内孔翻边是伸长类平面翻边的一种特定形式。

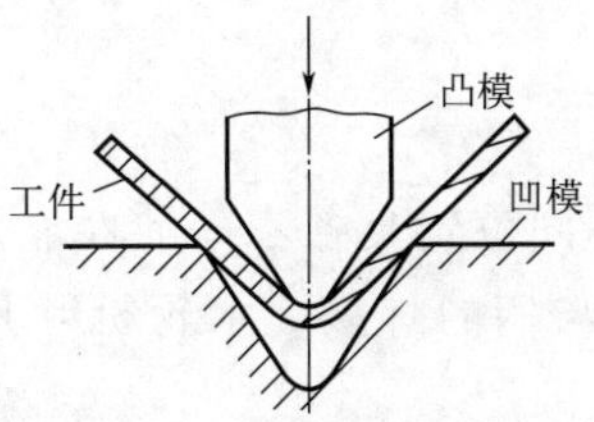

图 12-11　弯曲变形过程简图

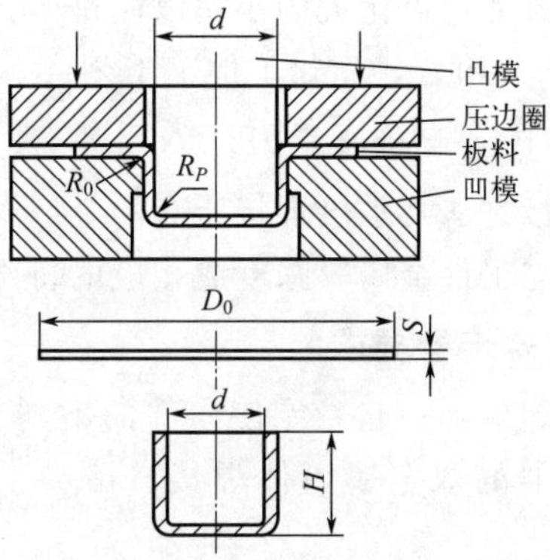

图 12-12　拉深过程图

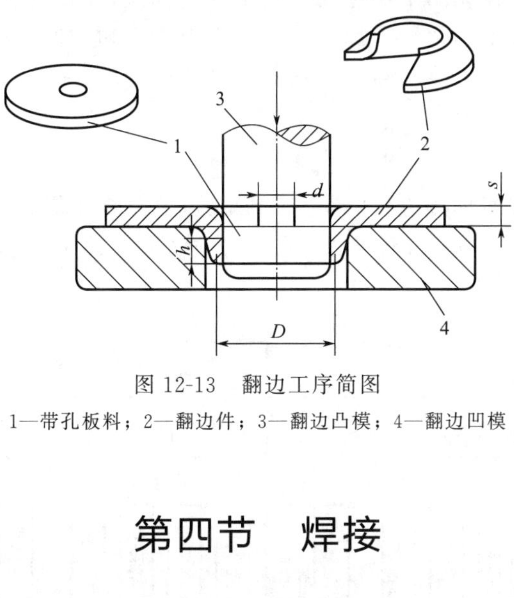

图 12-13　翻边工序简图

1—带孔板料；2—翻边件；3—翻边凸模；4—翻边凹模

第四节　焊接

焊接是一种永久性连接金属材料的工艺方法，其实质是通过加热或加压，依靠金属原子的结合与扩散作用，使分离金属材料牢固地连接起来。

焊接是现代工业生产中用来制造各种金属结构和机械零件的主要工艺方法之一，在许多领域得到了广泛的应用。在现代工业生产中占有十分重要的地位，如舰船的船体、高炉炉壳、建筑构架、锅炉与压力容器、车厢及家用电器、汽车车身的制造都离不开焊接。

焊接可用于制造桥梁、船体、飞机机身、建筑构架、锅炉与压力容器、机床机架与床身以及各种切削工具等，还可用于机件与金属构件的修复。

一、焊接的特点

焊接具有许多其他加工方式不可替代的特点，主要表现在以下几个方面。

1. 节省材料，减轻重量

焊接的金属结构件可比铆接节省 10%～25%的材料，如采用焊接的飞行器结构重量明显减轻，可降低油耗，提高运载能力。

2. 简化复杂零件和大型零件的制造

焊接方法灵活，可化大为小，以简拼繁，加工快，工时少，生产周期短。许多结构都以铸-焊、锻-焊形式组合，简化了加工工艺。

3. 适应性广，连接质量好

多样的焊接方法几乎可焊接所有的金属材料和部分非金属材料，可焊范围较广，而且焊接接头可达到与工件金属等强度或相应的特殊性能。

4. 满足特殊连接要求

不同材料焊接到一起，能使零件的不同部分或不同位置具备不同的性能，达到使用要求。如防腐容器的双金属筒体焊接、钻头工作部分与柄的焊接、水轮机叶片耐磨表面堆焊等。

5. 降低劳动强度，改善劳动条件

尽管如此，焊接加工在应用中仍存在某些不足。例如，不同焊接方法的焊接性有较大差别，焊接接头的组织具有不均匀性；焊接结构易产生应力和变形，接头处会产生裂纹、气孔等焊接缺陷，从而影响焊件的形状与尺寸精度以及使用性能等。

二、焊接的分类

焊接的方法很多，按照焊接过程的特点，焊接可分为熔化焊、压力焊和钎焊三类，每一类又可根据所用热源、保护方式和焊接设备等的不同而进一步分成多种焊接方法，如图 12-14 所示。

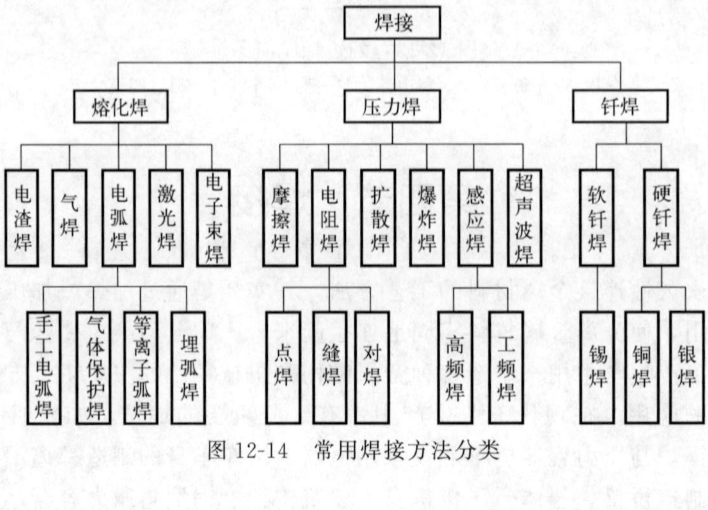

图 12-14　常用焊接方法分类

1. 熔化焊

熔化焊简称熔焊，是利用某种热源，将被焊金属结合处局部加热到熔化状态，并与熔化的焊条金属混合组成熔池，冷却时在自由状态下凝固结晶，使之焊合在一起的一种焊接方法。

2. 压力焊

压力焊简称压焊，是利用加压力（或同时加热），使金属产生一定的塑性变形，实现原子间的接近和相互结合，组成新的晶粒，达到焊接目的的一种焊接方法。

3. 钎焊

钎焊属于另一类焊接方法，其与熔化焊的区别是被焊金属不熔化，只是作为填充金属的钎料熔化，并通过钎料与被焊金属表面间的相互扩散和溶解作用形成焊接接头。

三、焊接接头的组织和性能

按照性质的不同，焊接接头的横截面可以分为焊缝区、热影响区和熔合区三个区域，如图 12-15 所示。

1. 焊缝区

焊缝区是由熔池凝固后在焊件之间形成的结合部分。焊接时，熔池金属受电弧吹力和保护气体吹力，熔池底壁柱状晶体的生长受到干扰，柱状晶体呈倾斜状，晶粒有所细化。同时由于焊接材料的渗合金作用，焊缝金属中锰、硅等合金元素含量可能比母材（即焊件）金属高，焊缝金属的性能可能不低于母材金属的性能。

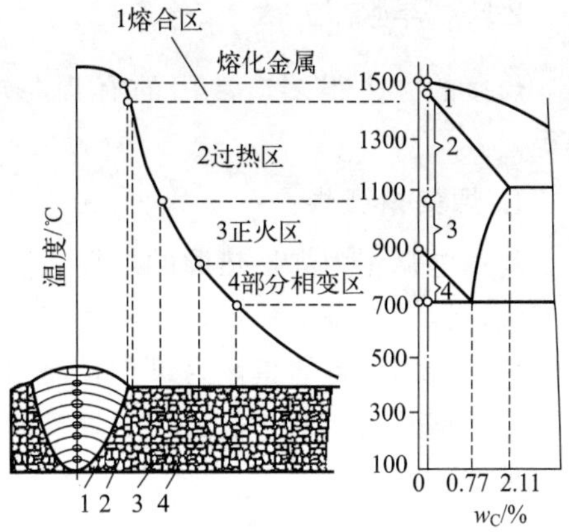

图 12-15　低碳钢焊接接头的组织

2. 热影响区

热影响区是指焊缝两侧金属因焊接热作用而发生组织和性能变化的区域。由于焊缝附近各点受热情况不同，热影响区可分为过热区、正火区、部分相变区和再结晶区。

（1）过热区

过热区是指焊接热影响区中，具有过热组织或晶粒显著粗大的区域。此区的温度为固相线至 1100℃，因加热温度过高，奥氏体晶粒急剧长大，使此区塑性明显下降，尤其是冲击韧度下降 20%～30%，对于易淬硬钢，此区脆性更大，是热影响区中性能最差的部位。

（2）正火区

此区温度在过热温度和 Ac_3 之间，空冷后，金属发生重结晶而使晶粒细化，相当于正火组织，其力学性能优于母材。

（3）部分相变区

此区的温度在 Ac_3 与 Ac_1 之间，珠光体和部分铁素体发生重结晶，转变成细小的奥氏体晶粒。部分铁素体不发生相变，但其晶粒有长大趋势。冷却后晶粒大小不均，因而力学性能比正火区稍差。

（4）再结晶区

此区温度在 Ac_3 至 450℃之间，焊前经过冷变形加工的焊件，由于母材中有晶格畸变及碎晶组织，当加热到该温度时，就会产生回复及再结晶而细化，其力学性能得到提高。对焊前未经冷加工变形的焊件不存在再结晶区。

3. 熔合区

从焊缝到热影响区的过渡区域，称为熔合区。熔合区是焊缝和基本金属的交界区，相当于加热到固相线和液相线之间，焊接过程中母材部分熔化，所以也称半熔化区。熔化的金属凝固成铸态组织，未熔化的金属因加热温度过高而成为过热粗晶。

在低碳钢焊接接头中，熔合区虽然很窄（0.1～1mm），但因强度、塑性和韧性都下降，此处接头断面发生变化，引起应力集中，在很大程度上决定着焊接接头的性能。焊接接头中，熔合区的性能最差。

综上所述，在焊接接头的横截面上，熔合区和过热区是焊接接头中力学性能薄弱的部位，会严重影响焊接接头的质量。因此，应尽可能减小其范围。焊接一般低碳钢构件时，热影响区较窄，危害性较小；对于重要的焊件，焊后要通过热处理（一般用正火处理）来改善热影响区的组织，以改善焊接接头的性能。

四、焊接方法

焊接的方法很多，常用的有焊条电弧焊、埋弧焊、气体保护焊、气焊、电阻焊、钎焊等。

1. 焊条电弧焊

利用电弧作为焊接热源的熔焊方法称为电弧焊。其中，用手工操纵焊条进行焊接的电弧焊方法，称为焊条电弧焊，又称手工电弧焊。焊条电弧焊适用于室内、室外、高空和各种位置施焊，所用设备简单，易维护，使用灵活方便。焊条电弧焊适用于焊接各种碳钢、低合金钢、不锈钢及耐热钢，也适用于焊接高强度钢、铸铁和有色金属，是焊接生产中应用最广泛的一种方法。

（1）焊条电弧焊设备

电弧焊设备是供给焊接电弧燃烧的电源，又称弧焊电源。根据焊接电流性质的不同，分为交流弧焊机和直流弧焊机两大类。

交流弧焊机是一种电弧焊专用的降压变压器，亦称弧焊变压器。弧焊机的输出电压随输出电流的变化而变化。交流弧焊机具有结构简单、噪声小、价廉、轻巧、使用维修方便及效率高等优点；其缺点是电源极性交变，焊条药皮要有稳弧剂，以保护电弧的稳定性。

直流弧焊机的输出端有正、负极之分，焊接时电弧两端的极性不变。因此，直流弧焊机的输出端有两种不同的接线方法。

① 正接。正接时，焊件接弧焊机的正极，焊条接其负极，如图 12-16(a) 所示。正接用于较厚或高熔点金属的焊接。

② 反接。反接时，焊件接弧焊机的负极，焊条接其正极，如图 12-16(b) 所示。反接用于较薄或低熔点金属的焊接。

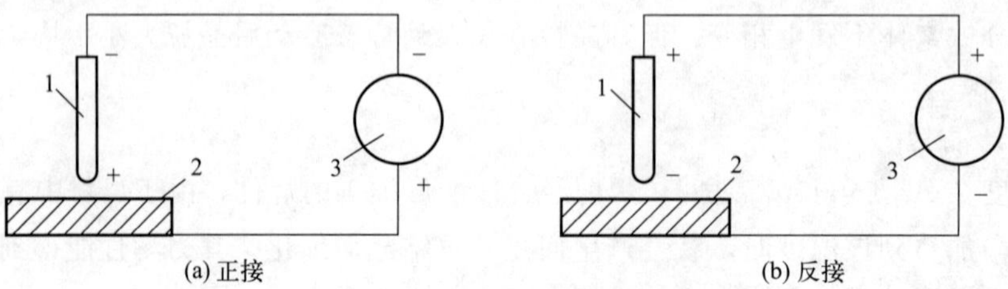

图 12-16 直流弧焊机的不同接线法

1—焊条；2—焊件；3—直流弧焊机

（2）电焊条

电焊条是焊条电弧焊所用的焊接材料，简称焊条。焊条由金属焊芯和药皮两部分组成。

其中，焊芯的作用是：作为电极，起导电作用；作为焊缝的填充金属，与母材一起组成焊缝金属。药皮的作用是：稳弧；产生保护气体，使金属熔滴和熔池与空气隔绝；造渣，保护焊缝；补充合金元素，提高焊缝金属的力学性能。

2. 埋弧焊

埋弧焊是使电弧在较厚的焊剂层（或称熔剂层）下燃烧，利用机械自动控制引弧、焊丝送进、电弧移动和焊缝收尾的一种电弧焊方法。

埋弧焊与焊条电弧焊相比，具有如下特点：

① 采用大电流（比焊条电弧焊高 6～8 倍）且连续送进焊丝，故生产率提高 5～10 倍。

② 由于电弧区被焊剂保护严密，故焊接质量高而且稳定。

③ 由于避免了焊条头的损失，且薄件无须开坡口，故节约了大量的焊接材料。

④ 由于弧光被埋在焊剂层下，焊剂层外看不见弧光，大大减少了烟雾，并且实现了自动焊接，故大大改善了劳动条件。

埋弧焊主要用于成批的、厚度为 6～60mm 的、处于水平位置的长直焊缝或较大直径的环形焊缝。适焊材料为钢、镍基合金、铜合金等，在造船、锅炉、压力容器、桥梁、车辆、工程机械、核电站等工业生产中得到广泛应用。

3. 气体保护焊

气体保护焊全称为气体保护电弧焊，是指用外加气体作为电弧介质并保护电弧和焊接区的电弧焊。常用的气体保护焊有氩弧焊和二氧化碳气体保护焊两种。

（1）氩弧焊

氩弧焊是使用氩气作为保护气体的气体保护焊。按所用电极的不同，氩弧焊可分为熔化极氩弧焊和不熔化极（钨极）氩弧焊两种，如图 12-17 所示。熔化极氩弧焊也称直接电弧法，其焊丝直接作为电极，并在焊接过程中熔化为填充金属；钨极氩弧焊也称间接电弧法，其电极为不熔化的钨极，填充金属由另外的焊丝提供。

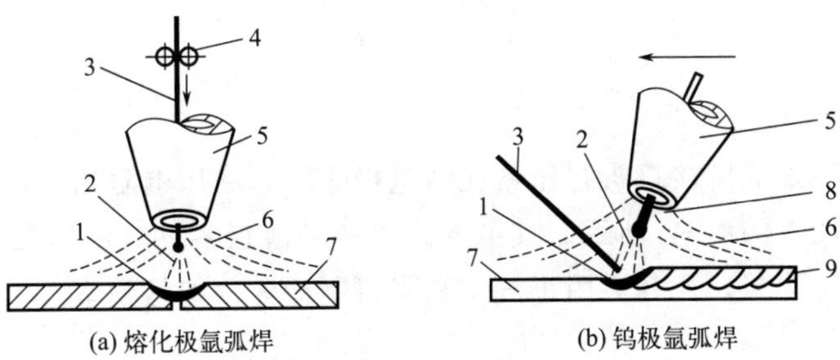

图 12-17　氩弧焊示意图

1—熔池；2—电弧及熔滴；3—焊丝；4—送丝滚轮；5—喷嘴；6—保护气体；7—焊件；8—钨极；9—焊缝

从图 12-17 中可以看出，喷嘴中喷出的氩气在电弧及熔池的周围形成连续封闭的气流，由于氩气是惰性气体，既不溶于液态金属，又不与金属发生化学反应，因而能很有效地保护熔池，获得高质量的焊缝。另外，氩弧焊由于明弧可见，便于操作，故适用于全位置焊接；又由于其表面无熔渣，故表面成形美观。但氩气较贵，焊接成本高。目前氩弧焊主要用于焊接易氧化的非铁金属（如铝、镁、铜、钛及其合金）、高强度钢、不锈钢、耐热钢等。

（2）二氧化碳气体保护焊

二氧化碳气体保护焊是以二氧化碳（CO_2）作为保护气体的电弧焊方法，简称二氧化碳焊。二氧化碳焊的特点类似于氩弧焊，但 CO_2 气体具有来源广、价格低廉的优点，同时也具有易产生熔滴飞溅、氧化性较强的缺点。因此，它主要适用于低碳钢和低合金结构钢薄板件的焊接，不适用于焊接易氧化的非铁金属及其合金。目前，二氧化碳焊已经广泛用于船舶、汽车、农业机械等工业部门。

4. 气焊

气焊是利用可燃气体乙炔（C_2H_2）和氧气（O_2）混合燃烧时所产生的高温火焰使焊件与焊丝局部熔化并填充金属的焊接方法。

与电弧焊相比，气焊具有如下特点：气焊热源温度较低，加热慢，生产率低；热量比较分散，焊接受热范围大，焊后焊件易变形；焊接时火焰对熔池保护性差，焊接质量不高；气焊火焰容易控制，操作简便，灵活性强，不需要电源，可在野外作业等。

气焊适用于焊接厚度在 3mm 以下的低碳钢薄板、高碳钢、铸铁，以及铜、铝等非铁金属及其合金，也可用作焊前预热、焊后缓冷及小型零件热处理的热源。

5. 电阻焊

电阻焊是将工件组合后通过电极施加压力，利用电流通过接头的接触面及邻近区域产生的电阻热进行焊接的方法。按工件接头形式和电极形状不同，电阻焊可分为点焊、缝焊和对焊三种，如图 12-18 所示。

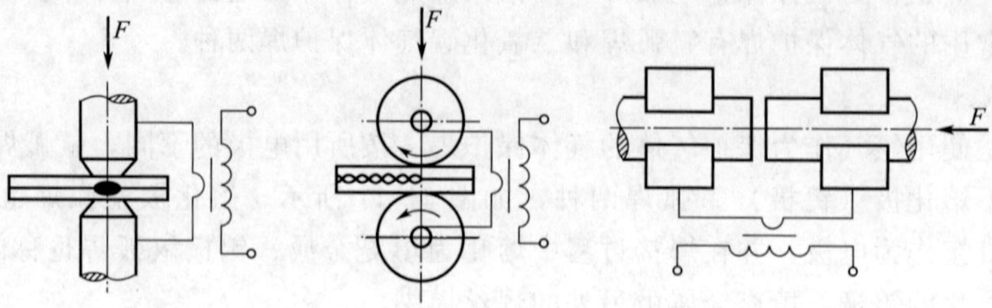

(a) 点焊　(b) 缝焊　(c) 对焊

图 12-18　电阻焊

（1）点焊

点焊是将焊件装配成搭接接头并压紧在两电极之间，利用电阻热熔化母材金属形成焊点的电阻焊方法，如图 12-18(a) 所示。其主要用于各种薄板零件、冲压结构及钢筋构件等无密封性要求的工件的焊接，尤其适用于汽车和飞机制造业，如驾驶室、车厢、蒙皮结构、金属网等。

（2）缝焊

缝焊是用滚轮电极压紧焊件并转动，依靠摩擦力带动焊件向前移动，通过连续或断续的送电，形成许多连续并彼此重叠的焊点，从而完成焊接的方法，如图 12-18(b) 所示。其主要用于有密封要求的薄壁容器（如水箱、油箱）和管道的焊接，焊件厚度一般在 2mm 以下，低碳钢的板厚可达 3mm。

（3）对焊

对焊是利用电阻热使对接接头的焊件在整个接触面上焊合的焊接工艺。按工艺的不同，对焊可分为电阻对焊和闪光对焊两种。

电阻对焊是将焊件装配成对接接头，使其端面紧密接触，利用电阻热加热至塑性状态，然后迅速施加顶锻力而实现焊接的焊接方法。它适用于形状简单、小断面的金属型材的对焊。

闪光对焊是将焊件装配成对接接头，接通电源，并使其端面逐渐移动达到局部接触，利用电阻热加热这些接触点（产生闪光），使端面金属迅速熔化，直至端部在一定深度范围内达到预定温度时，迅速施加顶锻力而实现焊接的焊接方法。闪光对焊接头质量高，焊前焊件清理要求低，适用于受力要求高的重要焊件的焊接。目前，闪光对焊的应用比电阻对焊广泛。

6. 钎焊

根据钎料熔点的不同，钎焊分为硬钎焊和软钎焊两种。

（1）硬钎焊

钎料熔点高于450℃的钎焊称为硬钎焊。常用的钎料有铜基、银基、铝基、镍基等合金。钎剂常用硼砂、硼酸、氯化物、氟化物等。硬钎焊焊接接头强度高，一般在200MPa以上，适用于受力较大、工作温度较高焊件的焊接，如机械零部件、工具和刀具等。

（2）软钎焊

钎料熔点低于450℃的钎焊称为软钎焊。应用最广泛的软钎料是锡基合金，多数软钎料适合的焊接温度为200～400℃，钎剂为松香、松香酒精溶液、氯化锌溶液等，加热方法常用烙铁加热。软钎焊焊接接头强度低，一般在70MPa以下，适用于焊接受力不大、工作温度较低的焊件，如电子元器件、仪器、仪表、导线等。

典型例题解析及习题

一、典型例题解析

（一）判断题

1. 低碳钢或高碳钢为便于进行机械加工，可预先进行球化退火。

【解析】 一般来说，机械加工时，钢材硬度在170～230HBW范围内，切削加工性能比较好。低碳钢的含碳量较低，由铁碳合金相图得知，其硬度较低。为便于进行机械加工，宜用正火提高硬度。

高碳钢的含碳量较高，由铁碳合金相图得知，其硬度较高。为便于进行机械加工，宜用退火降低硬度。若含碳量小于0.77%，宜用完全退火降低硬度；若含碳量大于0.77%，宜用球化退火降低硬度。

因此，此题中的说法：错误。

2. 冲压只能在常温下进行。

【解析】 冲压通常是在常温下进行的，又称冷冲压。但当板料厚度超过10mm时，由于板料较厚，常温下难以产生变形。因此，需将其加热到某一温度，即采用热冲压的方式使其产生变形。

因此，此题中的说法：错误。

3. 二氧化碳气体保护焊不适用于焊接易氧化的非铁金属材料。

【解析】 二氧化碳气体保护焊是以二氧化碳作为保护气体的电弧焊方法。

二氧化碳气体保护焊的二氧化碳气体虽然存在来源广、价格低廉等优点，但也存在易产生熔滴飞溅、氧化性较强等缺点。因此，它主要适用于低碳钢件和低合金结构钢件的焊接，不适用于焊接易氧化的非铁金属及其合金。

因此，此题中的说法：正确。

（二）简答题

1. 说明下列铸件应采用的成形方法。

(1) 军用车辆减速箱箱体。

(2) 军用车辆车身覆盖件。

(3) 军用车辆曲轴。

【解析】 军用车辆减速箱箱体为箱体类零件，其形状一般较为复杂。在使用过程中，减速箱箱体常见的失效形式有产生裂缝以及轴承孔的磨损。因此，减速箱箱体一般要求具有较好的刚度、减振性和密封性，通常情况下受到力的作用很小。故而减速箱箱体常用灰铸铁，采用铸造的成形方法进行制造。铸造后，应进行去应力退火。单件生产时，也可采用焊接的成形方法。

军用车辆车身覆盖件为板料类零件，其形状一般较为复杂。在使用过程中，车身覆盖件常见的失效形式有变形和开裂。因此，车身覆盖件一般要求具有较好的刚度、塑性和尺寸稳定性。故而，车身覆盖件常用低碳钢（如 08 钢、20 钢）通过冲压或焊接的成形方法进行制造。

军用车辆曲轴一般在滑动轴承中工作，要求轴颈部位有较高的硬度及耐磨性。一般要求具有较高的强度，曲轴整体有一定的硬度，且轴颈表面硬度较高，具有一定的断后伸长率和冲击韧性，即要求曲轴的综合力学性能较好。其常见的失效形式是曲轴的过量磨损断裂。故而，常用中碳钢或中碳合金钢采用锻造的成形方法进行制造。对于性能要求不高的曲轴，也可用球墨铸铁，采用铸造的成形方法进行制造。

因此，军用车辆减速箱箱体的成形方法是铸造或焊接，军用车辆车身覆盖件的成形方法是冲压或焊接，军用车辆曲轴的成形方法是锻造或铸造。

2. 常见的锻造方法有哪几种？其中，适合大批量生产中小型锻件的是哪种？适合生产重型、大型锻件的唯一方法是哪种？

【解析】 按锻造加工方式的不同，锻造分为自由锻造、模型锻造和胎模锻造等类型。

自由锻造简称自由锻，是利用自由锻设备的上下砧板或一些简单的通用工具，直接使坯料变形而获得所需的几何形状及内部质量的锻件的工艺方法。自由锻所用工具简单，通用性强，灵活性大，应用广泛，但自由锻生产率低，尺寸精度不高，表面粗糙度差，对工人的操作水平要求高，自动化程度低。因此，自由锻适用于形状简单零件的单件、小批量生产，也是重型机械中生产大型和特大型锻件的唯一方法，可锻造重量达几百吨的锻件。

模型锻造简称模锻，是在模锻设备上利用模具使坯料变形而获得比自由锻质量更高的锻件的锻造方法。与自由锻相比较，模锻具有生产率高、锻件成本低，锻件尺寸精确、表面质量好，可生产形状较复杂的锻件，劳动强度较低等一系列优点。但却存在设备投资大，模具费用高，工艺不够灵活，生产准备周期长等不足。所以，模锻适用于产品定形后，中、小锻件的大批量生产。

胎模锻造简称胎模锻，介于自由锻与模锻之间，是在自由锻设备上使用胎模进行锻造的方法。胎模锻一般采用自由锻方法制坯，然后在胎模中最后成形。胎模一般不固定在锤头或砧板上，操作简单灵活，锻模结构也较简单。所以，胎模锻造适用于中小批量生产，多用在没有模锻设备的中、小型工厂中。

因此，常见的锻造方法有自由锻造（或自由锻）、模型锻造（或模锻）和胎模锻造（或胎模锻）。其中，适合大批量生产中、小型锻件的是模型锻造（或模锻）；适合生产重型、大型锻件的唯一方法是自由锻造（或自由锻）。

（三）分析题

从 20、40Cr、T8、65Mn、T13 五种材料中，为锉刀和弹簧选用合适的材料，写出其最终热处理工艺，并简要说明热处理工艺的选择依据。

【解析】锉刀是钳工常用的一种工具，其主要用于对其他零件进行锉削。锉刀在摩擦条件下工作，其表面刃部要求有高的硬度，柄部要求有一定的硬度。锉刀作为手用工具，通常选用碳素工具钢来制造。而给定的五种材料中，只有 T13 属于碳素工具钢，故选用 T13。

锉刀要求其硬度比被加工零件的硬度高。淬火加低温回火后，室温组织为回火马氏体。其目的主要是降低钢中淬火应力和脆性的同时，保证钢的高硬度（58～64HRC）和高耐磨性。常用于要求表面硬度较高的零件和工具，以及渗碳、氰化后的零件。因此，锉刀需选用淬火加低温回火的热处理工艺，以提高锉刀的硬度，使之易于对其他零件进行锉削加工。

弹簧是一种重要的机械零件，其基本作用是利用材料的弹性和弹簧本身的结构特点。在载荷作用下产生变形时，把机械功或动能转变为形变能；在恢复变形时，把形变能转变为机械功或动能。因此，要求弹簧具有高的弹性极限、高的疲劳强度和一定的冲击韧性等性能，通常选用中碳钢、中碳合金钢（中碳钢中含碳量较高的钢）或高碳钢、高碳合金钢（高碳钢中含碳量较低的钢）。而给定的五种材料中，只有 65Mn 符合要求，故选用 65Mn。

弹簧要求具有高的弹性极限、高的疲劳强度和一定的冲击韧性等性能。而淬火加中温回火后，室温组织为回火屈氏体，其硬度为 35～50HRC。其目的是使零件具有高的弹性、高的疲劳强度和一定的韧性。因此，弹簧需选用淬火加中温回火的热处理工艺。

二、习题

（一）判断题

1. 为减轻金属铸锭、铸件或锻件的化学成分偏析或组织不均匀性，需进行扩散退火。
2. T12 钢消除网状渗碳体的热处理工艺是完全退火。
3. T12 钢的硬度很高，故在切削加工前，应进行完全退火，以降低硬度。
4. 球化退火能使过共析钢组织中的渗碳体完全球化。
5. 加热使 T10 钢完全奥氏体化的热处理工艺是球化退火。
6. 球化退火时，如果钢中网状渗碳体情况严重，需先进行正火处理来消除。
7. 为改善 T13A 钢件的切削加工性能，可采用球化退火热处理工艺。
8. 经冷轧后的 15 钢钢板，要求降低硬度，应采用球化退火热处理工艺。
9. 球化退火适用于亚共析钢。
10. 电缆线在多次拉拔过程中必须进行再结晶退火。
11. 在金属的两次冷变形之间进行再结晶退火，可提高金属的强度。
12. 对于低碳钢来说，正火处理比退火有较好的力学性能。

13. 20 钢锻件，为了便于切削加工，一般预先进行正火处理。

14. 15 钢零件在切削加工前，进行正火处理的目的是适当提高硬度以便于切削加工。

15. 钢件正火后需要立即进行回火。

16. 45 钢的淬火温度一般在 Ac_1 以上 30～50℃。

17. T10 钢的淬火温度一般在 Ac_3 以上。

18. 在选择淬火介质时，碳钢一般是水淬，合金钢则采用油淬。

19. 铜管拉伸后为避免开裂，在冷弯前应进行淬火处理。

20. 回火后钢的力学性能主要取决于回火温度而不是冷却速度。

21. 淬火加高温回火的热处理工艺称为调质。

22. 力学性能要求高的弹簧和刀具的热处理工艺均是淬火后进行中温回火。

23. 制作弹簧的最终热处理工序为调质。

24. 机床主轴要求具有良好的综合力学性能，制造时应选用的热处理工艺是调质。

25. 铸造的本质是金属的塑性成形。

26. 铸造成形可用于制造机床的底座、箱体、泵体及车床的主轴。

27. 发动机缸体的毛坯成形方法一般选择铸造。

28. 金属型铸造适合铸造大型中空件。

29. 金属型铸造由于采用的是金属的铸型，所以适合于高熔点合金（如耐热钢）的生产。

30. 压力铸造可压铸形状复杂的薄壁零件，如军用车辆变速箱壳体。

31. 压力铸造可铸出形状复杂的薄壁有色金属铸件，如军用车辆发动机外壳，它的生产效率高，质量好。

32. 熔模铸造适合各种难加工合金的成形。

33. 熔模铸造主要用于成批、形状复杂、高熔点，以及难加工的合金精密小型铸件的生产，如军用车辆涡轮发动机叶片。

34. 熔模铸造可铸出形状复杂的军用车辆薄壁铸件，如涡轮发动机叶片。

35. 特种铸造方法中，熔模铸造不能实现“一型多铸”。

36. 离心铸造适合铸造大型中空零件。

37. 凡承受重载荷、高转速的重要零件，常需通过锻造的方法制成毛坯。

38. 如果零件采用低碳钢或低合金钢材料，并且对毛坯精度要求较高，大批量生产，可考虑采用模锻加工毛坯。

39. 同样材料的铸件毛坯与锻件毛坯相比较，锻件毛坯力学性能较高。

40. 对碳钢而言，含碳量越高，越容易进行塑性加工。

41. 锻造适合生产形状复杂，尤其是内腔复杂的军用车辆零件毛坯。

42. 塑性是金属的一种固有属性，压力加工过程中它不会发生变化。

43. 自由锻生产中，使坯料横截面积减小，长度增加的工序称为拔长。

44. 模型锻造适用于单件、小批量生产。

45. 板料冲压大多需在热态下进行。

46. 拉伸、弯曲都属于板料冲压的分离工序。

47. 落料和冲孔都属于冲裁，只是两者的工序目的不同。

48. 板料冲压的冲裁工序中，冲孔的成品指的是坯料被冲下部分。

49. 冲孔属于自由锻的基本工序。

50. 军用车辆用仪表、电器的外壳生产主要采用薄板的冲压成形。

51. 焊接是一种不可拆卸的金属连接工艺。

52. 焊接的本质是使被连接件之间形成原子间的结合。

53. 焊接方法按焊接过程的特点可分为熔焊、压焊和钎焊三大类。

54. 厚度为 3mm 的两块 20 钢板连接，为使连接处与基本金属等强度，工业上一般采用熔化焊。

55. 手工电弧焊焊接时，导电是焊芯的作用之一。

56. 熔焊中常用的是手工电弧焊，经济方便适用性强。

57. 电焊条焊芯可以作为填充金属与母材一起组成焊缝金属。

58. 电焊条焊芯的作用只是传递电流。

59. 焊条药皮不仅具有稳弧和保护作用，还可以向焊缝中渗入合金。

60. 二氧化碳气体保护焊适宜焊接低碳钢材料。

61. 要使 45 钢工件具有良好的综合力学性能，通常应采用淬火加中温回火的热处理工艺。

62. 电弧焊是熔化焊中应用最广泛的焊接方法。

63. CO_2 是一种氧化性气体，对焊缝金属有很强的氧化作用，因此，CO_2 不能用作保护性气体。

64. CO_2 气体保护焊电弧热量集中，热影响区较小，且 CO_2 价格便宜，主要适用于焊接低碳钢和低合金结构钢。

65. 工件焊接后不能进行热处理，以免造成过热。

66. 金属材料都可以通过热处理来强化其性能。

67. 热处理之所以能够提高军用汽车零部件如连杆、传动轴等的性能，是因为 Fe 具有同素异构转变特性。

（二）简答题

1. 退火热处理工艺是军用车辆零部件常用的预先热处理方法，说出常用的退火工艺。

2. 什么是正火？请从冷却速度快慢、组织粗细及强度、硬度高低三个方面说明正火和退火的主要区别。

3. 什么是淬火？常见的淬火方法有哪些？

4. 什么是马氏体？淬火得到马氏体后为什么要回火？

5. 什么是回火？请指出 45 钢小轴、T12 钢锉刀、60 钢弹簧三个工件分别适用哪种回火方法。

6. 回火的目的是什么？综合力学性能要求高的车辆连杆零件适用于什么回火方法？

7. 根据所学的热处理知识，回答下列问题。

(1) 什么是钢的热处理？

(2) 根据加热和冷却的方法不同，常用的热处理分为哪两大类？

(3) 通常将淬火与高温回火相结合的热处理工艺称为________处理。

8. 什么是铸造？铸造的特点有哪些？

9. 常用的特种铸造方法有哪几种？

10. 金属型铸造的特点有哪些？其能否制造高熔点的合金铸件及大型铸件？

11. 对于军用车辆零件的毛坯成形而言，常用的塑性加工方法有哪些？

12. 自由锻的特点有哪些？其主要适用于________（单件小批量/大批大量）生产类型。

13. 自由锻的基本工序包括什么？

14. 自由锻的变形工序按作用不同可分为哪三类？板料冲压的基本工序按其性质，可分为哪两大类？

15. 什么是焊接？按照焊接过程的特点可以将常见焊接方法分为哪几类？其中，被焊金属不熔化的焊接方法是什么？既加热又加压的焊接方法是什么？

16. 三种常见的成形方法中，焊接是军用车辆大梁、油箱、车身等零部件常用的成形方法，写出焊接有何特点。

17. 手工电弧焊中，焊条的药皮有什么作用？二氧化碳气体保护焊适宜焊接低、中、高碳钢中的哪种？

18. 写出下列军用装备零件的毛坯成形方法。

（1）航母甲板。

（2）军用车辆连杆。

19. 说明下列铸件应采用的成形方法。

（1）$\phi50$ 的高速钢麻花钻。

（2）台式电风扇底座。

（3）军用汽车铝合金活塞。

（4）大口径（$\phi100$）铸铁水管。

（5）军用汽车喇叭。

拓展知识

金属改性与成形是奠定加工精度的基础，而加工精度则是技术落地的最终体现。大国工匠作为连接技术与精度的核心纽带，以经验和匠心填补技术理论与工程实践的鸿沟。

卫星通信天线是卫星数据链中的主要设备，在天线的制作过程中，制作要求精度误差必须控制在2～3丝（1毫米分成100份，每一份称为1丝），相当于一根发丝的1/3粗细，多了不行，少了也不行。中国电子科技集团（54所）高级技师夏立，就是一位在“丝”的维度上工作的人，更像是一位“在刀尖上跳舞”的工匠。

夏立，1987年进入54所工作，多年来一直坚持天线制造工作。65米射电望远镜、太赫兹小型高精度天线、嫦娥工程、北斗工程、索马里护航船站、国庆阅兵、抗战阅兵、远望系列船、国家地震局应急通信工程、中央电视台上星站……，这些国家级重大项目中，都有夏立及其团队的身影。如今的他带领团队组建了工作室，专攻小型精密天线加工制造研究。

一、主攻“私人定制”：做第一个“吃螃蟹”的人

现在不少工厂都是机械化、自动化，但这个模式在54所“吃不开”，因为他们接单的天线基本都是定制的，而不是标准化产品。

夏立参与了许多国家级重大工程中卫星天线的预研与装配，其中最难的当属上海65米射电望远镜天线的装配。上海65米射电望远镜，性能达到亚洲第一、世界第四。在该任务

中，夏立负责方位、俯仰传动装置的装配任务，该装置是控制天线转动的核心设备，直接决定了 65 米天线的指向精度。当时设计师提出的要求是：终端精度需要达到 0.004 毫米。

这在当时，几乎是不可能完成的任务。可接到任务的夏立，决心做“第一个吃螃蟹的人”。

钢码盘的输出精度要求小于 0.002 毫米，机器研磨反复试验也只能做到 0.02 毫米，精度等级整整差了 10 倍。为了满足精度要求，夏立提出手工研磨，单单为攻克钢码盘这一难关，他研磨了整整三天，最终确保了 65 米天线苛刻的指向精度要求。

二、机载小型通信天线：翻越另一座高山

前进永不止步，新的任务、新的担子又摆在了夏立面前——小型精密天线的制作。其中机载天线，需要更好的动态跟踪特性，以便克服更加恶劣的使用环境。

小型天线的口径小，精度要求高，对装配的要求更加严格，其难点在于对精度的把握。夏立凭着高超的技术又一次实现了突破，在小型天线领域，夏立将天线的控制精度做到 0.015 毫米，这在整个行业内是顶尖的、首屈一指的。

他不仅有过硬的职业技能，还有创新意识。在天线加工技术领域，最难解决的是铜喇叭天线的加工。目前在生产中，这类铜喇叭主要是通过焊接的方式，将各个零件之间的平板面通过模具搭接固定。这种焊接方式使得生产过程中喇叭腔体的各个方向斜度难以保持一致，而且设计加工模具费时费力。为了改变这种局面，更大程度地满足生产指标，夏立创新地提出异型铜喇叭无模具定位焊接工艺，不仅保证了铜喇叭腔体各个方向斜度一致，同时还能省去模具。

多年来，经夏立改造、制作的天线稳定性和可靠性极高，被应用于航空、航海、航天领域，特别是在无人机领域得到了广泛的应用，为国防事业的发展作出了贡献。

三、当好“带头人”：教会徒弟、带好团队才是好师傅

如今的夏立已是 54 所第一届高级技能带头人中的一员，在技能提高的同时，他常会更加深刻地思考自己的价值。

在以夏立命名的创新工作室里，操作台上摆满了各式半成品通信设备，工人师傅就在这里操作。大家形成了一个习惯，每完成一项任务出一个总结报告，拿出来一起讨论，这些报告也成为新同事的学习参考资料。夏立也会将他在工作中遇到的技术难点、要点以及工作心得整理出来，供大家参考，毫无保留。

在夏立眼里，工人师傅们的功劳和贡献与搞科研的博士们不一样，但对于岗位的贡献与忠诚却不分上下。

因此夏立得到了这样的颁奖词：技艺吹影镂尘，擦亮中华翔龙之目；组装妙至毫巅，铺就嫦娥奔月星途。

第十三章
机械制造基础知识

【学习目标】

1. 能够阐述定位、夹紧、安装、六点定位原理等基本概念；
2. 能够分辨完全定位、不完全定位、过定位和欠定位的实际含义；
3. 能够正确理解并熟知六点定位原理的实际应用；
4. 能够运用六点定位原理分析简单工件理论上需限制的自由度。

【学习重难点】

六点定位原理及应用。

第一节　机械制造相关概念

一、主要概念

1. 定位

在机床加工工件时，为了保证工件被加工表面的尺寸、形状和相互位置精度等达到要求，必须使工件在机床或夹具（用来装夹工件和导引刀具的装置，例如三爪卡盘）中占有正确的位置，这一过程称为工件的定位。工件定位是否正确，决定了工件的加工能否达到要求。

2. 夹紧

工件定位后将其固定，使其在加工过程中保持定位位置不变的操作称为夹紧。

3. 安装

从定位到夹紧的全过程称为安装。

4. 六点定位原理

六点定位原理也称为六点定位原则，是指通过合理分布的六个支承点限制工件的六个自由度，使工件在夹具中的位置完全确定的定位原理。

5. 完全定位

工件的六个自由度被六个支承点完全限制的定位方式称为完全定位。

6. 不完全定位

不需要限制的自由度没有被限制的定位方式称为不完全定位。

7. 欠定位

应该限制的自由度没有被限制的定位方式称为欠定位。

8. 过定位

工件的同一个自由度被重复限制称为过定位。

二、补充概念

① 生产过程：由原材料转化为最终产品的一系列相互关联的劳动过程的总和。

② 工艺过程：在生产过程中，直接改变生产对象的形状、尺寸、相对位置和性质等，使其成为成品或半成品的过程。工艺过程包括铸造、锻造、焊接、冲压、机械加工、热处理、表面处理和装配等。

③ 机械加工工艺过程：在工艺过程中，以机械加工方法按一定加工顺序逐步改变毛坯形状、尺寸、表面层性质，直至其成为合格零件的过程。机械加工工艺过程是由按一定顺序排列的一系列工序组成的。毛坯依次通过各道工序，逐渐变成所需要的零件。

④ 工序：指一个或一组工人，在一个工作地（机械设备）对同一个或同时对几个工件所连续完成的工艺过程。工作地、工人、零件和连续作业是构成工序的四个要素，其中任一要素的变更即构成新的工序。每一道工序又可分为若干个安装、工位、工步及走刀。

a. 安装：指工件（或装配单元）经一次装夹后所完成的那一部分工序。

b. 工位：为了完成一定的工序部分，一次装夹工件后，工件（或装配单元）与夹具或设备的可动部分相对刀具或设备的固定部分所占据的位置称为工位。工位是用来区分复杂工序的不同工作位置的。

c. 工步：指一次安装中，在工件的加工表面、切削刀具和切削用量中的转速与进给量不变的情况下所连续完成的那一部分工序。

d. 走刀：在一个工步中，有时所需切去的金属层很厚而不能一次切完，则需分成几次进行切削，这时每次切削就称为走刀。

概念间的相互关系，如图 13-1 所示。

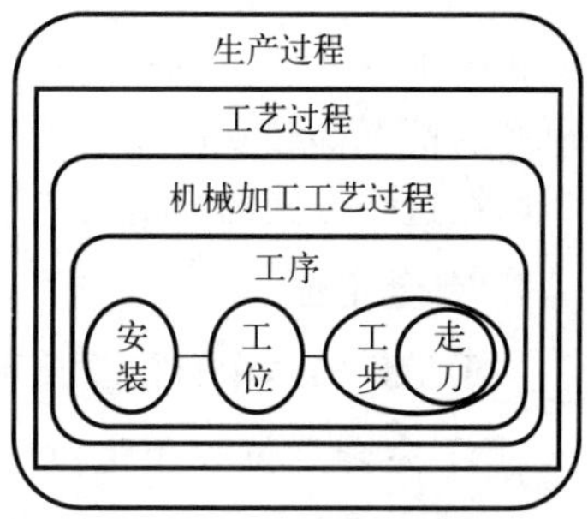

图 13-1　概念间的相互关系

第二节　机械制造主要内容

一、六点定位原理

当工件不受任何条件约束时，其位置是任意的、不确定的。从理论力学中可以知道，一个在空间处于自由状态的刚体，具有六个自由度：沿 X、Y、Z 三个坐标轴的移动自由度和绕这三个坐标轴的转动自由度。工件的定位实质就是用定位元件来阻止工件的移动和转动，从而使工件在加工中具有确定的、正确的位置。通常用合理分布的六个支承点（即定位元件）来限制工件的六个自由度，这就是六点定位原理。如图 13-2 所示，共有六个支承点与定位基面接触：XOY 面上的 1、2、3 三个支承点，限制了工件沿 X、Y 轴的转动和沿 Z 轴的移动；YOZ 面上 4、5 两个支承点，限制了工件沿 X 轴的移动和沿 Z 轴的转动；XOZ 面

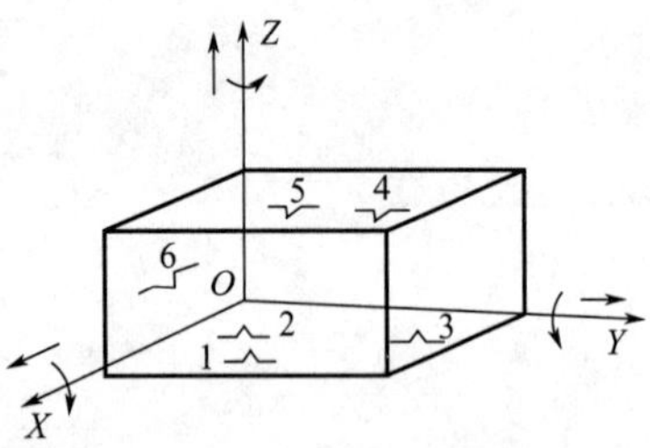

图 13-2　六点定位原理

上一个支承点 6，限制了工件沿 Y 轴的移动。

二、需要注意的问题

① 自由度被限制，是指工件在此方向上有确定的位置。

② 合理分布的含义：1、2、3 点不共线；4、5 点连线不能垂直于 1、2、3 点决定的平面。

③ 限制自由度应理解为：定位支承点与工件定位基准面始终保持紧贴。

④ 定位限制自由度，几“点”定位不能机械地理解成几个接触点。定位支承点是抽象的，具体的定位是通过定位元件来实现的。不同的定位元件可代替一个或者多个支承点，如一个支承钉相当于一个支承点，一个短 V 形块则相当于两个支承点。

⑤ 定位支承点数目原则上不应超过工件自由度数目。

⑥ 定位和夹紧是两个不同的过程，定位是使工件的基准面紧贴在定位元件上，夹紧则是使工件在加工中不离开定位元件。

⑦ 分析定位不考虑夹紧对定位的影响。

⑧ 由于不同工件加工要求不同，在考虑定位方案时只需限制需要限制的自由度即可。

三、限制工件自由度与加工要求的关系

实际工件在加工时需要限制的自由度数目，与该工序的加工精度和要求有密切关系，并非所有的情况都必须限制六个自由度。对空间直角坐标系来说，工件在某个方面有加工要求，则在这个方面的自由度应予以限制。

1. 完全定位

由于工件的六个自由度全部被限制，所以工件在夹具中的位置是唯一的。

2. 不完全定位和欠定位

工件在夹具中定位，六个自由度没有被全部限制，这种情况统称为部分定位。

① 根据加工要求，并不需要限制工件全部自由度，这就是不完全定位。

② 当定位点少于工件应该限制的自由度，使工件不能正确定位时，就是欠定位。欠定位无法保证加工要求，往往会产生废品，因此是绝对不允许存在的。

3. 必须正确处理过定位

工件在夹具中定位时，若几个定位支承点重复限制同一个或几个自由度时，就出现了过定位，过定位也称为重复定位，工件是否允许过定位存在，应根据具体情况而定。如果为了提高工件定位的稳定性和刚度，在一定的条件下允许采用过定位，如加工长度和直径之比大于 25 倍（$L/d>25$）的细长轴时用中心架或跟刀架来支承工件。

工件自由度与加工要求的关系见表 13-1。

表 13-1　自由度与加工要求的关系

定位类型	限制的自由度数目	加工中是否允许
完全定位	六个	允许

续表

定位类型	限制的自由度数目	加工中是否允许
不完全定位	加工要求所需的个数	允许
欠定位	未全部限制加工要求所需的个数	不允许
过定位	重复限制某些自由度	允许，提高局部刚度和稳定性
		不允许，无法安装，会工件变形等

典型例题解析及习题

一、典型例题解析

（一）判断题

工件在定位时，不完全定位在任何情况下都不允许存在。

【解析】不完全定位的概念是不需要限制的自由度没有被限制，换言之就是需要限制的自由度都受到了限制，这种情况是满足加工要求的，所以不完全定位是允许存在的，故此题中的说法错误。

（二）简答题

什么是欠定位？一般情况下，欠定位为什么不允许存在？

【解析】欠定位是指需要限制的自由度没有被限制的定位。显然，这种情况是不能够保证加工要求的。所以，一般情况下，欠定位不允许存在。

（三）分析题

金属切削加工中，为了保证如图 13-3 中所示零件的加工要求，理论上必须限制哪些自由度？

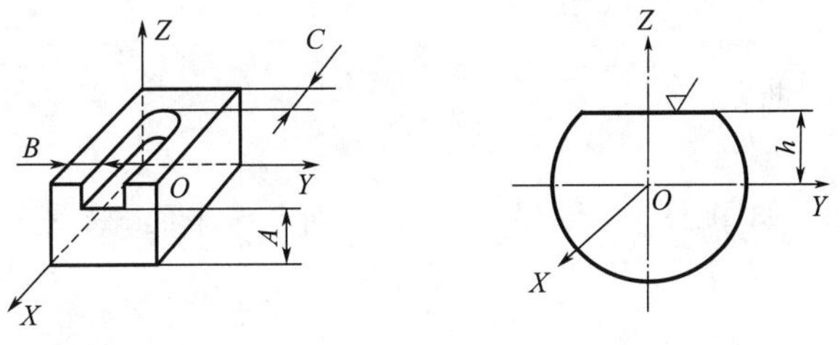

(a) 铣不通槽　　(b) 球体上铣平面

图 13-3　加工零件

【解析】图 13-3(a) 所示铣不通槽时，在 X 轴方向有尺寸 C 的要求，所以需要限制沿 X 轴方向的移动自由度，否则不能够满足加工要求。同理，Y 轴方向有尺寸 B 的要求，Z 轴方向有尺寸 A 的要求，所以沿 Y、Z 轴的移动自由度也需要限制。除此之外，该槽的底面与工件底面、侧面与工件侧面均有平行度的位置精度要求，所以需要限制沿 X 轴和 Y 轴的转动自由度。该槽与工件还有同轴度要求，沿 Z 轴的转动同样需要限制。

需要限制全部六个自由度：$\vec{X}\vec{Y}\vec{Z}\widehat{X}\widehat{Y}\widehat{Z}$。

图 13-3(b) 所示在球体上铣平面时，在 Z 轴方向有尺寸 h 的要求，沿 Z 轴的移动自由度必须限制。其他五个自由度都不会影响加工要求，所以只需要限制一个自由度 $\vec{Z}$。

二、习题

（一）判断题

1. 工件在机床夹具中定位时，必须完全定位才可以满足加工要求。

2. 工件在夹具中定位时，欠定位和不完全定位都是不允许存在的。

3. 采用六个支承钉进行工件定位，不一定限制工件的六个自由度。

4. 在一平板上铣通槽，除沿槽长方向的一个自由度未被限制外，其余自由度均被限制，此定位方式属于不完全定位。

（二）简答题

1. 什么是过定位？过定位是否一定不允许存在？为什么？

2. 什么是六点定位原理？工件在机床上定位时，只要定位元件限制的自由度数不超过六个，就不会出现过定位，对吗？为什么？

（三）分析题

根据六点定位原理，分析工件理论上必须限制哪些自由度？

1. 长方体工件上钻盲孔，如图 13-4 所示。

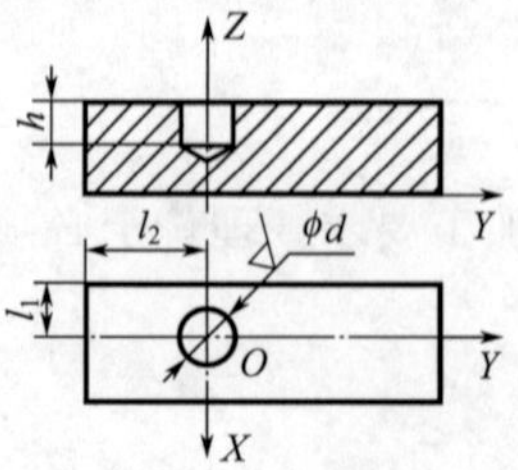

图 13-4　分析题图 1

2. 长方体工件上钻通孔，如图 13-5 所示。

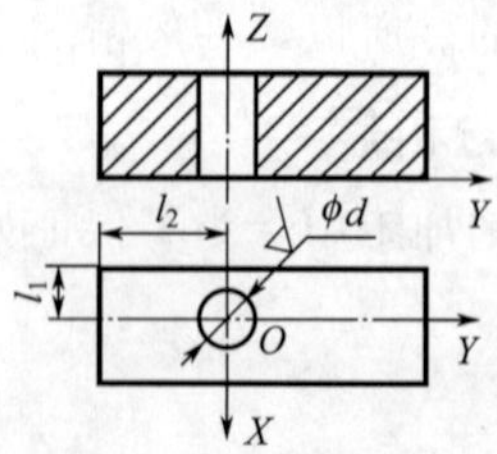

图 13-5　分析题图 2

3. 长方体上铣通槽，如图 13-6 所示。

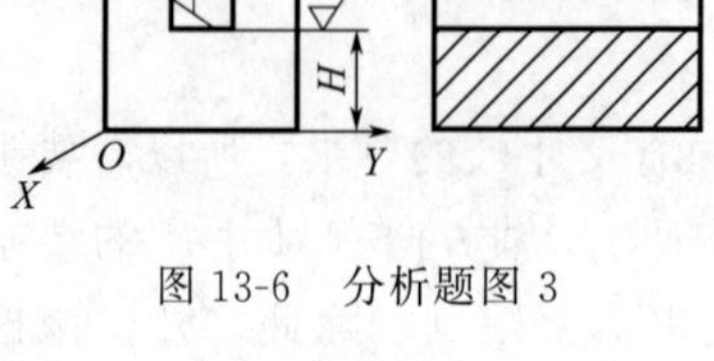

图 13-6　分析题图 3

4. 轴上铣平面，如图 13-7 所示。

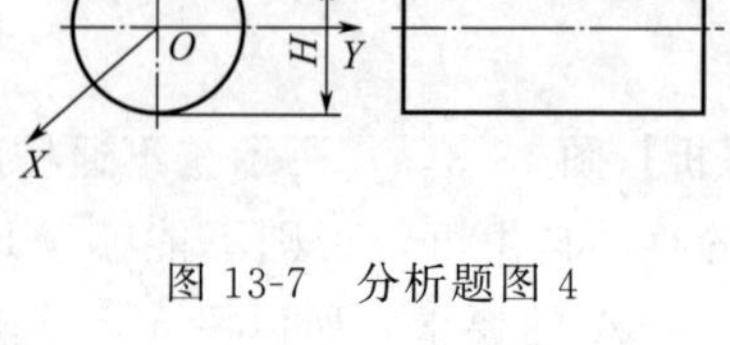

图 13-7　分析题图 4

5. 轴上铣台阶，如图 13-8 所示。

6. 在圆盘上钻通孔，如图 13-9 所示。

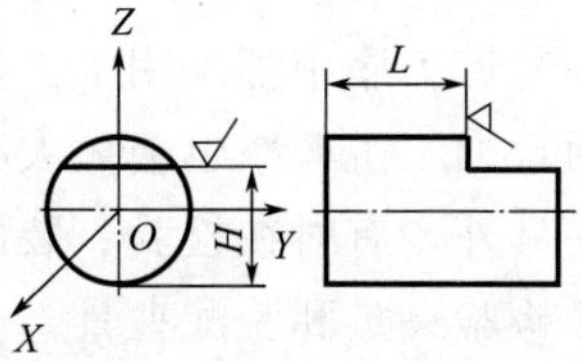

图 13-8　分析题图 5

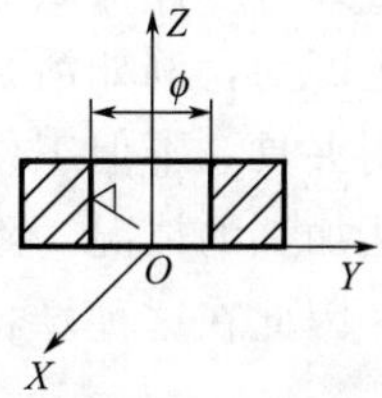

图 13-9　分析题图 6

7. 过球心打一通孔 ϕd，如图 13-10 所示。

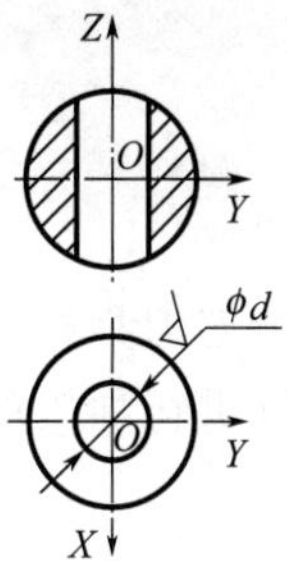

图 13-10　分析题图 7

8. 在长方体上铣平面，如图 13-11 所示。

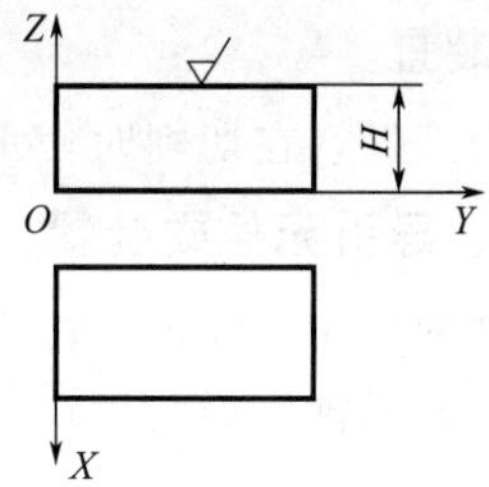

图 13-11　分析题图 8

9. 钻盲孔，如图 13-12 所示。

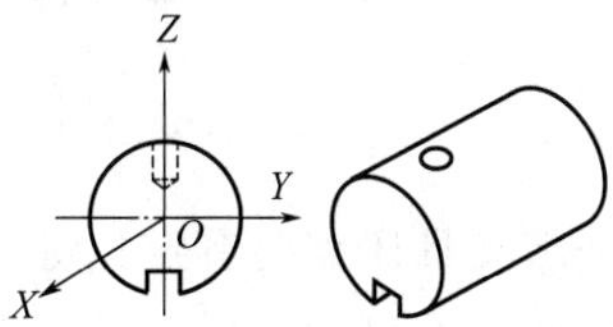

图 13-12　分析题图 9

10. 铣台阶面，如图 13-13 所示。

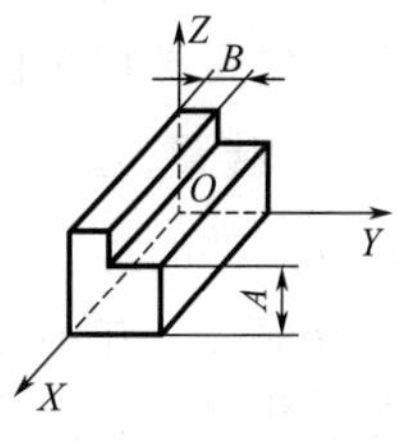

图 13-13　分析题图 10

拓展知识

机械夹具虽看似“配角”，却是机械制造中精度、效率、成本、柔性四大维度的核心载体。它不仅是“制造精度的底线”，更是“制造创新的上限”。

在机床上加工工件时，可以看到两种不同的情况：

① 用划针或指示表等量具，按工件的某一表面，或者按工件表面上所划的线进行找正，使工件在机床上处于所需要的正确位置，然后夹紧工件进行加工；

② 把工件安装于夹具上进行加工。为了在工件的某一部位上加工出符合规定技术要求的表面，一般都按工件的结构形状、加工方法和生产批量的不同，采用各种不同的装置将工件准确、方便且可靠地安装在机床上，然后进行加工。这种用来安装工件以确定工件与切削

刀具的相对位置并将工件夹紧的装置称为机床夹具。

在实际的生产中，例如活塞、连杆的生产线上，几乎每道工序中都采用了夹具。十分明显，如果不采用夹具，不但工件的加工精度难以保证，而且加工生产率也会大大降低，有时甚至会造成无法加工的情况。除了机床加工时需要使用夹具外，有时在检验、装配等工序中也要用到夹具，因此在这种场合中用到的夹具可分别称为检验夹具和装配夹具。

一、机床夹具结构组成

1. 定位元件

它与工件的定位基准相接触，用于确定工件在夹具中的正确位置，从而保证加工时工件相对于刀具和机床加工运动的相对正确位置。

2. 夹紧装置

用于夹紧工件，在切削时使工件在夹具中保持既定位置。

3. 对刀、导引元件或装置

这些元件的作用是保证工件与刀具之间的正确位置。用于确定刀具在加工前正确位置的元件，称为对刀元件，如对刀块。用于确定刀具位置并导引刀具进行加工的元件，称为导引元件。

4. 连接元件

使夹具与机床相连接的元件，保证机床与夹具之间的相互位置关系。

5. 夹具体

用于连接或固定夹具上各元件及装置，使其成为一个整体的基础件。它与机床有关部件进行连接、对定，使夹具相对机床具有确定的位置。

6. 其他元件及装置

有些夹具根据工件的加工要求，需要有分度机构，铣床夹具还需要有定位键等。

以上这些组成部分，并不是对每种机床夹具来说都是缺一不可的，但是任何夹具都必须有定位元件和夹紧装置，它们是保证工件加工精度的关键，目的是使工件定准、夹牢。

二、机床夹具分类

（一）专门化分类

1. 通用夹具

通用夹具是指已经标准化的，在一定范围内可用于加工不同工件的夹具。例如，车床上的三爪卡盘和四爪单动卡盘，铣床上的平口钳、分度头和回转工作台等。这类夹具一般由专业工厂生产，常作为机床附件提供给用户。其特点是适应性广，生产效率低，主要适用于单件、小批量的生产中。

但是，在实际生产中，通用夹具常常不能满足各种零件加工的需要。有时因为生产率低而必须对通用夹具进行适当的改进；有时由于工件的形状、加工的要求等不同，必须专门设计制造一种专用夹具，以解决生产实际的需要。

2. 专用夹具

专用夹具是指专为某一工件的某道工序而专门设计的夹具。其特点是结构紧凑，操作迅速、方便、省力，可以保证较高的加工精度和生产效率，但设计制造周期较长，制造费用也较高。当产品变更时，夹具将由于无法再使用而报废。只适用于产品固定且批量较大的生产。

3. 通用可调夹具和成组夹具

通用可调夹具的特点是夹具的部分元件可以更换，部分装置可以调整，以适应不同零件的加工。用于相似零件的成组加工所用的夹具，称为成组夹具。通用可调夹具与成组夹具相比，适用范围更广。

4. 组合夹具

组合夹具是由一套专门设计制造，便于组装和拆卸的，有各种不同的形状、尺寸规格的，并且有完全互换性和耐磨性的标准元件和合件所组成。利用这些元件和合件，根据加工工件的需要可以组装成车、磨、铣、刨、钻、镗等工序用的各种不同的机床夹具。夹具使用完毕，拆卸方便，可以洗净元件存放起来，留待以后组装新夹具时再用。因此组合夹具是具有高度标准化和系列化元件的新型工艺装备。

5. 随行夹具

随行夹具是一种在自动线上使用的夹具。该夹具既要起到装夹工件的作用，又要与工件成为一体沿着自动线从一个工位移到下一个工位，进行不同工序的加工。

（二）按使用分类

由于各类机床自身工作特点和结构形式各不相同，对所用夹具的结构也相应地提出了不同的要求。按所使用的机床不同，夹具又可分为：车床夹具、铣床夹具、钻床夹具、镗床夹具、磨床夹具、齿轮机床夹具和其他机床夹具等。

1. 车床类夹具

包括车床、内外圆磨床、螺纹磨床用夹具，其特点是夹具与工件一起做旋转运动。

2. 铣床类夹具

包括铣床、刨床、平面磨床等机床用夹具，其特点是夹具固定于工作台上，只做纵向或横向往复运动或回转运动。

3. 钻、镗床类夹具

用于钻床上的钻、扩、铰、镗等工序，其实就是将夹具固定在机床上，刀具通过夹具上的导引装置进行送进运动。

（三）按夹紧分类

根据夹具所采用的夹紧动力源不同，可分为：手动夹具、气动夹具、液压夹具、气液夹具、电动夹具、磁力夹具、真空夹具等。

三、机床夹具的作用

1. 稳定保证工件的加工精度

用夹具装夹工件时，工件相对于刀具及机床的位置精度由夹具保证，不受工人技术水平的影响，使一批工件的加工精度趋于一致。

2. 减少辅助工时，提高劳动生产率

使用夹具装夹工件方便、快速，工件不需要划线找正，可显著地减少辅助工时；工件在夹具中装夹后提高了工件的刚性，可加大切削用量；可使用多件、多工位装夹工件的夹具，并可采用高效夹紧机构，进一步提高劳动生产率。

3. 扩大机床的工艺范围，实现一机多能

使用专用夹具可以改变原机床的用途和扩大机床的使用范围，实现一机多能。例如，在车床或摇臂钻床上安装镗模夹具后，就可以对箱体孔系进行镗削加工；通过专用夹具还可将车床改为拉床使用，以充分发挥通用机床的作用。

4. 保证加工精度

采用夹具安装，可以准确地确定工件与机床、刀具之间的相对位置，工件的位置精度由夹具保证，不受工人技术水平的影响，其加工精度高而且稳定。

5. 降低成本

采用夹具后，产品质量稳定，废品率下降，可以安排技术等级较低的工人，明显地降低了生产成本。

6. 减轻工人的劳动强度

用夹具装夹工件方便、快速，当采用气动、液压等夹紧装置时，可减轻工人的劳动强度。

四、发展前景

夹具最早出现在18世纪后期，随着科学技术的不断进步，夹具已从一种辅助工具发展成为门类齐全的工艺装备。

（一）机床夹具的现状

国际生产工程研究协会的统计表明，小批生产的工件品种已占工件种类总数的85%左右。现代生产要求企业所制造的产品经常更新换代，以适应市场的需求与竞争。然而，一般企业仍习惯于大量采用传统的专用夹具，一般在具有中等生产能力的工厂里，拥有数千甚至近万套专用夹具；另一方面，在多品种生产的企业中，每隔3～4年就要更新50%～80%的专用夹具，而夹具的实际磨损量仅为10%～20%。

数控机床、加工中心、成组技术、柔性制造系统（FMS）等新加工技术的应用，对机床夹具提出了如下新的要求：

① 能迅速且方便地装备新产品的投产，以缩短生产准备周期，降低生产成本；

② 能装夹一组具有相似性特征的工件；

③ 能适用于精密加工的高精度机床夹具；

④ 能适用于各种现代化制造技术的新型机床夹具；

⑤ 采用以液压站等为动力源的高效夹紧装置，以进一步减轻劳动强度和提高劳动生产率；

⑥ 提高机床夹具的标准化程度。

（二）现代机床夹具的发展方向

现代机床夹具的发展方向主要表现为标准化、精密化、高效化和柔性化四个方面。

1. 标准化

机床夹具的标准化与通用化是相互联系的两个方面。我国已有夹具零件及部件的国家标准，以及各类通用夹具、组合夹具标准等。机床夹具的标准化，有利于夹具的商品化生产，有利于缩短生产准备周期，降低生产总成本。

2. 精密化

随着机械产品精度的日益提高，夹具的精度要求势必也会相应提高。精密化夹具的结构类型很多，例如，用于精密分度的多齿盘，其分度精度可达±0.1″；用于精密车削的高精度三爪自定心卡盘，其定心精度为5μm。

3. 高效化

高效化夹具主要用来减少工件加工的基本时间和辅助时间，以提高劳动生产率，减轻工人的劳动强度。常见的高效化夹具有自动化夹具、高速化夹具和具有夹紧力装置的夹具等。例如，在铣床上使用电动虎钳装夹工件，效率可提高5倍左右；在车床上使用高速三爪自定心卡盘，可保证卡爪在转速为9000r/min的条件下仍能牢固地夹紧工件，从而使切削速度大幅度提高。除了在生产流水线、自动线配置相应的高效、自动化夹具外，在数控机床上，尤其在加工中心上，出现了各种自动装夹工件的夹具以及自动更换夹具的装置，充分发挥了数控机床的效率。

4. 柔性化

机床夹具的柔性化与机床的柔性化相似，它是指机床夹具通过调整、组合等方式，以适应工艺可变因素的能力。工艺的可变因素主要有：工序特征、生产批量、工件的形状和尺寸等。具有柔性化特征的新型夹具种类主要有：组合夹具、通用可调夹具、成组夹具、模块化夹具、数控夹具等。为适应现代机械工业多品种、中/小批量生产的需要，扩大夹具的柔性化程度，将专用夹具的不可拆结构变为可拆结构，发展可调夹具结构，将是当前夹具发展的主要方向。

第十四章
机械制造常用方法

【学习目标】

1. 能够阐述外圆、孔、平面等典型表面常用的机械加工方法；
2. 能够辨析车削加工、磨削加工等机加工工艺特点及应用；
3. 知晓零件失效的形式及选材、毛坯选择的基本原则；
4. 能够区分外圆、孔、平面等典型表面常用机械加工方法的适用场合；
5. 能够正确理解并阐述车削和磨削加工的表面类型；
6. 能够利用所学知识进行分析，选择典型零件的材料、热处理方法及毛坯成形方法；
7. 初步具有从工程技术角度分析车辆装备领域简单实际问题的能力。

【学习重难点】

1. 外圆、孔、平面等典型表面常用的机械加工方法；
2. 简单零件的材料、热处理方法及毛坯成形方法的选择；
3. 常用机械加工方法的适用场合判断。

第一节 机械制造方法相关概念

一、主要概念

1. 切削加工

用切削刀具从毛坯上切去多余的金属，以获得具有所需的形状、尺寸精度和表面粗糙度的零件的加工方法称为切削加工。

2. 切削运动

刀具与工件之间的相对运动称为切削运动。

3. 车削加工

在车床上用车刀对工件进行切削加工的过程称为车削加工。

4. 铣削加工

在铣床上用铣刀对工件进行切削加工的过程称为铣削加工。

5. 刨削加工

在刨床上用刨刀对工件进行切削加工的过程称为刨削加工。

6. 磨削加工

在机床上用砂轮作为刀具对工件表面进行加工的过程称为磨削加工。

7. 失效

零件在使用过程中丧失或达不到原来设计效能的现象称为失效。

二、补充概念

1. 主运动

主运动是切除工件上的切削层，使之转变成切屑，以形成工件新表面的运动，是切削运动中速度最高、消耗功率最大的运动。

2. 进给运动

进给运动是使切削层不断投入切削的运动。一般来说，主运动只有一个，进给运动可以有一个、两个或多个。

3. 生产类型

生产类型是指企业（或车间、工段、班组、工作地）生产专业化程度的分类，一般分为大量生产、成批生产和单件生产三种类型。

大量生产是指在机床上长期地进行某种固定的工序。例如汽车、拖拉机、轴承、缝纫机、自行车的制造，通常是以大量生产的方式进行的。

成批生产是在一年中分批地生产相同的零件，生产呈周期性重复。每批相同零件的生产数量，即生产批量的大小要根据具体生产条件来决定。根据产品结构特点、生产纲领和批量等，成批生产又可分为大批、中批和小批生产。大批生产的工艺特征与大量生产相似，而小批生产与单件生产的工艺特征相似。通用机床（一般的车、铣、刨、钻、磨床）的制造往往属于这种生产类型。

单件生产是指单个或少数地生产不同结构、尺寸的产品，很少重复。例如，重型机器、大型船舶制造及新产品试制等常属于这种生产类型。

第二节　机械制造常用的方法

机械制造是机械工程的重要组成部分，具体是指运用机械来从事各种制造的工作，其发展水平是国家工业化程度的重要标志之一。汽车上的零件除极少数采用精密铸造或精密锻造等无屑加工的方法获得以外，绝大多数零件都是靠切削加工来获得。因此如何正确地进行切削加工，对于保证零件质量、提高生产率和降低成本，有着重要的意义。切削加工的形式根据工件的材质不同和产品的要求而有所差别。传统的切削加工方法就是经常听到的机械加工和钳工，而随着机械科技的发展，在机械加工方面，还出现了电镀、线切割、粉末加工等。

汽车零件的形状虽然很多，但分析起来，就是由外圆面、内圆面（孔）、平面等几种典型表面组成的。因此只要能对这几种表面进行加工，就能完成所有汽车零件的加工。

上述各种表面，分别可用相应的机械加工方法来获得，如图 14-1 所示。

一、常用的机械加工方法

1. 车削加工

车削加工的工艺特点主要有以下几点。

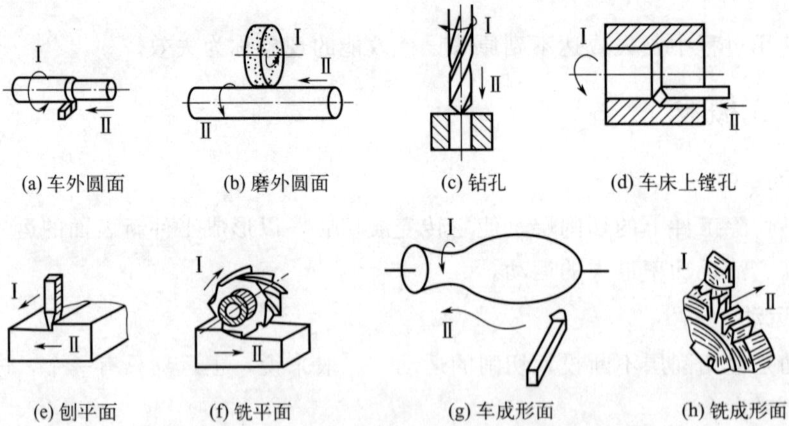

(a) 车外圆面　(b) 磨外圆面　(c) 钻孔　(d) 车床上镗孔

(e) 刨平面　(f) 铣平面　(g) 车成形面　(h) 铣成形面

图 14-1　零件不同表面的机械加工方法

（1）易于保证位置精度

车削加工时，工件绕固定轴线回转，各表面具有相同的回转轴线，因而易于保证加工面间的同轴度要求，工件端面与轴线的垂直度要求则主要由车床本身精度来保证。

（2）切削过程比较平稳，效率高

车削加工是连续切削，切削力变化小，切削过程平稳，有利于采用比较大的切削用量，加工效率高。

（3）成本低

车刀结构简单，易制造，刃磨与装夹较方便。

（4）适应性广

车削加工的工件材料种类多。车削不仅可以加工各种钢件、铸铁、有色金属，还可以加工玻璃钢、尼龙等非金属。特别是一些有色金属的精加工，只能通过车削加工来完成。

车削加工精度一般在 IT13～IT6 之间，表面粗糙度 Ra 在 1.25～1.6μm 之间。进行精细车削加工时，精度可以达到 IT6～IT5，表面粗糙度 Ra 可达 0.1～0.4μm。

车削加工的时候，可以使用车刀、钻头、铰刀、丝锥、滚花刀等刀具加工各种回转表面，如内外圆柱面、内外圆锥面、螺纹、沟槽、端面、回转成形面等，如图 14-2 所示。

2. 铣削加工

铣削加工的工艺特点主要有以下几点。

（1）生产率高

铣刀是典型的多刃刀具，铣削加工时有几个刀刃同时参加工作，总的切削宽度较大。铣削加工的主运动是铣刀的旋转，有利于采用高速铣削，所以铣削加工的生产效率一般比刨削加工高。

（2）刀具振动大

铣刀的刀刃切出时会产生冲击，并引起同时工作的刀刃数的变化，而且，每个刀刃的切削厚度是变化的，这将使切削力发生变化。因此，切削过程不平稳，容易产生振动。

（3）散热条件好

铣刀刀刃间歇切削，可以得到一定的冷却，因而散热条件好。但是，切入和切出时热的变化、力的冲击，将加速刀具的磨损，甚至可能引起硬质合金刀片的碎裂。

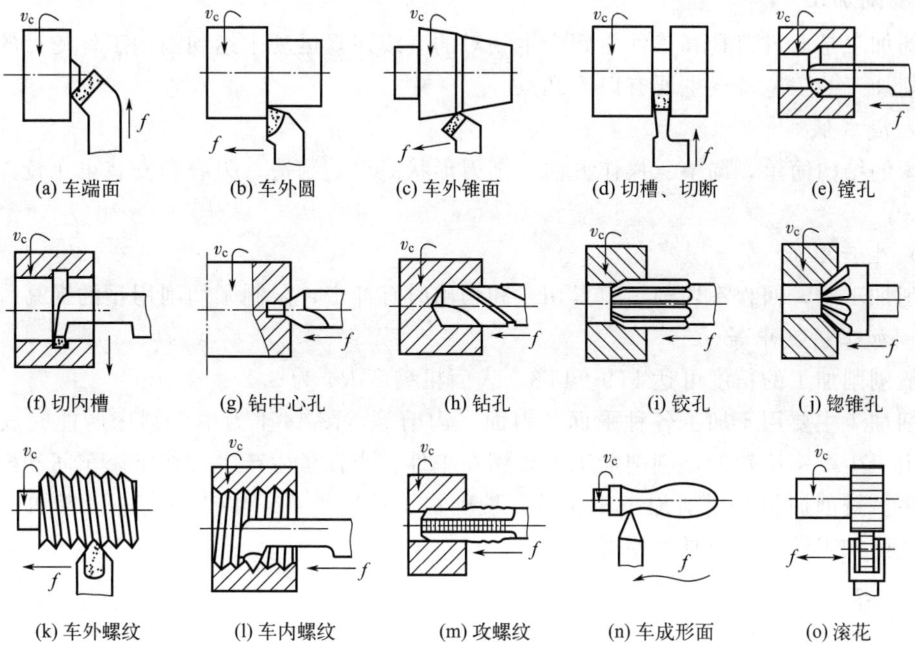

图 14-2　车床的加工范围

(4) 加工成本高

由于铣床的结构比较复杂，铣刀的制造和刃磨比较困难，因此加工成本较高。

(5) 加工范围广

铣削加工的形式有很多种，铣刀的类型更是多种多样，再加上分度头、回转工作台及立铣头等附件的组合应用，铣削加工的范围十分广泛。

图 14-3 为铣削的主要应用。

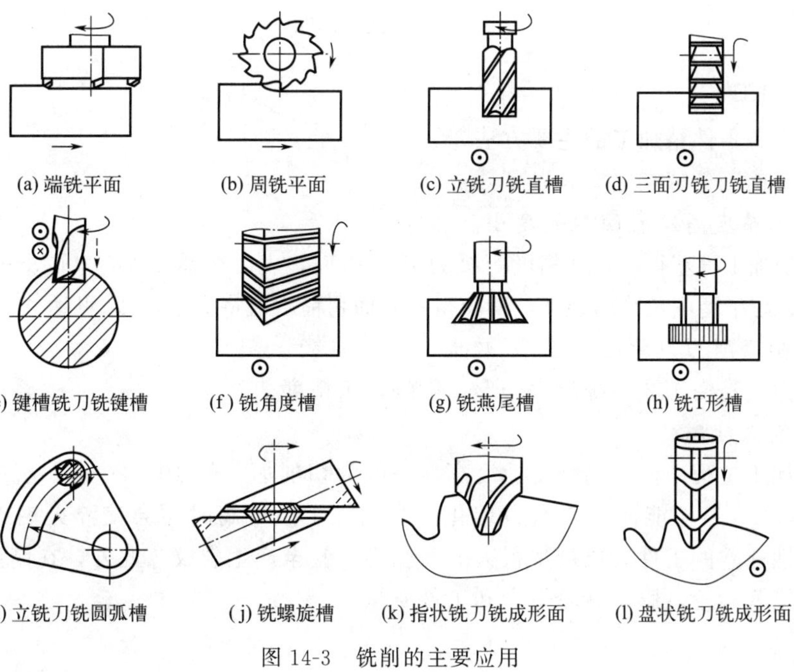

图 14-3　铣削的主要应用

3. 刨削加工

刨削加工是通过刀具和工件之间产生相对的直线往复运动来达到刨削工件的目的。

刨削加工的工艺特点主要有以下几点。

（1）成本低

刨床的结构简单，调整、操作方便；刨刀形状简单，制造、刃磨和安装也比较方便，适应性较好。

（2）生产率低

刨削加工时，回程不切削，刀具切入和切出时有冲击，限制了切削用量的提高。

（3）加工精度中等

一般刨削加工的精度可达 IT9～IT8，表面粗糙度 Ra 为 3.2～1.6μm。

刨削加工主要用于加工各种平面、斜面、沟槽等，图 14-4 为牛头刨床所能完成的部分工作。由于生产率比较低，刨削加工主要用在单件、小批量生产中，在维修车间和模具车间应用较多。铣削加工与刨削加工相比较：铣削加工适应性广、生产率高，二者加工质量相近，但铣削加工设备与刀具费用高。

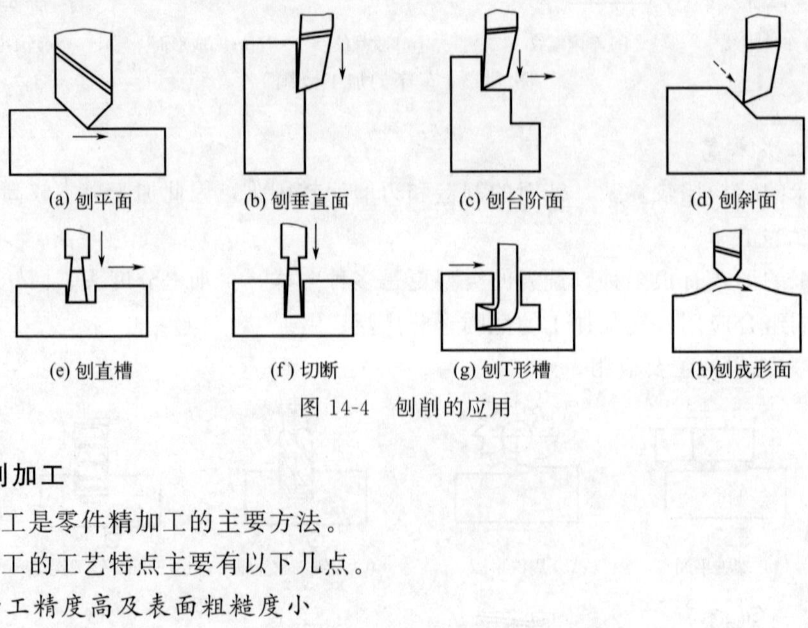

图 14-4　刨削的应用

4. 磨削加工

磨削加工是零件精加工的主要方法。

磨削加工的工艺特点主要有以下几点。

（1）加工精度高及表面粗糙度小

一般磨削加工可获得的尺寸精度等级为 IT6～IT5，表面粗糙度 Ra 为 0.8～0.2μm。若采用精密磨削、超精磨削及镜面磨削，所获得的表面粗糙度值将更小，Ra 可达 0.1～0.006μm。

（2）径向磨削力（背向力 F_p）较大

径向分力大易使工艺系统产生变形，影响加工精度。

（3）磨削温度高

在磨削加工过程中，磨削加工速度高，一般为切削加工的 10～20 倍，磨削区的温度可达 800～1000℃，甚至能使金属微粒熔化。磨削加工温度高时还会使淬火钢工件的表面退火，使导热性能差的工件表层产生很大的磨削力，甚至产生裂纹。此外，在高温下变软的工件材料极易堵塞砂轮，影响砂轮寿命和工件质量。

（4）砂轮有自锐作用

磨削加工过程中，砂轮的自锐作用是其他切削刀具所没有的。一般刀具的切削刃，如果磨钝或者损坏，则切削不能继续进行。但如果砂轮因磨损而变钝，磨粒就会破碎，产生新的较锋利的棱角，或者圆钝的磨粒从砂轮表面脱落，露出一层新鲜锋利的磨粒，继续对工件的磨削加工。

磨削加工用于半精加工和精加工，可以加工的工件材料范围很广，既可以加工铸铁、碳钢、合金钢等一般材料，也能加工高硬度的淬火钢、硬质合金、陶瓷和玻璃等难加工的材料。但是，磨削不宜对塑性较大的有色金属工件进行精加工。

常见的磨削加工方式，如图 14-5 所示。

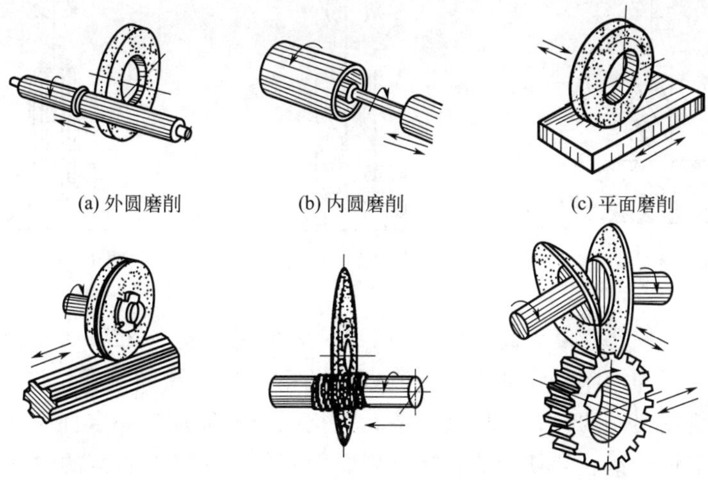

(a) 外圆磨削　(b) 内圆磨削　(c) 平面磨削

(d) 花键磨削　(e) 螺纹磨削　(f) 齿形磨削

图 14-5　常见的磨削加工方式

二、典型表面的常用加工方法

1. 外圆表面的加工

外圆表面是轴类、盘套类零件的主要表面。外圆表面的加工在汽车零件制造过程中占有很重要的地位。对于钢铁零件，外圆表面加工的主要方法是车削和磨削。对于某些精度要求不高，仅要求光亮的表面，可以通过抛光来获得，但是在抛光前要达到较小的表面粗糙度值。对于塑性较大的有色金属零件，由于其精加工不易磨削，常采用精细车削。

2. 内圆表面（孔）的加工

孔是各类机械中常用零件的基本表面。与外圆表面相比，孔加工的工作条件更为不利，刀具的尺寸受到被加工孔尺寸的限制，对刀具刚性的影响很大。对于尺寸和精度都相同的孔和外圆面，孔加工往往需要更多的工步，刀具的消耗量及产生废品的可能性也较大。

（1）钻孔

钻孔是用钻头在零件的实体部位加工出孔，如图 14-6 所示。

钻孔特点有：精度低（IT10 以下），表面粗糙度大（$Ra=50\sim12.5\mu m$），容易产生孔径扩大、轴线歪斜和明显的圆度误差等缺陷，生产率低。

对于精度要求不高的孔，钻孔可以作为最终加工方法，如螺栓孔、润滑油通道等。对于加工精度要求高的孔，钻孔后，还需进行扩孔、铰孔或镗孔。

（2）扩孔

扩孔是用扩孔钻对工件上已有孔的直径进行再扩大的一种加工方法，如图 14-7 所示。

与钻孔相比较，扩孔的精度较高（IT10～IT9），表面粗糙度较低（Ra＝6.3～3.2μm），并可以修正钻孔的轴线歪斜问题，常用于孔的半精加工，也可以作为精度要求不高的孔的最终加工。

（3）铰孔

铰孔是用铰刀对未淬硬工件进行精加工的一种加工方法，如图 14-8 所示。

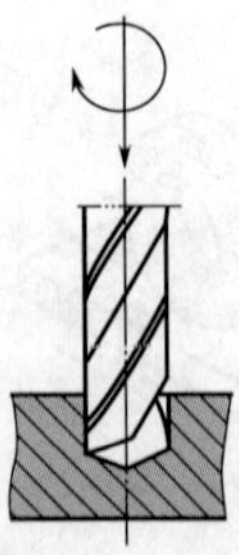

图 14-6　钻孔

图 14-7　扩孔

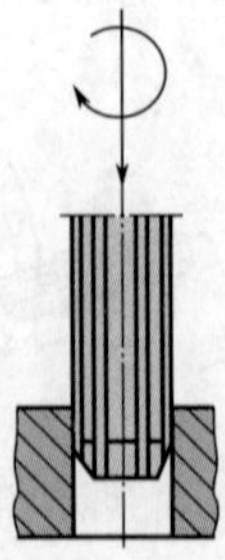

图 14-8　铰孔

与扩孔相比较，铰孔精度较高（IT8～IT6），表面粗糙度小（Ra＝1.6～0.4μm），具有以下特点：由于铰刀和机床是浮动连接，所以铰孔不能提高孔的位置精度；适宜加工小孔、深孔、阶梯孔及断续表面的孔；适应性较差，一把铰刀只能加工一定直径和公差的孔；加工材料较广，适用于加工钢、铸铁和非金属材料，但不能加工硬度很高的材料。

注意：以上三种孔加工所用刀具皆为定尺寸刀具。

（4）镗孔

镗孔是用镗刀对已经钻出、铸出或锻出的孔做一步加工。常见镗孔加工方法，如图 14-9 所示。

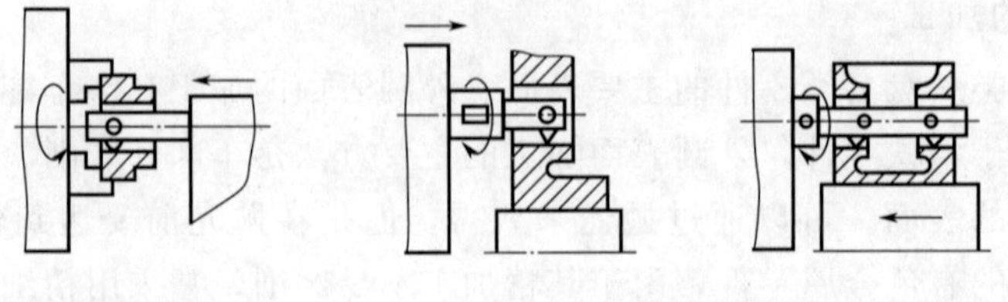

(a) 在车床上镗孔　(b) 在镗床上镗孔

图 14-9　镗孔

镗孔能校正原有孔的轴线歪斜与位置误差。能够保证被加工的孔与其他表面间的相互位置精度。但与铰孔相比较，镗孔生产效率低，且不适宜加工细长的孔径。镗孔适用于单件、小批量生产中复杂的大型工件上的孔系加工。此外，对于直径较大的孔（D＞80mm）、内成形表面、孔内环槽等，镗孔是唯一适合的加工方法。

注意：镗刀是非定尺寸刀具，适应范围广。

（5）磨孔

磨孔精度可达 IT7，Ra＝1.6～0.4μm，如图 14-10 所示。磨孔特点有：非定尺寸刀具，适应范围广；与铰孔相比，磨孔的适应性较广；与外圆磨削比较，内圆磨削的表面粗糙度较大，生产率较低。

磨孔在单件、小批生产中应用很广，特别是对淬硬的孔、盲孔、大直径的孔及断续表面的孔（如花键孔）来说，内圆磨削是主要的精加工方法。

（6）拉孔

拉孔精度可达 IT7，$Ra=0.8\sim0.4\mu m$，如图 14-11 所示。拉孔特点有：加工精度高，表面粗糙度小；生产率高；不能纠正孔的位置误差；对孔的前工序加工要求不高；拉刀的制造及刃磨复杂，成本高。

拉孔适用于大批、大量生产中。

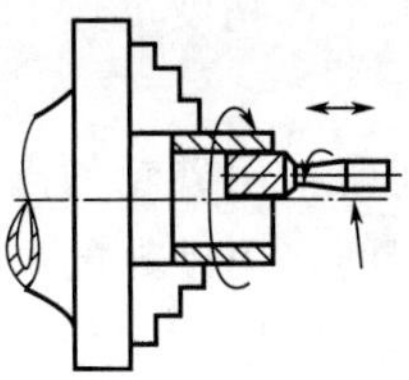

图 14-10　磨孔

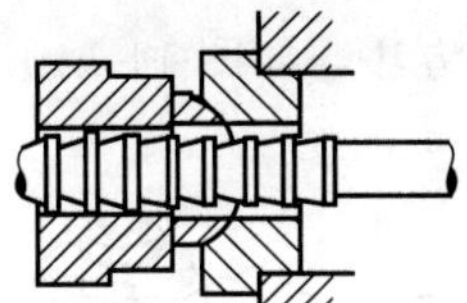

图 14-11　拉孔

（7）研磨孔

研磨孔精度可达 IT7～IT6，$Ra=0.1\sim0.008\mu m$。

（8）珩磨孔

珩磨孔特点有：加工精度高，但不能纠正孔的位置误差；生产率高；适用范围广，可以加工直径大、长度长或难于旋转的大型工件；加工材料较广。

3. 平面的加工

平面是盘形和板形零件的主要表面，也是箱体、支架类零件的主要表面之一。

（1）车平面

主要用于加工轴类和盘套类等零件的端面。

粗车：IT11～IT10，$Ra=12.5\sim6.3\mu m$；

半精车：IT9～IT8，$Ra=6.3\sim3.2\mu m$；

精车：IT7～IT6，$Ra=1.6\sim0.8\mu m$；

细车：IT6 以上，$Ra=0.8\sim0.1\mu m$。

车平面的装夹方法可分为三爪卡盘（盘套类零件）装夹、四爪卡盘（方形零件）装夹、花盘装夹等。

（2）刨平面

平面的刨削加工示意图，如图 14-12 所示。

（3）铣平面

铣平面精度可达 IT9～IT7，$Ra=6.3\sim1.6\mu m$，如图 14-13 所示。

① 端铣：用铣刀端面上的刀齿来铣削工件。

② 周铣：用铣刀圆周上的刀齿切削。

③ 混合铣：同时进行端铣和周铣的铣平面法。

端铣的加工质量比周铣高。端铣的生产率高，周铣的适应性好。

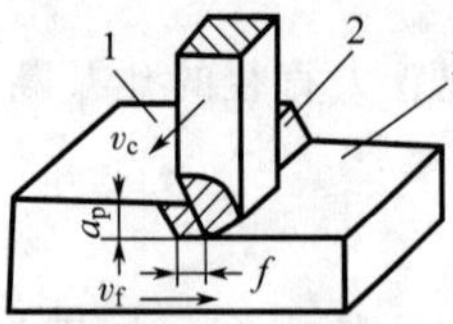

图 14-12　刨削加工

1—待加工表面；2—过渡表面；3—已加工表面

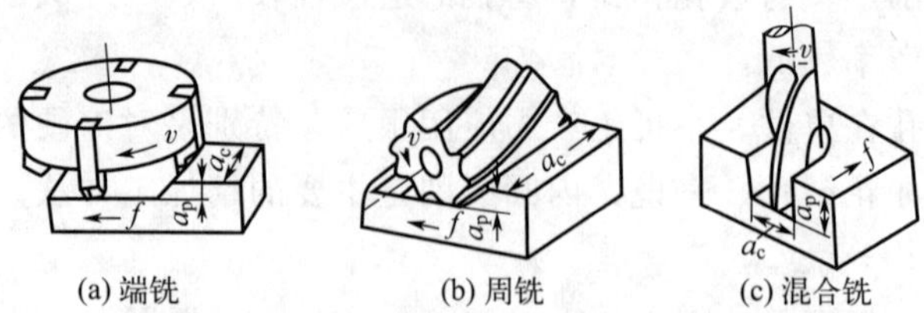

图 14-13　铣削运动

(4) 磨平面

磨平面是用于平面的精加工或带有硬皮的工件的粗加工，精度可达 IT6～IT5，$Ra=0.8$～$0.2\mu m$。平面磨削的方法，如图 14-14 所示。

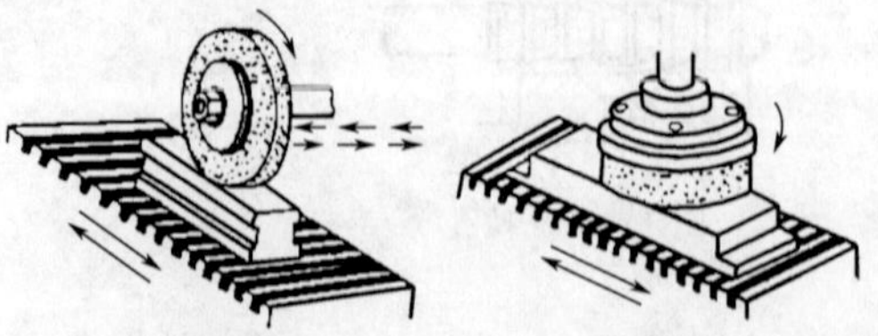

图 14-14　平面磨削方法

① 周磨：用砂轮的圆周进行磨削。

② 端磨：用砂轮的端面进行磨削。

与周磨相比，端磨的结构较简单，系统的刚性好，加工质量和生产率较高，可实现多件磨削。

(5) 拉平面

拉平面生产率很高，加工质量较高，对前工序要求不高；但拉刀制造、刃磨复杂，成本高，适用于大批量生产。

(6) 研磨

研磨精度可达 IT5，$Ra=0.1$～$0.008\mu m$。

(7) 刮研

刮研 $Ra=1.6$～$0.4\mu m$，平面的直线度可达 0.01mm/m，甚至可达 0.005～0.0025mm/m。

三、典型零件材料及毛坯、热处理方法的选择

1. 零件的失效形式

(1) 断裂失效

断裂失效是指零件完全断裂而无法工作造成的失效。常见的断裂形式主要有塑性断裂、疲劳断裂、应力腐蚀断裂、低应力脆性断裂、蠕变断裂。

(2) 过量变形失效

过量变形失效是指零件的变形量超过了允许的范围而造成的失效。常见的变形形式主要有过量的弹性变形、过量的塑性变形和高温蠕变等。

(3) 表面损伤失效

表面损伤失效是指零件在工作中，因机械和化学作用，使其表面损伤而造成的失效。常见的表面损伤失效形式主要有表面磨损失效、表面腐蚀失效和表面疲劳失效。

注意：一个零件的失效可能包含多种形式，可能是相互结合而成的联合失效，但只有一种起决定作用。

2. 零件材料的选择原则

(1) 零件承受载荷的情况

对于承受以拉伸载荷为主的零件宜选用钢材，承受压缩载荷的零件应选用铸铁。脆性的

材料原则上只适用于制造承受静载荷的零件，承受冲击载荷时应选用塑性材料。

（2）零件的工作条件

在腐蚀介质中工作的零件应选用耐腐蚀材料；在高温下工作的零件应选用耐热材料；在湿热环境下工作的零件应选用防锈能力好的材料，如不锈钢、铜合金等。对于零件在工作中可能发生磨损之处，要提高其表面硬度以增强耐磨性，应选择适用于进行表面处理的淬火钢、渗碳钢、氮化钢。

（3）零件的尺寸及质量

考虑用铸造成形毛坯的零件，应选用适合铸造的材料；若考虑用焊接毛坯，则应选用焊接性较好的材料；尺寸小、外形简单、批量大的零件，适用于冲压和模锻，所选用的材料应有较好的塑性。

（4）经济性

选择零件材料时，当用价格低廉的材料能满足使用要求时，就不应选择价格高的材料，这对于大批量制造的零件尤为重要。

3. 零件毛坯的选择原则

（1）零件的生产纲领

大量生产的零件应选择精度和生产率高的毛坯制造方法，用于毛坯制造的昂贵费用可由材料消耗的减少和机械加工费用的降低来补偿。如铸件采用金属型铸造或精密铸造；锻件采用模锻、精锻；单件、小批量生产时应选择精度和生产率较低的毛坯制造方法。

（2）零件材料的工艺性

例如材料为铸铁或青铜等的零件应选择铸造毛坯；钢制零件当形状不复杂，力学性能要求又不太高时，可选择型材；重要的钢制零件，为保证其力学性能，应选择锻造件毛坯。

（3）零件的结构形状和尺寸

形状复杂的毛坯，一般采用铸造方法制造。薄壁零件不宜用砂型铸造。一般用途的阶梯轴，如各段直径相差不大，可选用圆棒料；如各段直径相差较大，为减少材料消耗和机械加工的劳动量，则宜选用锻造毛坯。尺寸大的零件一般选择自由锻造，中小型零件可考虑选择模锻件。

（4）零件现有的生产条件

选择现有设备能够支持的毛坯制造工艺，而且要考虑工厂技术水平，确保毛坯质量。在满足要求的前提下，尽量选择成本较低的毛坯制造方法。

典型例题解析及习题

一、典型例题解析

（一）判断题

1. 加工 $\phi 100$ 的孔，最适宜的机械加工方法是钻孔。

【解析】错误。孔的常用机械加工方法主要有钻孔、扩孔、铰孔、镗孔等。其中钻孔、扩孔、铰孔使用的刀具都是定尺寸刀具，由于受刀具尺寸的限制，无法加工直径较大的孔。

2. 切削运动是指刀具与工件之间的相对运动。

【解析】正确。此题考查的是切削运动的概念。

3. 磨削加工时温度高，容易烧伤工件。

【解析】正确。机械加工过程中，在工件加工区由于切削热会使加工表面温度升高，对于一般的切削加工，切削热大部分被切屑带走，影响不严重。但对磨削加工而言，由于其单位面积上产生的切削热比一般切削加工大数十倍，故工件表面温度可达1000℃左右，必然会引起表面层金相组织的变化，使表面硬度下降，并产生残余拉应力及裂纹，从而使工件的使用寿命大幅降低，这种现象称为磨削烧伤。

4. 磨削适宜加工淬火钢、铸铁及有色金属等材料的工件。

【解析】错误。工程上常用的需要精加工的有色金属一般为铝合金或铜合金，这两种有色金属的塑性和韧性好，硬度较低，在磨削中会填堵砂轮磨粒间的间隙使磨削难以继续进行。

5. 扩孔加工精度低于钻孔加工精度。

【解析】错误。钻孔是在工件的实体部位加工孔，切削阻力非常大，容易引起钻头的摆动，所以钻孔的精度很低。而扩孔是对已钻出或锻出、铸出的孔进行加工，加工余量比钻孔小，切削阻力大大减小，所以扩孔的精度高于钻孔。

6. 镗孔能够提升孔的尺寸精度、减小表面粗糙度，还能够对孔的偏斜进行纠正。

【解析】正确。镗孔一般是单刃切削，吃刀量较小，切削力均匀，轴线精度好。

7. 车削可以加工平面。

【解析】正确。车床上的车削加工可以完成轴类零件端面的切削加工。

（二）简答题

车削的工艺特点是什么？可用来加工有色金属零件吗？

【解析】车削的工艺特点见主要内容。车削可以用来加工有色金属。有色金属的精加工可以利用金刚石高速精车来完成，精度可达IT7～IT5级，表面粗糙度 $Ra=0.04\sim0.01\mu m$，被称为镜面车削。

（三）分析题

分析表14-1中军用车辆零件的工作条件，合理选用下列材料、毛坯成形方法及热处理工艺填入表14-1中。（注：不同零件可选用相同的材料、成形方法及热处理工艺）

材料牌号：20、45、60、T12、20CrMnTi、65Mn、9SiGr、HT300、QT700-2。

毛坯成形方法：铸造、锻造、焊接、拉拔、冲压、轧制。

热处理工艺：正火、去应力退火、中温回火、淬火、调质、不处理。

表14-1 军用车辆零件制造方案1

零件	材料	成形方法	热处理工艺
发动机缸盖			
军用车辆连杆			
军用车辆车厢罩			—

【解析】 发动机缸盖要求材料具有很好的耐热性能和抗负荷能力，而且生产需要兼顾经济性，从给定的材料中综合考虑，HT300 比较适合。灰铸铁适宜的成形方法是铸造，由于一般的热处理工艺对灰铸铁的作用不大，所以在热处理工艺方面可以不做处理，或者进行去应力退火，主要目的是去除毛坯件的应力，防止变形和开裂。

军用车辆连杆连接活塞和曲轴，作用是将活塞的往复运动转变为曲轴的旋转运动，并把作用在活塞上的力传递给曲轴。其在一个很复杂的应力状态下工作，既受交变拉、压应力，又受弯曲应力。连杆的工作环境，既要求连杆具有较高的强度和抗疲劳性能，又要求连杆具有足够的塑性和韧性，综合力学性能要求较高，同时考虑到满足经济性要求的原则，材料选择 45 钢，毛坯选择力学性能较好的锻造成形毛坯，热处理工艺选择淬火加高温回火，即调质。

军用车辆车厢罩是材料经过较大的塑性变形成形的，选择材料主要考虑其塑性是否足够。对于钢铁材料而言，含碳量越低，塑性越好。所列材料中，20 钢含碳量最低，为 0.2%，塑性最好，所以材料的选择为 20 钢，成形方法为冲压或者焊接成形。

综上所述，此三件军用车辆零件制造方案见表 14-2。

表 14-2　军用车辆零件制造方案 2

零件	材料	成形方法	热处理工艺
发动机缸盖	HT300	铸造	不处理或去应力退火
军用车辆连杆	45	锻造	调质
军用车辆车厢罩	20	冲压或焊接	—

二、习题

（一）判断题

1. 孔的常用切削加工方法中，镗孔和磨孔都能够纠正轴线偏斜。
2. 钻、扩、铰孔的加工精度依次降低。
3. 镗削是箱体类零件孔系加工的主要方法。
4. 机械加工方法中，刨削比铣削的生产率高。
5. 磨削既可以加工淬硬表面，又可以加工未淬硬表面。

（二）简答题

1. 写出卧式车床所能加工的典型表面。
2. 平面的加工方法有哪些？
3. 外圆表面的加工方法有哪些？
4. 内圆表面的加工方法有哪些？

（三）分析题

1. 从 20、40Cr、T8、65Mn、T13 五种材料中，为锉刀和弹簧选用合适的材料，写出其最终热处理工艺，并简要说明热处理工艺的选择依据，填入表 14-3 中。

2. 分析下列军用车辆零件的工作条件，合理选用下列材料、毛坯成形方法及热处理工艺填入表 14-4 中。（注：不同零件可选用相同的材料、成形方法及热处理工艺）

材料牌号：20、45、T12、20CrMnTi、65Mn、HT300、QT500-7。

表 14-3　锉刀及弹簧制造方案

名称	材料	热处理工艺	热处理工艺选择依据
锉刀			
弹簧			

毛坯成形方法：铸造、锻造、焊接、拉拔、冲压、轧制。

热处理工艺：正火、低温回火、去应力退火、中温回火、淬火、调质。

表 14-4　军用车辆零件制造方案 3

零件	材料	成形方法	热处理工艺
连杆螺栓			
气缸体			
驾驶室			—

拓展知识

随着现代科学技术的高速发展，出现了一批传统制造技术难以完成的新任务，如具有高硬度、高强度、高韧性的难加工材料的加工，具有复杂曲面的特殊形状零件（如潜艇螺旋桨叶片、火箭发动机喷射器、飞行控制陀螺仪、汽车发动机盘轴类零件等）的加工。而现代制造技术正是在传统制造技术的基础上，随着计算机科学、信息科学，尤其是计算机网络技术的发展，为解决艰难任务而建立的新制造模式。

一、电子束打孔

实际加工中，如飞机机翼吸附屏的孔、喷气发动机套上的冷却孔数量巨大（高达数百万），且孔径微小，连续分布且孔径也有变化，非常适合电子束打孔。电子束可以在塑料和人造革上打许多微孔，令其像真皮一样具有透气性。而一些合成纤维为了增加透气性和弹性，其喷丝头上的孔往往制成异形孔，利用脉冲电子束对图形扫描制出。电子束还可凭借偏转磁场的变化使电子束在工件内偏转方向加工出弯曲的孔。

电子束可以完成不锈钢、耐热钢、宝石、陶瓷、玻璃等各种材料上的小孔、深孔加工。最小加工直径可达0.003mm，最大深径比可达10。

二、离子刻蚀

当所带能量为0.1～5keV[1]、直径为十分之几纳米的氩离子轰击工件表面，此高能离子所传递的能量超过工件表面原子（或分子）间键合力时，材料表面的原子（或分子）会被逐个溅射出来，以达到加工目的。这种加工本质上属于一种原子尺度的切削加工，通常又称为离子铣削。离子刻蚀可用于加工空气轴承的沟槽、打孔、加工极薄材料及超高精度非球面透镜，还可用于刻蚀集成电路等高精度图形。

[1] eV是电子伏特的缩写，为能量单位，1eV＝1.602×10^{-19}J。

三、高压水射流加工

高压水射流加工作为一项新技术在某种意义上讲是切割领域的一次革命，有着十分广阔的应用前景，随着技术的成熟，高压水射流加工对其他切割工艺来说是一种完美补充。目前其用途和优势主要体现在难加工材料方面，如陶瓷、硬质合金、高速钢、模具钢、淬火钢、白口铸铁、钨钼钴合金、耐热合金、钛合金、耐蚀合金、复合材料、锻烧陶瓷、不锈钢、高锰钢、可锻铸铁等工程材料的加工。高压水射流除切割外，稍降低压力或增大靶距和流量还可以用于清洗、破碎、表面毛化和强化处理。目前已在以下行业获得了成功应用：军工汽车制造与修理、航空航天、机械加工、国防、兵器、电子电力、石油、采矿、轻工、建筑建材、核工业、化工、船舶、食品、医疗、林业、农业、市政工程等。

四、激光焊接

激光焊接是以聚集的激光束作为能源的特种熔化焊接方法。焊接用的激光器有 YAG 激光器（掺钕钇铝石榴石激光器）和 CO_2 气体激光器，此外还有 CO 激光器、半导体激光器和准分子激光器等。激光器利用原子受激辐射的原理，使物质受激而产生波长均一、方向一致和强度非常高的光束。经聚焦后，激光束的能量更为集中，能量密度可达 $10^5 \sim 10^7 W/cm^2$。如将焦点调节到焊件结合处，光能可以迅速转换成热能，使金属瞬间熔化，冷却凝固后成为焊缝。

五、3D 打印技术

3D 打印技术可以大大缩短武器装备研发周期。随着 3D 打印技术在军事领域的广泛应用，该技术正被大量用于武器装备研发。有关专家称，二十世纪八九十年代，各国军队要花多年时间，才能研发出新一代的战斗机。比如美国 F-15 的研发花了 6 年，F-22 的研发则花了 16 年；苏联苏-27 的研发花了 10 年，苏-30 的研发也花了 6 年。如果借助 3D 打印技术及其他信息技术，最少只需 3 年的时间就能研制出一款新战斗机。如今，3D 打印技术正计划被用于各种武器装备，如水面舰艇、潜艇和战机的设计制造。

除了能够提升武器装备的研发速度外，3D 打印技术还能大幅降低武器装备的造价成本。传统的武器装备生产主要是做“减”法。原材料通过切割、磨削、腐蚀、熔融等工序，除去多余部分形成零部件，然后被拼装、焊接成产品。这一过程中，将有 90% 的原材料被浪费掉。美国 F-22 战机中尺寸最大的 Ti6Al4V 钛合金整体加强框，所需毛坯模锻件重达 2796kg，而实际成形零件重量不足 144kg，材料的利用率仅为 4.90%。

在未来信息化战场上，维修受损武器将变得十分轻松。技术保障人员可随时启动携带的 3D 打印机，直接把所需的部件一个个打印出来，装配起来，让武器重新投入战场。有了这种“克隆”武器的“移动兵工厂”，战时可快速补充作战消耗。

如今，中国已具备了使用激光成形超过 $12m^2$ 的复杂钛合金构件的技术和能力，成为当今世界上唯一掌握激光成形钛合金大型主承力构件制造及应用的国家。在解决了材料变形和缺陷控制的难题后，中国生产的钛合金结构部件迅速成为中国航空力量的一项独特优势，中国先进战机上的钛合金构件所占比例已超过 20%。

参考文献

［1］ 贾振元，王福吉，董海．机械制造技术基础［M］.2 版．北京：科学出版社，2019.

［2］ 邢中文，张学仁，韩秀琴．金属工艺学［M］.4 版．哈尔滨：哈尔滨工业大学出版社，2022.

［3］ 丁江民．机械制造技术基础习题集［M］. 北京：机械工业出版社，2020.

［4］ 王槐德．机械制图新旧标准代换教程［M］. 北京：中国标准出版社，2017.

［5］ 胡建生．机械制图［M］. 北京：机械工业出版社，2019.

［6］ 闻邦椿．机械设计手册：第 1 卷［M］. 北京：机械工业出版社，2018.

［7］ 闻邦椿．机械设计手册：第 2 卷［M］. 北京：机械工业出版社，2018.

［8］ 温秉权．机械制造基础［M］. 北京：北京理工大学出版社，2017.

［9］ 张丽杰，王晓燕．机械工程基础入门［M］. 北京：化学工业出版社，2022.

［10］ 张丽杰，李立华，孙爱丽．机械设计原理与技术方法［M］. 北京：化学工业出版社，2020.